D1270738

Terugkeer ongewenst

Van dezelfde auteur

Het lot van de familie Meijer
De verborgen geschiedenis van Courtillon

Charles Lewinsky

Terugkeer ongewenst

Vertaald door Elly Schippers

2012

Oorspronkelijke titel: Gerron
Vertaald uit het Duits door Elly Schippers

Omslagontwerp: Wil Immink Design
Omslagbeeld: Getty Images
Foto auteur: Reyer Boxem
Typografie: Pre Press Media Groep, Zeist
Druk- en bindwerk: Drukkerij Wilco, Amersfoort

ISBN 978 90 5672 410 8
NUR 302

Dit boek is gedrukt op papier dat het keurmerk van de Forest Stewardship Council (FSC®) mag dragen. Bij dit papier is het zeker dat de productie niet tot bosvernietiging heeft geleid. Een flink deel van de grondstof is afkomstig uit bossen en plantages die worden beheerd volgens de regels van FSC. Van het andere deel van de grondstof is vastgesteld dat hiervoor geen houtkap in de laatste resten waardevol bos heeft plaatsgevonden. Daarom mag dit papier het FSC Mix label dragen. Voor dit boek is het FSC-gecertificeerde Munkenprint gebruikt. Dit papier is 100% chloor- en zwavelvrij gebleekt en wordt geleverd door Arctic Paper Munkedals AB, Zweden.

Voor de beste lezeres
die een auteur zich kan wensen:
mijn dochter Tamar

Hij was aardig tegen me en dat maakt me bang. Hij schreeuwde niet, wat normaal geweest zou zijn, maar hij praatte beleefd. Op een toon alsof hij me met u aansprak.

Hij sprak me niet met u aan, dat zou niet bij hem opgekomen zijn, maar hij kende mijn naam. 'Zeg, Gerron,' zei hij tegen me en niet: 'Zeg, Jood.'

Het is gevaarlijk wanneer een man als Rahm je naam kent.

'Zeg, Gerron,' zei hij, 'ik heb een opdracht voor je. Je moet een film voor me maken.'

Een film.

Hij wil iets persoonlijks, dacht ik eerst, een film over zichzelf. De liefhebbende vader Karl Rahm met zijn drie kinderen. Meneer de *Obersturmführer* vermomd als mens. Zoiets. Wat hij aan zijn gezin in Klosterneuburg kan sturen.

Ja, we weten hoeveel kinderen hij heeft. We weten waar hij vandaan komt. We weten alles over hem. Zoals arme zondaars alles over God weten. Of over de duivel.

De Ufa, dat heeft Otto me verteld, maakt elk jaar een film ter ere van Joseph Goebbels. Altijd voor zijn verjaardag. Ze sturen hem een van hun sterren, Heinz Rühmann bijvoorbeeld, die doet dan iets schattigs met de kinderen Goebbels, en zo proberen ze bij de minister van Propaganda in een goed blaadje te komen.

Zoiets, dacht ik, wil Rahm nu ook. Dat zou geen probleem geweest zijn. Niet in mijn situatie.

Maar Rahm denkt grootser. Meneer de Obersturmführer heeft andere plannen.

'Luister, Gerron,' zei hij. 'Ik heb een keer een film van je gezien. Ik weet niet meer hoe hij heette, maar ik vond hem goed. Jij kunt iets. Dat is het mooie van Theresienstadt: hier zijn een hoop mensen die iets kunnen. Jullie spelen tenslotte ook toneel en zo. En nu wil ik dus een film.'

Toen vertelde hij me wat voor film het moet worden.

Ik schrok. Het moet aan me te zien geweest zijn, maar hij reageerde niet. Omdat hij mijn schrik verwachtte. Of omdat hij zich er niets van aantrok. Ik kan uit zulke gezichten niets opmaken.

'We hebben al eens eerder een poging in die richting gedaan,' zei hij, 'maar die is mislukt. Ik was heel ontevreden. De mensen die dat verprutst hebben, zijn hier niet meer.'

Er gaat altijd een volgende trein naar Auschwitz.

'Nu is het jouw beurt,' zei Rahm. Nog steeds vriendelijk. Zijn stem nog steeds vriendelijk. 'Als wij tweeën geluk hebben, komt er deze keer iets goeds uit de bus. Nietwaar, Gerron?'

'Daar moet ik over nadenken,' zei ik. Tegen Rahm. Eppstein, die als hoofd van de Raad van Oudsten ook was ontboden, hield geschrokken zijn adem in. Een Jood hoort niet tegen te spreken. Niet als de kampcommandant iets verlangt. De SS'er die me had gebracht, maakte zich al op om me af te ranselen. Ik kon zijn hand niet zien, ik voelde alleen de beweging. Als je in de houding staat, draai je je niet om. Niet in het kantoor van de kampcommandant. De klap was al onderweg, maar Rahm maakte een afwijzend gebaar.

'Hij is kunstenaar,' zei hij, terwijl hij nog steeds zijn vriendelijke oom Rahm-gezicht zette. 'Hij heeft inspiratie nodig. Dat is in orde, Gerron,' zei hij. 'Ik geef je drie dagen. Om na te denken. Want de film moet een succes worden. Ik wil niet nog eens ontevreden over iemand hoeven zijn. Drie dagen, Gerron.'

Mijn afranseling heb ik toch nog gekregen. Voor de deur van Rahms kantoor. De SS'er sloeg me in mijn gezicht, zoals ze meestal doen. Maar niet uit alle macht. Ze hebben me nog nodig.

Als je al zou weten hoe het afloopt, zou je er dan toch aan willen beginnen? Zou je niet liever je navelstreng om je hals draaien om gewurgd te zijn voordat je naar buiten komt? Zou je geen manier zoeken om niet eens aan de start te hoeven verschijnen van een race die je toch al hebt verloren?

Ze hebben me verteld over een kind dat, nog voor mijn tijd, in de trein van Amsterdam naar Westerbork werd geboren en voor wie Gemmeker de beste kinderartsen uit de stad liet komen. En een kraamverpleegster die al eens de luiers van een echte kroonprinses had verschoond. Maar de moeder vertrok nog op de dag van haar aankomst naar het oosten. Ze had met die brutale bevalling de getallen op de transportlijsten in de war gebracht en mocht ter compensatie een andere lijst volmaken.

In Westerbork heerst een andere waanzin dan hier in Theresienstadt. Maar ook daar zit systeem in. Om als volwaardige menselijke eenheid naar Auschwitz gestuurd te kunnen worden moet je een halfjaar oud zijn.

Dat kind uit de trein – had het geboren willen worden als het had geweten dat zijn beschermde jeugd precies zes maanden zou duren? Plus drie dagen voor de treinreis?

Natuurlijk niet.

Er bestaat een legende die mijn grootvader Emil Riese me heeft verteld, terwijl hij elke zin met een wolk sigarenrook bewierookte. Ik was net zo dol op de fantastische verhalen van mijn grootvader als mijn vader, de rationalist, er een hekel aan had.

Die legende ging zo: als een mens geschapen wordt – hij legde me niet uit hoe dat ging en ik was nog niet op de leeftijd dat je daarnaar vraagt –, als een mens mens begint te worden, dan weet hij alles al wat er te weten valt: wat in de verstandige boeken staat en ook de dingen die nog niemand heeft ontdekt. Hij kent de gebeurtenissen uit het verleden en weet wat er allemaal nog te gebeuren staat, buiten in de wereld en binnen in zijn eigen leven. Maar vlak voor hij geboren wordt – ook hoe dat precies ging, was en bleef me toen een raadsel –, komt er een engel, die hem met zijn wijsvinger op zijn voorhoofd tikt. *Ping.* Dan vergeet de nieuwe mens alles wat hij eigenlijk al wist. Als hij dan ter wereld komt, zei mijn grootvader, herinnert hij zich amper nog hoe je van boven iets naar binnen zuigt en het van onderen weer naar buiten perst. Ik lachte en hij vulde de pauze door aan zijn sigaar te trekken. Een effectieve verteltechniek, waardoor je de pointes beter kunt plaatsen. Ik heb die later op het toneel ook toegepast.

Alleen de Joden, vervolgde opa, zijn zo slim om hun hoofd weg te draaien als de engel komt. Zijn vinger raakt dan niet hun voorhoofd, maar nog wel het puntje van hun neus. Ze vergeten daardoor niet alles wat ze al wisten, maar alleen het meeste. Daarom, zei mijn grootvader, zijn wij Joden verstandiger dan andere mensen en daarom, zei hij, hebben wij een kromme neus. Een uitleg waar zelfs *Der Stürmer* niet op is gekomen.

Papa was er toen niet bij. Hij zou het verhaal voor het einde hebben onderbroken en hebben gezegd: 'Vertel die jongen toch niet zulke onzin! En trouwens, die sigarenrook altijd, dat kan niet goed zijn voor dat kind.'

De ouderwetse woning in de Händelstraβe stond altijd vol rook. 'Ik mag dat,' zei opa. 'Als je weduwnaar bent, mag je alles.'

Als mijn eigen engel me met zijn tik had gemist en ik mijn leven vanaf het begin had gekend, met al zijn beroerde episoden en zijn nog beroerdere slot, zoals je een toneelstuk kent als je het tekstboekje hebt gelezen, dan had ik mijn rol toch willen spelen. Omdat de tekst nog niet de enscenering is. Ik zou mijn kennis als de eerste opzet hebben beschouwd, als iets wat je tijdens de repetities altijd nog kunt bespreken en veranderen. En wat de echt onaangename passages betreft: schrappen tot aan de volgende scène.

Nee, ik had me niet in de moederschoot vastgeklampt. Mij hadden ze niet met geweld de wereld in hoeven trekken. Ik had het willen proberen. Aangedreven door een misplaatst vertrouwen in mijn eigen vormgevende kracht.

In de jaren dat ik beroemd was, moest ik voor een krant of een tijdschrift geregeld een vragenlijst invullen. Om de haverklap kwam dan de vraag: 'Wat is uw grootste fout?' Dan schreef ik op wat je zoal opschrijft: 'Ongeduld.' Of: 'Ik ben verslaafd aan zoetigheid.' Maar eigenlijk had er moeten staan: 'Mijn grootste fout? Ik geloof dat je de wereld kunt ensceneren.'

Olga viel me om de hals. Zoals mama toen ik met verlof van het front kwam. Niet iedereen die bij Rahm wordt ontboden, komt ook weer terug.

'Goddank,' zei ze. Olga is niet iemand die bidt, dat zijn we geen van beiden, maar het was meer dan een frase. 'Ik heb een stuk brood voor je bewaard,' zei ze. Ik probeerde het heel langzaam op te eten en verslond het toen toch.

Olga vroeg niets. Ze kwam bij me op schoot zitten en legde haar hoofd op mijn borst. Haar haar ruikt altijd alsof het pas gewassen is. Ik weet niet hoe ze dat voor elkaar krijgt, hier in het getto.

Ik zocht naar de juiste woorden, maar vond ze niet. Er zijn geen juiste woorden. Ik vertelde haar wat ze van me wilden en zij schrok ook. Niet vanwege de film, maar omdat ik Rahm had tegengesproken.

'Je bent gek,' zei ze.

Misschien ben ik dat ook wel. Soms doe ik dingen waar moed voor nodig is. En toch ben ik helemaal geen moedig mens. Ik denk alleen nog steeds – terwijl ik intussen beter zou moeten weten –, ik denk alleen nog steeds dat je de dingen kunt beïnvloeden.

Zelfs bij Rahm.

'Ik heb drie dagen de tijd,' zei ik, 'maar ik weet nu al wat voor antwoord ik hem moet geven.'

'We weten het allebei,' zei Olga. 'Ja, meneer de Obersturmführer, is je antwoord. Vanzelfsprekend, meneer de Obersturmführer. Tot uw orders, meneer de Obersturmführer.'

'Ik kan die film niet maken.'

'Een mens kan alles. Je hebt ook in Ellecom opgetreden.'

Het was niet eerlijk om me daaraan te herinneren. Dat was de verschrikkelijkste dag van mijn leven.

Een van de verschrikkelijkste dagen.

Daarna zwegen we lang. Het doet me goed om samen met Olga te zwijgen.

Door het open raam kwam een wolk van stank. Of die was er de hele tijd al, alleen had ik er niets van gemerkt. Een mens went aan alles.

Een mens kan alles doen.

'Niet die film,' zei ik tegen Olga. 'Ik zou me er de rest van mijn leven voor moeten schamen.'

'Hoe lang is de rest van je leven als je weigert?' Ze draait niet om de dingen heen.

'Je zou me verachten.'

'Er zijn ergere dingen dan verachting.'

Er zijn altijd nog ergere dingen. De dooddoener van onze eeuw. De wereldoorlog? Een kleine vingeroefening. Een staat die uit elkaar valt? Alleen de decorwisseling voor de werkelijk grote scènes. De nazi's en al hun wetten? Ook alleen maar om warm te lopen. Het hoogtepunt komt nog. Helemaal op het eind. Net als in de bioscoop. Laat je verrassen.

'Hoe lang duurt het voor zo'n film klaar is?' vroeg Olga. 'Echt helemaal klaar?'

'Drie maanden. Minstens. De opnamen zijn het minste werk. Maar eerst moet je een draaiboek schrijven en naderhand de montage ...'

'Over drie maanden,' zei ze, 'kan de oorlog afgelopen zijn.'

'Ik ben niet iemand die zoiets kan,' zei ik.

'Je hebt drie dagen.' Olga stond op. 'Die zou je moeten gebruiken om erachter te komen wat voor iemand je echt bent.'

Toen liet ze me alleen.

Ik. Geboren op 11 mei 1897 in Berlijn. In dezelfde woning waar ik ook mijn jeugd heb doorgebracht: Klopstockstraße 19, een paar huizen bij station Tiergarten vandaan. In de keuken, aan de achterkant, kon je het geratel en gefluit van de treinen van het stadsspoor horen. Bij een stevige westenwind – dat was altijd een hele opwinding – moesten we vanwege de rook van de locomotieven de ramen dichtdoen. Omdat anders al het eten naar de treinen stonk.

Ik neem aan dat mijn grootvader de woning heeft uitgekozen. Hij wilde zijn dochter ook als getrouwde vrouw dicht bij zich hebben. Mijn moeder heette Toni, Antonia dus.

Haar ouders, de Rieses, wilden dat de volgende generatie definitief de stap van de gewone naar de gegoede middenstand zou zetten. Daarom stond er in onze woning een piano. De poging om mij de bijbehorende lessen te laten nemen gaven mijn ouders algauw op. Ik heb weliswaar een goed gehoor, maar ook twee linkerhanden. Gelukkig zijn ze nooit op het idee gekomen mij in plaats daarvan naar een zangleraar te sturen. Met zo'n schoolse aanpak zou ik nooit carrière hebben gemaakt.

Mama bleef haar hele leven een dochter van goeden huize. Na school hadden ze haar een jaar op kostschool gedaan, niet direct in Zwitserland, dat konden ze zich niet permitteren, maar wel in Bad Dürkheim aan de Weinstraße. Vandaar had ze een kant-en-klaarrepertoire aan gebaren en houdingen meegebracht. Een would-be-actrice die zich heeft laten vormen door tweederangshelden. Als ze lachte, hield ze haar hand voor haar mond en draaide ze met gespeelde beschaamdheid haar hoofd opzij; als ze applaudisseerde, deed ze dat alleen met haar vingertoppen. Ze had met de paplepel ingegoten gekregen dat het niet netjes was om met je hele hand te klappen.

Maar de belangrijkste levensregel die ze haar hadden bijgebracht, was: 'Mannen houden niet van slimme vrouwen.' Dus verborg mama haar intelligentie. Zoals ze een puistje op haar voorhoofd achter een handig gedraaid lokje zou hebben verstopt. Ze deed naïef en liet niet merken dat ze papa's luidkeels verkondigde principes niet echt serieus nam. Ze hadden een heel gelukkig huwelijk.

Papa, opgegroeid in het molendorp Kriescht in de Neumark, was als zestienjarige naar Berlijn gegaan. Een exodus, die hij zo dramatisch wist te beschrijven alsof hij door van haaien vergeven wateren had moeten zwemmen en met een dik pak sneeuw bedekte bergen had moeten bedwingen. Hij vond een baan in de kledingfabriek van mijn grootvader, Leipziger Straβe 72, en trouwde later met diens enige dochter.

Emil Riese, fabricage van nouveautés voor dames en kinderen, frontjes, blouses, jupons, zakdoeken en schorten – de oprichtingsadvertentie hing ingelijst bij ons in de gang en ik leerde de tekst uit mijn hoofd, zoals ik al het geschrevene uit mijn hoofd leerde – veranderde weldra in Riese & Gerson en op een gegeven moment, toen mijn grootvader oud werd, in Max Gerson & Cie. Maar in werkelijkheid bestond er helemaal geen compagnie. Het gaf het firmaplaatje alleen een imposantere uitstraling.

De firma. Bij ons thuis was dat een magisch begrip. Als papa een van mijn kinderlijke vergrijpen al te streng bestrafte en ik snikkend bij mama mijn beklag deed, hoefde ze alleen te zeggen: 'Er zijn problemen in de firma.' Ik voelde me dan weliswaar niet getroost, maar de wereld was toch weer in orde. Het kwam ook voor – en weer had het op geheimzinnige wijze met de firma te maken – dat papa midden in de week met een stuk opgerolde koek thuiskwam. Dat moest dan op stel en sprong – met slagroom! – worden opgegeten. Mama kon dan nog zo heftig protesteren dat het die jongen zijn eetlust bedierf, tegen de firma kon ze niet op.

Het allermooiste was als ik met papa mee mocht naar de kantoren in de Leipziger Straβe. Het eigenlijke kleermakerswerk werd uitbesteed aan tussenpersonen en uitgevoerd door een gezichtloos leger van thuiswerksters in het noorden van Berlijn, maar een trap hoger was het magazijn met de stoffen en de kant-en-klare artikelen. Een labyrint van rekken, waar je heerlijk verstoppertje kon spelen.

Misschien is het bedrijf er nog steeds. Je vergeet zo makkelijk dat het leven verdergaat. Maar als de firma nog bestaat, dan zeker niet onder de naam Max Gerson & Cie.

Ik zit op een hobbelpaard. Ik ben klein en kan alleen bij de grond als ik mijn benen strek. Ik hobbel en hobbel. Mijn paard schuift telkens een klein eindje naar voren, tot het tegen de muur aan komt. Ik kan niet verder en staar naar het obstakel. Op het behang marcheren dwergen in het gelid. In plaats van geweren dragen ze bloemen op hun schouder. Ze maken me bang. Ik begin te huilen.

Dat is mijn allereerste herinnering.

Op een gegeven moment komt mama – maar dat is geen herinnering meer, dat is me verteld – en ze wil me samen met mijn houten paard omdraaien. Zodat ik weer kan rijden, dwars door de kinderkamer. Ik begin harder te huilen en sla om me heen. Ze mag mijn paard niet omdraaien, dat mag niemand. Ze mag het alleen achteruit naar de andere kant van de kamer trekken. Dan begin ik weer te hobbelen, in dezelfde richting als daarvoor. Tot ik opnieuw voor de muur sta. En begin te huilen.

'Dat deed je wel twintig keer per dag.' Als mama het verhaal vertelde, tikte ze telkens met haar wijsvinger tegen mijn voorhoofd en zei: 'Je bent altijd al een dikkop geweest.'

Toen we Berlijn verlieten, bleef het hobbelpaard op de zolder in de Klopstockstraβe achter. Waarschijnlijk staat het daar nog steeds. De woning is ingepikt door een oude NSDAP'er zonder kinderen: onze portier Heitzendorff, die zoveel waarde hecht aan de dubbele f aan het eind van zijn naam dat iedereen hem Effeff noemt. Zijn vrouw hielp mama af en toe met schoonmaken en ik kan me goed voorstellen dat ze dezelfde meubels, nu ze van haar zijn, nog zorgvuldiger afstoft. Maar papa's pakken, die in de kast zijn blijven hangen, zijn de dikke Effeff beslist te klein.

Het hobbelpaard was oud en zag eruit alsof het nooit nieuw was geweest. De witte verf was vaalgeel geworden. 'Juist daar kun je trots op zijn,' troostte papa me. 'Dat is een bijzonder voornaam ras. Een izabel.' En dus was ik trots, want toen geloofde ik nog dat papa alles wist en zich nooit vergiste.

Ik kan me niet meer herinneren waarom we jaren later – ik moet toen al op het gym hebben gezeten – nog een keer op het onderwerp zijn teruggekomen. Mama zal het oude verhaal van het hobbelpaard wel weer hebben verteld.

'Ik heb niet tegen je gelogen,' zei papa. 'Het was inderdaad een izabel.' En hij pakte de encyclopedie uit de vitrine. In de vele delen, daar was papa rotsvast van overtuigd, was elk antwoord te vinden. Als je de vraag maar goed wist te stellen. Op vrije avonden zat hij erin te grasduinen zoals andere mensen in een roman lezen. Nu sloeg hij het artikel op over de Spaanse koningin Isabella en ik moest het hardop voorlezen. Papa was maar een gewone confectionair, maar hij speelde graag voor schoolmeester. De koningin, las ik voor, had gezworen geen schoon hemd aan te trekken voordat haar echtgenoot een of andere vijandelijke stad had veroverd, ik weet niet meer welke, en toen de muren eindelijk vielen, was haar hemd niet meer wit, maar geel.

Fout! zou ik nu met rode inkt in de kantlijn schrijven. Te lang gedragen witte hemden worden niet geel, maar grauw. Ik weet er alles van.

Dat ik altijd maar in dezelfde richting wilde rijden, schreef mama toe aan mijn aangeboren koppigheid. Maar dat was het niet. Ik had iets pijnlijks te verbergen. Mijn houten izabel had maar één oog. Links en rechts aan zijn hoofd hadden vroeger de beide helften van een kattenoog gezeten, zoals wij jongens de zwartgevlekte knikkers noemden. Maar mijn hobbelpaard had zijn linkeroog verloren. Dat was de reden waarom ik er als drie- of vierjarige krijsend en om me heen slaand voor vocht dat het paard altijd in dezelfde richting galoppeerde. Voor de toeschouwer, daar was het me om te doen, moest de blinde kant verborgen blijven. Anders had iemand kunnen merken dat het helemaal geen echt paard was.

Als jongen was ik een hoog opgeschoten, mager ventje. 'Alleen onkruid groeit zo hard,' zei papa.

Er bestaat, nee, bestond een foto, gemaakt voor mijn dertiende verjaardag. Daar sta ik in de studio van een fotograaf voor een kunstig gedrapeerde portière. Ik kan me de donkergroene kleur nog herinneren. Ik draag een pak, mijn allereerste. Waarschijnlijk moest de nieuwe lange broek evenzeer vereeuwigd worden als ikzelf.

Rechtsonder op de passe-partout die de foto omlijstte, stond het gouden stempel: PORTRETSTUDIO ALPHONS TIEDEKE, FRIEDRICHSTRAßE 78. Maar het kan niet meneer Tiedeke zelf geweest zijn die me op de foto zette. Een jongeman in een witte schildersjas draafde om me heen. Hij liet me verschillende houdingen aannemen, maar was telkens ontevreden. Ten slotte sleepte hij een stoel aan, van het soort dat in het theater uit het rekwisietenmagazijn wordt gehaald als er een ridderslot moet worden gemeubileerd. Ik moest met mijn hand op de zijleuning steunen, dat zag er volgens hem op een elegante manier nonchalant uit. Maar ik was op mijn dertiende al zo lang dat mijn arm daar te kort voor was als ik rechtop stond. Dus sta ik met scheve schouders op de foto. Opzij gebogen, alsof er iets uit mijn hand is gevallen wat ik onopvallend probeer te pakken. De ingelijste foto heeft jarenlang op mama's toilettafel gestaan.

Nog later heeft ze hem meegenomen naar Nederland. Hij zat ook in haar koffer toen ze daar op transport werd gesteld.

Sinds die dag bij meneer Tiedeke wilde ik fotograaf worden. Zijn assistent had niet alleen indruk op me gemaakt door zijn kleding

– het lefdoekje dat nonchalant gevouwen uit het borstzakje van zijn schildersjas stak was, zoals papa vakkundig opmerkte, van echte Japanse zijde –, maar vooral door het feit dat hij aan me mocht frunniken als aan een marionet. Het was de eerste keer dat ik iets meemaakte wat op regisseren leek.

Ik maakte zelf een camera. Een keukenstoel met een zwart geverfde schoenendoos op de leuning. Een oude strijkdoek, waar ik voor de opnamen onder kroop. Ik was hoffotograaf Gerson en mijn klasgenoot en beste vriend Kalle was Zijne Majesteit de Keizer, die zich door mij liet fotograferen. Aan elk spelletje dat ik bedacht, deed Kalle mee. Zolang hij maar iets voornaams mocht zijn. Toen we ondanks het verbod een keer met lucifers speelden, was hij keizer Nero en zat hij afgrijselijk te zingen, terwijl ik Rome platbrandde.

We hadden een voorkeur voor spelletjes waarbij het erom ging iets te bedenken, en we vermeden sportieve activiteiten als diefje-met-verlos. Bij het rennen zaten altijd mijn veel te hard gegroeide benen in de weg. Ik struikelde over mezelf. Kalle had het aan zijn longen en was daarom vrijgesteld van gym. Waarschijnlijk zou hij op een dag aan tbc zijn gestorven. Als hij lang genoeg had geleefd.

Op school hadden we graag naast elkaar in de bank gezeten. Maar hoe we zaten werd strikt bepaald door de cijfers die we haalden. De plaats helemaal rechts vooraan was gereserveerd voor de primus; in onze klas was dat een aardige jongen, die absoluut geen streber was. Mijn bank stond ergens in het midden en Kalle zat helemaal achteraan. Hij liep niet alleen gevaar om van de tweede naar de derde te blijven zitten, het was elk jaar hetzelfde liedje. Dat hij toch telkens met de hakken over de sloot overging, had meer te maken met medelijden dan met zijn schoolprestaties.

Op het fotograferen was ik algauw uitgekeken. Er schoten me te weinig houdingen te binnen waarin ik mijn model nog had kunnen neerzetten. Keizer Kalle verleende me een laatste onderscheiding en daarna verbouwden we onze camera tot een telescoop en ontdekten, geïnspireerd door de komeet van Halley, veel nieuwe hemellichamen.

Achteraf vind ik het ongelooflijk hoe kinderlijk we toen nog waren. En dat in 1910, maar vier jaar voordat we allemaal in één klap volwassen werden verklaard en naar het front gestuurd. Op de foto in mijn nieuwe pak heb ik nog geen idee wat me te wachten staat. Ik sta er slungelig en mager bij. Niemand kon vermoeden dat ik niet lang daarna heel dik zou zijn.

Tja, Kalle.

Op mij maakte hij geen zieke indruk. Van mama, die voortdurend last had van haar overgevoelige maag, wist ik hoe het eruit hoorde te zien als je niet gezond was: je ging in bed liggen en praatte alleen nog maar met heel zachte stem. Kalle daarentegen had de hardste lach die ik ooit heb gehoord. Nog harder dan die van de dronken Emil Jannings. Ik hoorde zijn lach meteen bij onze eerste ontmoeting, toen we allebei als kersverse eersteklasser schuchter het plein van het gymnasium opliepen. Omdat mijn hoofd nog zou groeien, had papa de groen-witte schoolpet een maat te groot gekocht. En omdat ik tegelijk een militair kort kapsel had aangemeten gekregen, zakte de pet over mijn oren. Kalle zag me, bleef staan en stikte haast van het lachen. Wat bij hem niet zomaar een frase was, maar er echt zo uitzag. Aangezien hij geen lucht meer kreeg en begon te kokhalzen. Bij zijn lachbuien had je altijd de indruk dat hij elk moment kon overgeven.

Wat hem bij onze eerste ontmoeting tot stikkens toe amuseerde, was niet mijn belabberde uiterlijk, maar het feit dat het bij hem geen haar beter was. Met dezelfde vooruitziende blik als mijn vader had ook de zijne een te grote pet gekocht. En volgens de toen gebruikelijke pedagogische initiatierite was ook zijn haar kort geknipt. Omdat ik, opgeschoten onkruid, een kop groter was dan hij, moeten we echt een bespottelijk stel geweest zijn.

Vanaf die dag waren we vrienden.

Eigenlijk heette hij Karl-Heinz. Toen we in de eerste les voor het klassenboek onze naam moesten zeggen, vond hij het belangrijk dat de zijne niet als één woord werd geschreven. Onze klassenleraar heeft hem nog het hele jaar afgeroepen met de bijnaam Koppelteken.

In Amsterdam heb ik een keer meegemaakt dat een koppelteken iemand het leven redde. Althans tijdelijk. Hij stond zonder koppelteken op de lijst en omdat hij kon aantonen dat dat bureaucratisch niet juist was, werd er in zijn plaats iemand anders afgevoerd.

Ik ben nooit op de gedachte gekomen dat Kalles ziekte iets ernstigs kon zijn. Hij hoestte dan wel en van gym was hij vrijgesteld – waar ik hem om benijdde –, maar we leerden elkaar kennen op een leeftijd dat de dingen zoals ze zijn natuurlijk en onveranderlijk lijken. Kalle was Kalle en Kurt was Kurt.

Zijn vader was ambteloos geleerde. Ik stelde me daar een soort doctor Faust bij voor, die de nachten in het laboratorium doorbrengt.

Toen ik hem leerde kennen, bleek hij gewoon een vriendelijke, afwezige man, die 's middags nog in zijn ochtendjas liep en bij het lezen niet gestoord mocht worden. Ik ben er nooit achter gekomen met welke tak van wetenschap hij zich bezighield. Het moet iets met muziek te maken hebben gehad. Op een keer vertelde hij iets over geheime boodschappen die in de partituren van Johann Sebastian Bach te vinden zouden zijn. Waarschijnlijk was hij gewoon een onschuldige dromer. Die het zich kon permitteren een leven lang zijn stokpaardje te berijden.

Geheel in tegenstelling tot mijn in opvoedkundig opzicht overijverige vader verwachtte hij van zijn zoon maar één ding: dat hij zo min mogelijk last van hem had. Als we in Kalles kamer Troje wilden veroveren – ik als Achilles, Kalle als koning Menelaos –, dan haalden we van tevoren in de keuken voldoende proviand voor de troepen en konden we er zeker van zijn dat we uren niet gestoord werden.

Kalle was de vrolijkste persoon die ik ooit heb ontmoet. Zijn lach was zo aanstekelijk dat hij daarmee één keer zelfs de dikke Effeff ontwapende, die zijn plichten als conciërge op militaire wijze serieus nam. We hadden iets uitgespookt, ik weet niet meer wat, Heitzendorff had ons betrapt en dreigde met schrikbarende gevolgen. Waarop Kalle begon te giechelen. Bij ieder ander zou Effeff dat als strafverzwarende majesteitsschennis hebben opgevat, maar in plaats daarvan begon zijn dienstsnorretje te trillen en gebeurde het ongelooflijke: de strenge Heitzendorff lachte mee en wij kwajongens kwamen er zonder kleerscheuren af.

Zo was Kalle.

Later lachte hij ook tijdens de uitreiking van ons diploma. Hij vond het te zot dat hij er al die jaren puur uit medelijden doorheen gesleept was en nu geslaagd zou zijn. Hij kwam niet meer bij. De hele met zwart-wit-rood versierde aula lachte mee. Onze rector, dr. Kramm, moest zijn patriottische toespraak onderbreken en zei berispend: 'Het zou niet de eerste keer zijn dat iemand zich doodlachte.'

De enige van zijn voorspellingen die zou uitkomen.

Als ik wist, als ik heel zeker wist dat de film nooit wordt afgemaakt of dat hij wel wordt afgemaakt, maar dat niemand hem ooit te zien krijgt omdat de oorlog voor die tijd afgelopen is ... Het gerucht gaat dat de Amerikanen in Frankrijk zijn geland en dat de Russen al in Vitebsk staan. Ik zat samen met de anderen te juichen, heel voorzichtig en zachtjes te juichen toen het ons werd verteld, en pas achteraf besefte ik dat ik niet eens wist waar Vitebsk ligt.

Als ik heel zeker wist dat het laatste bedrijf al is begonnen, dat volgens een oude theaterwet altijd het kortste is, als ik zou zien dat de toneelknecht al met het touw in zijn handen staat en alleen nog op het teken van de inspiciënt wacht, als er iemand was, een profeet, die me dat kon garanderen, dan was het geen punt, dan had ik geen drie dagen nodig om te beslissen, dan kon ik nu meteen naar Rahm toe gaan – alsof iemand daar ongevraagd heen gaat! – en tegen hem zeggen: 'Graag, meneer de Obersturmführer', kon ik zeggen 'het zal me een eer zijn', kon ik zeggen 'hoe had u uw film willen hebben?'

Als ik het wist.

We hebben ons allemaal aan voorspellingen gewaagd, al die jaren, en niemand heeft iets voorzien. 'Ze houden het niet lang vol,' voorspelden we, en toen ze het toch volhielden: 'Ze worden wel milder nu ze aan de macht zijn.' Maar ze werden niet milder, integendeel, en we voorspelden: 'De andere landen laten heus niet toe dat ze een nieuwe oorlog voorbereiden.' En weer vergisten we ons. Een treffende uitdrukking: je vergissen. Je doet het zelf en pas achteraf geef je anderen de schuld. We hebben niets voorzien, niet de bliksemoorlog en niet de gele ster en niet de veewagons, waar zoveel meer mensen in gaan dan er buiten op staat. Helemaal niets.

Als de profeten zich weer vergissen, als de oorlog nog eeuwig doorgaat, als ze hem zelfs winnen, als de wonderwapens inderdaad bestaan en niemand er een middel tegen heeft, als de film wordt opgenomen en gemonteerd en vertoond, in dezelfde bioscopen waar mijn oude, nu verboden films hebben gedraaid, als ze een galapremière in het Gloria Palast organiseren, met een loper voor de ingang en champagne in de foyer, dan zal ik het hoongelach tot in Theresienstadt horen. Als op het doek de tekst REGIE: KURT GERRON verschijnt.

Ze zeggen nu niet meer 'regie'. Ze zeggen 'spelleiding'.

'Wat een mop!' zullen ze in het Gloria Palast zeggen. 'Uitgerekend Gerron heeft die film gemaakt.' Ze zullen op hun dijen slaan en met hun laarzen op de grond stampen. Ze dragen nu allemaal laarzen.

Situatieschets: Rahm wil dat ik een film over Theresienstadt maak. Niet over het Theresienstadt waar ik opgesloten zit. Maar over het Theresienstadt dat ze aan de wereld willen laten zien. Zoals ze het ook aan het Rode Kruis hebben getoond. Een opgewekte film over een opgewekte stad. Waar de mensen naar het koffiehuis gaan. Aan sport doen. Van het prachtige landschap genieten. Waar ze 's morgens vrolijk naar hun werk marcheren – 'Hé ho, hé ho, de stemming is weer zo' – en 's avonds van hun welverdiende vrije tijd genieten.

Een stad waar niet elke dag karren met verhongerde oude mensen door de straten worden geduwd.

Voor die film moet ik het draaiboek schrijven. Van die film moet ik de regie doen.

Hé ho, hé ho.

Rahm heeft me geen tegenprestatie beloofd. Maar een film maak je niet in de trein naar Auschwitz. Zolang ik eraan werk, kan me niets gebeuren.

Dat is de ene kant.

De andere: wie met pek omgaat, wordt ermee besmet.

Ze hebben mijn ouders naar Sobibor gestuurd. En nu moet ik hen helpen de wereld wijs te maken dat ze eigenlijk heel aardig tegen ons zijn? 'Het lachende gezicht van Theresienstadt.' Rahms eigen woorden. Het lachende gezicht van de honger en de ziekte en de dood.

Regie: Kurt Gerron.

Wat zou ik voor iemand zijn als ik dat deed?

Iemand die niet naar Auschwitz wordt gestuurd.

Iemand die het wel zou verdienen om naar Auschwitz te worden gestuurd.

Je zou moeten kunnen bidden. Er zou een God moeten zijn om het aan te vragen.

Maar er is geen God. En een goede al helemaal niet.

Als kind stelde ik me God voor zoals onze rector. Met net zo'n volle baard die het halve gezicht bedekt. Dilettanten plakken graag een pak watten op hun gezicht. In de hoop daarmee meer indruk te maken. De God tot wie ze bidden, is een bulderaar. Zo trots op zijn hoofdrol dat hij niet eens merkt in wat voor snertstuk hij speelt. Het applaus, inclusief bloemen en lauwerkransen, heeft hij zelf maar meteen in het draaiboek opgenomen. 'Wij loven u, wij loven u, halleluja, halleluja, hosanna.'

Het dilettantisme ten top.

Hij is er ook nog trots op dat hij het stuk zelf heeft geschreven. Alwetend, almachtig, algoed. Een theaterdirecteur die zulke superlatieven in zijn advertenties zet, is zo goed als failliet. Hij moet de mensen al achternarennen om tenminste een paar vrijkaartjes aan ze kwijt te kunnen. 'De sensatie van het seizoen! Een groot succes in alle hoofdsteden! Dat moet je gezien hebben!'

Nee, dat moet je niet. Omdat er op het wereldtoneel helemaal geen zaal is. Alle plaatsen bevinden zich op het podium. Je wordt gedwongen mee te spelen en moet er nog dankbaar voor zijn ook. Als je je beklag doet over je rol, wordt er alleen gezegd: 'Eigen schuld. Dan had je er maar meer van moeten maken.'

De gebruikelijke smoes als een stuk het niet doet. Brecht heeft dat bij *Happy End** ook tegen mij gezegd.

Maar de zaak is handig georganiseerd. De leden van het toneelgezelschap dragen een befje en een toga en staan altijd aan de kant van de directie. Het standaardcontract is geschreven in het Latijn of het Hebreeuws en je hebt het al getekend voor je leert lezen.

Terwijl de man met de volle baard de eenvoudigste theaterwetten niet snapt. Een stuk wordt er niet beter op als er hopen lijken op het podium liggen. Je moet zuinig omgaan met effecten, anders stompt het publiek af. Bassermann, die hadden ze God moeten laten spelen. Die had iets van die rol gemaakt. Vier bedrijven lang met aangetrokken handrem spelen en dan in het vijfde één keer even je stem verheffen. Zo verdien je de Iffland-ring.

Maar hij: vanaf de eerste scène alleen maar bulderen. Donder, bliksem en brandende braambossen. Het ene goedkope effect na het andere. Telkens nog een oorlog, nog een epidemie, nog een pogrom. En dan wil hij ook nog dat we van hem houden. Geen wonder dat hij zich achter een volle baard verschuilt. Elk exotisch kostuum aantrekt dat in het rekwisietenmagazijn te vinden is. Jehova, Allah, Boeddha.

Het helpt allemaal niets. Een dilettant blijft een dilettant.

Maar onder de mensen die elke dag zo ijverig de oeroude gebeden zeggen, moeten er ook een paar zijn die echt in hem geloven. Die van de diepere zin van het stuk overtuigd blijven. Ook al hadden ze allang moeten begrijpen dat hun rol er alleen in bestaat precies bij het trefwoord te sterven. Die nog steeds 'Bravo!' roepen als de strop om hun nek al wordt aangetrokken. Die vast rekenen op de gage die ze met hun sterfscène denken te verdienen.

In Westerbork en hier in Theresienstadt heb ik een hoop van zulke mensen leren kennen. Vreemd: de meesten zijn niet dom. Integendeel.

---

* De oorspronkelijke titels staan op pagina 447.

Domheid zou ik kunnen begrijpen. In een slecht stuk tot het eind blijven zitten omdat je het kaartje nu eenmaal hebt gekocht of gekregen, ook tijdens het laatste bedrijf nog hopen dat de voorstelling op een gegeven moment beter wordt – dat zou ik kunnen begrijpen.

Maar hoe iemand kan zeggen: 'Het stuk is slecht en wordt steeds slechter en toch ben ik er dankbaar voor' – dat wil er bij mij niet in. Hoe je nog abonnee kunt blijven als je het met het repertoire allang niet meer eens bent. Natuurlijk, van fluiten en boe roepen wordt een opvoering niet beter. Maar het lucht geweldig op.

Dat begrijpen die mensen niet. Ze willen voor hun dilettant applaudisseren tot ze erbij neervallen. Dat valt hun niet uit het hoofd te praten.

Bij hen werkt het verdovende middel. Ze slagen erin dronken te worden, terwijl ik nuchter blijf. Ze hebben die begerenswaardige ziekte waar ik immuun voor ben.

Ik ben te jong tegen religie ingeënt. 'Zolang ze mij de goede God niet onder de microscoop kunnen laten zien, geloof ik niet in hem,' zei papa. Elke vorm van ritueel hoorde voor hem in de rubriek ZEDEN EN GEWOONTEN VAN PRIMITIEVE VOLKEREN. 'In de twintigste eeuw dans je geen stamdansen meer,' zei hij. 'Als we de religies eenmaal hebben afgeschaft, zal ook het antisemitisme verdwijnen.'

Hij was dus toch niet alwetend, mijn vader.

Van alle religies had hij het minst op met die van de Joden. Van die houding was hij ook niet af te brengen door het feit dat hij er zelf een was. *Judden* noemde hij ze. Heel lang dacht ik dat dat woord eigenlijk niet bestond. Tot ik erachter kwam dat het hoorde bij de privéwoordenschat die papa uit zijn geboortedorp had meegebracht.

Doezel was ook zo'n woord. Het werd altijd gebruikt als ik me weer eens onhandig had gedragen – vaak dus. Of *nestdulleke*, wat zoveel betekende als: mijn kleine benjamin. En alles wat opvallend of sensationeel was, noemde papa *alderbarstend.*

Waarom dus niet judden?

'Ik kan die judden niet uitstaan,' zei hij. Mama deed hem ook bij de honderdste herhaling nog het plezier om heel geschokt te kijken. Ze deed dat op dezelfde manier als ik later bij Magda Schneider heb gezien. Maar dan zonder Magda's guitig opgetrokken neus. Zijn provocatie en haar gespeelde verontwaardiging waren onderdeel van hun goed functionerende huwelijk. Hij zag zichzelf als een rebel tegen elke vorm van conventie en traditie en zij liet hem zijn gang gaan. Tenslotte kon hij die neiging alleen botvieren in huiselijke kring. Al het andere zou schadelijk geweest zijn voor de firma. Zijn klanten, zowel de grossiers als de eigenaren van kleine kledingwinkels, waren nu eenmaal voor het merendeel judden.

Als zoiets al bestaat, dan was papa een orthodoxe atheïst. De Joodse tradities werden bij ons strikt in acht genomen, om ze vervolgens uit principe niet te onderhouden. Zo gingen we één keer per jaar, op Jom Kipoer, naar de nieuwe synagoge in de Oranienburger Straße. Niet uit vroomheid, mijn hemel, nee. Maar omdat hij van mening was dat zijn klanten dat van hem verwachtten.

Het was altijd een heel aangename dag. Ik kreeg vrij van school en in de synagoge genoot ik van de orgelmuziek. Terwijl papa met zijn buren discussieerde over zakelijke vooruitzichten en leveranciers. Thuis wachtte ons dan een stevig middagmaal. Zo bewees papa voor zichzelf dat de Joodse vastendag voor hem niet meer betekende dan bijvoorbeeld 27 januari. Waarop hij voor de verjaardag van de keizer ook een vlag uit het raam hing, zonder daarom meteen een enthousiast aanhanger van de Hohenzollern te zijn.

Dat ik precies op mijn dertiende verjaardag mijn eerste lange broek kreeg, kan ik alleen verklaren door het feit dat de oude tradities meer voor hem leefden dan hij zichzelf wilde toegeven. Maar aan de rituelen die voor een Joodse jongen verder nog bij die datum hoorden, mocht ik niet meedoen. Terwijl ik dolgraag voor de hele gemeente uit de Thora had voorgelezen. Het zou beantwoord hebben aan mijn toen al sterk ontwikkelde hang naar toneelspelen.

De felheid waarmee papa alles wat religieus en vooral alles wat Joods was als ouderwets en achterhaald afwees, had niets te maken met verlichte inzichten – ondanks de encyclopedie. Hij was er gewoon van overtuigd dat elke vorm van gelovigheid iets provinciaals had. En provinciaals wilde hij, zoals veel mensen die zelf uit de provincie komen, in geen geval zijn. Hij deed zijn best om grootsteedser over te komen dan iedere geboren Berlijner, maar raakte de intonatie van zijn jeugd met de rollende r en de afgeknepen klinkers nooit helemaal kwijt.

Misschien heb ik de fascinatie voor simuleren van hem geërfd. Hij heeft zijn hele leven een rol gespeeld: die van de intellectuele revolutiemaker. Maar de omstandigheden – in het burgerleven kleermaker – zorgden dat zijn rebellie altijd puur theoretisch bleef. Uiterlijk was er niets van te merken. Op elk moment, ook thuis, was hij zo correct gekleed als van een confectionair met een hang naar de betere klandizie verwacht mocht worden. Een driedelig pak met een discreet dessin, een zijden das, een ongemakkelijk stijve boord. Bovendien een snor, die hij weliswaar niet op de ik-heb-het-gemaakt-manier opdraaide, maar die toch regelmatig met een speciale borstel verzorgd diende te worden.

Net als mama was hij niet erg groot. Als er opgevoed moest worden, moest ik, lange sliert, gaan zitten, zodat hij tijdens zijn preek niet naar me op hoefde te kijken.

Als hij nog leefde, zou ik graag mijn arm om hem heen slaan en hem in het oor fluisteren: 'Doezel die je bent!'

Wat mijn ouders betreft heb ik me niets te verwijten. Ik heb altijd voor ze gezorgd, ook tijdens onze emigratie. Als ik ze had kunnen redden, had ik ze gered. Ik had zelfs van ze gehouden als ze het hadden toegestaan. Maar mijn altijd verstandige papa hield niet van sentimenteel gedoe en in mama's welopgevoede wereld kwamen liefkozingen niet voor.

Ik beklaag me niet. Het heeft me nooit aan iets ontbroken. Alleen heb ik sommige dingen niet geleerd. In een huis zonder muziek groeien geen musici op. Als regisseur wist ik goed raad met liefdesscènes. Omdat ik ook in het dagelijks leven telkens moest nadenken hoe dat gaat. We hebben het thuis niet geoefend.

Mijn ouders hielden van me, dat weet ik zeker. Ze konden het alleen niet laten merken. Niet zoals ik me dat in een gezin voorstel. Niet zoals ik van een eigen kind zou hebben gehouden. Niet zoals dat kind van mij zou hebben gehouden. Niet ...

Het was zoals het was.

Ze hebben veel voor me gedaan. Zoals zij dachten dat het goed was. Misschien – ik weet het niet – hebben ze na mijn geboorte een pedagogisch handboek gekocht en dat punt voor punt doorgewerkt. Als er in dat boek geen gevoelsuitingen voorkwamen, was dat niet hun schuld. Mama kon met mes en vork een sinaasappel schillen, maar ze wist niet hoe je iemand omhelst. Het was haar niet bijgebracht. Integendeel, het was haar in Bad Dürkheim aan de Weinstraße afgeleerd.

Toen ik Olga ontmoette, vond ik het meest fantastische aan haar dat zij zulke dingen heel vanzelfsprekend vond. Dat ze er niet over na hoefde te denken. Zij kwam uit een heel ander soort gezin.

Op de dag dat ze mij in Hamburg aan haar ouders voorstelde, had ik meer plankenkoorts dan voor de belangrijkste première. En toen kuste haar moeder me ter begroeting op beide wangen en haar vader sloeg zijn arm om mijn schouders. Hij moest ervoor op zijn tenen gaan staan en daar moesten we alle vier om lachen.

Daarna gingen Olga en ik samen naar Berlijn en weer was ik degene met plankenkoorts. Zij was heel rustig. Ik geloof dat ze de onpersoonlijke gekunsteldheid waarmee ze in haar nieuwe familie werd ontvangen, niet eens heeft opgemerkt. Olga bezat altijd al een vermogen dat ik volledig mis: mensen accepteren zoals ze zijn. Ik moet altijd aan ze sleutelen. Ze in mijn hoofd omschminken.

Bij de eerste ontmoeting reikte mama haar nieuwe schoondochter met zoveel gekunstelde elegantie de hand dat Olga alleen haar vingertoppen te pakken kreeg. Papa maakte de halve buiging die ze ook mij hebben bijgebracht en zei: 'Aangenaam kennis met u te maken, juffrouw Meyer.' Ik had haar voorgesteld met haar voornaam, maar dat vond hij niet correct genoeg.

Terwijl papa toch van het begin af aan enthousiast over haar was. En het enige wat mama op Olga aan te merken had, was het feit dat ze werkte. In haar wereld verdienden vrouwen niet zelf hun geld.

Ze mochten haar echt. Maar ze konden het niet laten merken. Daar hadden ze het talent niet voor.

Als ik als kleine jongen aan papa had gevraagd: 'Hou je van me?', zou hij hebben geantwoord: 'Dat spreekt toch vanzelf.' Wat vanzelf spreekt, hoeft een logisch denkend mens niet ook nog te laten zien.

Toen het in de ziekenboeg van Westerbork weer beter met me ging, ben ik de Bijbel gaan lezen. Dat moet je één keer in je leven gedaan hebben. Om te begrijpen waarom sommige mensen daar zo enthousiast over zijn.

'Eer uw vader en uw moeder' staat er geschreven. Er is een speciale wet voor nodig, omdat het juist niet vanzelf spreekt.

Ik ben niet vroom, maar aan dat gebod – dat kan ik met een gerust geweten zeggen – heb ik me mijn leven lang gehouden.

Alleen was ik iemand anders geworden als ik niet in de hypercorrecte sfeer van de Klopstockstraße was opgegroeid. Zoals mama zonder Bad Dürkheim iemand anders was geworden. Of papa zonder zijn geboortedorpje Kriescht.

Kriescht.

Je moet de naam hardop uitspreken om goed te voelen hoe lelijk hij is.

Kriiiesjt.

Wie wil er nou uit een plaats komen die zo heet? Zelfs iemand als Napoleon had geen carrière gemaakt als hij in Kriescht was geboren. Met zijn lengte was hij op z'n allerhoogst onderofficier geworden. Maar nooit keizer.

Braunau, dat is een naam voor een geboorteplaats. Daar zit de kleur van de hemden al in. Maar Kriescht toch niet.

Bij ons thuis was het een scheldwoord. Het betekende alles wat onelegant was. Als ik in mijn neus peuterde of bij het eten mijn ellebogen op tafel zette, werd me toegesnauwd: 'We zijn hier niet in Kriescht!' Soms bracht papa het patroon van een nieuwe blouse of rok mee naar huis om het te laten keuren; mijn moeder was tenslotte opgegroeid 'in de confectie', zoals ze dat noemde, en had een feilloze smaak voor dat soort dingen. Ze verspilde dan niet veel woorden, knikte alleen instemmend of schudde haar hoofd. En soms – dat was haar vernietigendste oordeel – zei ze met een heel spits mondje: 'Kriescht.' Dat betekende: onmogelijk, provinciaals, totaal ongeschikt voor Berlijn.

Kriescht dus.

Papa vertelde niet veel over zijn jeugd in de Mark Brandenburg. Erg aangenaam kan die niet geweest zijn. 'Er zijn plaatsen,' zei hij, 'die herinner je je niet. Die vergeet je.'

Wat natuurlijk niet klopt. Juist de plaatsen die je je niet wilt herinneren, vergeet je nooit.

En toch is hij nog een keer teruggegaan naar Kriescht. Waarschijnlijk niet vrijwillig, maar omdat het niet te vermijden viel. Er was iemand gestorven, ik weet niet meer wie, en er moest een huis worden ontruimd. Ik kan toen niet ouder geweest zijn dan een jaar of vijf, zes, en er moet een reden geweest zijn waarom ik mee mocht. Misschien had mama weer last van haar maag en had ze rust nodig. Onze huishoudster – ik kan me geen gezicht herinneren en ook geen naam – zullen ze wel niet in staat hebben geacht mij stil te houden. Ongetwijfeld had opa aangeboden me een paar dagen in huis te nemen. En ongetwijfeld was dat aanbod afgewezen. Vanwege de sigarenrook en de onpedagogische verhalen.

Hoe dan ook, ik, de kleine Kurt Gerson, die nog nooit een voet buiten Berlijn had gezet, mocht op reis. Voor het eerst mocht ik in een trein stappen en een verre tocht maken. Helemaal naar Kriescht, dat ik me, zonder bij die gedachte ook maar iets van angst te voelen, voorstelde als een plaats vol exotische bedreigingen en gevaren. Waarom zou ik bang zijn als papa bij me was?

Ik had in die tijd een prentenboek, waarin een reusachtige neger een kleine jongen op zijn schouders door een rivier droeg, terwijl een man met een tropenhelm achter hen een krokodil doodschoot. Zo'n expeditie zou het worden, dacht ik. Zonder krokodillen natuurlijk, zoveel wist ik toen al wel. Maar minstens zo opwindend. Om op alle ontdekkingen voorbereid te zijn nam ik mijn botaniseertrommel mee, waarin ik van zondagse wandelingen in Tiergarten altijd wormen en kevers mee naar huis sleepte.

Wat blijven gevoelens je toch sterk bij! Als ik aan ons vertrek denk, voel ik weer de verbazing dat papa alleen een koffertje meenam. Ik weet niet wat ik had verwacht – een karavaan zwaarbepakte kamelen? –, maar in mijn kinderlijke logica leek het me onmogelijk om met maar één stuk bagage aan zo'n grote reis te beginnen.

Pas veel later heb ik moeten leren dat er een heel leven in een koffer gaat.

Gevoelens zijn – net als geuren – een instrument om herinneringen vast te houden. Ik hoef er maar aan te denken en ik voel weer de voorpret, de reiskoorts en dat andere wrange gevoel dat ik voor altijd met Kriescht verbind.

Onze trein vertrok van het Schlesischer Bahnhof. Het bordje op de wagon kondigde exotische bestemmingen aan: KÖNIGSBERG, EYDTKUHNEN, ST. PETERSBURG. We reden maar tot Küstrin en vandaar met een boemeltje, dat geweldig hard kon fluiten, verder naar Kriescht. Waar niets was zoals ik had verwacht.

Net als ik toen moet een oude man zich voelen, die nog altijd in de principiële correctheid van de Duitse autoriteiten gelooft en daarom al zijn geld uitgeeft om zich in te kopen in een bejaardentehuis in Theresienstadt. Een tehuis met balkons en uitzicht op het meer. Dan komt hij uit de sluis en merkt dat er helemaal geen meer is en ook geen balkons en natuurlijk ook geen tehuis.

In Kriescht was helemaal niets. Ik voel nog de teleurstelling. Van teleurstellingen weet ik alles af.

Er was maar één perron en iets wat zich station noemde. Voor een aan andere maatstaven gewende Berlijnse dreumes als ik een beter soort schuur. Verder een paar vrij grote gebouwen rond een groot, leeg marktplein dat naar koeienstront rook. Een vakwerkkerk en een oorlogsmonument. Zo lukraak bij elkaar gezet, alsof iemand op goed geluk de bouwdoos DUITS PROVINCIEPLAATSJE in het landschap had gekieperd. Ik voelde onmiddellijk dat hier geen zweempje avontuur in de lucht hing. Het liefst was ik meteen weer teruggegaan.

En toen zei papa ook nog: 'We zijn er nog lang niet.'

Zijn Kriescht, legde hij me uit, was niet hier, waar het dorp zich zonder veel talent als stadje vermomde, maar een paar kilometer verderop, in een buurtschap met de naam Nesselkappe. Daar kwam geen trein en rijtuigen, zoals die in Berlijn op de hoek van elke straat stonden, had je hier ook niet. We moesten te voet. Daarom had hij zo weinig bagage meegenomen.

Het kan geen winter geweest zijn, al voelde het wel zo aan. Het was koud en de weg was lang. Ik herinner me hele meteorietenzwermen van droge bladeren die de wind in ons gezicht joeg. Mijn jas, vast een maaksel van Max Gerson & Cie., was algauw niet warm genoeg meer. Ik heb het nooit meer zo koud gehad als tijdens die voettocht.

Dat klopt niet. Ik heb het vaak veel kouder gehad. Maar al die andere keren wist ik al dat kou bij lange na niet het ergste is wat een mens kan overkomen. Toen had ik al geleerd dat de wereld zich niet aan spelregels houdt.

Papa liep voorop, waarschijnlijk om me te beschermen tegen de wind die ons tegemoet blies. In zijn ene hand droeg hij zijn koffer en met zijn andere hield hij zijn hoed vast. Van achteren zag het eruit alsof hij salueerde. Ik verzon er een verhaal bij: we waren twee soldaten die ten strijde trokken. Of we hadden al gewonnen en marcheerden nu naar huis om triomfantelijk verslag uit te brengen. Misschien waren we gewond, maar dat lieten we niet merken. Daar konden we alleen om lachen. We marcheerden rechtop, met vaste tred. Mijn fantasie hielp me, zoals mijn fantasie me nog vaak heeft geholpen, maar op een gegeven moment kon ik papa niet meer bijhouden. Misschien liep hij zonder het zelf te merken steeds vlugger, omdat hij door meer beweging warm hoopte te worden. Of ik liep steeds langzamer. Hoe dan ook: op een gegeven moment kon ik hem niet meer volgen.

Ik riep niet. Dat doen helden niet.

Plotseling was er alleen nog de weg, links en rechts omzoomd met heggen, een grindweg vol kuilen en plassen. En ik was alleen op die weg, helemaal alleen. Papa was achter een bocht verdwenen. Er was niets meer van hem te zien. Ik begon te rennen, hijgend en huilend, mijn voet bleef ergens achter haken, ik viel en krabbelde weer overeind, ik rende verder, met mijn betraande en besnotte gezicht in de wind.

En toen kwam de bocht, en achter de bocht een kruising met een wegwijzer, die in vier lege richtingen wees.

Papa was verdwenen.

Alleen zijn koffer stond er nog.

Ik wist dat ik hem kwijt was. Voorgoed kwijt.

Een eeuwigheid stond ik daar alleen. Een korte eeuwigheid. Hoe lang heeft iemand nodig om te plassen? Papa kwam weer uit de bosjes tevoorschijn, veegde mijn gezicht af en troostte me. 'Mijn arme nestdulleke,' zei hij.

Om me tot andere gedachten te brengen las hij, toen ik weer gekalmeerd was, de plaatsnamen op de wegwijzer voor. NESSELKAPPE stond er en dat was helemaal niet ver meer. Op een andere arm: SONNENBURG. Wat mij, verkleumd als ik was, een aanlokkelijk doel leek.

'Maar daar gaan we niet heen,' zei papa. 'Daar is alleen het tuchthuis.'

Later – dat heb ik in Parijs gehoord – werd het tuchthuis een concentratiekamp en toen hielp het niet als je zei: 'Maar daar gaan we niet heen.'

En dan die vreemde woning.

Eigenlijk helemaal niet zo vreemd. De woning van een familielid, al zou ik nu niet meer kunnen zeggen van welke tak van onze stamboom. Na een orkaan heeft het geen zin om de afgebroken takken te tellen.

De woning had niets bijzonders, maar ik vond het er griezelig. Wij waren indringers, gewoon inbrekers. Papa brak een bureaula waarvan hij de sleutel niet kon vinden, met een koevoet open. En de eigenaar van al die spullen was nog maar net gestorven. We hielden ons op in de kamers van een dode.

En dan was er die lucht, die ongeluchte mufheid. Bij ons in de Klopstockstraße had zich ook eens een akelige lucht verspreid, elke dag sterker, en uiteindelijk bleek het een in de verwarming vergane muis te zijn. Toen we hem vonden, was hij helemaal uitgedroogd, en papa las uit de encyclopedie iets over Egyptische mummies voor.

Een overleden mens – dat werd me toen duidelijk – is nog veel doder dan een vergane muis. Als ik 's nachts naast papa in dat vreemde huwelijksbed lag en in het donker naar de vreemde geluiden luisterde of naar de vreemde afwezigheid van geluiden, kon ik niet slapen van angst. Ik was ervan overtuigd dat de overledene elk moment weer kon opduiken en ons indringers iets aan kon doen.

Mijn leven lang heb ik in elke verlaten woning hetzelfde gevoel gehad. Het maakte geen verschil of daar iemand was gestorven of gevlucht, of dat hij was gedeporteerd.

Overdag onderhandelde papa met mensen die iets uit de nalatenschap wilden kopen. Eerst dacht ik dat het allemaal vrienden van hem waren. Als hij met ze praatte, werd zijn taal steeds minder Berlijns en kwam er het dialectische tintje in dat hij zich anders alleen veroorloofde in de vertrouwde familiekring. Maar die mannen hoorden niet bij de familie. Om de een of andere reden leek hij bang voor ze te zijn. Dat was duidelijk te voelen, ook al lachte hij mijn vraag ernaar weg.

Waarschijnlijk deed hij alles veel te goedkoop van de hand. Er was bijna geen gegadigde die de woning met lege handen verliet. Iedereen nam op z'n minst een stoel of een wasmand vol serviesgoed mee. Ik herinner me een staande klok die plotseling begon te slaan toen hij werd weggedragen. En toen vier mannen vloekend een zwaar buffet de smalle trap af sjouwden, brak een van de gebeeldhouwde poten af en eisten ze korting vanwege de schade.

Meteen de eerste dag vond ik in de stoffige hoek waar een nachtkastje tientallen jaren op dezelfde plek had gestaan, een zilveren Pruisische groschen uit 1850. PASMUNT stond erop, een vreemd woord dat grote indruk op me maakte. Ik mocht de groschen houden en heb hem als volwassene nog jaren als talisman in mijn portemonnee gehad. Tot hij op een dag, zoals zoveel dingen, gewoon was verdwenen.

De woning werd steeds leger en leek daardoor groter te worden. Ik had het idee dat de muren in de hoogte groeiden. Waar vroeger schilderijen hadden gehangen, verschenen lichte plekken op het behang. Alles ging weg en de laatste nacht lagen onze matrassen op de grond, omdat ook het bed al was verkocht.

Alleen een stapeltje boeken wilde niemand hebben. Ze waren geschreven in een vreemd schrift en papa zei dat het juddenrommel was en de moeite van het bewaren niet waard.

Maar dat was niet het belangrijkste wat er in Kriescht gebeurde. Het belangrijkste was iets anders.

Iets veel onaangenamers.

Het moet op de tweede of derde dag na onze aankomst geweest zijn. Het weer was opgeklaard. Waar de laagstaande zon als de lichtkegel van een theaterlamp door de ramen straalde, dansten stofjes. Als je in je handen klapte, stoven ze even uiteen, alsof het geluid ze aan het schrikken had gemaakt. Maar misschien hoort de herinnering aan dat kinderlijke experiment helemaal niet bij die dag en heeft mijn geheugen het er pas achteraf aan toegevoegd.

Doet er niet toe.

Waar ik in die vreemde woning ook de tijd mee verdreef, voor mijn gespannen vader was het te luidruchtig. Hij stelde voor dat ik naar buiten zou gaan, waar de stemmen van spelende kinderen te horen waren. Jongens van mijn leeftijd, met wie ik het volgens papa vast heel goed zou kunnen vinden.

We speelden dan ook samen, iets ingewikkelds waarbij je met je ogen dicht een parcours moest afhinkelen, zonder op de verkeerde plek met je voet de grond te raken. De vakken waarin je wel en niet mocht staan, waren met een tak in de vochtige grond gekrast. De aangestampte aarde waarin dat mogelijk was, vond ik vergeleken met het Berlijnse asfalt een grote vooruitgang.

Ik kende de regels niet en deed alles verkeerd. De anderen vonden dat prachtig. Ze konden me bij elke fout uitlachen, wat ze zonder enige kwaadaardigheid deden. Ik herinner me een kleine jongen in een kapot hemd die niet meer bijkwam van enthousiasme over mijn gestuntel. Hij trok bij het lopen met een been en was voordat ik meedeed waarschijnlijk altijd de slechtste geweest.

Na een poosje had ik de regels begrepen en de vakken onthouden. Ik kende later ook de tekst van een rol altijd heel vlug uit mijn hoofd. Ik stond op het punt een ronde tot een goed einde te brengen, toen plotseling midden op het parcours iemand me de weg versperde. Iemand die groter was dan ik. Veel groter. Het eerste wat ik van hem zag toen ik mijn ogen opendeed, was zijn grofgebreide grijze trui.

Een jongen van een jaar of zestien. En hij was niet alleen. Er waren nog twee anderen. Ik vond de pas geleerde regels van het spel zo belangrijk dat ik als eerste dacht: Ze staan in de verboden vakken. Waarom zegt niemand daar iets van?

Maar er was niemand meer om er iets van te zeggen. Mijn speelkameraadjes waren verdwenen.

De drie jongens, die op mij overkwamen als mannen, als reuzen, onderwierpen me aan een verhoor. Hoe ik heette, waar ik vandaan kwam en wat ik hier te zoeken had.

'Ik heet Kurt Gerson,' zei ik en zoals me was ingeprent voor het geval ik een keer zou verdwalen, voegde ik eraan toe: 'Klopstockstraße 19.'

'Klopstock,' herhaalde de jongen. 'Dat is een goed idee. Je wilt dus dat we een stok halen om je klop te geven?'

De twee anderen bescheurden zich om de woordspeling. Als dronken cabaretbezoekers om een dubbelzinnige grap.

'Nee,' zei ik. 'Alsjeblieft niet.'

'Nog een keer! Hoe heet je?'

Hij stond zo gevaarlijk dicht bij me dat ik zijn onfrisse lucht niet kon ontwijken. Het liefst had ik een stap achteruit gedaan, maar dat durfde ik niet. Er is een reclamefoto waarop de tengere Heinz Rühmann voor me staat en naar me opkijkt, met zijn neus bijna tegen mijn dikke buik. Zo moeten de verhoudingen toen ook geweest zijn. In de studio hadden ze voor die foto een kist onder mijn voeten geschoven. De jongen in Kriescht had dat niet nodig om op me neer te kijken.

'Ik heet Gerson,' herhaalde ik. Mijn stem begon al te trillen. 'Ja, Kurt Gerson.'

'Gerson ...' Mijn kwelgeest leek naar een grap te zoeken, nog briljanter dan die van de stok en de klop, maar er wilde hem niets te binnen schieten. 'Wie heeft je toestemming gegeven om hier rond te hangen?'

'We waren alleen aan het spelen.'

'Wie heeft je toestemming gegeven?'

'Mijn vader. Hij zei ...'

'Je vader? Interessant. Heet die soms ook Gerson?'

Ik knikte. Mijn stem was steeds zwakker geworden en begaf het nu helemaal.

'Ik denk dat hij liegt,' zei de jongen. 'Wat denken jullie?'

De anderen dachten het ook.

'Volgens mij heeft hij geen vader. Een naam als Gerson bestaat helemaal niet.'

'Behalve bij de Joden,' zei een van zijn makkers.

'Precies,' zei de aanvoerder. 'Dat zullen we moeten controleren.'
En toen trokken ze midden op straat mijn broek naar beneden. Een van hen hield me vast, de tweede knoopte zorgvuldig mijn bretels los en de aanvoerder keek of ik inderdaad Gerson kon heten. Hij ging zelfs op zijn hurken zitten om het heel precies te zien.
'Inderdaad,' zei hij toen. 'Een typische Gerson.'
'Eerder een Gerzoontje,' zei een van de anderen en opnieuw bescheurden ze zich.
Toen was de lol er voor hen af en lieten ze me staan. Met mijn broek en mijn onderbroek op mijn enkels.
Ze lieten me gewoon staan. In Kriescht, buurtschap Nesselkappe.

Ze kregen hun verdiende loon.
Papa had precies op het goede moment uit het raam gekeken en kwam de trap afgerend. Zijn voetstappen als een onweer, als hagel op een dak. Hij rukte de deur open, maar het drietal was verdwenen.
Hij knielde naast me neer en hoewel hij altijd zoveel waarde hechtte aan zijn uiterlijk, liet het hem volkomen koud dat de grond nat was en zijn broek vuil werd. Hij nam me in zijn armen, de vertrouwde vadergeur omhulde me, en toen ik weer was aangekleed zei hij: 'Als je nu wilt huilen, mag dat.'
Maar ik wilde niet huilen. Ik was dapper.
'We gaan zo naar de politie,' zei papa. 'Maar eerst wil ik zien hoe goed je dat spel hebt geleerd.'
Ik hinkelde het hele parcours af, zonder één enkele fout, met mijn ogen dicht.
'Ik ben trots op je,' zei hij.
Boven de ingang van het politiebureau spreidde een grote adelaar zijn vleugels uit. Binnen werden we opgewacht door een veldwachter met een enorme snor en een sjako op zijn hoofd. Hij salueerde voor papa en ik moest vertellen wat er allemaal was gebeurd en hoe de drie jongens eruitzagen. Ik deed dat heel goed. Ik beschreef de trui waar ik de hele tijd naar had staan staren, welke kleur hij had, dat er onder de arm een gat zat en dat hij net zo rook als de oude stoel die boven in de woning nog steeds te koop stond.
'Alderbarstend!' zei de veldwachter en hij schreef alles op. Hij prees me omdat ik de dingen zo goed had onthouden. Toen ik klaar was met mijn verhaal, draaide hij de uiteinden van zijn snor op en zei: 'Daar gaan we gauw wat aan doen, meneer Gerson.' Toen ging hij

naar buiten. De sporen aan zijn laarzen rinkelden bij elke stap en de sabel die bij zijn uniform hoorde, zwaaide heen en weer.

De drie waren bekende booswichten en hij wist waar hij ze moest zoeken. Hij pakte de aanvoerder bij zijn oor en die begon meteen te huilen, zo erbarmelijk dat je hem alleen maar kon verachten. Het snot liep uit zijn neus, hij had geen zakdoek bij zich en veegde alles af aan zijn mouw, wat bij ons thuis als het ergste van het ergste werd beschouwd. De veldwachter trok hem achter zich aan. De twee anderen gingen zonder bewaking mee. Alleen hun handen waren op hun rug gebonden.

'Zijn ze dat?' vroeg de veldwachter aan me. Ze waren erg bang en zouden me alles hebben gegeven als ik ze niet verraadde. Maar ik was meedogenloos en zei: 'Ja, dat zijn ze.'

Daarna was er een rechtszitting. De rechter zat op een hoge stoel en had een hamer, waarmee hij telkens op tafel sloeg. Ik legde een getuigenverklaring af, met opgeheven hand om te zweren, en toen werden de drie veroordeeld. 'Cachot,' zei de rechter en het haalde niets uit dat ze op hun knieën vielen en om genade smeekten. Alleen ik had hun die kunnen schenken, maar ik peinsde er niet over. Met onbewogen gezicht keek ik hoe ze werden geboeid en afgevoerd. Papa klopte me op mijn schouder en zei: 'Dat heb je goed gedaan.'

Daarna gingen we terug naar de woning. De mensen die iets wilden kopen waren nu veel beleefder. Als iemand het niet was, zwaaide ik met mijn sabel – die had ik van de veldwachter gekregen – en dan kromp de man in elkaar van angst en betaalde hij zonder af te dingen de prijs die papa voor een meubelstuk vroeg.

Nog diezelfde dag was de woning leeg en omdat we nu zoveel geld hadden, gingen we niet te voet terug naar Kriescht, maar lieten we de trein naar ons toe komen, tot vlak voor het huis. Toen we vertrokken, vormden de mensen een erehaag en riepen ze 'Hoera'.

Op het Schlesischer Bahnhof stond mama ons op te wachten. Ze had zich grote zorgen om me gemaakt, maar ik troostte haar en zei: 'Je hoeft je geen zorgen meer te maken. Ik ben nu groot en kan me verdedigen.'

Ze was heel trots op me.

Maar zo was het niet.

Het was zo: ik schaamde me veel te erg en vertelde papa niet wat de drie grote jongens met me hadden uitgehaald. Dat ik voor hen een judde was, dat ik me niet had kunnen verdedigen en dat ze me hadden bekeken op de plek waar niemand me mocht bekijken.

Hij is het nooit te weten gekomen.

Niemand is het te weten gekomen.

Ik had als kind al veel fantasie. Als de werkelijkheid me niet beviel – en wanneer bevalt de werkelijkheid je nou? –, stelde ik me een andere voor. Eerst nog in onhandige lijnen, zoals in een kindertekening, en daarna, toen ik ouder werd, met steeds meer details en nuances. Nog voordat ik wist dat er zoiets als een bioscoop bestond, draaide ik in mijn hoofd al films af.

Dat betekent niet dat ik onaangename feiten ontken. Ik wist altijd heel goed hoe de wereld echt was en vergat dat ook niet. Ik gaf er alleen de voorkeur aan hem een beetje mooier te maken. Mijn rol te herschrijven. De kunst – ja, het is een kunst! – bestaat erin de werkelijkheid niet uit het stuk te schrappen, maar er een fopneus op te plakken. En wel zo dat je de mastiek niet ruikt. Niet zomaar een neus, maar een die mooier is dan de echte. Of in elk geval interessanter. De verhalen die ik mezelf vertelde, moesten echter zijn dan de werkelijkheid.

Echter dan de werkelijkheid, daar komt het op aan. De realiteit overschilderen kan iedereen. De luiken barricaderen en jezelf wijsmaken dat het daarom buiten niet meer regent. Het stuk van het repertoire halen en het theater leeg laten. Je ogen dichtknijpen of met open ogen blind zijn. Dat gaat altijd. Je kunt jezelf ook in Theresienstadt nog aanpraten dat er niet gebeurd is wat er is gebeurd. Omdat niet kan gebeuren wat niet mag gebeuren.

Fantasie is iets anders. Alleen kunstenaars zijn goede leugenaars. Als dilettanten een waarheid willen verzinnen, zie je het decor wankelen.

Zulke verzonnen waarheden hoeven niet eeuwig te duren. Alleen tot het chanson is gezongen of de scène is gespeeld. Alleen tot de volgende donkerslag.

Mama vond me een dromer en papa noemde me Kurt Kijk-in-de-Lucht. Maar het was geen slechte gewoonte. Het was een talent. Een talent dat niet iedereen bezit.

Kalle was een goede tweede man. Een typetjesmaker met een voorliefde voor heersersrollen. Maar hij kon zijn scènes niet zelf bedenken. Natuurlijk zei hij weleens: ‘Vandaag maken we een luchtballon en daar vliegen we mee naar de maan.' Maar dat was dan niet iets wat in zijn eigen hoofd was ontstaan, het was maar napraterij. Omdat op dat moment iedereen met *Vrouw Luna* dweepte. Als koning of keizer was hij nooit overtuigend. Hij wilde de hele tijd majestueus zijn. Zonder fantasie dus. Hij zou nooit op het idee zijn gekomen om op zijn troon aan één stuk door te eten, zoals ik een keer in een kerstsprookje heb gedaan. Zoiets kwam niet bij hem op.

Ik heb van mijn talent een beroep gemaakt dat zo absurd is dat ik het zelf had kunnen verzinnen. De mensen trekken een smoking aan, een jurk waar ze bij het lopen over struikelen, en betalen er geld voor dat je hun iets wijsmaakt. Ze zijn bereid alles te geloven. Als ze niet met een vrijkaartje zijn binnengekomen.

Toneel is ook niet moeilijk. Daar ben je niet alleen. Je krijgt een podium en een tekstboekje en een regisseur. Ik heb met Max Reinhardt gewerkt en die had zelfs uit de telefoongids nog een overtuigende dialoog kunnen halen.

Nee, wat moeilijk is, dat is jezelf iets wijsmaken. Het tegelijk geloven en toch niet geloven. Heel goed weten dat je daar met je broek naar beneden hebt gestaan en je toch troosten met het idee dat de boosdoeners nu in het cachot zitten. Dat daar muizen en ratten en heel veel akelige spinnen zijn. Jezelf zinnen aanpraten die je dolgraag had gezegd áls je ze had gezegd. De balletmeisjes in hun billen knijpen en voor het oog van iedereen de mooiste uitkiezen voor een herdersuurtje, terwijl je toch heel goed weet ...

Dat is pas moeilijk. Dat had niet iedereen gekund.

Ik kan mezelf in Rahms film een hoofdrol geven. Een laatste grote optreden: de conferencier Kurt Gerron, bekend van film en toneel. En dan de leugens die Rahm van me wil, een voor een aanprijzen. Met opgepoetste superlatieven. Dat heeft hij toch besteld, die beste oom Rahm: een hoop hocus pocus en dames zonder onderlijf.

Ik kan mezelf in het draaiboek een rokkostuum en een hoge hoed aanmeten. Een circuskostuum zoals ik in *De blauwe engel* droeg. Alleen zou ik onder het vest mijn buik moeten opvullen. Die is niet meer zo imposant als vroeger. Op lakschoenen door Theresienstadt wandelen en de attracties aanprijzen. 'Komt dat zien, hooggeëerd publiek! Komt u verder, komt u binnen! Hier is alles mooi, hier is alles chic!' Een rokhemd met ruches en een borst vol rinkelende onderscheidingen. 'Hier ziet u ons koffiehuis! Altijd de nieuwste kranten uit de hele wereld! Met gegarandeerd alleen goed nieuws! De koffiebonen elke dag vers gebrand uit Wenen aangevlogen en de schwarzwalderkirschtorten rechtstreeks uit het Zwarte Woud!' Een aanwijsstok in mijn hand, zoals het hoort voor een standwerker. 'En hier, hooggeëerd publiek, onze dieetkliniek volgens dr. Fletcher! Om de overtollige pondjes kwijt te raken die er door de stevige kost in Theresienstadt aan zijn gekomen!' Voor elke aankondiging tromgeroffel en fanfare. 'Kom, kijk en verbaas u! Ons luxehotel, genaamd de Kleine Vesting! Uit dit huis is nog nooit een gast ontevreden vertrokken. Uit dit huis is nog helemaal niemand vertrokken!'

Misschien toch geen rokkostuum, maar een Münchhausen-kostuum. Het prachtigste getto ter wereld, gepresenteerd door de meester-leugenaar zelf.

Als je je echt in fantasieën kon verstoppen, zou niemand me ooit nog vinden.

Als ik me voorstel dat ik echt zo'n draaiboek zou schrijven ... en het dan aan Rahm zou voorleggen. Met een serieus gezicht. Misschien zou hij er nog in trappen ook. Minstens voor een paar uur. Ironie is niet zijn sterkste kant. Wie altijd alleen bevelen geeft, verliest het gevoel voor nuances. 'Goed gedaan, Gerron,' zou hij zeggen en me een beloning laten overhandigen. Een zak vol goud of, nog veel kostbaarder, een stuk brood. Met echte boter.

Dat hij er dan weer uit zou laten ranselen als hij de ironie begreep. Of als iemand hem die uitlegde.

Bij het cabaret heb je geregeld toeschouwers die beledigd zijn omdat de anderen al lachen en zij de clou nog steeds niet doorhebben. Die roepen dan lelijke dingen. Smijten met glazen als ze dronken zijn. Als ze Rahm heten, zetten ze je op de lijst voor het volgende transport. Of ze laten je naar de Kleine Vesting brengen. Waar het lachen je vergaat. Voorgoed.

En toch. Als ik me voorstel dat Rahm het draaiboek eerst goed vindt ...

Ik moet niet in zulke ideeën vluchten. Overmorgen wil hij antwoord. Ik mag de tijd die me rest, niet verdoen met onzinnige dromen.

Maar het doet een mens zo goed om weg te lopen voor de werkelijkheid. Daar zijn we hier in getraind. In ons hoofd zijn we allemaal toneelspelers. We improviseren de mooiste heldenrollen in onze stukken. We zijn eraan gewend geraakt onze overwinningen alleen nog in theorie te vieren. Alleen nog in de aanvoegende wijs te triomferen. 'De aanvoegende wijs is de tijdvorm van de irreële wensen,' heeft rector Kramm ons ingeprent. Hij had ook kunnen zeggen: 'De aanvoegende wijs is de tijdvorm van Theresienstadt.'

Ik had ook iets anders kunnen worden.

Toen we eindexamen hadden gedaan, toen ze ons het diploma hadden nagesmeten als ramsjgoed bij een uitverkoop, toen alles al was afgehandeld, liep de directiebediende ons achterna – hij heette Hintze of zo, een alledaagse naam – met een lijst die we in de haast vergeten waren in te vullen. Rector Kramm liet lijsten bijhouden van alle mogelijke zaken: absenties, krijtverbruik, gebruik van preparaten uit het naturaliënkabinet. Daarom werd hij door zijn leerlingen de man van de duizend lijsten genoemd, een door een van ons bedachte variatie op de man van de duizend listen, de bijnaam van Odysseus. Dat die statistiekenfanaat Kramm een van zijn geliefde formulieren gewoon kon vergeten, lijkt me een sterkere aanwijzing voor de uitzonderlijke sfeer van die dagen dan de kreet: 'Ik ken geen partijen meer, ik ken alleen nog Duitsers.'

Op de lijst waar Hintze zo ijverig mee zwaaide alsof het een extra kranteneditie was waarin op z'n minst de inname van Parijs werd vermeld, moesten we invullen welke studierichting we hadden gekozen. Een andere loopbaan dan een academische kwam voor zijn leerlingen niet in aanmerking, dat stond voor de man van de duizend lijsten vast. Zojuist had hij in zijn toespraak verkondigd dat het vaderland ons een klassieke opvoeding had geschonken en dat we nu de gelegenheid kregen om een klein deel van de verschuldigde dank te betuigen door dat vaderland te dienen. Naderhand zouden we dan, gehard in de strijd, de schansen van de wetenschap met evenveel succes bestormen als de Pruisische helden de schansen van Düppel.

Ik heb toen niet 'toneelspeler' ingevuld. Aan toneelspelen als beroep dacht ik nog helemaal niet. Wie in zijn vrije tijd vioolspeelt of gaat schaatsen, komt ook niet op het idee daar meteen een beroep van te maken.

Ik schreef 'medicijnen' op. Een jaar eerder zou ik nog 'rechten' hebben opgeschreven. Dat studeerden toen alle zonen van Joodse confectionairs. Zoals ik me het beroep van advocaat voorstelde, had ik dat ook wel zien zitten. De jury met een dramatische toespraak overtuigen van de onschuld van een cliënt, dat verschilde helemaal niet zoveel van de spelletjes die ik met Kalle deed.

Hij was de enige die de lijst niet serieus invulde. Al die jaren was hij ervan overtuigd geweest dat hij het eindexamen niet zou halen en daarom had hij ook geen plannen gemaakt voor een beroep. Hij beantwoordde de vraag naar zijn studievak gewoon met 'leven'. Zoals bij veel van mijn medeleerlingen kwam er ook bij hem niets van dat plan terecht.

De primus van onze klas, die zoals alle primussen – hij zou primi gezegd hebben – leraar wilde worden, het liefst leraar Latijn, schreef 'filologie' op. Dat heeft hij vervolgens nooit gestudeerd. Hij zat vier jaar aan het front, raakte, hoe onwaarschijnlijk dat ook klinkt, geen enkele keer gewond en stierf in 1918 aan dysenterie.

Ik schreef 'medicijnen' op.

Dat kwam zo: toen ik in de voorlaatste klas van het gymnasium zat, werd opa ziek. Heel onverwachts, ik kon het niet geloven. Natuurlijk was hij altijd oud geweest, zoals grootvaders dat nu eenmaal zijn, maar hij was tegelijk onsterfelijk. Ik wist toen nog niet dat ook mensen die veel voor ons betekenen, er op een dag gewoon niet meer zullen zijn.

Nu lag hij daar in zijn bed, uitgedroogd en met steeds minder lichaam onder zijn dunne huid. In plaats van hem beter te maken schudde dokter Rosenblum bedenkelijk zijn hoofd en probeerde in het Latijn uit te leggen wat hij in het Duits niet begreep. 'De geneeskunst heeft haar grenzen,' zei hij. '*Carcinoma bronchialis. Incurabilis.*'

Opa maakte zichzelf niets wijs en behield tot het laatst toe zijn gevoel voor humor. Toen papa een keer al te nadrukkelijk op de optimistische toer ging en overdreven hard beweerde: 'Dat wordt wel weer beter!', zei hij met zijn nieuwe fluisterstem: 'Je bedoelt: dat wordt wel weer een begrafenis.'

Ziekte maakte mijn vader razend. Omdat dan duidelijk werd dat hij in een crisissituatie volkomen hulpeloos was.

Toen ik een keer bij mijn al erg zieke grootvader zat, vroeg hij me een sigaar op te steken. 'Ik kan er niet meer tegen,' zei hij, 'maar ik hou nog altijd van de geur. En ik verheug me er al zo lang op jou sigaren te leren roken.'

Ik deed hem dat plezier, zo ijverig en grondig dat ik de hele wc vol kotste. Dat was de laatste keer dat ik mijn grootvader hoorde lachen.

Op het eind was zijn pijn niet meer te verzachten.

Toen besloot ik dokter te worden. Een dokter die al zijn patiënten beter maakt. Op dat moment kwam mijn fantasie weer om de hoek kijken.

Mijn grootvader verklaarde de wereld aan de hand van verhalen. Leerzame, grappige en griezelige.

Toen ik in mijn kinderlijke gestuntel weer eens was gevallen en me huilend door hem wilde laten troosten, liet hij me op zijn knieën klimmen en neuriede zachtjes het lied waarmee hij me als driejarige altijd al had kunnen geruststellen: 'We rijden met de trein, tjoeke tjoeke tjoek, we rijden met de trein, wie rijdt er mee?' Daarna veegde hij met zijn zakdoek de laatste tranen af – die zakdoek rook, zoals alles aan hem, naar vertrouwdheid en sigaren – en begon te vertellen.

Vroeger, zei opa, toen de wereld zo nieuw was dat je de verse verf nog kon ruiken, hadden alle mensen drie benen en vielen daardoor nooit. 'Met drie benen sta je stevig,' zei hij, 'dat zal elk keukenkrukje bevestigen.' Maar drie benen, vertelde hij verder, hebben ook een nadeel: je komt er niet goed mee vooruit. Er zijn er altijd twee die samenspannen tegen het derde, waardoor je alleen nog in een kringetje loopt. Er was veel te verkennen geweest in die pas gemaakte wereld, maar de mensen moesten met lede ogen aanzien hoe de dieren hen inhaalden en de beste stukken voor zichzelf uitkozen: de beer het bos, de leeuw de savanne en de walvis de zee.

En daarom, zei mijn grootvader, besloten de mensen op een dag hun derde been af te snijden. Dat was niet moeilijk en het deed ook geen pijn. De wereld was jong en de onderdelen ervan zaten nog niet zo vastgebakken als tegenwoordig. Zolang de specie zacht is, kun je ook een baksteen met je blote hand verschuiven.

Nu voelden de mensen zich veel prettiger en ze begonnen meteen te rennen. Ze hadden haast, want ze gunden de dieren de beste stukken van de wereld niet. Ze wilden alles voor zichzelf hebben. Het bos en de savanne en de zee.

Maar met twee benen ben je niet in evenwicht en daarom vielen ze een voor een op hun snufferd. Bij de koning gleed de kroon van zijn hoofd, bij de rechter de baret, en de generaal belandde in een heg van braamstruiken, waar de doornen alle onderscheidingen van zijn borst rukten. 'Dat komt ervan,' zei opa terwijl hij me in zijn zakdoek liet snuiten, 'als je zonder derde been gewoon weg wilt rennen.'

'En de afgesneden benen?' vroeg ik. 'Wat hebben ze daarmee gedaan?'

'Die zijn er nog steeds. Alleen verstoppen ze zich omdat ze nu bang zijn voor de mensen. Als je je razendsnel omdraait, kun je ze soms nog net om een hoek zien verdwijnen. Als je niet oppast, springen ze voor je op de weg en struikel je erover. Zoals dat met jou is gebeurd. Je ziet ze niet aankomen. Of heb jij al eens benen zonder de bijbehorende mensen gezien?'

Ja, opa, dat heb ik. In 1915. In Vlaanderen. Benen en armen en hoofden. Die hadden zeker niet opgepast.

Een van zijn andere verhalen ging over de hel. Een klasgenootje had op het schoolplein verteld dat alle Joden eeuwig in het vagevuur moesten branden. Ik had hem weliswaar niet geloofd – hij had ook een keer beweerd dat kinderen door de navel van een vrouw op de wereld kwamen –, maar het idee van een eeuwig vuur fascineerde me. Aan papa kon ik zoiets niet vragen, het had met religie te maken en die verachtte hij. Dus ging ik naar opa en die verklaarde de hel als volgt: als een mens wordt geschapen, gebeurt dat altijd in tweevoud. Eén keer van vlees en bloed en één keer als beeld dat hem laat zien zoals hij kan worden als hij van zijn aangeboren talenten en capaciteiten het beste maakt. Dat beeld wordt gedurende zijn hele aardse leven bewaard in een soort hemelse kunstgalerij. Als hij dan gestorven is, moet hij ervoor gaan staan en het vergelijken met wat hij er echt van heeft gebakken. Dan ziet hij het verschil tussen wat hij had kunnen worden en de janboel die hij er in werkelijkheid van heeft gemaakt – en dat is de hel. 'Geloof me, kleine Kurt,' zei hij, 'dat doet meer pijn dan welk heet vuur ook.'

Je hebt niet gelogen, opa.

Een van de verhalen die mijn grootvader vertelde, had tot gevolg dat mijn ouders de politie waarschuwden. En dat ik voor het eerst van mijn leven noga at.

Ik had hem gevraagd waarom hij Riese heette, reus dus, hoewel hij helemaal niet zo'n grote man was. Mijn grootvader nam zulke vragen serieus, dat was zo fantastisch van hem. In elk geval gaf hij je het gevoel dat je serieus werd genomen. Ik was toen op de leeftijd dat je nog heel optimistisch gelooft dat alles op de wereld een logische reden heeft en dat die ook te achterhalen valt. Als ik er goed over nadenk, verschilt die houding helemaal niet zoveel van die van mijn vader met zijn encyclopedie. 'Waarom' is de meest optimistische vraag ter wereld. Omdat hij de mogelijkheid veronderstelt dat er een zinvol antwoord is.

Waarom dus Riese? Zoals zijn gewoonte was, antwoordde mijn grootvader met een verhaal. Hij vertelde het op fluistertoon, want hij verklapte daarmee, zo zei hij, een heel groot geheim. Hij was namelijk – maar dat mocht ik, groot indianenerewoord!, aan niemand vertellen – inderdaad een reus en eigenlijk meer dan drie meter lang. Maar zo'n enorme lengte was lastig in een stad als Berlijn, je stootte overal je hoofd en moest de hele tijd gebukt rondlopen. Daar kreeg je rugpijn van en als je naar de dokter ging, had hij niet eens een ligbank die lang genoeg was. Daarom hadden de Berlijnse reuzen de koppen bij elkaar gestoken en eens en voor altijd besloten zichzelf klein te maken. Daar bestonden krimppillen voor, waarvan hij er elke ochtend voor het ontbijt één moest innemen. Dat mocht hij nooit vergeten, want anders begon hij meteen weer te groeien en knapten op z'n laatst tegen de middag de eerste naden van zijn pak.

'En waarom heet ik Gerson?' vroeg ik.

'Dat heb ik ooit geweten,' zei mijn grootvader, terwijl hij omstandig een sigaar opstak. Zoals acteurs doen als ze hopen dat na wat potsenmakerij de tekst hun wel weer te binnen schiet. 'Ik had ooit een boek waarin dat stond. Maar toen zijn er rovers gekomen en die hebben het gestolen. Zal ik je het verhaal van de rovers vertellen?'

'Nee,' zei ik, 'ik wil een Gerson-verhaal horen!'

En mijn grootvader – hoe kon het ook anders? – kende inderdaad een Gerson-verhaal. Het ging over hofleverancier Hermann Gerson, die in zijn atelier aan de Werderscher Markt de kroningsmantel voor keizer Wilhelm had genaaid. 'Die was toen weliswaar nog maar koning, maar dat is een ander verhaal.' Het was de mooiste mantel die een heerser ooit had gedragen, en hij verborg de misvormde arm zo goed dat je er helemaal niets van zag. Kleermaker Gerson had daar een schitterende onderscheiding voor moeten krijgen. Maar die kreeg hij niet meer omdat hij tijdens de kroning plotseling was gestorven. 'En weet je waarom?' vroeg mijn grootvader. 'Omdat hij zijn werk te goed had gedaan!'

De oude Fritz – ook een koning, maar een dode – had de plechtigheid vanaf zijn wolk bekeken. Toen hij de mantel zag, met al dat fluweel en die zijde en die goudborduursels, werd hij zo jaloers dat hij kleermaker Gerson onmiddellijk naar de hemel haalde. Om voor hem een nog mooiere te maken. 'Tja, en daar zit Hermann Gerson nu aan zijn nieuwe opdracht te werken.'

'Is hij familie van ons?' vroeg ik. Het was allemaal niet gebeurd als mijn grootvader eerlijk nee had gezegd. Gersons zijn er bij de vleet. Maar hij kon de verleiding van een goed verhaal nooit weerstaan en antwoordde daarom: 'Uiteraard! Alle Gersons zijn familie van elkaar. De beroemde bazaar aan de Werderscher Markt, je kent hem vast, is door die oudoom Hermann opgericht. Als je daar je naam zegt, krijg je van het personeel een groot stuk chocola.'

Natuurlijk kende ik de modebazaar Gerson. Mijn ouders zaten tenslotte in de confectie. De tafelgesprekken in de Klopstockstraße gingen vaak over het werk. Ik had begrepen dat die bazaar in de modewereld de maat van alle dingen was, alleen de duurste stoffen en de allerbeste klanten. Wat daar werd verkocht, was bepalend voor wat de chic droeg, en een of twee seizoenen later ook de klantenkring van Max Gerson & Cie. Ik was er een keer met mijn ouders langsgelopen, na een zakenbezoek aan de Hausvogteiplatz, het centrum van de Berlijnse confectie. Voor de deur stond een man in een prachtig uniform. Maar dat was geen generaal, hij stond daar alleen om de deur voor de klanten te openen. 'Zo'n firma zou je moeten hebben,' had papa gezegd. Maar dat het familie van ons was, daar had hij niets van verteld.

Het was niet de maatschappelijke glans van de Bazar des Modes die me zo onweerstaanbaar aantrok. Het was de chocola. Hoewel ik toen nog niet die voortdurende honger had.

Wat de naam Gerson echt betekent, daar ben ik pas veertig jaar later achter gekomen.

De weg van Max Gerson & Cie. naar de Hausvogteiplatz meende ik te kennen. Ik had hem met mijn ouders al een paar keer afgelegd. In de Leipziger Straße na twee zijstraten linksaf de Jerusalemer Straße in. Die naam had ik onthouden omdat papa bij die kruising altijd dezelfde zin zei: 'Alle wegen leiden naar Jeruzalem.' Als kind begreep ik niet dat hij daarmee zinspeelde op de vele judden die daar hun zaak hadden, maar ik wist dat het een grap moest zijn, want mama, de goed ingespeelde partner, lachte telkens opnieuw om zijn flauwiteit. Ach, die lieftallige kostschoolmeisjeslach met het beschaamd afgewende gezicht en de hand voor de mond!

Van de Hausvogteiplatz naar de Werderscher Markt stond de weg me niet zo helder voor de geest. Maar daar liet ik me niet door weerhouden. Met een doel voor ogen heb ik altijd de neiging gehad mijn capaciteiten te overschatten. Voor mijn allereerste optreden in het Künstler-Café zei de resolute Resi Langer tegen me: 'Niet bang zijn, Gerson, grootheidswaan is het halve werk.'

Terwijl papa in het kantoor bezig was, praatte mama met magazijnmeester en manusje-van-alles Grämlich, een militair-stramme man die de verbluffende gave had om zonder een spier te vertrekken spelden in zijn arm te steken. Ik bewonderde hem daarom zeer en herinner me nog mijn teleurstelling toen ik hoorde dat die arm maar een prothese was. Zijn echte had hij verloren in de Frans-Duitse Oorlog.

Ik was dus helemaal alleen in het magazijn en speelde verstoppertje. Dat dachten mijn ouders tenminste en daarom maakten ze zich geen zorgen om me. Voor dat spel had ik nog nooit een partner nodig gehad. Iemand die me inderdaad zocht en misschien zelfs vond, had me maar gestoord. In mijn fantasie kon ik de gevaarlijkste achtervolgers bedenken en er tegelijk heel zeker van zijn dat ik niet door ze werd ontdekt.

Toen mijn ouders wilden opstappen en me niet meteen konden vinden, dachten ze eerst dat ik me extra goed had verstopt. Ik hoor mijn ongeduldige vader nog roepen: 'Zo, Kurt, nu is het genoeg! Schei uit met die onzin.'

Maar ik was er niet meer. Ik was onderweg naar de Bazar des Modes.

Tot aan de Hausvogteiplatz had ik geen enkel probleem. Maar toen de fontein in het midden van het plein me belette rechtdoor te lopen, raakte ik de weg kwijt. Algauw herkende ik de huizen en winkels niet meer. Het was verstandig geweest iemand om hulp te vragen. Mijn tekst kende ik tenslotte: 'Ik heet Kurt Gerson, Klopstockstraße 19.' Maar ik was die dag niet verstandig. En ik ben het mijn leven lang ook niet geworden.

Ik liep verder en verder, waarschijnlijk steeds door dezelfde straten. Een hele tijd bleef ik erop vertrouwen dat ik achter de volgende of daaropvolgende hoek mijn doel toch nog zou vinden. Maar zelfs toen dat vertrouwen steeds verder slonk, was ik niet bereid het op te geven. Ik was gewend draaiboeken te bedenken waarin ik zelf de hoofdrol speelde en ik kon me niet voorstellen dat uitgerekend dit verhaal geen happy end zou hebben.

Op een gegeven moment belandde ik op de Schloßplatz, tussen het woonverblijf van de keizer aan de ene kant en de vorstelijke stallen aan de andere kant. Voor de wachthuisjes die de ingang van het slot flankeerden, stonden twee roerloze soldaten met een blauwe tuniek en een met goud versierde punthelm. Een paar passen verder twee gendarmes, wijdbeens en met hun armen op hun rug. Het was niet helemaal duidelijk wie nu wie bewaakte.

Daar had ik nu mijn gendarmes van wie me was ingeprent dat je ze altijd om hulp kon vragen. Maar de toegang tot hen was versperd door zware ijzeren kettingen, waar ik niet overheen durfde te stappen. Ik ging op een van de paaltjes zitten waaraan de kettingen waren vastgemaakt, en gaf me eindelijk over aan mijn wanhoop. Ik weet niet meer waar ik meer om huilde: om het feit dat ik hopeloos was verdwaald of om het verlies van de chocola die ik nu misliep.

De vrouw die me aansprak is in mijn herinnering een prinses. Hoewel ze natuurlijk een heel gewone voorbijgangster was. Maar na mijn snikkend gestamelde uitleg – Gerson, bazaar, chocola – kon alleen een prinses er niet als eerste voor zorgen dat ik mijn ouders terugvond, maar uit haar handtas een doosje tevoorschijn halen met een lekkernij zoals ik nog nooit had geproefd. Ik heb dan ook mijn leven lang van geen enkele zoetigheid meer gehouden dan van noga.

Nog iets wat ik nooit meer zal krijgen.

De donderpreek die ik had verdiend, bleef achterwege. Mijn ouders waren veel te blij dat ze me gezond en wel terug hadden. Het enige wat papa ergerde was dat hij vanwege mij de politie had gewaarschuwd en die waarschuwing toen weer moest intrekken. Het maakte een onverstandige indruk en onverstandig was wel het laatste wat hij wilde zijn.

'Hoe ben je op dat dwaze idee gekomen?' vroeg mama. Pas veel later heb ik haar verteld dat het kwam door een verhaal van haar vader.

In Theresienstadt kun je niet verdwalen. Wij kennen elke hoek van onze gevangeniscel. We zijn allemaal op hetzelfde station aangekomen. We weten precies hoeveel passen het vandaar naar de sluis in de Hamburger kazerne is. Of dat je bij de Hannover kazerne 's morgens vroeg het verse brood in de centrale bakkerij kunt ruiken. Vlak daarnaast, bij de Maagdenburger kazerne, waar de Raad van Oudsten zit, kun je soms zelfs de geur van echte koffie opsnuiven. En, als je de geruchten in het getto mag geloven, nog van heel andere lekkernijen. Bij de Bovenste Waterpoort, die zoals alle poorten in Theresienstadt geen doorgang is maar een versperring, ruikt het al naar de desinfecterende middelen uit de ziekenboeg in de Hohenelber kazerne. Je komt langs de Onderste Waterpoort, vanwaar de weg naar Praag leidt – puur theoretisch, want voor ons leiden wegen nergens heen –, en moet weer links afslaan, langs de Dresdner, de Bodenbacher en de Aussiger kazerne. Dan ben je al bijna om Theresienstadt heen gelopen. Alleen het laatste stukje van de weg ontbreekt nog: rechtdoor terug naar het station. Waar de treinen niet alleen aankomen, maar ook vertrekken. De weg die iedereen vroeg of laat gaat.

Nee, je kunt in Theresienstadt niet verdwalen. Hier is alles met militaire precisie opgezet. Zoals dat hoort in een vesting. De straten aangelegd in een rechte hoek. Vijftien straten.

L 1. L 2. L 3. L 4. L 5. L 6. De L van Lengtestraat.

En in de andere richting: de D van Dwarsstraat. D 1 tot en met D 9.

Meer zijn het er niet.

Alleen toen het Rode Kruis hier was en voor één dag alles anders werd, hebben ze ook de straten vermomd. Ze verzonnen er namen voor en schreven er zelfs een prijsvraag voor uit. Bergstraat. Meerstraat. Terwijl we helemaal geen berg en geen meer hebben. En als we ze wel hadden, zou de toegang voor ons verboden zijn.

L 3-24, dat is ons adres. Het 24e huis in de 3e Lengtestraat. Ook bekend als geniekazerne. Direct aan het marktplein, hoewel we niets aan het uitzicht hebben. Om bij ons te komen ga je de kazerne binnen en door de achteringang weer naar buiten. Als je dan op de binnenplaats staat, waar ze de latrine hebben gegraven, is links een klein huisje. De grote ruimte op de begane grond staat vol bedden, zo kapot dat ze zelfs in Theresienstadt niet meer te gebruiken zijn. Maar we mogen ze niet uit elkaar halen en verstoken. Ze staan ergens geregistreerd en iemand zou op het idee kunnen komen om ze te tellen. Een houten trap leidt naar de bovenverdieping. De vierde tree van onderen ontbreekt. Dat moet je weten, want in dit trappenhuis brandt allang geen licht meer. Boven zijn zes piepkleine kamertjes. Vroeger, toen de Oostenrijkers hier nog regeerden, toen Oostenrijk nog bestond, was het huisje het garnizoensbordeel en bedienden de dames in de kamertjes hun klanten. Nu zijn het woningen. Je moet een A-prominent zijn om er een te krijgen.

Kumbal heet dat hier. Of *kumbalek* als het bijzonder klein is. Een kamer helemaal voor jezelf alleen.

We hebben twee bedden boven elkaar – naast elkaar zouden ze niet kunnen staan –, we hebben twee stoelen en twee margarinekisten, die op elkaar gestapeld een tafel voorstellen. Natuurlijk ruikt het niet naar rozen en lenteseringen. Latrines stinken nu eenmaal. Maar in Theresienstadt stinkt alles. Je went eraan. En tienduizend mensen benijden ons om onze luxebehuizing.

Als Olga gelijk heeft en de oorlog afgelopen is voordat ze ook ons op transport naar Auschwitz stellen, als ik de film maak en het werk een beetje rek, een beetje maar, zodat ze me geen sabotage kunnen aanwrijven, als ik geluk heb, als er een wonder gebeurt, als, als, als ... dan zal ik lachen om L 3-24. 'In het bordeel, ons woon- en werkadres,' zal ik zingen. En alle details alleen nog belachelijk vinden.

Als ik het overleef, zal Theresienstadt een anekdote worden. Zoals elk leven op een gegeven moment tot een anekdote verschrompelt.

De altijd eendere jeugdverhalen, honderd keer verteld tot ze als een afgezaagde revuesketch uit niet meer dan grappen bestaan. Met wat er echt is gebeurd, hebben ze dan allang niets meer te maken. Een te vaak vertoonde kopie vol krassen. 'Zo was het,' zeg je, maar zo was het niet. Zo ongeveer misschien. In het gunstigste geval.

En dan zijn er de andere verhalen, dat ene andere verhaal waar je niet over praat en dat je alleen al daarom niet kunt vergeten.

Maar verder? Brokstukken. Herinneringsflarden. Mozaïekstenen die niet meer samen te voegen zijn tot een beeld.

De geur van gebakken aardappelen als ik langs de deur van de portierswoning loop. Heitzendorff, die bij ons in de keuken iets repareert; de zweetvlek in zijn hemd een landkaart met groeiende continenten. Mijn knuffelbeest, een leeuw waarvan het vel steeds kaler wordt, tot hij op een dag niet meer te repareren valt en ik hem in Tiergarten onder een hoop herfstbladeren begraaf. Een dode duif. De eerste grap die ik leer: 'Slaap kindje slaap, je moeder is een aap.' De koetsier die op een kruispunt zijn uitgeputte paard afranselt. De maansverduistering van 1906, hoe we allemaal naar de lucht staren tot er op het beslissende moment dikke wolken komen opzetten. Dr. Bellinger, die ons in het natuurkundelokaal de elastische botsing wil demonstreren en daarbij zijn pols verstuikt. 'Na si, nisi, num en ne gaat Ali niet met Quisje mee.' De eerste zeppelin boven de stad en hoe jaloers ik ben op Kalle, die naar de schietbaan in Tegel mag en de landing meemaakt. De vlieger die ik voor mijn verjaardag krijg en die meteen op de eerste dag in een boom blijft hangen. De regenworm die ik moet inslikken om mijn moed te bewijzen en hoe ik daar onderuit probeer te komen.

Een vuurwerk waarvan ik gillend wakker schrik, en mama die zegt: 'Dat is de nieuwe eeuw.' En daarvan weet ik al niet of ik me het wakker worden herinner – ik was nog geen drie – of alleen wat me later is verteld.

Dat was mijn jeugd. Meer was er niet.

Veel te weinig herinneringen aan mijn moeder. Zelfs haar gezicht kan ik me niet meer voor de geest halen. Alleen een paar uiterlijkheden. Hoe ze bij het hoesten haar gebalde vuist voor haar mond hield, zodat het leek of ze discreet een kersenpit wilde uitspugen. De gesteven witte blouses die ze bij officiële gelegenheden droeg; je mocht dan niet te dicht bij haar komen en als je het toch deed, knisperde ze. Dat ze het woord 'conferencier' niet kon of wilde onthouden en in plaats daarvan 'conferenser' zei. Maar dat was later, na de oorlog.

'Ik herinner me,' zeg je, maar dat klopt niet. Niet echt. We zetten iets in elkaar, een cut hier, een fade-out daar, en herschrijven elke scène net zo lang tot hij in ons draaiboek past. Wat we onthouden, heeft met de echte belevenis niet meer te maken dan een toneelkritiek met de opvoering die erin wordt besproken. Wij zijn geen objectieve verslaggevers.

Maar er blijft ons niets anders over. Letterlijk. Als het stuk eenmaal afgelopen is, blijft er niets anders over. Alleen de kritieken, die je altijd al eens netjes wilde sorteren, zonder dat je er ooit aan toe bent gekomen. En als je de vergeelde knipsels toch een keer uit de kartonnen doos haalt, wordt daarin meestal alleen van de hoofdrollen gerept, de rest valt onder: verder werkten mee.

Verder werkten mee: dienstmeisjes, kokkinnen en overig personeel. Ik kan me geen enkele naam herinneren. Ze droegen witte schorten en noemden mama 'Mevrouw'. Ik wilde altijd weten waarom ze papa niet aanspraken met 'Meneer', wat consequent geweest zou zijn, maar met 'Meneer Gerson'. Als ik daar al een antwoord op heb gekregen, ben ik het vergeten.

Verder werkten mee: een groep die voor leraar speelde. Het gebruikelijke soort, niets bijzonders. In een film zou ik de rollen ook niet anders hebben verdeeld. Er waren een paar aparte types bij: de rector met zijn duizend lijsten en zijn Theodor Herzl-baard; dr. Bellinger, van wie de natuurwetenschappelijke experimenten maar zelden lukten; een gymleraar, die Ehrbar heette en die het op mij had gemunt. Misschien vanwege mijn onhandigheid, misschien omdat ik Gerson heette.

Ze wilden ons voorbereiden op het leven, maar dat hield zich vervolgens niet aan hun leerboeken.

Verder werkten mee: een stuk of dertig klasgenoten, van wie ik er na de oorlog nooit meer een heb gezien. Wij waren geen jaargang voor reünies. Een paar familieleden, die allemaal dezelfde tekst leken te hebben: 'Wat is die jongen groot geworden!' En bovendien ...

Je kunt niet iedere figurant onthouden.

Bij grote stukken staat aan het eind van de acteurslijst vaak: *soldaten, kooplieden, volk*. Geen slechte omschrijving. Meer blijft er achteraf gezien immers niet over.

Ja, toch wel. Die ene avond met opa. Inclusief de onaangename voorgeschiedenis ervan.

Ik had een chronische keelontsteking – *angina tonsillaris*, ik heb niet voor niets medicijnen gestudeerd – en moest mijn amandelen laten pellen. Dat was toen, in 1904, een niet alleen pijnlijke, maar ook gevaarlijke procedure. Mijn ouders maakten zich grote zorgen. Toen mama een keer dacht dat ik niet in de kamer was, vroeg ze aan dokter Rosenblum: 'Is het levensgevaarlijk?' En hij antwoordde: 'Alleen in uitzonderlijke gevallen.'

Bevleugeld door mijn levendige fantasie zag ik me al in mijn kist liggen en besloot ik een testament te maken. Voor mijn laatste wilsbeschikking leek een blaadje uit een gewoon schoolschrift me niet goed genoeg en dus scheurde ik stiekem een blaadje uit mama's oude poëziealbum met zijn silhouetten en getekende bloemenslingers. Voordat mama mijn vergrijp aan dat zorgvuldig bewaarde overblijfsel uit haar kostschooltijd ontdekte, aldus mijn overweging, zou ik allang dood zijn en geen straf meer hoeven vrezen. Ik heb geen idee meer aan wie ik toen welke schatten wilde nalaten.

Mijn eerste testament bleef ook mijn enige. Later, toen de dood een realistischer vooruitzicht werd, had het geen zin meer om iets te willen regelen.

De operatie zelf was toen weliswaar uiterst onaangenaam, maar bracht bij lange na niet de helse kwellingen met zich mee die ik me van tevoren had voorgesteld. Toen ik in het Charité uit de chloroformnarcose bijkwam, ging het, afgezien van problemen met slikken, eigenlijk heel goed met me. Maar dat vertelde ik aan niemand, ik speelde mijn rol van herstellende met een heel bijzondere nuance. Ik hing de jonge held uit die bovenmenselijk leed met stoïcijnse dapperheid verdraagt. Als me werd gevraagd of ik pijn had, schudde ik zwijgend mijn hoofd, maar op zo'n manier dat iedereen moest merken dat de pijn in werkelijkheid bovenmenselijk was. Het voorbeeld voor die rol was afkomstig uit een jeugdboek over de Boerenoorlog, waaruit onze onderwijzer in de laatste les op zaterdag weleens voorlas. Daarin had een dodelijk gewonde jonge held met wegstervende stem zijn laatste woorden gesproken: 'Vrijheid is belangrijker dan leven.' Waarop oom Kruger een stille traan van zijn verweerde wang pinkte.

Ik speelde mijn heldenrol – althans in het begin – niet om iets gedaan te krijgen. Die rol paste gewoon bij mijn gevoel voor dramatiek. Toen merkte ik echter dat hij een onvoorzien, maar hoogst aangenaam neveneffect had. Mijn ouders waren zo onder de indruk van mijn vermeende dapperheid dat ze me van alles en nog wat beloofden. Als ik maar weer beter werd. Ik speelde hoog spel, bleef mijn gekozen karakter trouw en beweerde fluisterend dat ik helemaal geen wensen had. Waardoor ze zich alleen nog maar vaster voornamen om me te verwennen.

Thuis wachtte me een metalen trein. Een getrouwe kopie van de keizerlijke hoftrein inclusief rails, uurwerklocomotief, tender en salonwagen. Die had ik dat jaar voor mijn verjaardag gevraagd en niet gekregen omdat hij te duur was. Toch is dat kostbare speelgoed in mijn herinnering alleen verbonden met verveling. Tenslotte kon je het alleen maar opwinden en rondjes laten rijden. Er zijn wensen die aantrekkelijker zijn wanneer je ze je voorstelt dan wanneer ze in vervulling zijn gegaan. Daar kon ook de firma Märklin niets aan veranderen.

Wat me echt gelukkig maakte, was iets anders wat ik voor mijn herstel kreeg. En dat bedacht mijn grootvader.

We gingen uit. Alleen wij tweeën. 'Een avond onder mannen,' zei hij. 'Trek je rokkostuum aan, vandaag bewegen we ons in de betere kringen.' Ik was zeven en had een matrozenpakje.

Mama was sceptisch. Vooral omdat opa haar niet wilde verklappen wat hij met me van plan was. 'Kun je niet als een verstandig mens met hem naar de dierentuin gaan? Of naar het museum? Moet het per se 's avonds?'

'Ja, dat moet,' zei opa. 'De misdadigerskroegen waar we ons een stuk in de kraag willen drinken, gaan niet eerder open.'

Zulke dingen begreep mama niet. Het bijzondere was juist dat het buiten al donker werd. Dat het een avontuur was. Op een tijdstip waarop anders werd gezegd: 'Wassen, tandenpoetsen en naar bed!'

Toen we buitenkwamen, stak hij om te beginnen een sigaar op en hield mij ook het etui voor. 'Ook een havanna, meneer de directeur?'

'Nee, dank u, collega,' antwoordde ik. 'Ik ben betere soorten gewend.'

Voor improvisaties heb ik mijn hand nooit omgedraaid.

Opa lachte zo hard dat hij zich in de sigarenrook verslikte. 'Je bent me d'r eentje,' zei hij. Mijn beste kritiek.

We gingen eten in een restaurant met heel voorname kelners. Ze kenden mijn grootvader en begroetten hem met veel strijkages. Het was meneer Riese voor en meneer Riese na. Ik voel nog de schrik toen een ober op het moment dat ik ging zitten, de stoel onder mijn achterwerk schoof.

'Een pilsje zoals gewoonlijk, meneer Riese?' vroeg hij.

'Twee pilsjes,' zei opa. 'Mijn jonge collega en ik willen met elkaar klinken.'

Ik had tot dan toe nog maar één keer van bier genipt en de bittere smaak walgelijk gevonden. Maar toen de kelner terugkwam met de twee glazen, zat er in het mijne limonade. Opa had het personeel grondig geïnstrueerd.

We dronken elkaar plechtig toe. Daarna vroeg hij om de menukaart. Die was zo groot dat ik hem amper vast kon houden, en van de meeste dingen die erop stonden, wist ik niet wat ze betekenden.

'Zal ik voor u bestellen, meneer de consul?'

'Als u zo vriendelijk wilt zijn, meneer de geheimraad.'

Ik zal niet echt zo welbespraakt gereageerd hebben. Maar het doet me goed het me zo te herinneren.

Vreemd: dan heb je in je leven duizenden keren het middag- of avondmaal gebruikt – en een paar honderd keer 's middags of 's avonds hongergeleden – en de meeste van die maaltijden zijn al uit je geheugen verdwenen voordat ze goed en wel zijn verteerd. De lekkernij die mijn grootvader die avond voor me uitkoos, ben ik niet vergeten en heb ik in hongernachten met culinaire zelfbevrediging steeds opnieuw geproefd.

Zalmmayonaise, ongezond vet, maar niet te versmaden. Afgewerkt met toefjes dille en een vleugje knoflook. We aten er vers, knapperig brood bij dat nog warm was, wat me de omkering van een natuurwet leek. Brood was toch alleen 's morgens warm?

'Smaakt het, meneer de directeur?'
'Dank u voor de belangstelling, meneer de generaal.'
Perfecter kon een avond niet beginnen.
Want dat was nog maar het begin. Ik had de zalmmayonaise nog niet op of de menukaart kwam opnieuw en ik moest een nagerecht kiezen. Deze keer hoefden de gerechten me niet uitgelegd te worden. Van zoetigheden wist ik alles af. Maar tegenover de overvloed van dat aanbod stond ik hulpeloos. Als je iets bestelde wat je aantrok, betekende dat tegelijk dat je iets anders wat minstens zo verleidelijk was, niet kon bestellen. Dat was te veel gevraagd van mijn besluitvaardigheid.
Opa loste het probleem soeverein op. 'Brengt u van alles een beetje,' zei hij.
Geen slecht devies als het leven à la carte geleefd kon worden.
De nagerechten kwamen op een reusachtig zilveren blad met veel afzonderlijke bordjes en schaaltjes. Ik kreeg nog niet de helft op. 'Geeft niet,' zei mijn grootvader. 'De avond begint pas. Als Uwe Genade zo vriendelijk wil zijn – ons rijtuig wacht.'

Ik was toen, wat op die leeftijd waarschijnlijk onvermijdelijk was, aangestoken door het treinvirus; vandaar ook de door mijn ouders achteraf vervulde verjaardagswens. Toen de koetsier bij station Friedrichstraße stopte, dacht ik in een dwaas moment dat opa met me op reis wilde. Ik zag ons al in een slaapwagen in bed stappen, wat in die tijd een van mijn grote dromen was.
Maar ons doel lag aan de overkant van de straat: het Central-Hotel, dat prachtige gebouw uit het wilhelminische tijdperk, een burgerlijk paleis dat maar liefst twee in elkaar overlopende straten in beslag neemt. En in het Central-Hotel de Wintergarten. In de loop der jaren heb ik veel voorstellingen in dat variététheater bezocht; ik heb Rastelli gezien en me krom gelachen om Otto Reutter. Maar ik ben nooit meer zo geboeid, zo betoverd geweest als die eerste keer.
Alleen al de man die ons naar onze plaatsen bracht! Dat hij een prachtig uniform aanhad, was niet zo bijzonder. Uniformen zag je overal. Zelfs de kruiers hadden hun krijgshaftige vermomming. Maar de onderscheidingen op zijn borst waren geen onderscheidingen, het waren in gekleurd papier verpakte snoepjes. Toen hij zijn fooi had gekregen, trok hij er eentje af en gaf het aan mij. Nog voordat het doek opging, was ik in een sprookjeswereld beland.

En dan de voorstelling! Het ene wonder na het andere! Er was een beer die rolschaatste. Een meisje, nauwelijks ouder dan ik, dat met brandende fakkels jongleerde. Een danspaar dat ruzie leek te hebben, want de man duwde de vrouw steeds weer van zich af, zo hard dat ze regelrecht door de lucht vloog en pas na een paar salto's weer op haar voeten terechtkwam. 'Dat zijn apachen,' fluisterde mijn grootvader. Ik dacht dat het een van zijn grappen was, want dat Apachen indianen zijn en een verentooi dragen, weet iedere zevenjarige.

In ons cabaret treed ik tegenwoordig zelf op in een apachekostuum. Achter de rode halsdoek valt discreet te verbergen dat mijn onderkin door de honger is veranderd in een lelijke lel.

Bij het programma hoorde ook een zangeres. Ik begreep niet waarom de toeschouwers – althans de mannen – na elk refrein van haar lied zo joelden, maar ik bewonderde de glinsterende steentjes op haar jurk. Ik dacht dat het echte diamanten waren.

Ik was betoverd. Hopeloos verslingerd aan het toneel.

Het laatste nummer voor de pauze – later heb ik vaak meegemaakt hoe verbitterd er achter de coulissen over die prestigieuze programmaplaats wordt gemarchandeerd – was 'de ongelooflijke en weergaloze Carl Hermann Unthan'. De niet meer zo jonge man die na die aankondiging uit de coulissen kwam, droeg niet zo'n prachtig toneelkostuum als de artiesten die voor hem trots het toneel op waren gestapt. Ook geen rokkostuum zoals de conferencier. Hij droeg een heel burgerlijk, zwartfluwelen jasje.

Maar het colbertje – het viel me pas op toen mijn grootvader me erop attent maakte – had geen mouwen. Daar waar ze bij de schouders hadden moeten zitten, viel de stof als bij een cape recht omlaag. Hij was zonder armen geboren en had het, zoals hij de conferencier liet verkondigen, toch tot een van de succesvolste variétéartiesten van deze wereld gebracht.

Hij liet eerst iets uit zijn dagelijks leven zien, kamde met zijn voeten zijn haar, zette met acrobatische toeren een hoed op enzovoorts. Daarna kwamen de eigenlijke circuskunstjes. Hij schoot met een pistool het hart uit een speelkaart en toen – tromgeroffel en fanfare – kwam de grote sensatie: hij nam plaats op een stoel en zijn blonde assistente zette een kruk voor hem neer. Daarop lagen een viool en een strijkstok. En daarna speelde Carl Hermann Unthan viool. Met zijn voeten. Alsof het volkomen vanzelfsprekend was. Hij liet zich zelfs niet van zijn stuk brengen toen er een snaar sprong. Er werd een andere viool gebracht, hij begon nog een keer van voren af aan en speelde het stuk foutloos ten einde. Daverend applaus. Staande ovaties. Mijn grootvader moest me op zijn schouders tillen, zodat ik kon zien hoe Carl Hermann Unthan met een bescheiden glimlach steeds weer een buiging maakte.

Niet dat ik die naam toen heb onthouden. Die is pas een paar jaar later in mijn geheugen gegrift, toen ik erachter kwam dat de ongelooflijke en weergaloze meneer Unthan een ongelooflijke en weergaloze idioot was.

Die avond in de Wintergarten beleefde ik voor het eerst dat heerlijke theatergevoel waar geen naam voor is. De ziekte die wij acteurs op het toneel met genoegen doorstaan, noem je plankenkoorts. Maar hoe heet datzelfde gevoel bij de toeschouwer? Dat willen-kijken en van opwinding niet-meer-kunnen-kijken, dat meetrillen en meegenieten en meebeleven, het gevoel dat op het toneel alles alleen voor jou gebeurt, helemaal alleen voor jou, en tegelijk dat geprikkeld-worden door de reacties van de anderen, dat elkaar-opzwepen, in het gejuich, in de wanhoop, in het erbij-zijn – waarom heeft onze taal daar geen woord voor?

Natuurlijk is het niet altijd zo. De meeste voorstellingen worden gewoon uitgezeten. Op het podium speel je je uit de naad en in het parket zitten de abonnees te bedenken naar welk restaurant ze na afloop zullen gaan. Maar soms, als er een man als Werner Krauss op het toneel staat of een rolschaatsende beer of een violist zonder armen, ontstaat die magie. Wie op zo'n avond in het theater zit, blijft zijn leven lang verslaafd.

Ik werd betoverd op die avond der avonden. En toch lag het hoogtepunt nog voor me.

Er was een witte wand, gewoon een doek, en daarop verschenen beelden. Beelden die bewogen. Die een verhaal vertelden.

Een man hield een toespraak. Je kon de woorden niet verstaan, maar in het orkest had een musicus zijn trompet gestopt en liet hem mekkeren. Daarna beukte de slagwerker op zijn bekkens en op het witte doek werd ijzer gesmeed. Er werd een reusachtige granaat gebouwd, zo groot dat er passagiers in konden stappen. En toen duwden mooie meisjes het projectiel in een kanon. Mooie meisjes moeten. Je kunt nog eerder de film in de camera weglaten dan hen.

Vervolgens schetterden de koperblazers de *Marseillaise* en een van de meisjes zwaaide met de tricolore. In mijn herinnering is die blauw-wit-rood, ook al hebben films geen kleuren.

En toen was er de maan, een groot, levendig gezicht, en toen – *Wam*! deed de pauk – zat de granaat in zijn oog. Ik moet het van schrik uitgegild hebben, want opa aaide me geruststellend over mijn hoofd en zei: 'Het is al goed, kleine Kurt, het is al goed.'

Daarna vielen de reizigers plotseling in slaap. 'Weet jij hoeveel sterren blinken,' zong de viool. Een meteoor cirkelde over de slapers heen en op een maansikkel – want de maan had zelf ook weer zijn maan – bungelde een fee met haar benen.

Ze merkten niets van dat alles, maar op een gegeven moment werden ze wakker en gingen ze op verkenning uit. Een van hen stak zijn paraplu in de grond en die groeide en groeide als een reusachtige paddenstoel. Daarna kwamen de maanmannetjes, die bestreden moesten worden. Dat was niet moeilijk: je hoefde ze maar een tik te geven – *Ping*! deed de triangel telkens – en ze gingen in rook op. Maar er waren er te veel en met hun overmacht namen ze de reizigers gevangen en brachten ze naar hun heerser. Toen kende ik Kalle nog niet, maar als ik aan die scène denk, zie ik hem de maankoning spelen.

Daarna lukte het de reizigers toch om te vluchten, ze klommen weer in hun projectiel, kieperden het van een rotspunt in de diepte en vielen terug op de aarde. Ze landden in de oceaan, maar verdronken niet, ze kwamen weer boven water en werden door een schip naar de wal gesleept. Het orkest zette zonder reden het volkslied in en toen gingen de lichten weer aan en was het wonder voorbij.

Op de een of andere manier moeten we thuisgekomen zijn. Ongetwijfeld was mama opgebleven. Ongetwijfeld heeft ze mijn grootvader verwijten gemaakt. 'Weet je wel hoe laat het is, die jongen moet morgen weer naar school, en wat stinkt hij naar rook, afschuwelijk gewoon.' Ongetwijfeld wilde ik over mijn belevenissen vertellen en mocht dat niet meer. 'Morgen is er tijd genoeg, nu wordt er eerst geslapen.' Misschien heb ik van opwinding wakker gelegen. Of ik heb gedroomd. Van maanmannetjes en van zalmmayonaise en van een man zonder armen.

Ik weet het allemaal niet meer. Het is ook niet belangrijk. Belangrijk was maar één ding: ik had mijn eerste film gezien.

Ik weet niet hoe lang ik hier al zit en probeer na te denken. Niet zo lang als het lijkt. Het raam staat open, maar ik hoor niemand poepen.

De oude Turkavka, die wc-wacht heeft, zegt voor één keer niet de altijd eendere tekst op waaruit zijn hele rol bestaat: 'Schoonmaken graag. Schoonmaken graag. Schoonmaken graag.' Het is helemaal stil.

De mensen zullen nog wel aan het werk zijn.

Waarom kan ik me niet net als alle anderen bij een werkplaats laten indelen? Bij de meubelmakerij of de kartonafdeling? Erheen gaan, instructies krijgen, uitvoeren. Het zou allemaal zoveel eenvoudiger zijn. Mica splijten of in de wasserij lakens vouwen. 't Kan me niet schelen wat. Alleen geen regisseur zijn. Niet aan die vervloekte film hoeven denken.

Er is een werkplaats, waar ze de hele dag papieren bloemen plakken. Zodat er in het crematorium boeketten op de kisten kunnen liggen. Voor iedere dode een boeket. Daar zullen ze nooit zonder werk zitten. Voor mij hebben ze een keer een chrysant gemaakt. Omdat we in Karussell dat nummer uit de oude doos hebben, en toen moest er – waar ik me al niet druk om maak – koste wat het kost een witte bloem op mijn rokkostuum zitten. Waarom kan ik daar niet werken?

Of bij de afdeling Orthopedie kunstbenen maken? Ze maken er betere dan wij toen in het invalidenhuis kregen. Kunstwerken. Alleen doen ze er te lang over. Als ze een been klaar hebben, is het bijbehorende lichaam vaak al in Auschwitz.

Of in de landbouw. Dan kom je tenminste nog eens buiten de muren. Al krijg je van de groente die je verbouwt, zelf geen hap.

't Kan me niet verrekken waar. Waarom kan ik geen werk hebben als alle anderen?

Omdat ik twee linkerhanden heb, daarom. Een verkeerd gevormd brein. Omdat ik niets anders kan dan film en toneel.

Omdat ik een doezel ben.

Van buiten geen geluid. Alsof ze de hele stad hebben gedeporteerd en alleen mij vergeten zijn. Hoe laat zou het zijn?

Niemand heeft hier een horloge. Of het is gestolen, of het is geruild. Eén horloge: twee aardappelen. Als het van goud is soms drie. Geen goede prijs, maar horloges kun je niet eten. Je hebt ze hier niet nodig. Als ze tegen je zeggen wat je moet doen, zeggen ze ook wanneer je het moet doen.

Moet ik doen wat ze tegen me zeggen?

Daar moet ik achter zien te komen. Of ik moedig genoeg ben om nee te zeggen. Dom genoeg om moedig te zijn. Ik moet nadenken. Me niet koesteren in herinneringen.

'Je zit in de bioscoop,' zegt Olga als ik weer eens ondergedompeld ben in mijn gedachten. We zijn twintig jaar getrouwd en hebben onze eigen taal. Als we ruziemaken – nee, niet ruziemaken, daar heeft Olga totaal geen talent voor –, als we met elkaar discussiëren, hebben we genoeg aan trefwoorden. We nemen onze meningsverschillen door als een stuk tekst voor een reprise. We antwoorden ook op weerwoorden die de ander nog niet eens heeft gegeven.

Je zit in de bioscoop betekent: je onttrekt je aan de werkelijkheid. Zolang ik in de Wintergarten zit, is er geen Rahm. Als ik toch bang word, zit opa naast me en kan ik elk moment zijn hand pakken.

Ik zou altijd in de Wintergarten willen zitten.

Peter Lorre, die morfine spuit en als dat niet helpt ook ander spul, heeft me een keer uitgelegd: 'Zonder een dik gordijn is het licht te fel.' Dat was in zijn hotelkamer in Parijs, in dat rendez-voushotel waar hij niet eens een stoel had voor zijn kleren. Nu zit hij in Amerika en eet elke dag biefstuk met uien.

Als kleine jongen trok ik de deken over mijn hoofd om te zorgen dat de boeman me niets kon doen. Zolang je een kind bent, helpt dat.

Ik ben geen kind meer. Ik ben zevenenveertig. Ik ben een oude man.

Onze jeugd eindigde in de zomer van 1914. Daarna was er geen wereld meer waarin je jong kon zijn. Ze maakten van ons volwassenen zoals je van een koe worst maakt.

Het begon met algemeen gejuich. De militaire kapellen met hun schellenbomen maakten overuren. In de geweerlopen zaten bloemen. Ook het weer werkte mee. De zon straalde elke dag aan de hemel, zodat de eremaagden hun luchtigste witte jurk konden dragen. Er viel in die dagen veel eer te behalen. 'Steeds meer eer en steeds minder maagden,' zei Kalle. Hij had dat gezegde ergens opgepikt.

Mijn vader, de aartsscepticus, veranderde plotseling in een patriot. 'Uiteindelijk zijn we toch in de eerste plaats Duitsers,' was zijn nieuwe devies. Hij kocht een landkaart om met gekleurde spelden de vorderingen van de veldtocht te volgen. Voor het eerst maakte ik een luide woordenwisseling tussen mijn ouders mee. Het ging erom op hoeveel oorlogsleningen hij had ingetekend. Op te veel, zoals later zou blijken. In de handelsboeken van Max Gerson & Cie. droeg hij de schulden die hij daarvoor had gemaakt nog jarenlang met zich mee. Tot de inflatie hem ervan verloste.

De oorlog begon in de zomervakantie. De wereld waarvoor we werden opgeleid, waarvoor ze ons hoofd volstopten met goniometrische functies en Latijnse woordjes, bestond niet meer. Alleen had niemand het gemerkt. Zodoende zaten we een paar weken later weer braaf in de oude schoolbanken. Nu als leerling van de eindexamenklas. De meesten in de klas schoren zich al. Uiterlijk was er weinig veranderd. Alleen werd op het schoolplein elke dag de vlag gehesen. Natuurkunde kregen we van een oude man die ze nog een keer uit zijn pensioen hadden gehaald. Dr. Bellinger was reserveluitenant en 'lag te velde'. Een formulering die we absurd vonden, tot we aan den lijve ervoeren hoe gauw je aan het front afleert om rechtop te lopen. Bij geschiedenis kon je aan het stampen van droge feiten ontkomen door patriottische vragen te stellen over het actuele legerbericht. Bij Duits leerden we geen balladen van Schiller meer uit ons hoofd, maar declameerden we andere gedichten.

Ik declameerde. Ik was, zonder dat woord toen al te kennen, podiumgeil. Zolang ik maar dramatisch mocht tetteren voor publiek, interesseerde de tekst me niet. Voor straf zorgt mijn vervloekte geheugen ervoor dat ik de woorden nog steeds niet ben vergeten. 'Haat te water en haat te land, haat van het hoofd en haat van de hand, haat van de hamers en haat van de kronen, wurgende haat van miljoenen personen. Wij loven tesaam, wij haten tesaam, onze vijand heeft maar één naam ...' En dan de hele klas in koor: 'Engeland!' Met dat soort troep kon je toen de Rode Adelaarsorde verdienen.

Terwijl om ons heen heel Europa krankzinnig werd, deden wij of het schoolleven gewoon doorging. Maar niet lang meer. Het kan niet later dan oktober geweest zijn toen Kramm de eindexamenklas naar de aula riep. Onze klas vulde niet eens de eerste twee rijen stoelen, maar voor het belang van wat hij ons te zeggen had, leek hem alleen het grote podium gepast.

Hij ging voor ons staan, schraapte zijn keel en streek over zijn baard. Hij maakte warempel dat dilettantische toneelgebaar waarmee vertolkers van vaderrollen aan residentietheaters hun publiek al honderd jaar geleden te verstaan gaven: Opgelet, nu wordt het belangrijk! Daarna spreidde hij zijn armen alsof hij ons wilde zegenen, en zei met plechtige stem: 'Jongens!'

Dat alleen al had ons achterdochtig moeten maken. Maar we hadden nog niet genoeg levenservaring om te weten dat superieuren altijd hun toevlucht nemen tot vertrouwelijke woordjes als ze iets onaangenaams met je van plan zijn. Als eerste luitenant Backes 'Kameraden' zei, werden er vrijwilligers gezocht voor een zelfmoordcommando.

'Jongens,' zei Kramm, 'ik heb goed nieuws voor jullie.'

Het goede nieuws bestond uit het aanbod dat we voortijdig eindexamen konden doen. 'Met het oog op de grote tijden waarin we leven.' Tijden. Meervoud. Ons tijdperk was zo immens groot dat een enkelvoudige tijd niet volstond.

Al over twee weken, zei Kramm, konden we ons einddiploma verdiend hebben. Op voorwaarde – hij twijfelde er geen moment aan dat zijn jongens met brandend hart naar dat geluk verlangden –, op voorwaarde dat we ons daarna vrijwillig aanmeldden voor militaire dienst. Met het oog op de grote tijden.

De oorlog was nog maar net begonnen en ze hadden al gebrek aan vlees voor hun worstmachine. De eerste slachtingen – slachtingen, wat een ongewild eerlijk slagerswoord! – hadden meer mensenmateriaal gekost dan verwacht. Er moest nieuwe voorraad komen. Omdat de vrijwilligers niet meer zoals in de eerste oorlogsdagen stonden te springen om te sterven, werd er voor onze jaargang een noodexamen bedacht, het zogenaamde *notabitur*. Ook zo'n verraderlijk woord. In de officiële communiqués was van nood nooit sprake. Daar wonnen we alleen maar.

De primus van onze klas, verder een vriendelijke maar humorloze jongen, legde het woord zo uit: 'Jullie moeten de klemtoon niet op de eerste lettergreep leggen, nótabitur, maar op de derde: notabítur. Omdat het namelijk Latijn is. Van het werkwoord *notare*, kenbaar maken. Futurum I, derde persoon, indicatief passief. Hij zal kenbaar gemaakt worden. En waarmee? Met een uniform.'

Hun nestdulleke als soldaat? Voor mijn ouders was dat ondenkbaar. Ze probeerden me het idee op alle mogelijke manieren uit het hoofd te praten. Mama vergat voor één keer de haar op kostschool bijgebrachte vrouwelijke onderdanigheid, zette haar handen in haar zij – een gebaar dat ik haar nog nooit had zien maken – en zei: 'Als je hem dat niet uit het hoofd praat, Max, ben je een heel slechte vader.' Papa moest zich in allerlei bochten wringen om zijn bezorgdheid om mij met zijn pas ontdekte patriottisme te verenigen. 'Je bent nog te jong,' was zijn argument. 'Wacht ten minste tot je achttien bent.'

Alsof het aantal verjaardagen iemand meer of minder geschikt maakt om een granaatscherf in zijn buik te krijgen. In een logische wereld zouden ze trouwens alleen kinderen naar het front sturen. Die vormen een kleiner doelwit.

Bij mijn klasgenoten thuis werd dezelfde discussie gevoerd. Ook in de gezinnen waar met de oorlogsverklaring het patriottisme in zijn fanatiekste vorm was uitgebroken. Hoe enthousiast iemand ook 'Hoera!' brult ... de offervaardigheid neemt heel snel af als het om de eigen zonen gaat. De hardste schreeuwers, heb ik later op het slagveld ondervonden, hebben graag de veiligste baantjes.

Uiteindelijk verklaarden we ons allemaal bereid het vaderland met 'moed en bloed' te dienen. In unanieme, idiote vrijwilligheid. We hadden bijna zeven jaar op een gymnasium gezeten en waren daardoor volgens Kramm 'de geestelijke elite van de Duitse jeugd', maar van de oorlog hadden we een heel kinderlijke tinnen-soldaatjes-voorstelling. Wapperende vlaggen en schetterende trompetten. *Ik had een kameraad* en de *Hohenfriedberger Mars*. Bovendien – daarmee valt bijna alles te verklaren wat er sindsdien in Duitsland is gebeurd –, bovendien wilde niemand de enige zijn die niet meedeed.

Met één uitzondering. Kalle kwam met zijn zieke longen evenmin in aanmerking voor de eervolle dienst in het grijze uniform als met zijn zwakke schoolprestaties voor het einddiploma, hoe hoog de nood ook was. Voor de anderen in de klas sprak dat vanzelf, maar Kramm, de man van de duizend lijsten, zag dat als een gevaar voor de perfecte statistiek, waarvan hij een positieve aantekening in zijn personeelsdossier en misschien zelfs een onderscheiding verwachtte. 'Meld je gerust aan,' zei hij steeds weer tegen Kalle. 'Ook al ben je ongeschikt, ze zullen je goede wil weten te waarderen.'

Dat van die geschiktheid kan alleen een ziek brein hebben bedacht. Welke slager stopt nu alleen het beste vlees in zijn worstmachine? Alsof je niet ook met platvoeten op een mijn kunt trappen.

De meest perverse vorm van geschiktheidskeuring heb ik meegemaakt in de ziekenboeg van Westerbork. Tot 40 graden koorts kon je ingedeeld worden bij een transport. Vanaf 40,1 was je voor dat privilege niet meer geschikt.

Kalle meldde zich dus vrijwillig aan voor militaire dienst. Wat hij zelf nog het grappigst vond. Toen iemand zei: 'Die hoest in z'n eentje een vijandelijke compagnie op de vlucht', lachte en hoestte hij zo hard dat het leek of hij het bewijs voor die slechte grap wilde leveren.

Ze hebben hem inderdaad genomen. Niet voor de gewapende dienst, zo veeleisend waren ze nog wel, maar er waren ook nog diensten achter de linies. Kalle werd ingedeeld bij een veldkeuken. En hij lachte zich krom bij het idee dat hij met een goulashkanon op de Fransen moest schieten.

Maar zover was het nog niet. Eerst kwam ons noodexamen nog.

Het examen was een lachertje. Een ritueel met een knipoog, dat door niemand serieus werd genomen. Alsof de paus in plaats van plechtig de miswijn uit te delen zijn kudde kameraadschappelijk uitnodigde voor een borrel.

De examinatoren en geëxamineerden speelden allemaal onder één hoedje. Onze leraar Duits haalde al bij voorbaat de angel uit het gevreesde eindexamenopstel door te neuzelen dat het onderwerp weliswaar strikt geheim was en dat hij het ons natuurlijk in geen geval kon verklappen, maar hij had er alle vertrouwen in dat we het wel zouden redden, en wij, dat zag hij aan ons gezicht, toch zeker ook. En toen, overduidelijk en op de manier van een intrigant bij het amateurtoneel: 'Daaraan herken ik mijn pappenheimers.' Twee keer herhaald: 'Pappenheimers!' Waarop we allemaal naar huis renden om *Wallenstein* nog een keer te lezen.

Het was niet nodig geweest. Het onderwerp luidde: 'De sterren van je lot staan in je eigen hart – geef commentaar!' En voor een goed cijfer was het voldoende om de zin op onszelf als toekomstig soldaat te betrekken en een paar kantjes te vullen met heldhaftig gezwatel.

Bij het mondelinge wiskunde-examen vroegen ze me doodserieus naar de stelling van Pythagoras. Stof uit de tweede klas. Bij aardrijkskunde moesten we op een kaart van Europa de gebieden aangeven die Duitsland na de uiteraard gewonnen oorlog zou annexeren. De rest van het verplichte kwartier vulde de expert door herinneringen uit zijn eigen diensttijd ten beste te geven. Hij was, zoals iedereen, een held geweest.

En zo ging het bij alle vakken. Ze hadden het examen net zo goed achterwege kunnen laten en het einddiploma door de directiebediende meteen thuis kunnen laten bezórgen. Maar het ritueel moest van het begin tot het eind worden uitgevoerd. Een klas van zeventienjarigen naar het front sturen, hen voor keizer en vaderland in de worstmachine stoppen, dat was in orde. Maar alleen zolang de vormen daarbij niet werden geschonden.

Dat heb ik later nog vaak meegemaakt. De luitenant die op zijn brancard correct gegroet wilde worden, terwijl de darmen al uit zijn onderbuik hingen. Aus der Fünten, die achter het toneel behoedzaam op zijn tenen liep, voordat hij het hele theater in beslag nam. De premières hier in Theresienstadt, met het traditionele toitoitoi en over de schouder spugen, alsof ons niets ergers kan gebeuren dan een verprutste voorstelling. Zolang de vormen maar in acht worden genomen – dat maken we ons steeds weer wijs –, raakt de wereld niet helemaal uit zijn voegen.

We slaagden allemaal. Zelfs Kalle, die niet meer bijkwam van het lachen. Ik weet niet of ze hem uit medelijden hebben laten slagen, uit patriottisme of omdat het zo goed stond op de lijst van onze rector: 'Noodexamen 1914, honderd procent geslaagd, honderd procent vrijwillig aangemeld voor militaire dienst.' Met de aanvulling, vier jaar later: 'Zestig procent gewond of gesneuveld.'

Ook mijn ouders konden zich niet zo snel van de aloude vormen losmaken. De traditie wilde dat een behaald examen werd gevierd. Dus vierden we, hoewel we geen van allen in een feestelijke stemming waren. Na de diploma-uitreiking met alle toespraken trakteerde papa 's avonds op een diner bij Horcher in de Lutherstraße. Vreemd genoeg aan dezelfde tafel waar Max Reinhardt me jaren later de rol in *FAEA* aanbood. We bestelden de beroemde *faisan de presse* en dronken een dure Badense wijn.

Waarom weet ik nog dat het een Badense was? Waarom onthou je zo'n onbelangrijk detail?

Terwijl we de dure wijn helemaal niet dronken. Het grootste deel lieten we staan. Mama huilde de hele avond en papa probeerde te doen alsof hij het niet merkte. Hij had een gouden zakhorloge voor me gekocht, dat ik nooit heb gedragen. In dienst kon ik het niet meenemen en naderhand vond ik het te protserig. Gewikkeld in zijdepapier heeft het al die jaren in een la in de Klopstockstraße gelegen en toen we Berlijn verlieten, zijn we het in de haast vergeten. Waarschijnlijk kijkt Heitzendorff er nu op hoe laat het is.

Zo ging dat met mijn eindexamen. *Die Piccolomini*, de stelling van Pythagoras, en klaar was ik voor de worstmachine.

Jüterbog, waar ze me ombouwden tot soldaat. Het is niet de moeite waard het me te herinneren.

Het gebruikelijke getreiter. Onderofficieren die het hun hele leven niet verder hadden gebracht dan de adelaarsknoop op hun kraag en ons daarvoor lieten boeten. Kapotgebrulde stemmen.

Een nieuwe taal met nieuwe woorden. Kledingdepot. Kokkie. Handgemeenoefenterrein. Marsbepakking. Gevechtsbepakking. Tegenspreken heeft geen zin. Een nieuwe grammatica. Luitenant, verzoek tot melden.

Trouwens, al die verschillen in rang. Boven ons die oneindige piramide, tot aan de veldmaarschalk toe, en onder ons helemaal niets. Wij waren niet eens mensen, werd ons elke dag duidelijk gemaakt, ze moesten eerst mensen van ons maken.

'Op een dag zullen jullie er dankbaar voor zijn,' zeiden ze, terwijl ze ons door de modder lieten tijgeren.

De paal met de officierspet waarvoor we het salueren oefenden. 'Hé, vader, kijk die hoed daar op die stok,' citeerde iemand, waarop hij wegens betweterij werd veroordeeld tot een rondje kikkeren. Je kon maar beter niet laten merken dat je een gymnasiumdiploma had.

Het uniform dat om mijn lijf slobberde omdat ik zo mager was. De kreten die ik daarom moest aanhoren: 'Jij had beter bonenstaak kunnen worden dan soldaat, Gerson. Maar voor zo'n veeleisend beroep heb je de hersens niet.'

Die hortende manier van praten, die afgemeten moest klinken en alleen maar belachelijk was.

De grijze uniformjas met de nikkelen knopen. Een geliefde grap bij de nieuwelingen bestond erin hen de knopen met de gestempelde kroon te laten oppoetsen, 'totdat ze glanzen als met olie ingesmeerde kinderbilletjes'. De knopen waren gezandstraald en je kon wrijven wat je wilde – je kreeg ze niet aan het glanzen. Ha, ha, ha.

De reservehelm van geperst vilt omdat ze achterliepen met de levering van leren helmen.

Onze kaalgeschoren hoofden, zoals op de eerste dag op het gymnasium.

Het geheel was trouwens toch net een boosaardige karikatuur van een school. Toen we op het gym een keer ons beklag deden bij onze geschiedenisleraar omdat we voor een repetitie te veel data moesten stampen, was zijn antwoord: 'Het leerplan moet afgewerkt worden. Wat er ook gebeurt.' Zo ging het ook in Jüterbog. Met de werkelijkheid van de oorlog had het opleidingsprogramma niets te maken. Maar ze werkten het af. Wat er ook gebeurde.

We leerden marcheren. We oefenden elke dag in de meest uiteenlopende formaties. Haalden een geweer honderd keer uit elkaar en zetten het weer in elkaar. Toen we het met onze ogen dicht konden, werden de geweren ingezameld voor de volgende lading vers vlees, en vlak voor we naar het front werden gebracht, kregen we een heel ander model. De Mauser 98 waarmee we ten strijde trokken, hadden ze te goed gevonden om mee te oefenen. Op een keer moesten we naar een lezing, waar een oude majoor vertelde wat we moesten doen als we door ulanen met lansen werden aangevallen.

Geen woord over de dingen waar we echt iets aan hadden gehad. Hoe je met een spade in de natte grond wroet. Dat je je er niets van aan moet trekken als je daarbij op een lijk stuit. Waarom je iemand met een buikschot niets te drinken moet geven. Hoe je luizen knapt. Geen woord daarover.

In plaats daarvan duizend voorschriften, die blindelings moesten worden opgevolgd. Hoe je je jas moest opvouwen. Over welke schouder je knapzak moest hangen. En natuurlijk was het beslissend voor de afloop van de oorlog dat de vouwrand van je wollen deken exact parallel aan de rand van je bed lag.

Britsen. Altijd twee boven elkaar. Een van de weinige nuttige dingen die ik in Jüterbog heb geleerd: probeer hoe dan ook het onderste bed te krijgen.

Slapen in een ruimte met honderd anderen, waar altijd iemand snurkte of scheten liet, was voor mij bijna nog het ergste. Als enig kind was ik niet gewend om zoveel vreemden in mijn buurt te hebben.

En dan natuurlijk de avontuurtjes waarover in het donker werd verteld. De schuine moppen. Je wilde ze niet horen en raakte er toch opgewonden van. Wij gymnasiasten konden Latijnse werkwoorden vervoegen, maar van vrouwen hadden we geen benul. In tegenstelling tot de rekruten van het platteland, die er alles van wisten. Of in elk geval deden alsof. 'De herbergierster heeft een kok, die neukt haar als een geile bok.'

Het is niet de moeite waard het me te herinneren.

Het is wel de moeite waard.

Zonder sergeant-majoor Knobeloch waren we er niet heen gegaan. We hadden niet gedurfd. Wij welopgevoede stadsjongetjes zeker niet. We zouden er alleen over zijn blijven fluisteren en later – misschien op de latrine, waar je elkaar niet hoeft aan te kijken – zouden we beweerd hebben: 'Ja, natuurlijk ben ik daar al eens geweest. Is niets bijzonders.'

Maar het was wel iets bijzonders. Het was een centraal onderdeel van het beloofde en dreigend aangekondigde man-worden, waar in Jüterbog alles om draaide. We hadden leren groeten, schieten en marcheren. We hadden handgranaten gegooid of tenminste imitaties. Ze hadden ons bijgebracht hoe je prikkeldraad afrolt. Zelfs de twintig kilometer in vol gevechtstenue hadden we overleefd. Nu ontbrak er nog maar één ding. En daar zorgde Knobeloch voor.

Friedemann Knobeloch, sergeant-majoor, in soldatentaal ook wel 'spies' genoemd. Het barokke Friedemann was niet nodig geweest en ook die vreemde e in het midden van Knobloch niet. Ik zou zijn naam ook zo niet vergeten zijn. Vanwege die ene nacht.

Knobeloch. Een relict. Iemand van de heel oude stempel. Al eeuwig bij het leger. Hij was nog met de koloniale troepen in Duits Zuidwest-Afrika geweest en had het klaargespeeld, ik weet niet hoe, al die jaren een romantische voorstelling van kameraadschap en mannen-onderelkaar te bewaren. Hij wilde dat wij, die hij twaalf weken over het exercitieterrein moest jagen, van hem hielden en snapte niet waarom zijn zo opdringerig aangeboden vriendschap – 'Jullie kunnen me gerust spies noemen, dat is voor mij een eretitel' – door ons niet werd beantwoord. 'De spies is de moeder van de compagnie,' zei hij, maar wij waren geen compagnie zoals hij die had beleefd of achteraf bij elkaar had gefantaseerd. Met ons kon hij niet door dik en dun gaan zoals hij zich dat in zijn folkloristische geloof voorstelde. Wij waren niet zijn kameraden, maar een anonieme schaapskudde van oorlogsvrijwilligers, die hij als belhamel naar de slachtbank moest leiden. Als de treinen naar het front vertrokken, bleef hij achter in het veilige Jüterbog om de volgende kudde voor zijn rekening te nemen. En ook die weer zijn vriendschap aan te bieden. Hij wilde onze kameraad zijn, terwijl hij ons alleen moest bijbrengen hoe je keurig in het gelid in de val marcheert.

Als oorlogsromanticus hield Knobeloch van militaire tradities. In een garderegiment had hij alle veldslagen van dat regiment sinds de Dertigjarige Oorlog kunnen opdreunen. Maar de militaire bureaucratie had hem ingedeeld bij een ahistorische opleidingscompagnie, vier keer per jaar nieuwe gezichten. Later, toen de worstmachine op steeds hogere toeren draaide, wisselden ze vast nog vaker. Dus bedacht hij zijn eigen traditie, voerde hij eigenmachtig een privédienstvoorschrift in, dat algauw even dwingend bij de afsluiting van de basisopleiding hoorde als de plechtige eedaflegging. Terwijl die, althans bij ons, helemaal niet zo plechtig was, maar werd afgeraffeld als de dertigste abonnementsvoorstelling van een saai stuk. Ik zweer, ik beloof, een hoera voor Zijne Majesteit en ingerukt mars.

Om de vier weken arriveerde er in Jüterbog een nieuwe lading rekruten. Met dezelfde regelmaat vervoerden de treinen de volgende portie pas beëdigde jonge soldaten in de richting van het front. Zodoende hadden wij dat ritueel vóór onze eigen beëdiging al twee keer meegemaakt, als figuranten die alleen het plein moesten vullen, met de strenge waarschuwing vooral niet stiekem mee te zweren, want dat waren we nog niet waard.

We wisten dus dat er na de ceremonie verlof was tot aan de reveille en dat dat een aansporing was om je bewusteloos te zuipen. Beide keren hadden we de laveloze kerels die zelf niet meer konden lopen, naar de trein helpen dragen. Waar ze dan op weg naar Frankrijk of België hun roes konden uitslapen.

Sergeant-majoor Friedemann Knobeloch vond een gezamenlijke zuippartij niet genoeg. Niet zo kameraadschappelijk mannelijk als hij zich het leven in uniform graag voorstelde. Daarom vierde zijn compagnie het einde van de opleiding niet in een kroeg, hoewel er rond het militair oefenterrein genoeg waren, maar verzamelde ze zich stipt om twintig uur nul nul voor de Eierturm.

In Jüterbog zijn ze trots op het middeleeuwse bouwwerk met de ongewone plattegrond. Dat we ons daar vlak bij de Neumarkttor verzamelden, had echter niets te maken met toeristische belangstelling. Niet met het soort belangstelling dat je kunt bevredigen door in de *Baedeker* te kijken.

Ons doel, dat we onder leiding van sergeant-majoor Knobeloch met hoerageroep wilden bestormen, was niet de toren zelf, maar een etablissement dat zo heette. Een door de geneeskundige dienst regelmatig gecontroleerde hygiënische inrichting, een paar passen verder in de Große Straße. Met andere woorden: een hoerenkast. Het bordeel had eigenlijk een heel andere naam, iets Frans wat ik me niet meer kan herinneren, Petit Paris of Paradis. Zoiets. Voor ons aankomende soldaten was het gewoon de eiertoren, een codewoord dat door de oude rotten die al twee maanden in Jüterbog zaten, knipogend aan de nieuwkomers werd doorgegeven. Zoals de bijnamen van de leraren van de ene generatie leerlingen op de andere overgaan.

Wij waren allemaal pas zeventien, een leeftijd waarop de hormonen van slag zijn. Waarop je je handen onder de deken geen nacht stil kunt houden. Het idee een bordeel te bezoeken joeg me meer angst aan dan de hele oorlog. En beloofde aan de andere kant een avontuur dat ik voor geen goud had willen missen. Zonder dat ik er een reële voorstelling van had waaruit het precies zou bestaan. Bij het lemma GESLACHTSVERKEER was de encyclopedie eens een keer niet behulpzaam geweest.

Sommigen van mijn kameraden hadden op dat gebied beslist ervaring of beweerden dat tenminste. Ik loog ijverig mee. Het was te pijnlijk geweest als ik had moeten toegeven dat ik, als volleerd gymnasiast en aankomend soldaat, me het vrouwelijk lichaam niet eens echt kon voorstellen. Niet gedetailleerd. Bij kunstgeschiedenis hadden we de gipsafdrukken van Griekse beelden bestudeerd, maar de belangrijke plekken waren altijd bedekt. Een verstoppertjesspel dat ze in de enige belangrijke plekken veranderde. Bij Kalle thuis hing in de salon een kopie van de *Grote odalisk* van Ingres, maar de aanblik van haar naakte rug hielp ons ook niet verder in onze speurtocht naar de tekenen van vrouwelijke lichamelijkheid.

Later, tijdens de basiscursus anatomie, gebruikte een assistent precies hetzelfde schilderij om het medisch waarnemingsvermogen van ons beginnelingen te scholen. 'Valt u niet op,' vroeg hij, 'dat de kunstenaar deze dame minstens drie rugwervels te veel heeft gegeven?' Het viel me toen niet op en op m'n zeventiende was het me al helemaal niet opgevallen. Ik lette op iets anders dan de lengte van de rugpartij.

Natuurlijk had ik fantasie, juist over dat onderwerp. Zelfs mevrouw Heitzendorff, die toch echt geen schoonheid was, had me weten op te winden als ze op haar knieën de gang schrobde en de wereld haar achterwerk toestak. Maar voor sommige dingen schiet zelfs de beste fantasie tekort.

De salon waar de vrouwen op ons wachtten, was een mengeling van uit eikenhout gesneden burgerlijkheid en provinciaalse demi-monde. Zware meubels zoals ze ook in Berlijn hadden kunnen staan, of in elk geval in Kriescht. Maar op de schilderijen aan de muur draaiden de odalisken je niet de rug toe en als een sater een nimf ontmoette, bleef het niet bij panfluitspel alleen. Het was, heb ik later altijd gezegd, alsof George Grosz een anatomische atlas had geïllustreerd.

De sfeer had iets van de slordigheid van een opneemrepetitie met nieuwe bezetting. De dames van het gezelschap hadden het stuk al te vaak in serie gespeeld. Ze gaven de in het tekstboekje beoogde verdorvenheid nog maar vluchtig aan. Wij nieuwelingen probeerden vooral niets verkeerd te doen. Leerling-acteurs die zich tegenover de professionals niet wilden blameren.

Ik weet niet meer hoe de zakelijke kant werd geregeld. De sigarettenrook en de zware patchoeli ruik ik nog steeds. Ik hoor ook nog het lied dat uit de trechter van de grammofoon schetterde. *Pauline gaat dansen* heette het. En ik zie haar nog altijd voor me.

Haar.

Geen schoonheid, beslist niet. Echt mooie vrouwen werkten er niet in Petit Paris in Jüterbog, waar ze de militaire klanten binnen het kwartier moesten afwerken. Ze viel me op doordat ze een zekere verlegenheid uitstraalde. Alsof ze alleen door een misverstand in deze salon verzeild was geraakt en helemaal niet wist wat die luidruchtig binnengevallen meute van haar verwachtte. Haar gezicht had iets van een muisje. Kleine, naar voren staande tanden. Haar haren op besluiteloze wijze gekruld. Alsof ze lokken hadden willen worden en uit pure angst halverwege van gedachten waren veranderd. Ze droeg maar één oorbel, een onmogelijk dikke knots, die niet eens een poging deed om er echt uit te zien. Het andere oorlelletje was rood en ontstoken. Ze had er waarschijnlijk nog maar pas een gaatje in laten maken en de naald was niet gedesinfecteerd geweest.

Nee, een schoonheid was ze niet. Ze had vochtige ogen omdat ze gehuild had of omdat ze niet tegen de sigarettenrook kon of omdat ik het me allemaal maar verbeeldde. Zelf rookte ze ook, ze hield een sigarettenpijpje tussen twee vingers, maar zo onhandig dat het leek of ze het voor het eerst deed.

Ze droeg een zwarte onderjurk. Op haar rechterschouder was een rode rozet aan het bandje genaaid, waardoor de blote arm en het duidelijk uitstekende sleutelbeen nog bleker leken. Het smalle kantboordsel aan de bovenkant van de onderjurk was op één plek niet goed vastgenaaid en vormde – ik zie het in close-up voor me – een soort lus, waarin je een gekromde wijsvinger had kunnen steken om het meisje naar je toe te trekken.

Onder de dunne stof tekenden zich twee kleine, stevige borsten af. Niet de granaten en meloenen waarvan in nachtelijke gesprekken op de britsen zo hoog was opgegeven. Je had ze met één hand kunnen omvatten. Haar onderjurk eindigde vlak boven haar knieën. Haar benen had ze over elkaar geslagen. Dunne meisjesbenen. Haar voeten in ongepast dik gevoerde pantoffels. Alsof ze wilde zeggen: 'Ik doe wat er van me wordt gevraagd, maar ik wil het niet koud hebben.'

Ik moet haar een hele tijd hebben aangegaapt, maar ze beantwoordde mijn blik niet. Ze keek helemaal niemand aan, maar staarde in de ruimte, niet verveeld, maar – zo legde ik het uit – met haar gedachten heel ergens anders, in een privédroom misschien, waar geen Jüterbog bestond, alleen een Samarkand of een ander romantisch oord. Ik was pas zeventien.

Wat had ik graag mijn arm om haar magere schouders geslagen en haar tegen al het kwaad in deze wereld beschermd! En toch stelde ik me tegelijk voor hoe ze voor me stond en heel, heel langzaam haar onderjurk over haar hoofd trok. Of, ik had er geen verstand van, schoven ze alleen de bandjes omlaag en lieten ze de glanzende stof over hun heupen zakken?

Nu weet ik natuurlijk dat het haar schijnbare hulpeloosheid was die me zo aantrok. Omdat die overeenkwam met mijn eigen onzekerheid en verlegenheid. Van alle vrouwen die daar zaten, was zij de minst bedreigende. Maar toen hield ik het gevoel dat in me opwelde voor romantiek.

Ik heb haar niet gekregen. Toen ik eindelijk de moed had verzameld om haar te benaderen, was er al iemand anders van de compagnie, een boer, die minder puberale remmingen had. Hij ging wijdbeens voor haar staan, met zijn handen in zijn broekzakken. Hij keek haar keurend aan, als een paard dat hem op de markt te koop was aangeboden. Daarna haalde hij zijn schouders op – Wat doet het ertoe? Het is tenslotte niet duur – en maakte een beweging met zijn hoofd naar de deur. Ze legde haar sigaret weg en stond op. Niet met een elegante beweging, maar met beide handen steunend op de leuningen van haar stoel. Zoals een oude vrouw met vermoeide benen opstaat. Ze liep achter hem aan. Haar onderjurk was van het zitten gekreukt en de dikke pantoffels sloften over de grond. Toen was ze verdwenen.

Natuurlijk had ik op haar kunnen wachten. Het kon niet lang duren voor ze weer vrij was. Maar dat wilde ik niet. Het is belachelijk en deerniswekkend, maar zo voelde ik het toen: als ik die avond niet de eerste bij haar kon zijn, was ze me niet maagdelijk genoeg meer.

Als het aan mij had gelegen, was ik in een hoek van de salon weggekropen en had ik me overgegeven aan weltschmerz. Ik zou me hebben laten meeslepen door mijn teleurstelling. Op je zeventiende kan melancholie heel aantrekkelijk zijn. Ook al is de pose van een jonge Werther niet op zijn plaats in een soldatenbordeel in Jüterbog. Zover kwam het niet. Friedemann Knobeloch, die zich niet alleen verantwoordelijk voelde voor onze opleiding, maar ook voor ons amusement, had mijn aarzeling gezien. Hij wist nog van de Herero-opstand hoe je jonge infanteristen van hun angst voor de vuurdoop afhelpt. Of ze in elk geval zover krijgt dat ze zich toch in het vijandelijke vuur storten. Hij ging dus zo dicht voor me staan dat onze hoofden elkaar bijna raakten. Met zijn handen in zijn zij, wat er zonder uniform een beetje belachelijk uitzag. Maar zijn schorre stem produceerde ook in burger de gebiedende toon waarmee wij in die twaalf weken waren gedrild.

'Wat nou, wat nou?' blafte Friedemann Knobeloch. 'Niet doen of je moe bent! Een Duitse soldaat kent geen angst!' En toen – zijn commandotoon kreeg plotseling iets amicaals: 'Ik begrijp je wel, jongen. Mij verging het de eerste keer net zo. Maar ik heb al een goede voor je uitgekozen. Kamer 5.' En zonder overgang weer snerpend: 'Groep Gerson, links uit de flank – mars!'

Ik vond het best dat hij de beslissing voor me nam. Ik vermoed dat ik het best vond. Met zekerheid kan ik het niet meer zeggen. Ik heb de gebeurtenissen van die nacht in mijn hoofd zo vaak herhaald, de film zo vaak aan mezelf vertoond en elk afzonderlijk moment totaal leeggezogen dat ik allang niet meer weet wat ik me er echt van herinner en wat ik in de loop der jaren met dromen, met wensen en angsten heb aangevuld. Ons geheugen zit vol reserveonderdelen.

Wat sommige dingen betreft vertrouw ik mijn geheugen niet. Kwam ik in het trappenhuis echt een kameraad tegen met zijn gulp open? Bungelde zijn geslachtsdeel echt uit zijn broek? Was het echt nog vochtig en glansde het in de flikkerende vlam van de gasverlichting? Of hoort dat beeld ergens anders thuis? In de eerste jaren na de oorlog, toen met de oude orde plotseling ook de oude regels waren verdwenen, maakte je in Berlijn geregeld taferelen mee die in *Satyricon* niet hadden misstaan.

En dan: de smalle gang op de bovenverdieping. Hadden de deuren inderdaad kamernummers zoals in een hotel? Waarom eigenlijk? Maar hoe heb ik anders de goede gevonden? De deur waarachter een vrouw op me wachtte die mijn sergeant-majoor voor me had geregeld.

Kamer 5.

Een Duitse soldaat kent geen angst.

Ik klopte aan. Niet te hard. Zoals mama het me had geleerd.

'Ja?' zei een stem. Die was – nu ben ik weer heel zeker van mijn herinnering – lager dan ik had verwacht. Even dacht ik geschrokken: Het moet de verkeerde kamer zijn. Of mijn voorganger is nog niet klaar. Ik had het allebei even pijnlijk gevonden.

'Kom nou maar binnen!' zei de stem.

De deur kan niet gepiept hebben toen ik hem aarzelend opendeed. Ik weet heel zeker dat mijn geheugen bij dat geluidseffect sjoemelt, dat hier een beroepsmatig cliché mijn herinnering binnendringt. *Mijn broer zorgt bij de film voor de geluiden.* Dat heb ik op de plaat gezongen.

Nee, de deur piepte niet. Al meen ik het geluid nu nog te horen. Maar wat daarna kwam, was precies zoals ik het me herinner. Dat kan niet anders geweest zijn.

Haar kimono was groen met geel, met op de rug een vuurspuwende draak. B-kwaliteit, zou papa gezegd hebben. De kimono en de vrouw. Het lichtblonde, gewatergolfde haar in een onnatuurlijke vorm gebracht.

Toen ik binnenkwam, stond ze bij het raam en draaide ze zich langzaam naar me om. Kauwend. Tijdens een vermoeiende dienst mag je je tussendoor best een kleine versterking permitteren.

Ze was bijna even groot als ik. Een stevig figuur met een breed bekken. Haar houding absoluut niet damesachtig. Ik zou een matroos zo neerzetten. Een boer.

Ze was ook ouder dan ik had verwacht. Eind twintig, zou ik achteraf zeggen. Vanuit het perspectief van mijn zeventien jaar was het verschil tussen ons enorm.

'Goedenavond,' zei ik en ik meen me te herinneren dat ik zelfs zo'n belachelijke halve buiging maakte. Natuurlijk waren zulke correcte omgangsvormen in die situatie volkomen misplaatst, maar ik had geen idee wat dan de juiste geweest zouden zijn. In mijn fantasie waren we altijd meteen ter zake gekomen.

Ze keek me onderzoekend aan, haar hoofd iets opzij gebogen. Ze krabde met haar wijsvinger aan haar wang. Poederdeeltjes dwarrelden als fijn stof op de grond.

'Je eerste keer,' zei ze. Het was geen vraag.

Ik knikte.

En ze spuugde.

Niet, zoals ik in een moment van verwarring dacht, uit verachting voor de onervaren beginneling, maar heel vanzelfsprekend. Er stond een kom van messing, die ik voor een bloemenvaas had aangezien, en daar spuugde ze trefzeker in. Nog een keer en nog een keer. Daarna wreef ze met haar hand over haar mond en veegde hem af aan haar kimono.

'Als ik rook, moet ik hoesten,' zei ze. 'Daarom pruim ik liever.'

'Dat is vast verstandig,' antwoordde ik beleefd, al had ik liever gehad dat ze rookte.

'Zullen we?'

Ze deed haar kimono open, ze trok hem nog niet helemaal uit, maar liet eerst heel zakelijk zien wat ze in de aanbieding had. Een koopman die de rolluiken voor zijn etalage optrekt. Onder het geelgroene gewaad droeg ze een korset dat haar borsten opdrukte, grote borsten, die echter geen perfecte halve bollen waren zoals bij de Griekse beelden bij kunstgeschiedenis, maar een beetje langwerpig, met brede bruine hoven rond de tepels.

Onderaan, waar het korset ophield, een driehoek van krullend haar. Niet blond.

Stevige benen.

'En?' zei ze. 'Wil je je broek aanhouden? Dat wordt een beetje lastig.'

Ik draaide me om voor ik me uitkleedde. Mijn kleren legde ik zorgvuldig op een stoel. Niet uit ordelievendheid, maar om tijd te winnen. Ik moest mijn onderbroek losknopen, wat ik normaal nooit deed. Anders had ik hem niet over mijn geërecteerde lid kunnen trekken.

Ze lag nu zonder korset op bed. Rechts op haar onderbuik had ze een litteken, dat mijn geprikkelde fantasie onmiddellijk uitlegde als het gevolg van een ruzie in de rosse buurt. Nu weet ik natuurlijk: blindedarm. *Appendectomie.* Tabakszaknaad. Totaal onromantisch.

Ik liep naar het bed en ging naast haar liggen. Ze rook naar kernzeep, als een dienstmeisje op zondag. Ze trok me naar zich toe, boven op zich. Mijn onervaren onderlijf zocht onhandig naar de goede opening. Nog voordat ik dat raadselachtige in-elkaar-steek-spel tot een goed einde kon brengen, liep ik leeg op haar buik.

Ik ben haar nu nog dankbaar dat ze me niet uitlachte vanwege mijn onhandigheid. Ik was niet de eerste beginneling die naar haar toe werd gestuurd.

Naderhand stond ze met gespreide benen boven een waskom en maakte zich schoon. Dat ik op het bed mocht toekijken, beschouwde ik als een persoonlijk geschenk.

Terug in de salon heb ik over mijn belevenis net zo opschepperig gelogen als alle anderen. 'De herbergierster heeft een kok ...'

Dat was hem. De nacht der nachten. Elk afzonderlijk moment ervan is oneindig waardevol voor me.

Kostbaar en onvergetelijk.

Die tien minuten in het bordeel van Jüterbog zijn alles wat ik heb.

En nu woon ik in een bordeel. In een filmdraaiboek zou ik dat detail schrappen. De werkelijkheid legt het er te dik bovenop.

Hier in Theresienstadt betaalt niemand voor het liefde-maken. Zo noemde Sternberg het altijd in dat veramerikaanste taaltje van hem. Hier heeft niemand geld. Behalve de gettomunt natuurlijk, waarmee je je kont nog niet af kunt vegen. Wie toch een paar echte bankbiljetten heeft weten binnen te smokkelen, in een potje talkpoeder of een dubbele schoenzool, die investeert in belangrijker dingen. In aardappelen of een stuk brood.

Liefde krijg je gratis. Als je het snelle lichamelijke afreageren tenminste liefde kunt noemen. Voor mij geldt het niet, maar ik zie het op de hoek van elke straat. Men komt elkaar tegen, men kijkt elkaar aan, men knikt elkaar toe. Geen lange gevoelsaria's. Het moet snel gaan. Niemand weet hoe lang hij er nog de gelegenheid voor zal hebben. De jongeren – niet alleen de jongeren – hebben net zoveel haast als wij toen in Jüterbog. Nog meer. Wij gingen maar naar het front.

Je ziet hier de vreemdste stelletjes. Een secretaresse van de Raad van Oudsten – ze wordt de zwarte spin genoemd – verzamelt jongemannen. Ze laat zich door hen het hof maken. Ze lokt ze met de belofte dat ze niet op de transportlijst komen. Ik wil me niet voorstellen waarmee haar aanbidders voor die dienst moeten betalen. Die vrouw is minstens zestig. Ouder. Ze zuigt haar jonge gigolo's uit en laat ze dan vallen. Ze zet ze op de lijst en gaat op zoek naar de volgende.

Op een keer heeft een man geprobeerd zijn vrouw dood te steken. In het parkje achter het kindertehuis. Hij was jaloers omdat ze hem had bedrogen met een ander. Niemand begreep dat. Het doodsteken wel, maar de jaloezie niet. Iedereen was het erover eens dat zo'n emotie hier echt geen zin meer heeft. De vrouw was niet eens zwaargewond. Hij had geen scherp mes kunnen opscharrelen. Ze zijn toen samen op transport gegaan. In een draaiboek zou ik een grote scène hebben laten opnemen waarin die twee zich in de veewagon verzoenen. Omhelzing en langzaam uitfaden.

Je went je aan om naar zulke verhalen te kijken alsof het echt maar verhalen zijn. Zonder je erdoor te laten raken. De betrokkenen vergaat het waarschijnlijk niet anders. Zoals in het lied dat wij in Jüterbog brulden: 'De liefde is een tijdverdrijf, men neemt daarvoor het onderlijf.'

Als je niet Gerron heet.

Een partner voor de snelle liefde vinden is makkelijk. Naar een plaats waar je het ongestoord kunt doen, moet je veel langer zoeken.

Consequenties hoeft bijna niemand te vrezen. Vlak naast ons, in het volgende bordeelkamertje, woont dokter Springer, de beroemde chirurg uit Frankfurt aan de Oder. Hij leidt de ziekenboeg en heeft me een keer uitgelegd: 'De gebrekkige voeding in het kamp heeft ook voordelen. Rahm staat erop dat elke zwangerschap wordt onderbroken, maar we hebben daar weinig problemen mee. Bij voldoende ondervoeding worden de vrouwen niet meer ongesteld.' Je moet de feiten nemen zoals ze zijn.

Mijn feit is dat Rahm die film van me wil. Als ik hem maak, is het voorgoed met mijn zelfrespect gedaan. Als ik hem niet maak ...

Situatieschets: je hebt dat stempel dat op de transportlijsten naast sommige namen staat. T.O. TERUGKEER ONGEWENST. De lijsten worden opgesteld door de Raad van Oudsten, maar over het stempel beslist de SS. Beslist Rahm.

T.O. zou er niet alleen naast mijn naam staan, maar ook naast die van Olga. Bloedwraak. Ze zijn weer in de mode, die mooie oude woorden.

Terugkeer ongewenst. Mijn Olga.

Als ik de film niet maak of hem niet goed maak, niet overtuigend genoeg, belanden we allebei in een veewagon. In een 8/40'er, zoals ik die in de oorlog heb leren kennen. 8 PAARDEN OF 40 MAN. Alleen proppen zij er veel meer in.

De trein die ons naar het front bracht, reed via Keulen en Brussel. Toen hij definitief stopte, waren we aangekomen in een wereld waar niets meer zin had.

Zo'n oorlog is geen film met een begin en een einde, waarna het licht weer wordt aangedaan en het leven verdergaat. Oorlog, dat zijn de weggegooide snippers op de vloer van de montagekamer, lukraak achter elkaar geplakt, zonder enig gevoel voor dramaturgie.

In een Ufa-film zou de allereerste man die ik zag sterven, beslist niet zomaar zijn overreden. Voor de bioscoop zou iets met meer effect zijn bedacht. De werkelijkheid is slordig wat dat betreft.

Waar we aankwamen was geen station. Alleen een zijspoor met een smalle, geasfalteerde strook, die ooit de laadplaats van een korenmolen was geweest.

Er stond een transportcompagnie met twee vrachtauto's klaar. Ze wachtten niet op ons, maar op de goederenwagons die bij een tussenstop aan de trein waren gekoppeld. Munitiekisten. Nee, ze wisten ook niet wanneer wij werden opgehaald. Of we zo'n haast hadden om doodgeschoten te worden? We moesten in geen geval in de ruïne van de molen schuilen, zeiden ze nog. Ook niet als het regende. Die bouwval kon elk moment instorten.

Naast de molen was ooit een weiland geweest. Misschien hadden daar in de zomer nog koeien gegraasd. Nu was het winter. De diepe voren die al die wielen in de grond hadden getrokken, waren bevroren tot een bikkelhard karstlandschap. Een decormaquette van het terrein dat ons tussen de loopgraven wachtte. De diepste gaten waren opgevuld met grind en van planken was een soort weg aangelegd, waarover de vrachtauto's nu wegreden, een kleine heuvel op. Toen ze daarachter verdwenen, was het landschap opeens heel erg leeg.

We maakten het ons gemakkelijk, zo goed en zo kwaad als het ging. Onze ransels waren geen hoofdkussens en onze jassen hielden ons niet warm. Sergeant-majoor Knobeloch had het een grote vooruitgang genoemd dat ze sinds kort van een dunnere stof werden vervaardigd om de bepakking lichter te maken. We gingen op de laadplaats liggen. Omdat het daar te krap werd, weken een paar van ons uit naar de houten planken. Ook die ene van wie ik de naam niet meer weet. Onze eerste dode. In mijn herinnering zie ik alleen nog die grote rode puist in zijn hals.

En later het bloederige schuim voor zijn mond.

De platte vrachtauto's kwamen achteruit de heuvel af. Een kunstige manoeuvre, die was ingevoerd omdat ze bij de laadplaats niet konden keren vanwege de omgewoelde grond. We zagen ze van verre aankomen en gingen opzij. Alleen hij bleef liggen. Hij reageerde ook niet op geroep. Misschien droomde hij net iets moois.

Hoe dan ook, de chauffeur kon hem niet zien en de auto reed over zijn borstkas. Ik meen me het gekraak van zijn ribben te herinneren. Hetzelfde geluid dat ik tijdens de medische studie bij de anatomische oefeningen zo goed heb leren kennen.

Ze legden hem bij ons op een van de platte vrachtauto's. Gelukkig niet daar waar ik een plekje had gevonden. Na het uitladen zag ik hem nog een keer liggen, met die grote rode puist in zijn hals.

Waarom is die stomme puist me beter bijgebleven dan het bloed?

Je herinnert je alleen de dingen waar je tegen kunt.

'De eerste dode vergeet je nooit. Alles wat daarna komt, haal je door elkaar.' Zo had Friedemann Knobeloch het ons voorspeld, en hij wist er alles van.

De gebeurtenis met de overreden man had nog een vervolg, bijna twintig jaar later.

Het moet in 1932 geweest zijn. Of nog in 1931. In de tijd dat we bij de Ufa de films gewoon uit de grond stampten. Ik bereidde toen *Een fantastisch idee* voor, maar ik schoot niet goed op. Mayring en Zeckendorf werkten tegelijk aan *De witte demon*, een project waar ze zich veel meer voor interesseerden. Het draaiboek dat ze afleverden was er dan ook naar, het was ronduit prutswerk. Het verhaal met de vele verwikkelingen en verwisselingen rammelde aan alle kanten, zodat we eigenlijk nog een keer bij nul hadden moeten beginnen. Maar aan uitstel van de opnamen viel niet te denken. Willy Fritsch had in zijn agenda alleen die drie weken vrij en de Ufa stond erop dat hij de hoofdrol speelde. Waarvoor betaalde Hugenberg hem anders elke maand dertigduizend rijksmark? Dus werd er gezegd: 'U doet dat wel even, meneer Gerron.' Terwijl ik toen ook nog bezig was met de montage van *Het wordt wel weer beter* en elke dag toch al veertien uur werkte.

Nu was er zo'n type, een journalist of dramaturg, die nergens was aangesteld en er toch altijd was. Zoals de gast die op elk partijtje opduikt, terwijl niemand weet wie hem heeft uitgenodigd. Hij heette René Alemann, dat wil zeggen, eigenlijk heette hij Rainer. In het filmbedrijf hadden we allemaal ons pseudoniem. Van die Alemann werd in de branche gezegd dat hij weliswaar niet goed was, maar snel, dat hij geen eigen ideeën had, maar de kunst verstond andermans ideeën verder uit te werken. Ik weet niet wie hem de opdracht heeft gegeven, misschien was er helemaal geen opdracht, maar op een dag stond hij in mijn kantoor – nou ja, kantoor: een rommelhok dat ons regisseurs in de studio minzaam ter beschikking was gesteld, zodat we tussendoor tenminste even konden gaan liggen – en bracht me een manuscript. Het bewerkte draaiboek van *Een fantastisch idee*. Niet eens slecht gedaan. De ergste gaten waren opgevuld en waar hem helemaal niets te binnen was geschoten, had hij 'Muziek – nader te bepalen' neergezet. Een flauw trucje, maar in elk geval een oplossing.

We hadden dringend een nieuw draaiboek nodig en nu hadden we er een. Zolang Alemann bereid was zonder naamsvermelding te werken, hadden de auteurs er niets op tegen. Waar de zaak nog steeds haperde, moesten we maar vertrouwen op de populariteit van de spelers. Wat dat betreft hadden we het goed getroffen. Willy Fritsch was een echte hartenbreker, de kleine Rose Barsony was onweerstaanbaar schattig en Max Adalbert zorgde dat er iets te lachen viel. Dus begonnen we op tijd te draaien en de film sloeg ook heel goed aan.

Lastig was alleen dat die Alemann nu bijna elke dag in de studio opdook. Zich gedroeg alsof hij mijn beste vriend was. Op een keer bracht hij zelfs bonbons voor Olga mee, haar favoriete soort. Geen idee hoe hij daarachter gekomen was. Ik kon hem er niet uit gooien, tenslotte werkte hij mee aan de film. En omdat ik hem er niet uit gooide, dacht iedereen dat hij wel belangrijk zou zijn. Zo pakte Alemann dat aan.

Als ik toen al had geweten wat voor figuur hij was, als ik enig idee had gehad hoe hij zich door de oorlog heen had gesjoemeld en wat er later nog van hem zou worden, dan had hij van mij een studioverbod gekregen tot aan de jongste dag. Ik had gezorgd dat geen hond nog een stuk brood van hem aannam. Toen, voor de opkomst van de nazi's, had ik die macht.

Maar ik dacht dat hij een gewone slijmbal was. Lastig, maar onschuldig. Een beetje belachelijk. Alleen al zoals hij erbij liep. Die colbertjes met onnatuurlijk brede schoudervullingen. Zelfs als het om zijn lichaamsbouw ging was die man een oplichter. De ronde bril die hij bij het lezen opzette, maar soms vergat omdat hij hem in werkelijkheid helemaal niet nodig had. Vensterglas. Om zichzelf een intellectueel tintje te geven.

Ik heb in mijn leven steeds weer de fout gemaakt dat ik geloofde in de rol die anderen speelden, zodoende heb ik hem lang niet doorzien. Tot de avond bij Aenne Maenz, toen hij ongevraagd bij ons aan de acteurstafel kwam zitten en daar zoveel dronk dat hij, geheel tegen zijn gewoonte in, voor één keer eerlijk werd.

Ook aan tafel zat Theo Gerstenberg, een collega die met één been uit de oorlog was gekomen. Voor 1914 had hij in de provincie aan de lopende band jonge helden gespeeld, maar toen hij echt een held was geworden, konden ze hem voor de Ferdinands en de Romeo's niet meer gebruiken. Alleen Tellheim heeft hij nog een keer gekregen, dat is immers ook zo'n oorlogsinvalide. Ik had hem al in Colmar in het lazaret leren kennen en bezorgde hem als het enigszins kon een kleine rol. Meestal speelde hij een oorlogsveteraan, omdat hij zo overtuigend hinkte. Verder was hij, zowel met één als met twee benen, geen bijzonder goed acteur.

Gerstenberg was een aardige vent, maar als hij *angesjikkert* was, begon hij te klagen, altijd hetzelfde liedje. Dat hij voor zijn been alleen het gewondeninsigne had gekregen, en dan nog alleen het zwarte, dat ze je al opspeldden als je in een punaise had getrapt, terwijl hij toch een ijzeren kruis had verdiend, minstens, dat hadden anderen voor veel minder gekregen. 'Waarvoor hebt u het gekregen, Gerron?' Enzovoorts enzovoorts. Dat was nu eenmaal zijn tere punt.

Hij was weer eens aan een van zijn monologen begonnen en wij deden allemaal of we luisterden. Toen zei Alemann plotseling: 'Jammer dat u niet in mijn bataljon zat. Dan had ik u dat blikwerk wel bezorgd.'

Het stoorde me dat hij 'blikwerk' zei, terwijl de zaak voor Gerstenberg zo belangrijk was. Maar dat was nog maar het begin. Alemann had meer gedronken dan anders en was nu op zijn beurt niet meer te houden. Meer dan drie jaar was hij aan het front geweest en hij had niet één dag in een loopgraaf gelegen. Meestal had hij in een bed geslapen. 'En waarom, heren? Omdat ik kan schrijven. Omdat ik fantasie heb. Omdat mij altijd iets te binnen schiet.'

En toen vertelde hij vol trots op zijn eigen slimheid over het luizenbaantje dat hij bij zijn bataljonscommandant had losgepeuterd. Op het kantoor waar elke dag de brieven aan de nabestaanden werden geschreven. *Betreur het ten zeerste u te moeten meedelen dat Uw zoon heden op het veld van eer, met patriottische groet.* Stapels brieven, en niemand die dat werk wilde doen.

Behalve Alemann. 'Ik zou ook latrines leeggeschept hebben,' zei hij. 'Als ik maar niet hoefde te vechten.' Hij schreef dus die brieven en omdat hij zijn baantje zo lang mogelijk wilde houden, deed hij erg zijn best. Voor iedere gevallene bedacht hij een eigen heldendaad. Iets waar de moeders of echtgenotes trots op konden zijn. Bij hem werd niemand zomaar doodgeschoten of door een granaat in stukken gereten, er was al helemaal niemand die dysenterie kreeg en zich doodscheet. Nee, ze vielen allemaal als helden, bij een poging om een gewonde kameraad uit de vuurlinie te halen of aan het hoofd van een stoottroep. En natuurlijk hoefde niemand te lijden, ze stierven altijd heel snel en pijnloos, zeiden nog 'Groet mijn boven alles geliefde vrouw' en weg waren ze.

'Dat was mijn bijdrage aan het moreel van het thuisfront,' zei Alemann, 'en bovendien een goede oefening voor het werk bij de film. Ondertekend werden de brieven natuurlijk door de commandant. Het schijnt ook bij de Ufa voor te komen dat de een het werk doet en dat anderen er hun naam onder zetten. Is het niet, Gerron?'

En toen, vanwege Gerstenberg en zijn geklaag over het misgelopen ijzeren kruis, wilde Alemann per se een verhaal vertellen. Een erg grappig verhaal, zei hij. Over een heel jonge soldaat die net met zijn reservecompagnie uit de trein was gestapt en werd overreden door de auto die hem en zijn kameraden moest ophalen. 'Om de familie te troosten heb ik zo'n geweldige held van hem gemaakt dat zijn vader naderhand een bezwaarschrift schreef. Met de eis dat zijn zoon voor zijn daden postuum een onderscheiding moest krijgen. Die heeft hij toen ook gehad. Het ijzeren kruis 2e klasse. Voor bijzondere dapperheid. Voor het feit dat hij door een auto was overreden. Wat hem op de Alexanderplatz ook had kunnen overkomen. En dat alleen door mijn literaire kwaliteiten.'

Hij vertelde het verhaal als grap en een paar collega's lachten ook. Gerstenberg niet.

Wat mij betrof – ik had de praatjesmaker wel kunnen vermoorden. Niet vanwege zijn leugens van toen, maar omdat hij er zo trots op was.

Die jongen had een rode puist in zijn hals.

Ik heb Alemann later uit het oog verloren. Pas in Nederland heb ik gehoord dat hij nog flink carrière heeft gemaakt. Niet bij de film. Hij schrijft nu voor de *Völkischer Beobachter.* Fantasievolle artikelen over de intriges van het internationale Jodendom. Met mooie zinnen als: 'Een Jood werkt aan het inwendig uitbouwen van de staat als een made aan het inwendig uithollen van een appel.' Hij tekent nu niet meer met Rainer en niet meer met René, maar sinds kort met Reinhart. Hij was altijd al een opportunistische hufter.

Alleen hij?

Hoe kom ik erbij hem verwijten te maken? Hem te verachten? Ben ik soms beter?

Moraal is een luxe. Heel aangenaam voor mensen die zich zoiets kunnen permitteren. Ik hoor daar niet meer bij. In Theresienstadt betekent luxe: een snee brood. 'Eerst komt het vreten, dan komt de moraal,' heeft Brecht ons laten zingen. Die zelfbenoemde proletariër, die bij Schlichter kreeft bestelde en geen idee had wat honger is. Maar wat dat betreft had hij gelijk: eerst komt het vreten.

Eerst komt het overleven.

Als je de morele bril afzet en Alemann heel nuchter bekijkt, gewoon als het resultaat van een rekensom – wat heeft hij dan gedaan? De oorlog overleefd. Dat is velen niet gelukt. Hij zal ook de nazi's overleven. Wat waarschijnlijk meer is dan ooit van mij gezegd kan worden. En daarna ... Hem kennende bestudeert hij voor de zekerheid alvast stiekem de verzamelde werken van Stalin. Of van Churchill. Waarschijnlijk van allebei. Omdat je nog niet kunt weten met wie je straks beter af bent.

Wie tussen de wolven terechtkomt, moet met ze meehuilen. Cantates zingen haalt dan niets uit.

Wie in Rahms macht is, moet zijn films voor hem maken.

Ik ben alleen maar jaloers op Alemann. Omdat hij, anders dan ik, altijd beweeglijk genoeg was om zijn ruggengraat te buigen. Op het kantoor van de bataljonsstaf condoleancebrieven schrijven. Benijdenswaardig eigenlijk. Wij hebben in de oorlog allemaal gedroomd van een nis waar je veilig was voor kogels. We waren alleen niet slim genoeg om er een te vinden. We waren te stom. Of te fatsoenlijk. Wat uiteindelijk op hetzelfde neerkomt.

Een dode held is ook maar een lijk.

Als Alemann een Jood was en hier in Theresienstadt was beland, zat hij allang in de Raad van Oudsten. Hij zou onvervangbaar zijn, deportatielijsten opstellen en de mensen die hij erop zette, troosten met mooie woorden. Alemannen overleven altijd. Omdat ze liever leven dan deugdzaam zijn.

In plaats van hem te verachten zou ik een voorbeeld aan hem moeten nemen. Ik zou net zo moeten doen als hij. Rainer René Reinhart Gerron.

Ik heb leren leven zonder vrijheid. Zonder hoop. Waarom vind ik het dan verdomme zo moeilijk om te leven zonder geweten?

Er wordt tenslotte niet van me gevraagd dat ik iemand vermoord. Ik moet alleen een film maken. Wat is dat nou? Bewegende beelden. Je kijkt ernaar en een uur later ben je ze alweer vergeten. Ze produceren al zoveel jaar zoveel propagandafilms – wat maakt eentje meer dan uit?

Als ik doe wat Rahm wil, kan niemand me iets verwijten. Niemand zal zich in mijn plaats vrijwillig aanmelden voor het eerstvolgende transport.

Ik heb me ook niet vrijwillig aangemeld toen ze mijn ouders naar Sobibor stuurden.

Ik zal die film maken.

Ik kan het niet.

Ik wil geen Alemann zijn. Ik had niet op een kantoor willen zitten en treurende nabestaanden belazeren met verzonnen heldendaden. Dan was ik liever een doodgewone soldaat.

Wij waren de 8e reservecompagnie, 3e reserveregiment, 2e reservebrigade, 27e reservekorps in het 4e leger. Reserve, reserve, reserve. Allemaal bloedjonge oorlogsgroentjes. Met nog een paar overlevenden van de eerste loopgravenwinter. Hun eenheden hadden zulke zware verliezen geleden dat het niet de moeite waard was geweest ze nog een keer aan te vullen.

Die veteranen waren in onze gelederen net zo misplaatst als topacteurs in een amateurvoorstelling. Ze zochten niet meer contact met ons dan nodig. Waarom vriendschap sluiten met iemand die hoogstwaarschijnlijk binnenkort toch dood zal zijn?

Compagniecommandant was eerste luitenant Backes, een ongewone bezetting. De luitenants en eerste luitenants van de andere compagnieën waren allemaal heel jong, twintig of eenentwintig, terwijl hij al midden veertig was. Een reserveofficier voor wie de oorlog twee jaar te vroeg was uitgebroken. In 1916 zou hij op grond van zijn leeftijd volledig afgekeurd zijn voor dienst, maar nu moest hij nog een keer meedoen in zijn te strak geworden uniform. Later heb ik gehoord dat hij inderdaad op tijd is afgekeurd, alleen niet vanwege zijn leeftijd, maar omdat hij niet meer in staat was iemand uit te kafferen. Hij was getroffen door een schrapnel en miste zijn onderkaak.

Doordat hij in het burgerleven gemeenteambtenaar in een kleine stad was, geloofde hij heilig in voorschriften en reglementen. Van een slordige groet of een niet correct gesloten boordenknoopje raakte hij, gevoelig als hij was voor autoriteit, totaal van slag. Voor ons betekende dat de ene strafexercitie na de andere. Zodat we ook op de zogenaamde rustdagen nooit echt rust hadden.

Als het hun niet te veel moeite was geweest, hadden de veteranen hem zeker laten merken hoe belachelijk ze hem vonden. Zijn bevelen voerden ze uit, maar op een provocerend ongeïnteresseerde manier. Brecht, die waardeloze theoreticus, had hen als schoolvoorbeeld voor zijn vervreemding kunnen gebruiken.

In die tijd bestond de regel dat je aan het front, waar geen hok was om iemand in op te sluiten, aan een boom of een wagenwiel vastgebonden kon worden. Twee uur vastbinden voor elke dag arrest. Toen Backes een van de veteranen – ik weet niet meer waar het om ging – met die straf dreigde, begonnen de anderen demonstratief en luidkeels over het geval van een officier die bij een stormaanval, tragisch, tragisch, door een verdwaalde kogel uit de eigen gelederen in zijn achterhoofd was geraakt. Daarna werden ze met rust gelaten.

Terwijl Backes toch echt geen lafaard was. Voor angst was hij te dom. Hij drukte zich bij aanvallen niet zoals andere officieren, maar vocht altijd in de voorste gelederen mee. Waarschijnlijk stond het zo in zijn instructieboekje.

Wij waren gelegerd in Poelcapelle, op acht kilometer van Yper. In normale tijden kun je die weg met gemak in twee uur afleggen. Maar alleen al tussen die twee plaatsen zijn tienduizenden mensen volkomen zinloos gecrepeerd. En toch hebben wij Duitsers Yper nooit veroverd.

Wij Duitsers? Dat ik die reflex niet kan afleren! Terwijl ze me zwart op wit hebben gegeven dat ik er niet meer bij hoor.

Poelcapelle was een puinhoop. Alsof een kind uit een knipplaat een dorp in elkaar had geknutseld en er daarna met een hamer op had gemept. De kerk was het best bewaard gebleven. Alleen de spits was van de toren geschoten. De regimentsstaf was ondergebracht in een gebouw – vroeger het raadhuis of de school of allebei – waarvan in elk geval de helft nog overeind stond. Wij infanteristen huisden in de kelders. Hoe vaker we voor aan het front waren geweest, hoe luxueuzer we die vonden.

Het dorp vlak ernaast heette Langemarck. Het beroemde Langemarck. Waar de patriottische studenten 'Duitsland, Duitsland, boven alles' zongen, terwijl ze vrolijk het mitrailleurvuur in marcheerden. Wat natuurlijk onzin is. Met een volle broek marcheer je niet vrolijk.

Langemarck.

Tegenwoordig springen ze in Duitsland allemaal in de houding als ze die naam horen. Wie het niet doet, krijgt binnenkort bezoek van de mannen in de zwartleren jassen. Voor ons betekende het toen niets.

De enige geografie die ons interesseerde, was die van het overleven. Waar je blootstond aan het vijandelijke vuur. Waar dekking te vinden was. De dichtstbijzijnde loopgraaf, de dichtstbijzijnde prikkeldraadversperring. Een granaattrechter waarin je kon schuilen.

Langemarck kon ons geen moer schelen.

Een gewoon boerengat, zoals ook ons Poelcapelle een gewoon boerengat was. Huizen zonder daken. Een kapotte kerk. Een school met schietgaten. De mythe hebben ze later pas in elkaar geknutseld. Daarmee heeft een kantoorsoldaat de dienst aan het front weten te ontlopen. Een Alemann. Je kunt van iedere dode een held maken. Je mag je alleen niet laten hinderen door de feiten.

De zaak heeft zich helemaal niet bij Langemarck afgespeeld, maar verder naar het westen bij Bixschoote. Die plaatsnaam klonk voor propagandadoeleinden zeker niet Duitsnationaal genoeg. Langemarck, dat heeft iets heldhaftigs. Vanwege de klinkers. Als we voor een film een naam voor de jonge held zochten, moest er ook altijd een krachtige a in voorkomen.

Wij waren geen helden. De oorlogseuforie van de eerste dagen waren we al in Jüterbog kwijtgeraakt. Bij ons droomde niemand van roem. Alleen van ooit weer thuiskomen. Met zo veel mogelijk ongedeerde lichaamsdelen. Aan postume lauwerkransen hadden we schijt.

Als ze nu hun toespraken houden, met fakkels en landsknechtentrommels, dan zeggen ze dat de arme donders die daar volkomen onzinnig de dood in zijn gejaagd, voorbeeldig wisten te sterven. Nonsens. Ze wisten niets. Net zomin als wij wisten waarom we in de grote worstmachine terechtgekomen waren.

Dat ze achteraf heilig verklaard zijn, wekt ze ook niet meer tot leven. Ze hebben er niets meer aan dat ze door de nazi's worden aanbeden. Op een gegeven moment zullen er altaren voor ze worden opgericht, in elke gouw één. Aan relikwieën geen gebrek. Waar wij te velde lagen, zit de grond vast nog vol botten.

Te velde liggen. Soms vergaat het de taal net als de propaganda en zegt hij per ongeluk de waarheid. Het waren ook echt alleen velden waar zo verbeten om gevochten werd. Bietenvelden. Zware Vlaamse klei. En we lagen ook echt. Rechtop zouden we een te goed doelwit voor de scherpschutters geweest zijn. Je mocht niet eens je hoofd optillen. Want we hadden nog geen stalen helmen. Die kwamen later pas. Wij hadden leren helmen. Met een punt. Die sabelslagen moest afweren.

Op de afbeeldingen van Langemarck dragen ze altijd allemaal een stalen helm. 'Het publiek verwacht dat,' zouden ze bij de Ufa gezegd hebben. Zoals een simpele ziel zich de wereldgeschiedenis voorstelt, zo moet ze ook zijn. Dat heb ik ooit ergens gelezen en het klopt. Als de oorlog met afbeeldingen uitgevochten had kunnen worden, hadden wij hem gewonnen.

Wij? Ik hoor er niet meer bij.

Terwijl ik een van de helden ben die Langemarck ook echt hebben veroverd. Vreemd dat meneer Goebbels dat in zijn feestredes nooit vermeldt.

Het woord krijgsmakkers heb ik nooit begrepen. Als ik in een trein zit die ontspoort, zijn alle passagiers toch ook niet ineens mijn vrienden?

De man die toen het dichtst bij me stond, heette Paul. En verder iets Oost-Pruisisch. Ook wij waren geen vrienden.

Hij was meteen in het begin van de oorlog als reservist opgeroepen en lag sindsdien aan het front. Misschien dertig of jonger. Moeilijk te zeggen. Door zo'n uniform vervaagt de leeftijd. Sommigen zagen er in het veldgrijs als verklede schooljongens uit. Anderen alsof ze op weg waren naar een bijeenkomst van veteranen. Laten we zeggen: dertig. Het doet er niet meer toe.

Een sterke, zware man. Bijna even groot als ik, en ik was de langste van de compagnie. Terwijl ik slungelachtig was, was hij fors. Niet dik, maar goed in zijn vlees zittend. Opvallend sterke handen met bosjes haar op de rug. Op een keer wilde hij een paar leren handschoenen uit een geschenkpakket aantrekken en toen knapten de naden. Als paard zou hij voor een bierwagen hebben gestaan.

Toen zijn vader stierf, kreeg hij verlof voor de begrafenis. Op het moment dat hij thuis aankwam, lag de ouwe al in zijn kuil, zoals hij het na zijn terugkeer zonder enige sentimentaliteit formuleerde. Maar met het begrafenismaal hadden ze op hem gewacht. Daarover vertelde hij met het enthousiasme van iemand die te lang alleen knolraap en gort te eten heeft gekregen.

Er was nog iets anders waar hij de mond vol van had. Zonder remmingen vertelde hij over de drie nachten die hij met zijn vrouw had doorgebracht. Ze was, zoals hij het liefdevol uitdrukte, een lekkere stoot. Als bewijs liet hij iedereen haar foto zien, die hij altijd bij zich droeg. Samen hadden ze hun best gedaan om binnen een halve week in te halen wat ze in de eindeloze maanden van de oorlog waren misgelopen. 'Behalve om te eten zijn we niet meer uit de veren gekomen,' zei Paul.

We waren met elkaar in gesprek geraakt omdat hij me aan mijn vader deed denken. Niet uiterlijk natuurlijk, een groter contrast was nauwelijks voor te stellen. Maar in Pauls vocabulaire kwamen een paar woorden voor die ik tot dan toe alleen thuis had gehoord. Het begrafenismaal was alderbarstend geweest en eerste luitenant Backes was een doezel.

Ik maak daaruit op dat de Gersons ooit vanuit het oosten naar Duitsland zijn geëmigreerd. Vanuit Rusland via Polen en de Mark Brandenburg naar Berlijn. Van elke halte hebben ze een paar woorden meegebracht. Om hun kleine privévolksverhuizing ten slotte weer in het oosten te beëindigen. Definitief.

Paul sloot me in zijn hart, zoals hij ook een verlaten reekalf in zijn hart gesloten zou hebben. Zonder daarom meteen vegetariër te worden. Hij nam me in zekere zin als leerjongen aan. Waarbij hij de oorlog en de vele manieren om te doden heel zakelijk behandelde, als een handwerk dat je serieus moet leren.

Hij legde me bijvoorbeeld uit waarom een bajonet voor een loopgravengevecht niet het ideale wapen was. 'Als de loopgraaf te smal is, kan het makkelijk gebeuren dat je met de geweerkolf in de zijwand blijft haken en de stoot niet kunt uitvoeren.' Ook een geslepen spa raadde hij af, die was dan wel praktisch en meestal dodelijk, maar wanneer je daar als gevangene mee werd gesnapt, sneden ze je de strot af. Voor het gevecht van man tegen man was volgens hem een gewoon met prikkeldraad omwikkelde stok het beste, zo'n stok moest je volgens hem altijd bij de hand hebben, hij maakte diepe wonden 'en iemand anders kan zo'n kerel dan definitief uitschakelen'.

Waarna hij weer overging op gestoofde kool en gehaktballetjes en vandaar op de lichamelijke kwaliteiten van zijn vrouw.

We waren geen vrienden, Paul en ik. We zaten alleen toevallig in dezelfde ontspoorde trein.

Paul kon de oorlog lezen als een boer de natuur. Hij heeft heel wat weddenschappen gewonnen, doordat hij bijna op de minuut af wist te voorspellen wanneer een dodelijk gewonde, die in het niemandsland tussen de loopgraven om hulp kermde, voorgoed zou verstommen. Als een echte boer had hij voor alles zijn regels.

In de loopgraaf, zo doceerde hij, moest je altijd zo dicht mogelijk bij de voorwand blijven. Aan de kant waar de vijandelijke projectielen vandaan kwamen. Hij maakte zelfs een tekening voor me, de dwarsdoorsnee van een loopgraaf. Omdat er geen ander papier te vinden was, gebruikte hij daarvoor de achterkant van de foto van zijn vrouw. 'Zo komt een granaat aangevlogen,' legde hij uit, 'altijd in een boog.' Hij arceerde de driehoek waarin je volgens hem het veiligst was. 'Of de granaat slaat voor je in de grond en dan ben je gedekt, of hij vliegt over je heen. Alleen de brommende mortiergranaten van de Britten komen bijna loodrecht naar beneden.'

Het zou kunnen dat hij gelijk had met zijn theorie. Het projectiel dat onze loopgraaf trof, kwam van achteren. Uit een van de nieuwe Krupp-kanonnen die, zoals de kranten schreven, de oorlog weldra in ons voordeel zouden beslissen. Ze hadden gewoon niet ver genoeg gemikt. Een kleine onnauwkeurigheid zoals die in de opwinding weleens voor kan komen. Het spijt ons, zo was het niet bedoeld.

De granaat sloeg een meter achter onze loopgraaf in, met een dreun die we in ons hele lijf voelden. Ik weet zeker dat Paul me het precieze kaliber had kunnen vertellen. Als zijn mond niet vol aarde had gezeten.

De explosie sloeg een krater in de grond, zo diep, werd me later verteld, dat je er een auto in had kunnen laten zakken. Door de druk werd de aarde naar voren geschoven en rolde de achterwand van de loopgraaf over ons heen. De balken waarmee het plafond was verstevigd, verloren hun houvast en stortten op ons neer, samen met de zandzakken die ons tegen de scherven moesten beschermen. We zaten met acht man in de loopgraaf. Zeven van ons waren op slag dood.

Penssoep. Daar had Paul het net nog over gehad. Een soep die geen mens ter wereld zo perfect klaarmaakte als zijn vrouw. Penssoep. Met marjolein. Toen sloeg de granaat in.

Ik kreeg een stomp in mijn rug en werd tegen Paul aan gesmeten. Ik voelde zijn voorhoofd vlak voor mijn mond. Ik had alleen mijn lippen hoeven spitsen om hem een kus te geven. Op de plek waar mama tikte als ze zei: 'Je bent altijd al een dikkop geweest.' Waar de engel tikt om te maken dat je alles vergeet. Precies op die plek.

Zijn voorhoofd tegen mijn lippen.

Ik probeerde me van hem los te maken, maar ik zat vast in een Vlaamse akker. Een biet die bij het rooien was vergeten. De loopgraaf was tot aan het plafond, tot aan de plek waar ooit een plafond had gezeten, gevuld met plakkerige klei. Ik zat vast. Het enige wat ik nog kon bewegen, waren mijn tenen in mijn laarzen. Mijn ogen kon ik open- en dichtdoen. Niet dat dat in de duisternis verschil gemaakt zou hebben.

En ik kon ademhalen.

Ik kon nog altijd ademhalen.

Mijn helm, waarvan ik de kinriem niet had aangetrokken, was naar voren geschoven en vormde nu tussen mijn hoofd en dat van Paul een soort schuin dak. Daaronder was een kleine vrije ruimte met een restje lucht.

Een heel klein restje.

In Nederland kende ik een man van de Joodse Raad, die zich met uitlaatgassen wilde vergiftigen om aan deportatie te ontkomen. Hij is tegen zijn zin op het laatste moment gered. Hij vertelde ons dat hij van het stikken helemaal niets had gemerkt, maar in de zorgvuldig afgedichte garage gewoon in slaap was gevallen.

In Westerbork, waar ik hem weer tegenkwam, klaagde hij dat je daar nooit alleen was en je daarom niet in alle rust kon ophangen. Toen heeft hij geprobeerd zich dood te laten schieten door bij het inladen op een van de bewakers af te stormen. Maar de Joodse Ordedienst was niet met vuurwapens uitgerust, dus hebben ze hem alleen afgeranseld voor ze hem in de trein laadden. Koolmonoxide was eenvoudiger geweest.

Ik heb me mijn leven lang niet meer echt op mijn gemak gevoeld in al te benauwde ruimten. In *Bommen op Monte Carlo* kwam die scène voor waar Albers me in een hokje laat opsluiten. De regisseur moest me toen heilig beloven dat dat stuk er meteen de eerste keer op zou staan.

Het ergste van stikken zijn de eerste minuten. Wanneer je je er nog tegen verzet. Dat moment van paniek lijkt veel langer dan het in werkelijkheid duurt. Als de lucht opraakt, wordt je hoofd zwaar. Zodra er voldoende koolzuur in je bloed zit, verlies je je bewustzijn. Tijdens de studie medicijnen hebben ze ons geleerd dat mensen die stikken op dat moment hallucinaties hebben: je hele leven trekt aan je oog voorbij. Daar heb ik niets van gemerkt. Zo lang had ik toen ook nog niet geleefd.

Dat ik toch niet dood was, of in elk geval niet definitief, heb ik weer aan onze eigen artillerie te danken. Die had zich nog steeds niet op het doel ingeschoten en een tweede granaat legde onze loopgraaf weer bloot. Voor een deel. De bovenste laag werd gewoon weggeblazen, zodat onze hoofden uit de aarde keken, dat van mij bijna helemaal en dat van Paul tot aan zijn neus. Ze moesten met uitgraven wachten tot de batterij de hoek van waaruit geschoten kon worden, eindelijk goed had ingesteld en daarna, zo hebben ze me verteld, duurde het nog een hele tijd voor ze me eruit hadden. Zo vast zat de klei. Ik heb er niets van gemerkt. Ook niet dat ik naar lucht snakte of zo. Als mijn herinnering weer begint, lig ik al op de brancard.

Ik heb niets groots gedacht. Niets wat een draaiboekschrijver zijn hoofdpersoon in de mond zou leggen. Dat ik op het nippertje aan de dood was ontsnapt, maakte me niet heldhaftiger. Terwijl ik probeerde de smaak van klei en zand uit mijn mond te spoelen, dacht ik na hoe ik mijn uniform binnen een redelijke termijn weer schoon kon krijgen. Hoe ik aan een nieuwe helm kon komen. Weggerukt door de kracht van de tweede explosie lag de mijne bijna twintig meter voor onze loopgraaf in het niemandsland.

Soms denk ik dat ik iets tegen Paul had moeten zeggen toen ik nog lucht had. Dat hij een geweldige kerel was of zo. Mijn beste vriend. Ook al klopte dat niet. Maar in elk geval iets.

Ook al zou hij het niet meer gehoord hebben.

Ik hoop dat het tenminste Alemann was, die hufter, die de brief aan zijn familie heeft geschreven. Dat hij voor Paul een heel bijzondere heldendaad heeft bedacht. Zodat zijn vrouw, die lekkere stoot, trots op hem kon zijn.

Aan de waarheid zou ze niets hebben gehad. Of had hij haar moeten meedelen: 'Hij werd begraven door zijn eigen artillerie en zijn laatste gedachte was penssoep'?

Een paar dagen geleden had ik een nachtmerrie: ik kom in het theater en ben te laat, de voorstelling is al begonnen. De inspiciënt geeft me ongeduldig een teken dat ik op moet. Ik ben gekleed als een koning van Shakespeare, heb een scepter in mijn hand en een kroon op mijn hoofd. Ik kom uit de coulissen en merk dat ik in het verkeerde stuk zit. Het decor is dat van *Wiegelied*, onze laatste uitvoering in de Joodsche Schouwburg. Het moet het derde bedrijf zijn, want mijn koffer staat klaar. De koffer waarmee ik wil vertrekken. En ik herken de acteurs. Ze horen niet in het stuk thuis. Allemaal bekende gezichten. Werner Krauss is erbij en Käthe Dorsch en Marianne Hoppe en Albert Florath en Heinrich George. Zij waren allemaal wel op tijd. Ze kijken me vol verwachting aan en ik sta daar met mijn scepter en zonder tekst. Ik moet de situatie redden, maar weet niet hoe. De zaal is uitverkocht. Ik kan de toeschouwers niet zien, maar ik voel dat ze wachten tot ik zeg en doe wat ik moet zeggen en doen. Het souffleurshokje is leeg, er staat alleen een metronoom in, die tikt en tikt. En dan is het ding in mijn hand geen scepter meer, maar een maatstok, en ik wil de anderen het teken geven om in te zetten, maar ze zingen niet, ze wachten tot ik helemaal alleen de juiste toon vind.

Dan word ik wakker en mijn hart bonst als een gek.

Zulke dromen had ik ook toen ik plotseling weer in Berlijn was. In die tijd gold nog de regel dat je verlof kreeg als je bedolven was geweest. Later, toen er op alles bezuinigd moest worden, bezuinigden ze ook daarop.

Ik had niet moeten gaan.

In de Klopstockstraße zat ik in het verkeerde stuk. Ik moest een rol spelen die ik niet had ingestudeerd. Meerdere rollen tegelijk en op geen ervan was ik voorbereid.

Papa, nog altijd in zijn patriottische fase, wilde me zien als oorlogsheld. Het liefst had hij gehad dat ik mijn uniform nog geen vijf minuten uittrok. Als ik aan de ontbijttafel ging zitten, lag de *Vossische Zeitung* al klaar, zo gevouwen dat ik als eerste het legerbericht moest lezen. Als er stond dat een luchtschip een bom op Parijs had gegooid – op de vesting Parijs, zoals dat toen heette –, vroeg papa heel kameraadschappelijk: 'En, jongen, wanneer rukken wij daar binnen?' Hij zei 'wij' en praatte op een onnatuurlijk krachtige toon, die helemaal niet bij hem paste.

Als het aan hem had gelegen, had ik onafgebroken de dappere strijder gespeeld. Dan had ik hem elke avond vergezeld naar de bierkelder waar hij sinds kort geregeld samenkwam met andere vaderlandslievende confectionairs. Daar zou hij zijn dansbeer dan hebben gedemonstreerd. 'Dit is dus mijn dappere zoon,' zou hij hebben gezegd. 'Hij ligt voor Yper en geeft de tommy's ervan langs.'

Hij kon niet begrijpen dat ik niet mee wilde.

Voor mama moest alles net zo doorgaan als voor de oorlog. De omstandigheden hadden haar haar kleine jongen afgepakt en nu ze hem terug had, wilde ze hem verwennen. Met alles waar kleine jongens van houden. Bij elke maaltijd zette ze me een zondags toetje voor. Het liefst had ze het hapje voor hapje in mijn mond gestopt. Nog een wonder dat ze geen tweede metalen trein voor me had gekocht.

Ze bedoelde het zo goed en ik kon haar niet eens het plezier doen dat ik er blij mee was.

Ik was niet meer de Kurt Gerson die pas zijn noodexamen had gedaan. Ik was nog altijd zeventien, ja, maar ik was iemand anders geworden. Niet harder, niet sterker en al helemaal niet verstandiger. Ik paste alleen niet meer in de oude rol.

Ik had beter aan het front kunnen blijven.

Het ergste was hun nieuwsgierigheid. Zo goed bedoeld en zo ondraaglijk. 'Vertel eens hoe het is, daar aan het front! Vertel eens!'

Wat had ik moeten vertellen? Dat er een lijst was van verscheidene kantjes, waar wij gewone soldaten niets van mochten weten, maar die we allemaal uit ons hoofd kenden? Waarop gedetailleerd vermeld stond welke verwondingen je ongeschikt maakten voor het front. De 'retourlijst'. Waarop niet alleen de duidelijke gevallen stonden – geen benen meer of blind –, maar ook de finesses die voor ons veel belangrijker waren. Dat een ontbrekende vinger niet voldoende was om een soldaat weer tot burger te maken. Behalve als het de wijsvinger van de rechterhand was. Bij twee vingers moest er van geval tot geval gekeken worden *of de in de dagelijkse dienst voorkomende taken zonder al te veel belemmeringen kunnen worden waargenomen*. Maar drie vingers verliezen, ah, drie vingers, dat was een gelukstreffer. Een lot uit de loterij. Een tangoschot. Ik weet niet waarom het zo werd genoemd. Waarschijnlijk omdat je danste van vreugde als de verwonding zo ernstig was dat je naar huis mocht.

Had ik papa dat moeten vertellen? Terwijl hij heldenverhalen wilde horen?

En mama, die me volstopte met zoetigheid? Had ik haar moeten vertellen over het halve brood dat we bij een dode vonden, dat we in drie gelijke delen verdeelden en waar we alleen een heel smal randje afsneden op de plek waar nog bloed aan de korst zat? Had ik haar dat moeten vertellen?

Ik zou alleen haar eetlust hebben bedorven.

De eerste twee dagen heb ik alleen maar gezwegen. 'Ik ben nog te moe,' zei ik.

Maar ik was een toneelrot, toen al, hoewel ik dat nog helemaal niet wist. Als je mij zonder tekstboekje op een podium zet, dan improviseer ik. Ik verzon dus verhalen, onschuldige kleine gebeurtenissen die nooit hadden plaatsgevonden, of in elk geval niet zoals ik ze beschreef, maar die beantwoordden aan de verwachtingen van mijn toehoorders. Als ze sensatie wilden, dan konden ze sensatie krijgen.

Eén figuur die ik voor hen bedacht, kan ik me nog herinneren. Een kersverse sergeant-majoor-titulair, een eigenaardig vis-noch-vleestype, ergens tussen onderofficier en officier in. Die ridder van de droevige figuur, die in werkelijkheid nooit heeft bestaan, liet ik struikelen over de degen die nu bij zijn parade-uniform hoorde en waaraan hij nog niet gewend was. Ik deed met gebaren voor hoe hij een echte sergeant-majoor tegenkomt die hij automatisch wil groeten, en hoe zijn hand halverwege zijn pet blijft steken, omdat hem te binnen schiet dat dat nu niet meer hoeft.

Papa schaterde en mama, dat kostschoolmeisje, hield haar hand voor haar mond en zei: 'Maar Kurt toch!'

Applaus werkt verslavend en daarom verzon ik nog meer onschuldige frontanekdotes. Het in een Engelse loopgraaf buitgemaakte blik cornedbeef waar nog een kogel in zat, waarop een kameraad prompt een tand brak. De oude vrijster die voor twintig verschillende soldaten polsmofjes had gebreid, en in elk pakje zat ook een huwelijksaanzoek. Ik was echt goed. Mijn ouders geloofden alles. De oorlog die ik schilderde, paste bij de kop-op-artikelen van alle Alemannen die voor de kranten schreven.

En hoewel ik wist dat mijn verhalen niets met de werkelijkheid te maken hadden, voelde ik me beter als ik ze vertelde. Ik ensceneerde de wereld en zat tegelijk als toeschouwer in mijn eigen voorstelling. Ik genoot van het theater dat ik voor de anderen opvoerde.

'De mensen willen de dagelijkse sleur vergeten.' Dat was ook in Westerbork het devies. Die zin geldt niet alleen voor degenen die geëntertaind worden, maar ook voor de entertainers zelf. Een goed verzonnen leugen overtuigt de leugenaar net zo goed als degene tegen wie gelogen wordt.

Ik ben mijn hele leven een goede entertainer geweest.

Het moet avond zijn. Olga is bij de voedseluitgifte geweest en heeft mijn portie voor me op de margarinekisten gezet. Ze heeft even tegen me geglimlacht en is zonder een woord te zeggen weer naar buiten gegaan. Ze wil me niet storen bij het nadenken.

Ze behandelt me als een zieke. Waarom ergert haar consideratie me zo?

Nul komma vier deze keer. Vier deciliter. Soms, op goede dagen, is het nul komma vijf.

De beroemde soep van Theresienstadt. Gemaakt van linzenextract. Smerig slijm. Iets anders hebben ze vandaag niet uitgedeeld.

Soms, als je met je emmertje van de voedseluitgifte komt, staan er oude mensen die vragen: 'Eet u uw soep op? Als u hem niet lust, wil ik hem wel hebben.' Ze weten dat veel mensen de soep niet door hun keel krijgen. Het klopt niet dat honger de beste kok is. Hij is hier de enige.

Als je geluk hebt, zijn de ingrediënten zo kapotgekookt dat je ze niet meer herkent. Als je pech hebt, herken je ze nog wel.

Maar het is soep en ik heb honger. Mijn lichaam heeft honger.

Ik word misselijk van de geur en tegelijk loopt het water me in de mond. De *nervus vagus* verstuurt zijn informatie. Mijn maag begint zuur te produceren. Honger.

Soep.

Sinds ik in Theresienstadt ben, begrijp ik Paul met zijn penssoep. De herinnering aan lekkernijen van vroeger kan een troost zijn. Ik fantaseer me soms ook met opa's zalmmayonaise in slaap. De enige vorm van onanie die me nog rest.

Niet alleen mij vergaat het zo. Sommige mensen brengen hier uren door met discussiëren over recepten van gerechten die nooit meer iemand voor ze zal koken. Ze wisselen ze uit zoals wij als gymnasiast de pikante Franse ansichtkaarten uitwisselden. Ze vinden ze net zo opwindend. Olga heeft me verteld over twee vrouwen die elkaar bijna in de haren vlogen omdat ze het er niet over eens konden worden of bij karper in gelei nu suiker hoort of niet.

Karper in gelei. Ik heb het nooit gegeten. Van papa mocht er niets op tafel komen wat hij te juddenachtig vond. Een gebrek in mijn opvoeding dat nu nooit meer goedgemaakt kan worden.

In Westerbork zei Max Ehrlich, die voor geen enkele flauwe mop terugschrok, in zijn conference: 'Hier in het kamp is een receptenbundel een leerboek voor de lege buik.' De mensen moesten vreselijk lachen, maar dat deden ze daar bij elke grap. Het kon hun laatste kans zijn om zich te amuseren.

Als tegenhanger van een receptenbundel zou je de honger eens moeten categoriseren. Met al zijn ondersoorten. Van de kleine eetlust tot en met de grote gulzigheid. Van 'Eén hapje gaat er nog wel in' tot en met 'Als ik nu niks te bikken krijg, word ik gek'.

Dokter Springer heeft me verteld over een patiënt die van pure vraatzucht is verhongerd. Hij pulkte stopverf uit het kozijn en at het spul op. Het heeft zijn slokdarm dichtgeplakt.

En in Westerbork had je de geldklopper met de sardientjes in olie. Hij had een hele koffer vol conservenblikjes het kamp binnengesmokkeld en verkocht ze voor veel geld. Tot zijn naam op de lijst voor het eerstvolgende transport stond. Toen zat hij een nacht lang op zijn brits en maakte het ene blikje na het andere open. At de sardientjes en dronk de olie. Gaf niemand een hap. At en kotste en at weer verder. En sneed toen met de scherpe rand van het deksel van een blikje zijn pols door. Het mocht niet baten. Ze hebben hem gewoon met verband en al in de wagon geduwd.

Je zou met gemak een boek kunnen vullen met zulke verhalen. Ik zou er het voorwoord bij schrijven. Van dat onderwerp weet ik alles af.

Je zou het geheel kunnen illustreren met foto's van mensen die van honger hun verstand hebben verloren. Die iemand anders hebben doodgeslagen voor een stuk brood. Ik zou wel een paar voorbeelden weten.

Ik heb honger.

En er is soep.

Op een keer – ik weet niet meer waarom ik er die dag niet bij was – kwamen de anderen terug uit de voorste loopgraaf. Vuil, moe en bekaf. Maar niet zo uitgehongerd als anders. Er was een gek, vertelden ze, iemand van de intendancecompagnie, die een jamemmer vol soep tot in de voorste linie had gesleept. Met een schort over zijn uniform. Een gek dus. Het schieten was minder hevig dan op andere dagen, maar toch. Met zijn emmer door alle loopgraven. Terwijl hij gezellig bij zijn veldkeuken had kunnen blijven. Buiten schot.

Hij had zijn schort als een servet over zijn arm gelegd en hun gamellen volgeschept. Echte soep, geen blinde, zoals wij dat toen noemden als er geen vetoogje op te bekennen was. Hij had erbij gelachen, gelachen en gehoest. Ze konden hem nog horen toen hij alweer terugliep.

Hij had naar mij gevraagd, die gek. Of een zekere Kurt Gerson soms bij hen was, zo'n lange, magere. Dat was een vriend van hem.

Kalle.

Ik vond hem bij zijn goulashkanon. Ze hadden er een tent overheen gezet, met een gat voor de schoorsteen. Die eruitzag als een op de hemel gerichte kanonloop. Op de zijkant van de tent had iemand met olieverf een met een kroontje versierd wapen geschilderd. Drie ineengestrengelde K's. KONING KALLES KEUKEN moest dat betekenen. Hij speelde nog altijd graag voor aristocraat.

In zijn tenue van dril met de witte schort zag hij eruit als iemand die zich slecht heeft verkleed. Een pollepel bijna zo groot als een roeiriem. Hij presenteerde die lepel voor mij als een geweer op het exercitieplein. Zoals in een van onze schooljongensfantasieën. Wat zullen we vandaag spelen? De ontdekking van Amerika? Stanley en Livingstone in Afrika? Of toch liever het westelijk front?

We omarmden elkaar niet, we beukten elkaar niet eens op de schouders, zoals mannen dat anders graag doen. Mannen? We waren nog geen mannen. Gevoelens tonen was nooit mijn sterkste punt. Kalle vroeg ook niet hoe het mij was vergaan. We waren allebei nog in leven. De rest was in die tijd niet belangrijk.

Aan het keukenfront vielen geen doden, daardoor ging het vertellen hem makkelijker af dan mij. Alsof we elkaar na de zomervakantie op het schoolplein zagen en hij mij heel dringend al zijn vakantie-ervaringen moest beschrijven. Omdat hij Kalle was en zo graag lachte, waren het allemaal grappige ervaringen.

Op de basisopleiding was het hem net zo vergaan als op het gym. Hij was overal doorheen geglipt. Zelfs de beulen die zwakkelingen anders graag als afschrikwekkend voorbeeld stelden, hadden bij hem een oogje dichtgeknepen. Voor iemand die Heitzendorff aan het lachen kon krijgen, vormde ook de ergste rekrutenbeul geen gevaar. Ze hadden hem leren koken, en zoals hij het vertelde, was dat wel de belachelijkste vertoning van allemaal geweest. Want het was niet belangrijk hoe de dingen smaakten, maar alleen dat er niet meer dan de toegewezen rantsoenen werd gebruikt.

'Rantsoenen die we in werkelijkheid niet eens krijgen. Om je dood te lachen. In theorie heeft iedere man recht op 375 gram vlees per dag. Niet 380 en niet 370. Exact 375 gram. Terwijl er soms een hele week geen vlees wordt geleverd. Een geniale maatregel van het ministerie van Oorlog. Hoe magerder de soldaten, hoe meer moeite het de vijand kost om ze te raken.'

Kalle was geen spat veranderd. Hij nam de oorlog net zomin serieus als wat dan ook. Als hij met zijn soepemmer tot in de vuurlinie liep, was dat niet uit dapperheid, maar omdat je bij een spel niet echt iets kan overkomen.

Maar het was geen spel.

Het was een gele wolk. Vlak terrein. Wind uit het oosten.

Ze hadden geprobeerd het geheim te houden, maar dat was natuurlijk niet gelukt. Aan het front, waar elke verandering over leven en dood kan beslissen, doen geruchten snel de ronde. Er waren een stuk of tien officieren uit Berlijn gearriveerd, werd er gezegd, met een eigen proviandwagen. Waarin beslist niet alleen gortepap werd gekookt. Een paar van de officieren, zo was er geconstateerd, hadden de brede rode streep van de generale staf op hun broek. Die waren niet gekomen om te kijken of onze pet wel correct zat. Er was iets op til. Op de meest uiteenlopende delen van het front waren ze opgedoken, werd er verteld. Ze hadden met hun veldkijker het terrein afgezocht. Alsof ze een jachtgezelschap waren dat de juiste plek voor een uitkijkpost zocht.

Wat ook het geval was.

Het meest werd er gepraat over een kapitein die er altijd bij was. Een onmilitaire figuur met een knijpbril op zijn neus. Als die door iemand werd gegroet, zo werd er gezegd, dan wist hij niet waar hij met zijn hand heen moest. Geen hoge piet, niet zoals de anderen. Een verklede burger. Maar als hij iets zei, dan luisterde iedereen. De veldkijkers draaiden eensgezind in de richting waarin hij wees. Een belangrijke figuur, maar geen soldaat. Er werd druk over gespeculeerd.

Op het zijspoor bij de kapotte korenmolen waar ze ons toen hadden uitgeladen, stond al dagen een trein met goederenwagons. Die werden niet gelost, maar dag en nacht bewaakt. Ook dat gaf veel te denken.

Voor de bewaking ervan waren speciaal nieuwe soldaten aangerukt. Niet van een regiment dat wij kenden, maar geniesoldaten. Heel nieuwe uniformen, zoals je ze alleen krijgt als je met de foerier bent doorgezakt. Met ons wilden ze niets te maken hebben. Ze maakten alleen toespelingen dat zij iets wisten waar wij geen idee van hadden. We zouden nog wel merken uit welke hoek de wind waaide.

Er werden geen stormaanvallen meer bevolen en onze artillerie leek het geschut in de mottenballen gelegd te hebben. Alsof de vrede was uitgebroken. Op een keer kwamen we na twee dagen terug uit de voorste loopgraaf zonder dat we één schot hadden gelost. Het gerucht ging dat er spoedig een wapenstilstand gesloten zou worden. De man die zich in zijn kapiteinsuniform zo slecht op zijn gemak voelde, was in werkelijkheid de particulier secretaris van de keizer, en met hun veldkijkers keken ze uit naar een sein van de andere kant.

En de trein die niet werd gelost? 'Daar zit champagne in,' zeiden de slimmeriken. 'Zodat ze kunnen toosten als de vrede gesloten is.'

Maar het was geen champagne. Ze bereidden ook geen vrede voor. Ze waren iets heel anders van plan.

Het was half april en de lente hing al in de lucht. Weliswaar waren de akkers door de projectielen zo vaak omgeploegd dat er niets meer groeide. De klaprozen waar later zo vaak sprake van was, heb ik nooit gezien. Maar we hadden het 's nachts niet meer zo vreselijk koud. Toen het een paar dagen niet had geregend, hoorden we vogels zingen. Joost mag weten waar die hadden overwinterd.

Zelf heb ik het jachtgezelschap met de hoge officieren nooit te zien gekregen. Maar op latrines verspreiden geruchten zich nog sneller dan de stank. Iedereen wist altijd waar de heren waren. Vlak voor Langemarck leken ze gevonden te hebben wat ze zochten.

De geniesoldaten in hun schone uniform losten de geheimzinnige goederenwagons. Ze sleepten de kisten naar de loopgraven, waar ze de hele nacht bezig waren. Wij stelden ons met veel plezier voor hoe die salonsoldaten daar vergeefs op een veren dekbed en een nachtzoen wachtten.

De volgende dag werd er sterkedrank uitgedeeld. Dubbele porties. Een slecht teken. 'Als er sterkedrank is, vallen er doden,' was onze ervaring. We kregen opdracht om ons paraat te houden, maar daarna gebeurde er urenlang niets. Er was iets wat nog niet zo was als het moest zijn.

De wind natuurlijk. Daar dachten we toen niet aan.

Laat in de middag konden we merken dat er iets gebeurde. De ordonnansen zwermden naar alle kanten uit. Precies om vijf uur wierp een vliegtuig drie rode lichtfakkels af. Dat was het sein.

De wind kwam uit het oosten. Het terrein was vlak. De gele wolk rolde op de Franse linies af.

Chloorgas tast de bronchiën aan. De longen vullen zich met water. *Laryngospasmus. Hypoxie. Exitus letalis.* Wie het inademt, stikt. Verdrinkt op het droge. Blauwe lippen door zuurstofgebrek in het bloed. De meeste lijken waar we langskwamen, lagen op hun rug. De vuisten gebald. Boksers die nog een allerlaatste klap willen uitdelen.

De paar soldaten in wie nog een restje leven zat, probeerden weg te kruipen. Weg van de dodelijke wolk, die allang verder was getrokken.

Het waren voornamelijk Algerijnen. Spahi's, die doorgingen voor bijzonder wreed. Met hun verwrongen gelaatstrekken zagen ze er echt zo uitheems uit als ze ons waren beschreven.

Wij waren die dag gedetacheerd bij de 51e reservedivisie, waarvan de stelling direct aan de onze grensde. De dubbele portie sterkedrank had de stormaanval feilloos aangekondigd. Alleen werd het helemaal geen stormloop, maar een promenade. Een wandeling over een kerkhof. Althans in het begin.

We hadden nog geen gasmaskers. 'Zolang jullie maar steeds achter de wolk blijven,' hadden ze ons beloofd, 'kan jullie niets gebeuren.' Na de eerste loopgraaf vol lijken wilde niet iedereen nog geloven dat onze opmars ongevaarlijk was, maar de officieren dreven ook die ongelovigen verder.

We rukten dus op, maar het was allemaal heel anders dan bij andere offensieven. Bovenal was het stil. Natuurlijk bulderde de generale bas van de artillerie onafgebroken over onze hoofden heen, maar de melodiestemmen ontbraken. Geen geweerschoten. Geen ratelende mitrailleurs. Geen ontploffende handgranaten.

Geen enkele tegenstand.

Als in een droom, waar je ook de onnatuurlijkste dingen doet en die heel vanzelfsprekend vindt. Voor een versperring bleven we gewoon rechtop staan wachten tot de mensen met de kniptang een doorgang maakten. Om de granaattrechters waar we ons anders in wurmden om een paar seconden dekking te hebben, liepen we heen. Zoals je op het trottoir een plas ontwijkt om je schoenen niet vuil te maken. Niemand schreeuwde van de pijn en niemand om moed te vergaren. Zwijgend baanden we ons een weg door de Franse stelling.

Eén keer brak er paniek uit, heel even maar. Omdat er uit een loopgraaf rook opsteeg. Een ogenblik leek het of de wind was gedraaid en de gele wolk onze kant op dreef. Het was maar een vuurtje. Een van de Algerijnen had toen hij stikte zijn tabakspijp laten vallen, waardoor zijn uniform in brand was gevlogen.

Zo hebben we ook Langemarck veroverd. Wat de gevierde helden van 1914 met al hun patriottische gezangen niet hadden klaargespeeld – als ze tenminste echt hebben gezongen –, dat lukte de Duitse wetenschappers met een paar ton vloeibaar chloor. Ze openden op het juiste moment de juiste ventielen en lieten de rest over aan de wetten van de natuur.

Door Langemarck zijn we alleen heen gemarcheerd. Er was niemand meer om tegen te vechten. Ik heb daar vreemde dingen gezien. Een tegen een huismuur leunende man, die in kleermakerszit voor een mand met handgranaten zat. Als een eierverkoopster op de markt. Iemand die tijdens het poepen was gestorven, en omdat hij daar met zijn broek omlaag lag, leek hij meer dood dan de anderen. Narcissen die ook allemaal het loodje hadden gelegd. Zelfs bloemen kunnen stikken.

Verder: een dorp als duizend andere. Door de oorlog verwoest als duizend andere. Niets wat de moeite van het vechten waard was.

De wolk was op zijn weg verdund. We kwamen steeds vaker hoestende en kokhalzende gewonden tegen. We werden ook beschoten. Van de kant waar, geloof ik, een Engelse eenheid lag. We waren verder doorgedrongen dan verwacht. Of het was wel verwacht, maar er waren toch niet genoeg troepen voor de opmars in gereedheid gehouden.

Doet er niet toe.

We verschansten ons in een veroverde loopgraaf, vlak bij de Steenbeek. We hebben de stelling inderdaad een paar dagen gehouden, voordat de Fransen die weer terug veroverden. Tot Yper waren we niet gekomen, maar heel veel vijandelijke soldaten waren dood en daar mochten we volgens eerste luitenant Backes allemaal erg trots op zijn.

Ze brachten de lijken weg op handkarren, steeds vier of vijf doden tegelijk. In het begin deden ze hun werk met een zekere plechtigheid, ze tilden elk lichaam met z'n drieën of vieren op en legden het behoedzaam, bijna teder, bij de andere. Maar zoveel fijngevoeligheid hou je niet de hele dag vol. Niet in een bezweet uniform en met brandende spieren. Op een gegeven moment wilden ze het achter de rug hebben. Zo'n dode soldaat is uiteindelijk ook niets anders dan een pas geslacht dier. De een pakte hem bij zijn handen, de ander bij zijn voeten en dan – hup! – zwaaiden ze hem op hun kar.

We waren dankbaar dat wij niet met dat werk waren belast.

In Theresienstadt hebben we ook karren. Dodendragers krijgen extra voedsel en de functie is in trek. Ik heb gezien hoe iemand een lijk helemaal in z'n eentje van de grond optilde en bij de andere legde. Verhongerde oude mensen wegen minder dan soldaten in vol ornaat.

Waar ze de doden heen brachten, weet ik niet. Het moeten er een paar duizend geweest zijn. Als ze de verwijderde identiteitsplaatjes allemaal naar Frankrijk hebben gestuurd, moet het een aardig pakket geweest zijn. In het begin van de oorlog waren zulke ridderlijke gestes nog gebruikelijk. Later hebben ze ingezien dat een worstmachine niets met ridderlijkheid te maken heeft.

In het legerbericht stond niets over chloorgas. Er was alleen sprake van een aanval en dat we een doorbraak hadden geforceerd. Zo kun je het ook noemen.

Twee dagen later werden we afgelost. In onze groep was geen enkele gewonde gevallen en dat vonden we op een vreemde manier pijnlijk.

Er zijn dingen waar je niet over kunt praten en die je toch kwijt moet. Misschien is dit de definitie van een vriend: iemand tegen wie je ook het onzegbare kunt zeggen. Die ook begrijpt wat je niet kunt formuleren. Zodra ik kon, ging ik op zoek naar Kalle.

De veldkeuken stond nog steeds op dezelfde plek. Kalles privéwapen prijkte nog steeds op de tent. Maar toen ik in de tent keek, stond er iemand anders in de stamppot te roeren. Ik moest maar wachten tot er gekookt was, werd me toegesnauwd, voor speciale wensen was geen tijd. De toon werd ook niet vriendelijker toen ik naar Kalle vroeg. Die moest ik op de verbandplaats zoeken. Als ik hem vond, moest ik tegen hem zeggen dat het onkameraadschappelijk was om je vanwege een klein pijntje ziek te melden. Anderen al het werk op te laten knappen. Nee, gewond was hij niet en gehoest – als ik hem kende, moest ik dat toch weten –, gehoest had hij altijd al.

Toen ik bij de verbandplaats aankwam, hadden ze hem al weggebracht om hem te begraven. Ik hoop dat hij ten minste een kar voor zich alleen had.

Ik hoorde niet meteen dat hij dood was, want een zekere Kalle kon niemand zich herinneren. Namen interesseerden hier geen mens. Ik moest hem beschrijven om duidelijk te maken wie ik bedoelde. Ze hadden geen echte dokter; die werkten allemaal in de grotere lazaretten achter de linies. Alleen een medisch student, die ze te veel verantwoordelijkheid hadden toegeschoven. Ik kon niet vermoeden dat ik me twee jaar later in een soortgelijke situatie zou bevinden.

Kalles voortdurende gelach had hij aangezien voor een interessant symptoom, en hij was een beetje teleurgesteld toen hij van mij hoorde dat dat bij hem niets bijzonders was geweest.

Alleen de chloorgasvergiftiging was bijzonder geweest.

Een kleine door de wind afgedreven wolk had Kalle getroffen. Al erg verdund en eigenlijk niet gevaarlijk meer. Alle anderen in zijn buurt hadden alleen een beetje moeten hoesten. Maar voor Kalles zwakke longen was zelfs die kleine dosis al te veel geweest. Ze hadden hem met verstikkingsaanvallen naar de geneeskundige dienst gebracht, maar niets voor hem kunnen doen. Ze waren hier alleen ingesteld op schotwonden en amputaties. Drie dagen had hij naar lucht liggen snakken. Hij had constant gehoest en constant gelachen. 'Hij kwam niet meer bij als hij eraan dacht dat hij nu een oorlogsheld zou zijn,' zei de medisch student. 'Hij leek dat een geweldig grappig idee te vinden. Begrijpt u dat?'

Ja, ik begreep dat.

Wat had rector Kramm bij de diploma-uitreiking ook weer gezegd? 'Het zou niet de eerste keer zijn dat iemand zich doodlachte.'

Veertien jaar later, in maart 1929, maakte ik kennis met de man die Kalle heeft vermoord. Hij droeg een rokkostuum en maakte me complimenten. Al twee keer had hij *De driestuiversopera* gezien, hij was echt enthousiast en in het bijzonder over mij. Wat fijn dat hij me nu ook eens persoonlijk ontmoette, het was hem een eer, maar nu moest ik hem verontschuldigen, de maatschappelijke verplichtingen, een prominent acteur als ik wist wel hoe dat was. 'Tot een volgende keer, mijn beste Gerron, tot een volgende keer!' Hij zette zijn knijpbril recht en stevende op Heinrich George af, die in die nacht de titelrol speelde.

Dat was bij de nachtvoorstelling van *De markies van Keith*, die we hadden georganiseerd om geld in te zamelen voor de weduwe van Albert Steinrück. Zestig mark kostte een parketplaats, midden in de economische crisis. Maar als je in Berlijn iets wilde betekenen, moest je dat ervoor overhebben. In ruil daarvoor stonden er ook alleen maar prominenten op het toneel, zelfs in de kleinste rollen. Voor Fritzi Massary hadden ze een zwijgend dienstmeisje aan het stuk toegevoegd. Zij kreeg voor het tafeldekken meer applaus dan een heel gezelschap voor de beide delen *Faust*. Zelf had ik precies één zin, als een van de drie kruiers in het laatste bedrijf. De anderen waren Rudolf Forster en Veit Harlan. Toen deelden we een kleedkamer. Een paar jaar later zou Harlan, die salonnazi, me niet meer met een tang hebben aangepakt.

Het was in de grote pauze na het derde bedrijf, toen de toeschouwers met ons kunstenaars hun weldadige champagne mochten drinken. Olga was meegegaan. Ze verzamelde in die tijd prominenten zoals ik als jongen sigarettenplaatjes. Ze vinkte af wie ze had ontmoet. Die avond – of om precies te zijn die nacht, het was al één uur in de ochtend – vorderde haar collectie flink. De president van de Rijksdag was er. De minister van Cultuur. Max Liebermann en Bruno Walter. Zelfs Einstein had zich laten overhalen om plaats te nemen in het erecomité. Hij keek niet erg enthousiast.

En de man met de knijpbril dus. Hij had zich niet aan me voorgesteld. In zijn kringen ging je ervan uit dat je wist wie je voor je had. Voor mij was hij een vreemde, maar Olga las de geïllustreerde bladen en had hem herkend. 'Professor Haber,' zei ze. 'Van het Keizer Wilhelm Instituut.'

Fritz Haber. De man die op het briljante idee was gekomen om chloorgas als wapen in te zetten. Na de oorlog was ik niet meer zo naïef als toen als soldaat. Ik wist intussen wie de onmilitaire kapitein met de knijpbril was geweest.

Er ontstond toen een behoorlijk schandaal. Ik rende hem achterna, greep hem bij zijn schouder en draaide hem met een ruk om. 'Professor,' zei ik, 'weet u dat u een moordenaar bent? Een duizendvoudige moordenaar?'

Ik vertelde hem over de spahi's met de blauwe lippen, hoe ze die op hun karren smeten, één bij de benen, één bij de handen en hup. Over de man die tijdens het poepen stierf, en over die andere die nog steeds zijn handgranaten zat te tellen.

En over Kalle.

‘Wie zoiets heeft bedacht,’ zei ik, ‘die kan al zijn onderscheidingen in zijn reet steken, en de Nobelprijs erachteraan. Wie op zoiets ook nog trots is,’ zei ik, ‘die moet gestoord zijn. Van zo’n misdadiger hoef ik geen complimenten.’

‘Uw vrouw,’ zei ik, ‘was heel wat verstandiger dan u. Die heeft zich doodgeschoten toen ze hoorde van de gifgasaanval. Met het dienstpistool dat bij uw mooie kapiteinsuniform hoorde. Heeft dat u niet aan het denken gezet, professor?’

Ze trokken me van hem af en iemand raapte de knijpbril op die van zijn neus was gevallen. Ik heb hem geen draai om zijn oren gegeven, maar ik heb me ook niet de mond laten snoeren. Ik heb hem verteld hoe ik over hem dacht. Heel de elite van Berlijn heeft het gehoord.

Haber droop met de staart tussen de benen af en de omstanders ontweken mijn blik, pijnlijk getroffen. Slechts een paar mensen knikten me toe. Einstein klopte me zelfs op mijn schouder.

Dat ik daarnet mijn carrière had geruïneerd, vooral bij de Ufa, waar Hugenberg de scepter zwaaide, dat ik me voorgoed onmogelijk had gemaakt, kon me geen moer schelen.

Maar zo was het niet.

Het was zo: het duurde een paar seconden voor ik me realiseerde wie ik daarnet de hand had geschud. Toen was het moment al voorbij. Het toeval had me het trefwoord gegeven voor een grote monoloog en ik had niet gereageerd. Nu was het te laat. De voorstelling wordt niet stopgezet omdat jij blank staat.

Ik zag hem bij Heinrich George staan. Waarschijnlijk maakte hij hem dezelfde complimenten die hij mij net had gemaakt. Hij was niets bijzonders. Een dikkige man met een kaal hoofd. Die ik misschien een kaasboer zou hebben laten spelen, maar nooit een wetenschapper.

Het verkeerde moment en het verkeerde stuk. De verkeerde kostuums. Hij was in rok, ik was in rok. Om ons heen paften heren met een speknek dikke sigaren. Hun dames lieten hun briljanten glinsteren, terwijl ze elkaar verzekerden dat het hele gebeuren fenomenaal was, ‘ik heb er geen ander woord voor, lieve, fe-no-me-naal’.

Het verkeerde toneel voor een levensbeschouwelijke discussie. Het verkeerde decor.

We waren niet in Vlaanderen, maar in Berlijn, niet aan het front, maar in de foyer van de schouwburg op de Gendarmenmarkt. Een kelner schonk champagne bij en Olga stond naast me en had twee echte Nobelprijswinnaars toegevoegd aan haar lijst van prominenten.

Ik keek Fritz Haber na. En deed helemaal niets.

Het zou niets opgeleverd hebben, maakte ik mezelf wijs. Niemand zou er iets mee opgeschoten zijn als ik bij zo'n maatschappelijk gebeuren gevochten had met de directeur van het Keizer Wilhelm Instituut. Het zou belachelijk geweest zijn. De mensen zouden gedacht hebben dat ik dronken was.

Maar dat was niet de reden waarom ik zweeg. Niet de echte reden. Het had ook niets met lafheid te maken.

De echte reden was: op het moment dat je in woede ontsteekt, dat je het gevoel hebt dat het bloed in je aderen heter wordt, kun je je niet voorstellen dat het ooit nog afkoelt. En toch is dat precies wat er gebeurt. Als ik Haber toen was tegengekomen, direct na het bericht van Kalles dood, dan had ik hem ...

Misschien ook niet. Misschien zouden de aangeleerde reflexen sterker geweest zijn. Ik zou voor zijn kapiteinsuniform in de houding zijn gesprongen en braaf hebben gegroet. Ik weet het niet.

Ik weet alleen dat ik die nacht doorging met champagne drinken en beleefd converseren. 'Ja, meneer de handelsraad, de improvisatie van Elisabeth Bergner was schattig. Echt schattig.' Ze speelde de huisknecht – ze had altijd al een voorliefde voor travestierollen – en toen Fritzi Massary de tafel dekte, zei ze: 'Die hosklos vliegt eruit!' De mensen juichten zo hard dat de kroonluchter bijna naar beneden kwam. Echt schattig.

Als ik een beetje meer de Kurt Gerron was geweest tot wie ik me in mijn fantasie graag omschmink, dan had ik Haber onder handen genomen, ondanks de champagne en de Gendarmenmarkt. Maar de verbittering van 1915 was al te zeer een gewoonte geworden. Ik voelde haar nog wel, maar ze prikkelde me niet meer.

Zo is het nu eenmaal: alles went.

Zoals wij eraan gewend zijn geraakt enkel nog van week tot week te leven. Van dag tot dag. Het is maar goed dat we geen van allen een horloge hebben.

Alles went.

'Het was erg,' zullen de mensen op een dag zeggen als ze aan ons denken, maar het zal geen echte verontwaardiging meer zijn, alleen nog de herinnering eraan.

'Gerron is ook dood,' zullen ze zeggen, 'triest, triest. Omdat hij die film niet wilde maken.' Daarna zal iemand champagne bijschenken en zullen ze het erover hebben hoe schattig Bergner weer was. Of wie op dat moment toevallig schattig is.

Bij mij ging het niet anders. Ik keek Haber na en hield mijn mond. Zijn rok heeft een slechte snit, dacht ik nog.

Toen kreeg ik een teken van Karlheinz Martin, die op die avond als assistent-inspiciënt optrad – hij was al directeur van de Volksbühne, maar die nacht, toen iedereen per se op de acteurslijst wilde, hadden ze geen andere functie voor hem kunnen vinden –, en het was tijd om naar de kleedkamer te gaan.

Het is wel een troost dat ze Haber zijn instituut hebben afgepakt. Dat ze hem op straat hebben gezet, net als mij. Een moordenaar mag je zijn, maar een judde blijft een judde. Daar kan ook de Nobelprijs niets aan veranderen.

Als ik het goed begrepen heb, is Haber geëmigreerd en niet lang daarna gestorven. Ergens in het buitenland. Benijdenswaardig.

Anders zou het heel goed mogelijk zijn dat hij nu ook in Theresienstadt zat. Met zijn Nobelprijs had hij een goede kans gemaakt om hierheen gestuurd te worden. Waar ze beroemde wetenschappers verzamelen. Om ze te kunnen laten zien voor het geval er iemand naar ze informeert. Doctor X? Professor Y? Die maken het uitstekend. Ze genieten van het leven. Wie iets anders beweert, voert gruwelpropaganda. U wilt hem graag zien? Ja natuurlijk, ja meteen. Kast 5, lade 7. Keurig opgeprikt naast al die andere exotische vlinders.

A-prominent heet dat.

Geleerden. Ministers. Generaals.

Ufa-regisseurs.

En mensen met connecties. Vrouwen met een arische man. Er zitten zelfs personen van adel bij. In Olga's schoonmaakploeg werkt een echte gravin. Die vroeger niet eens geweten zou hebben hoe een bezem eruitziet. Je kunt je ontwikkelen, hier in Theresienstadt.

Het bijzondere pronkstuk op onze lijst van prominenten is een zekere mevrouw Schneidhuber. Niet bepaald een typisch Joodse naam, maar ze draagt dezelfde gele ster als wij allemaal. Weduwe van een hoofdcommissaris van politie uit München. Dom genoeg zat hij bij de SA en tijdens de Nacht van de Lange Messen hebben ze hem van kant gemaakt. Maar nog vanuit het hiernamaals houdt hij haar de hand boven het hoofd.

Professor Haber zou zich hier niet vervelen. Hij zou een voorstelling van mijn Karussell kunnen bekijken en er niet eens een rokkostuum voor hoeven aantrekken. Champagne kunnen we ook niet aanbieden. Hoogstens een slok uit de waterton van Turkavka.

Haber zou wetenschappelijke lezingen kunnen bezoeken. Er worden er genoeg gehouden. Aan knappe koppen geen gebrek. Al waren ze allemaal niet knap genoeg om op tijd uit Duitsland te verdwijnen.

Hij zou zelf ook lezingen kunnen houden. 'Hoe ik het gifgas heb uitgevonden.' Of: 'Mijn leven als massamoordenaar.' Die titel zou vast ook de SS interesseren.

Jammer dat hij hier niet is.

Een beroemd man als hij zou vast ook niet ondergebracht worden in een mannenslaapzaal. Er zou wel ergens een eigen kamer voor hem gevonden worden. Misschien zelfs een luxueus bordeelkamertje, op dezelfde gang als wij. Inclusief latrinelucht.

Het zou hem gegund zijn. Een man van zijn verdiensten.

Natuurlijk zou hij dan ook in mijn film moeten meespelen.

Als ik hem maak.

'Ik wil er een hoop beroemde mensen in close-up in hebben,' heeft Rahm gezegd. Hij hoefde me niet uit te leggen waarom hij dat wil. Om te bewijzen dat ze er nog zijn. Om zijn vlindercollectie te laten zien.

Haber is er niet meer. Hij is op tijd gestorven, meneer de professor. Sommige mensen hebben geluk.

Wie dood is en wie niet, daar kun je maar beter niet over nadenken. 'Daar ligt waanzin,' staat er bij Shakespeare. De geschiedenis heeft Russische roulette met ons gespeeld, maar op een andere manier dan in de film. Vijf kamers geladen en één leeg.

Soms is er echt één leeg.

Ik zou nu in de zon kunnen zitten, in Hollywood, waar iedereen zijn eigen zwembad heeft. Dat heeft Marlene me geschreven en ik zal er nooit meer achter komen of ze dat als grap bedoelde. Ik zou mijn ligstoel naast de hare kunnen laten zetten. Even met mijn vingers knippen en de productieleider brengt me een glas whisky. Zo zou het kunnen zijn. Als ik maar ...

'Daar ligt waanzin.'

Of toen in de oorlog. Een halve meter meer naar links en ik zou nu niet ...

Een handbreedte.

Het was op 10 mei. Een dag voor mijn achttiende verjaardag. Die datum brengt me geen geluk.

Wanneer ik als kind iets wilde hebben waar ik volgens papa nog te jong voor was, zei hij: 'Wacht maar tot je achttien bent. Als je achttien bent, ben je een man.'

Ha, ha, ha.

Ik heb er het ijzeren kruis 2e klasse voor gekregen. En natuurlijk het gewondeninsigne. Waarvan Gerstenberg zei dat ze je dat al opspeldden als je in een punaise had getrapt.

Het was geen punaise. Het was een granaatscherf.

Het bevel kwam en we klommen over de rand van de loopgraaf. Te laf om geen helden te zijn. Voor me eerste luitenant Backes. Zijn 'Hoera!' klonk als een dienstvoorschrift voor op kantoor. Hij had geen heldenorgaan.

Heldenorgaan. De grappen maken zichzelf.

Over de rand van de loopgraaf geklommen en rennen maar. Drie of vier passen. Meer niet. Gestruikeld. Ik dacht dat ik alleen was gestruikeld. Maar toen kon ik niet meer opstaan.

Aan iets anders denken.

Als kind was ik bang voor de tandarts. Tandarts Fränkel in de Tauentzienstraße, die zelf een slecht gebit had en vanwege zijn slechte adem op pepermuntjes sabbelde. Tijdens de behandeling zat je op rood leer, de armleuningen versierd met gietijzeren leeuwenkoppen. Heldendieren. Toen ik het in het trappenhuis een keer gillend vertikte de praktijk binnen te gaan, zei mama: 'Zet je tanden maar op elkaar.' Daar moesten papa en ik zo om lachen dat ik vergat bang te zijn.

'Een Duitse soldaat kent geen angst.' Inderdaad, sergeant-majoor Knobeloch. Het is geen angst. Bij een stormaanval is het iets veel ergers.

Toch begonnen we te rennen.

Niet meer dan vier passen. Eerst voelde ik helemaal geen pijn. Ik was ervan overtuigd dat ik alleen was gestruikeld. Toen dacht ik dat ik het in mijn broek had gedaan. Maar het was bloed.

Ik voelde helemaal geen pijn. In het begin.

Op 10 mei. Gefeliciteerd met je verjaardag, lieve Kurt. Gefeliciteerd met je verjaardag.

Mama had me een lange verjaardagsbrief gestuurd. Ze wist nog niets van de verwonding. Ze had gedroogde rozenblaadjes in de envelop gestopt. Een van die elegante damesachtige gebaren die ze haar op kostschool hadden bijgebracht.

Ik hoop vooral dat je gezond blijft, stond er in de brief. In haar mooiste Bad Dürkheimse handschrift. *Gezondheid is het allerbelangrijkste.* Een conferenser, zoals zij dat altijd noemde, had de grap niet op een beter moment kunnen plaatsen.

Ha, ha, ha.

Ik zie de officier van gezondheid nog glimlachen. Een van degenen die op de optimistische toer gaan, hoe beroerd het nieuws dat ze moeten brengen ook is.

Een kleine, gemoedelijke man. Een leven lang getraind in het geruststellen van angstige familieleden. In verband met de oorlog hadden ze hem in een uniform gestoken en hem een gekleurde mouwband omgedaan. Mijn hoofd lag wat hoger, dus toen hij naast mijn bed stond, zag ik pal voor mijn neus zijn vergulde en met twee esculaaptekens versierde koppelgesp.

'U hebt geluk gehad,' zei hij. Wat een smerige rotleugen was.

Maar hoe breng je slecht nieuws?

Je kunt laarzen aantrekken, zoals Von Neusser deed toen hij mij er bij de Ufa uit gooide, je kunt door je knieën veren en je duimen achter je riem steken. Alsof je een uniform aanhebt en niet zomaar het pak dat je bij de laatste productie stiekem op het budget hebt gezet. Je kunt in het rekwisietenmagazijn een triangel halen – uitgerekend een triangel! Hoe kwam die hufter daarop! –, je kunt ermee voor stilte zorgen, *ping, ping, ping*, en als iedereen dan naar je luistert, kun je met krachtige stem het doodvonnis uitspreken.

Je kunt op een stoel gaan staan en als er gezegd is wat er te zeggen was, steek je je kin naar voren. Een vechtersbaas die opzettelijk tegen een voorbijganger is aangelopen en dan heel dicht voor hem gaat staan en zegt: 'Toe dan, sla dan als je durft!' Omdat hij heel goed weet dat de ander toch niet durft.

Als beloning mocht Von Neusser mijn film afmaken en zich één keer in zijn leven regisseur noemen. *Ik verheug me op je komst, kind.* Waarschijnlijk bedoelde hij daar Goebbels mee.

Je kunt je bij slecht nieuws ook in bochten wringen, letterlijk, je kunt je lichaam verdraaien alsof je in slow motion een lastige vlieg ontwijkt, je kunt je hoofd intrekken en je de handen wrijven. Slechte acteurs denken dat dat gebaar typisch is voor een geldklopper, maar dat is niet zo. Je wrijft je de handen omdat je het koud hebt, omdat je je niet op je gemak voelt, omdat je ze in onschuld wilt wassen. De situatie is onaangenaam, betekent dat gebaar, maar zelf kan ik er niets aan doen. Zo stond dokter Rosenblum erbij toen opa van hem wilde weten hoe lang hij nog te leven had, 'recht voor zijn raap, dokter, ik heb geen tijd meer om er lang omheen te draaien'. Dokter Rosenblum wrong zich in bochten, eerst kuchte hij, niet omdat hij schor was, maar omdat hij het antwoord nog wilde uitstellen, en toen zei hij met heel zachte stem de waarheid.

Opa glimlachte, alsof het slechte nieuws goed nieuws was, en zei: 'Dank u, dokter.'

Zo kan het ook gaan.

Je kunt de ander het onheil in het oor fluisteren. Of een megafoon pakken en het uitbazuinen: 'Attentie, attentie, een stormvloed, een vulkaan, een meteoor.'

In het leger schreven ze een brief om iemands dood bekend te maken. Precies volgens het reglement. In elke bataljonsstaf zat een Alemann, die de naam van de gevallene op zijn bureau kreeg en dan voor de nabestaanden een mooie leuterbrief schreef.

Maar hoe je iemand vertelt dat hij voor de rest van zijn leven invalide zal zijn, daar hadden ze geen instructies voor. Ze vertrouwden erop dat je het zelf wel merkte. Als je naar een bebloed laken staart en onder je knie is de matras plat, dan weet je ook zonder medische kennis dat je nooit meer zult voetballen. Als ze het verband van je ogen halen en je ziet nog steeds niets, dan hoeft niemand je te vertellen wat er met je aan de hand is.

De officier van gezondheid had besloten te glimlachen. Om precies te zijn: zijn mond glimlachte. Zijn ogen waren al weer bij het volgende bed. 'U hebt geluk gehad,' zei hij. 'U had ook in uw buik geraakt kunnen worden.'

Had kunnen. Was geweest. Zou zijn.

Geluk is een verdomd relatief begrip.

Ik, soldaat Kurt Gerson, had geluk gehad. Een lot uit de loterij getrokken: een echt, onaanvechtbaar 'retourbiljet'. Weliswaar stond mijn verwonding niet uitdrukkelijk op de lijst die we allemaal van buiten hadden geleerd – over zulke dingen praatte je niet, zoals ik er ook mijn hele leven niet over heb gepraat –, maar mijn diensttijd zat erop. Daar heeft nooit enige twijfel over bestaan. Eervol ontslagen.

Met dank van het vaderland. Een echte, door de staat erkende held. Van top tot teen overladen met roem. Lang zal hij leven.

De papieren waren allang compleet. Alles aanwezig. Inclusief een lijst van de spoorwegmaatschappijen die me gratis naar huis moesten vervoeren. In de rubriek BENODIGD ... KRUKKEN had iemand met groene inkt zorgvuldig een G in het daarvoor bestemde vakje gezet. Benodigd: geen krukken. Heeft geluk gehad.

Alles was afgehandeld en voorbereid. Ik hoefde alleen in te stappen. En toch ben ik nog in het lazaret gebleven. Meer dan een maand. Omdat ik bang was.

Omdat ik plankenkoorts had.

Een dag voor mijn achttiende verjaardag had ik een nieuwe rol gekregen. Ik moest Kurt Gerson spelen. Een heel gewone jongeman die uit de oorlog komt. En niemand mocht merken dat het maar een rol was. Ik had geen idee hoe ik het moest aanpakken. De normaliteit noch de man. Zolang ik nog niet thuis was, kon ik oefenen. Repeteren. Voor een publiek dat er niet toe deed. Zoals alle beginnelingen heb ik mijn rol eerst vreselijk dik aangezet.

Ik wist hoe ik niet wilde zijn. Niet zoals papa me in zijn brieven al had neergezet, nu ik niet meer zijn nestdulleke maar zijn heldenzoon was. Ik was immers niet heldhaftig geweest. Ik was gewond geraakt. Had pech gehad. Of geluk. Het was maar hoe je het bekeek.

Ik moest nog een goed antwoord bedenken. Op die ene vraag die ze me in Berlijn beslist zouden stellen. Omdat ik immers geen arm of been miste. Omdat ik zelfs niet blind was. Heel beleefd zouden ze het vragen, hun wantrouwen achter bezorgdheid verbergen. 'Wat is dat voor verwonding die u hebt? Er is niets aan u te zien.' Ik kon niet naar huis voordat ik daar een antwoord op had. Dat alles kon zijn, alleen niet de waarheid.

En er was nog iets wat me tegenhield. Een perverse aantrekkingskracht waarvan het mechanisme me pas veel later duidelijk is geworden. Al die gruwelen die je in een lazaret dag in dag uit te zien krijgt, deden me op een vreemde manier goed. Het was het enige wat in mijn situatie troost kon bieden. Dat er mensen waren die het nog veel slechter hadden getroffen dan ik.

Als patiënt had ik me al nuttig gemaakt. Zodra ik weer kon lopen. Intussen was mijn bed allang weer bezet. Ik was hersteld en van de lijsten geschrapt. Wat kon genezen, was genezen. Dat andere konden ook honderd operaties me niet teruggeven.

Ik mocht blijven omdat er een tekort aan personeel was. Ze stelden niet veel vragen. Ze waren blij dat iemand vrijwillig het werk op zich nam waar zelfs de offervaardigste Rode Kruishelpsters van walgden. Op een keer tikte een verpleger op mijn ijzeren kruis en zei: 'Ze hadden jou de beddenpanonderscheiding moeten toekennen.'

Waarschijnlijk dachten ze dat ik een beetje gek was. Waarschijnlijk was ik dat ook.

Ik herinner me een matroos – ik weet niet waarom hij bij de infanterie was terechtgekomen en niet bij de marine –, van wie ze de benen hadden afgezet, helemaal bovenaan, en zijn armen hadden het ook moeten ontgelden. Nu lag hij daar, van boven in het gips en van onderen niet meer aanwezig, en tot overmaat van ramp had hij het ook nog aan zijn maag gekregen. In de permanente hectiek kon je het met de hygiëne niet zo nauw nemen. Hij liet alles gewoon lopen. Telkens als ik zijn achterwerk schoonmaakte, moest ik een handbreed verder naar beneden ook meteen het volgescheten verband verwisselen.

Hij probeerde dan altijd iets tegen me te zeggen. Hoe onwaarschijnlijk dat in die situatie ook was – afgaand op zijn gelaatsuitdrukking moest het iets grappigs zijn. Ik verstond zijn platte dialect niet. Met al die morfinespuitjes die hij kreeg, kon hij ook niet goed articuleren. De artsen waren er heilig van overtuigd dat hij het niet zou overleven, omdat geen mens kon uithouden wat hij moest uithouden. Maar telkens was hij er de volgende dag nog. En ook de daaropvolgende. Ten slotte begreep ik wat hij al die tijd tegen me wilde zeggen.

'Alles beter dan dood,' wilde hij zeggen.

Wat me ten slotte naar Berlijn terugdreef, was een liefdesaffaire. Die niet plaatsvond. Natuurlijk niet. Die meteen eindigde toen het gevaar bestond dat mijn gevoelens beantwoord zouden worden. Gevoelens die ik in werkelijkheid niet had.

Het was allemaal heel ingewikkeld.

Ze heette Lore, Lore Heimbold. Ze droeg een fijngestreepte, blauwwitte jurk, hoog gesloten. De Rode Kruisbroche aan de hals. Een witte schort. Ze kan niet dag en nacht in dat uniform hebben rondgelopen. Zeker het witte kapje zal ze tussendoor weleens hebben afgezet. Maar als ik aan haar denk, zie ik haar in dat steriele verpleegstersuniform. De schort net zo knisperend gesteven als mama's blouses.

De hele vrouw altijd pas gesteven. Resoluut, zakelijk en nadrukkelijk niet geïnteresseerd in mannen. Een vrouw bij wie ik beslist geen kans maakte. Het perfecte oefenobject.

Lore was een paar jaar ouder dan ik. Geen schoonheid, al poets ik mijn herinnering nog zo op. Ook niet uitgesproken lelijk, maar geen vrouw naar wie je je op straat omdraaide. De neus te breed en de mond te klein. Bijziende ogen, hoewel ze geen bril droeg. Niet echt dik, maar je vermoedde dat ze het ooit zou worden.

Later is dat vermoeden bevestigd.

De meeste Rode Kruishelpsters hadden zich voor de dienst in het lazaret aangemeld zonder te weten wat hun daar te wachten stond. Vanuit het vage gevoel ook een bijdrage te moeten leveren. Ze hadden zich voorgesteld hoe ze bij heldhaftige soldaten het koortsige voorhoofd koelden en daarvoor dankbaar werden toegelachen. En waren toen beledigd dat ze al het vuile werk moesten opknappen. Lore leek dat niet te storen. Ze deed wat er gedaan moest worden. Als ze walgde van bloed en etter, liet ze dat niet merken.

In de mannengemeenschap van de verplegers vormden de Rode Kruiszusters een centraal thema. In lange nachtelijke discussies werd nauwkeurig opgesomd welke lichamelijke kwaliteiten iedere zuster had. De verplegers beschreven in smakelijke details wat ze met haar zouden doen als ze de kans kregen. Aan die discussies deed ik ijverig mee. Niet alleen omdat het bij mijn rol hoorde. Mijn fantasie had onder de verwonding niet geleden. Wie kan zeggen hoe zulke mechanismen werken? De matroos zonder benen won misschien elke nacht in zijn droom de honderd meter hardlopen.

De belangrijkste, steeds weer besproken vraag was: Welke van de vrouwen zou zich het vlugst omver laten praten? Bij Lore – daar was men het over eens – maakte niemand een kans. Iedereen had het al eens bij haar geprobeerd en ze hadden allemaal bot gevangen. 'Domineesdochter', luidde het vonnis. Wat niets met Lores afkomst te maken had – haar vader was slager –, maar moest betekenen: geremd, chagrijnig, oninteressant.

Juist de uitzichtloosheid van de onderneming maakte haar voor mij aantrekkelijk. Ik begon met Lore te flirten. Noemde haar 'mijn onweerstaanbare Loreley'. Maakte haar de overdrevenste complimenten. Waar ze geen notitie van nam of die ze gewoon weglachte. Lore kwam uit Leipzig. Zelfs in haar lach was de Saksische intonatie te horen. Aanraken liet ze zich niet. Alleen toen ze een keer met twee volle ondersteken naar de latrine liep, slaagde ik erin mijn arm om haar heupen te slaan. Ze kon me niet wegduwen zonder stront te morsen.

De anderen, die mijn ziektegeschiedenis kenden, hielden mijn gedrag voor een leuke grap. Minstens zo komisch als de valse vriendelijkheid waarmee ze de enige vrome Jood in de groep elke dag opnieuw een extra portie spek of ham aanboden. Wat, zo meen ik me te herinneren, absoluut niets met antisemitisme te maken had. Dat was toen nog niet algemeen in de mode. 'En, Kurt,' vroegen ze me grijnzend, 'hoe is je Loreley in bed?' Waarop ik zei: 'Een lekkere stoot.'

Het spel had nog tijden door kunnen gaan, maar toen gebeurde er opeens iets onverwachts: Lore stribbelde niet langer tegen.

Op de binnenplaats van het lazaret stond een washuis, waar ook de bergplaats voor de schone lakens was. Iedereen ging er graag heen, alleen al omdat het er heel anders rook dan in het hoofdgebouw. Even geen gangreen en het overal aanwezige carbol, maar zeepvlokken en properheid. Ik herinner me – close-up – een rek vol met de blauwwitte verpakkingen van Hoffmann's zilverglansstijfsel. De afbeelding op de doos mocht ik als kind altijd uitknippen: een witte kat die in een perfect gesteven stijve boord zijn spiegelbeeld bekijkt. Voor een militaire inrichting leek die afbeelding me uiterst misplaatst.

Ik weet niet meer of ik Lore toen achterna ben gegaan of dat we elkaar daar toevallig tegenkwamen. Doet er niet toe. Zij was er en ik was er. In de ruimte ernaast hoorden we iemand vloeken. De grote mangel was weer eens kapot.

Ik zal, passend bij mijn rol, wel iets triviaal verleidelijks gezegd hebben. Misschien heb ik haar met mijn stapel lakens in mijn armen om een kus gesmeekt. Overeenkomstig mijn draaiboek had zij minachtend moeten lachen en een snibbige opmerking moeten maken. In plaats daarvan legde ze haar hand op mijn arm – met het grote pak lakens was ik net zo weerloos als zij toen met de ondersteken – en zei: 'Vanavond, als iedereen gaat eten.' Met die woorden liet ze me staan.

Ernaast begon de zwengel van de mangel te piepen en te draaien.

Ik was de hele dag in de war. Ik had Lore in een hokje ingedeeld – domineesdochter, geremd, niet in voor een scharreltje – en me daarnaar gedragen. Het was een spel geweest, meer niet. In elk geval had ik dat mezelf wijs kunnen maken. En nu veranderde zij plotseling de regels. Daar schrok ik van. Niet alleen omdat ik haar veranderde gedrag niet kon verklaren. Veel erger. Ze bedreigde daarmee mijn nieuwe zelfbeeld, dat ik net moeizaam probeerde op te bouwen. Het verging mij zoals de mensen in opa's verhaal: nog niet gewend om op twee benen te lopen raakte ik makkelijk uit mijn evenwicht.

Ze had geen ontmoetingsplaats genoemd. Ze ging naar buiten en ik volgde haar. Het lazaret lag dertig kilometer achter het front, in een klein stadje dat geen sporen van gevechten vertoonde.

Lore keek niet één keer om. Ze liep net zo energiek de straat uit als ze in het lazaret van bed naar bed stapte. Ze leek als vanzelfsprekend aan te nemen dat ik haar volgde. Dat maakte me extra onzeker.

Er stroomde een beekje door het plaatsje, waar een kleinburgerlijk romantische wandelweg langsliep. Hoewel ik hier al weken zat, had ik die nog niet ontdekt. Als je net je derde been bent kwijtgeraakt, maak je geen verre uitstapjes.

Onder een boom bleef Lore op me staan wachten. 'Als je me wilt zoenen, kun je het nu doen,' zei ze zakelijk. 'Maar ik moet je wel zeggen dat ik niet veel ervaring heb.' Daarna deed ze haar ogen dicht en spitste ze haar lippen.

Ik heb haar gezoend, ja. Ik kwam er niet onderuit. Ze stak haar tong in mijn mond. Waarschijnlijk had ze ergens gelezen dat dat zo hoorde. Het voelde aan alsof ze naar een verloren snoepje zocht. Ik sloeg mijn armen om haar heen omdat ze dat leek te verwachten. Iemand die ons zag, zou ons echt voor een liefdespaar hebben aangezien. Ik vond het allemaal nogal pijnlijk, maar aan de andere kant was het goed om te weten dat ik de rol van verleider overtuigend wist te spelen.

Toen we ons eerder verlegen dan opgewonden van elkaar hadden losgemaakt, zei ze opeens: 'Ik heb een verloofde, weet je. Hij mag me niet schrijven waar hij zit, maar hij vecht tegen de Russen. Als hij het overleeft, gaan we trouwen. Zijn ouders hebben ook een slagerij.'

'Er zal hem vast niets overkomen,' zei ik.

Ze pakte mijn hand en bekeek mijn handpalm.

'Zijn levenslijn is langer dan die van jou,' zei ze.

Ik probeerde me uit de situatie te redden zonder Lore al te veel te kwetsen. Ze had zich laten zoenen, dus wilde ze vast meer. Dat vond ik bedreigend. 'Als je verloofd bent,' begon ik, 'is het misschien beter ...'

Ze schudde haar hoofd. 'Ik heb er goed over nagedacht. Als jij hier mijn vriend wilt zijn, is dat voor ons allebei zeker niet slecht. Ben je blij?'

'Ik ben de gelukkigste mens ter wereld,' loog ik.
En nam de volgende dag de trein naar het vaderland.

Ik heb Lore nog een keer ontmoet. In 1930 in Leipzig.

De blauwe engel was net uitgekomen en Emil Jannings, Rosa Valetti en ik gingen op tournee door Duitsland om reclame voor de film te maken. Eigenlijk had Marlene er ook bij moeten zijn, maar die was meteen na de première in Berlijn naar Hollywood vertrokken.

Die avond zaten we na de voorstelling in de foyer van de U.T.-bioscoop aan onze tafeltjes en deelden braaf handtekeningen uit. De Ufa had kaarten met onze foto's laten drukken. Ze gingen als warme broodjes over de toonbank.

Toen zij aan de beurt was, pakte ik automatisch de volgende kaart en vroeg: 'Wat is uw naam?'

'Ken je me niet meer?'

Ze was inderdaad dik geworden. Het stond haar goed. Ook het saaie geonduleerde kapsel. Er zijn mensen die altijd een verkeerde rol schijnen te spelen zolang ze jong zijn. Nu Lore rond de veertig was, paste ze in haar vel. Met mij ging het net zo: wie mij als de dikke Gerron leerde kennen, kon zich niet voorstellen dat ik ooit een lange slungel was geweest.

Ze stond erop dat ik een persoonlijke opdracht op de kaart schreef. 'Anders gelooft mijn man niet dat ik je van vroeger ken.'

Ik zegde het obligate gezellige samenzijn met de plaatselijke pers af. Ik zei dat er onverwachts een familielid was opgedoken dat ik al een eeuwigheid niet meer had gezien en dat ik per se even moest spreken. Mijn collega's geloofden dat Lore familie van me was. Hoe zorgvuldig ik mijn reputatie als rokkenjager al die jaren ook had onderhouden – ze was niet het soort vrouw bij wie je aan een affaire denkt.

We zaten in een ongezellig wijnlokaal, waar we de enige gasten waren. 'De wijn is hier niet goed,' zei Lore, 'maar het is hier wel rustig.' Ze dacht nog altijd even praktisch als toen.

We stelden de gebruikelijke vragen en na vijftien jaar viel er verrassend weinig te vertellen. Mijn carrière had ze in de kranten gevolgd. Bij haar was alles verlopen zoals verwacht. Haar verloofde, die met de lange levenslijn, was twee keer gewond geraakt. Na de oorlog waren ze getrouwd. 'Drie kinderen en twee slagerijen.' Zoals ze het zei, vond ze allebei even belangrijk.

Het moet aan de wijn gelegen hebben dat ik het niet bij dat oppervlakkige babbeltje liet. Al op de signeersessie was ik lichtelijk aangeschoten. We konden de film tenslotte niet elke keer uitzitten. Behalve Heinz Rühmann ken ik amper een collega die zichzelf graag op het witte doek ziet. Nadat we aan het publiek waren voorgesteld, waren we voor anderhalf uur in een bar verdwenen.

Ik ben altijd al een idioot geweest. 'Waarom heb je je toen door mij laten zoenen?' vroeg ik.

'Weet je dat echt niet?'

Ik moest toegeven dat ik het niet wist. Ik had uit haar plotseling veranderde gedrag niet wijs kunnen worden.

'Om dezelfde reden waarom jij toen bent weggelopen.'

Ik snapte er nog steeds niets van. 'Een ezel blijft een ezel,' zei papa altijd, 'daar helpen geen pillen tegen.'

'Kijk, het zat zo: ik zag er echt niet als een revuegirl uit' – ik wilde er iets tegen inbrengen, maar ze maakte een afwerend gebaar – 'en toch probeerden alle mannen me constant te versieren. Ik laat me daar niet op voorstaan. Na de oorlog, toen er niets meer was, vochten de mensen ook om de slechtste stukken vlees. Maar het was lastig.' Haar Saksische accent was minder duidelijk dan ik me herinnerde.

'Toen dacht ik bij mezelf,' vervolgde ze, 'neem een vaste vriend, dan laten de anderen je met rust.'

'Waarom juist mij?'

Ze legde haar hand op mijn arm. Hetzelfde gebaar als toen bij de lakens. 'Jij was de enige die tevreden zou zijn met een zoen.' En toen ik het nog steeds niet snapte: 'Eerst wist ik het niet. Later hebben de anderen me verteld waar de granaatscherf je heeft geraakt. Ik wist dus: van hem heb ik niets te vrezen.'

Ze had gelijk en het was lang geleden. Ik kon haar niets verwijten. Haar verliefdheid was niet onechter geweest dan de mijne. Maar ook na vijftien jaar hoor je niet graag hoe belachelijk je je hebt gemaakt.

Ze moet de reactie op mijn gezicht gelezen hebben. Ze had plotseling haast. 'In ons beroep moet je vroeg op,' zei ze. En al bij de deur: 'Je bent getrouwd, heb ik gelezen. Hoe gaat je vrouw daarmee om?'

Ik ben weer aan het tafeltje gaan zitten en heb me vreselijk bezat. Ze hadden daar echt geen goede wijn.

Olga is terug. 'Je hebt haast niets gegeten,' zegt ze. Alsof dat nu belangrijk is. Alsof dit het juiste moment is voor een beetje conversatie, voor een paar aardige dialoogzinnen tussen een bedaagd echtpaar.

Zoals in zo'n babbelstuk dat nergens over gaat. Zoals we ze in de Joodsche Schouwburg speelden om de mensen twee uur lang de werkelijkheid te laten vergeten. Verwisselbare zinnen die niets betekenen. 'Ik was vandaag bij de kapper.' 'Heb je het licht in de gang uitgedaan?' 'Je hebt haast niets gegeten.'

Wat moet ik daarop zeggen? Het smaakt naar kots? Dat weet ze zelf. We kennen het menu. Het is elke dag hetzelfde.

En het gaat ook helemaal niet om het eten. Heb je een beslissing genomen? wil ze eigenlijk vragen. Ga je de film maken? Eigenlijk wil ze me bij mijn schouders pakken. Me door elkaar schudden en om de oren slaan. In mijn gezicht schreeuwen: 'Hou op met dat zelfmedelijden! Wanneer besef je eindelijk dat je geen keus hebt?'

Ze zou er het recht toe hebben. Omdat het niet alleen om mij gaat. Omdat ze heel goed weet: als ik hier de held uithang en daarvoor op de trein word gezet, dan zit zij in dezelfde wagon. Dat wil ze me zeggen.

Eigenlijk.

Maar Olga is Olga en die doet zoiets niet. Olga beheerst zich. Ze laat haar stem heel vanzelfsprekend klinken. Alsof ze zich echt alleen zorgen maakt om mijn voeding. 'Je hebt haast niets gegeten,' zegt ze.

Ik zou haar om die dapper voorgewende alledaagsheid moeten bewonderen. Ik zou haar dankbaar moeten zijn dat ze een schijn van normaliteit in stand probeert te houden. Maar ik ontsteek in woede, in zinloze, nauwelijks beheersbare woede. Die tegelijk ook angst is. Dezelfde woede als indertijd op het hobbelpaard. Ik zou willen schreeuwen en om me heen slaan. Ik wil niet dat me vragen worden gesteld, ik wil helemaal geen vragen, omdat alleen die ene bestaat: wil ik als man sterven of als schoft verder leven? Ik kan er niet op antwoorden, ik wil er niet op antwoorden, er schieten me geen uitvluchten meer te binnen, alleen de waarheid, en niemand mag merken dat mijn izabel maar één oog heeft, blind is, dat er helemaal geen izabelkleur bestaat, alleen een vuil, vaalgeel geworden wit, dat het geen echt paard is waar ik op rijd, alleen een houten, amateuristisch beschilderde imitatie. Dat ik mezelf al die tijd iets heb wijsgemaakt. Dat ik heb beweerd een fatsoenlijk mens te zijn, terwijl het niet waar is. Dat mag niemand merken. Ik wil niet moeten toegeven dat het een leugen was.

Al die tijd een leugen.

Het gaat niemand iets aan. Op z'n minst in mijn hoofd wil ik met mezelf alleen mogen zijn. Is het niet genoeg dat elke andere privacy me is afgepakt? Dat ik in mijn blote kont naast vreemde mensen op de latrine moet zitten? Dat ik elke dag met mijn blikken emmer in de rij moet staan? Dat ik een figurant tussen duizenden moet zijn, in de erbarmelijkste massascène die een regisseur ooit heeft bedacht? Dat ik niet eens in de menigte mag opgaan, gezichtloos worden zoals de anderen, wat tenminste enig soelaas zou geven, dat ik altijd ik moet zijn, die met het bekende gezicht en de bekende buik, dat ik me door iedereen moet laten bekijken, betasten en besnuffelen? Is dat verdomme niet genoeg? Moet ik nu ook nog openlijk een marionet worden? Zelf mijn touwtjes vastbinden, waar Rahm vervolgens aan trekt?

'Je hebt haast niets gegeten,' zegt Olga.

'Ik heb geen honger,' zeg ik.

Absurde humor.

Ze pakt de rest van de soep om hem in de latrine te kieperen, waar hij thuishoort. Ze gaat naar buiten en laat me nadenken.

In het begin dacht ik er elke seconde aan. Ik werd er elke ochtend en vaak midden in de nacht mee wakker. In mijn oude kamer, waar schijnbaar alles precies zo was als vroeger. Waar de keizerlijke hoftrein nog steeds in de kast stond en aan de haak naast de deur de schoolpet hing. Als ik bij die stormaanval was gesneuveld, weet ik zeker dat het er niet anders uitgezien zou hebben. Mama zou er een museum van gemaakt hebben. Met mijn pantoffels onder het bed en het opengeslagen Latijnse boek op het bureau. Het was nu al een museum. De gedenkplaats voor een andere Kurt Gerson. De gymnasiast van wie de kamer was, was niet uit de oorlog teruggekeerd. Zijn kleren waren er nog, ja, vreemde kleren waar mijn lichaam in paste, althans in het begin, maar ik niet. In de verste hoek van de kast hing mijn uniform, het was daar weggekropen zoals de minnaar in het tweede bedrijf van een Franse klucht. Ik hoorde hier niet thuis. Ik deed maar alsof ik ik was.

In de badkamer deed ik niet alleen de deur op slot, maar hing ik ook nog een handdoek voor het sleutelgat. Als vijftienjarige had ik dat al eens gedaan toen mijn lichaam begon te veranderen en ik me voor mezelf schaamde. Die fase had niet lang geduurd. Ik was aan de veranderingen gewend geraakt, aan het haar dat daarbeneden groeide en aan de zwaardere stem. Ik was er zelfs trots op geweest. Nu was er niets om mee te kunnen pronken.

Nu was er niets.

Behalve het gevoel dat iedereen het aan me zag.

Effeff, onze portier Heitzendorff, salueerde als hij me in het trappenhuis tegenkwam. Uit patriottische trots, omdat hij in zijn ogen belangrijker was geworden nu hij de kolenemmers niet meer voor een of andere burger naar de tweede verdieping sjouwde, maar voor een echte, pas uit het lazaret ontslagen soldaat. Ik schrok telkens. Ging achter dat overdreven gebaar soms een ironische bijgedachte schuil?

Niemand heeft me ooit een vraag gesteld. Het lintje van het gewondeninsigne in mijn knoopsgat was niet nodig geweest. Toch had ik constant het gevoel een goede indruk te moeten maken. Zelfs als ik gewoon over straat liep. Keek die man daarginds me echt alleen na omdat burgers van mijn leeftijd in Berlijn intussen zeldzaam waren? Of was er aan mijn uiterlijk iets veranderd zonder dat ik het zelf had gemerkt? Bewoog ik me anders dan vroeger? Ik wende me een vastberaden tred aan, marcheerde meer dan dat ik liep en hield daarbij mijn rug zo recht mogelijk. Friedemann Knobeloch zou het met genoegen hebben aangezien.

In die tijd ben ik ook sigaren gaan roken. Ik dacht dat dat mannelijk maakte. En de geur herinnerde me aan opa. Het genot kwam pas later, toen ik me de betere soorten kon veroorloven.

Mijn ouders had ik het natuurlijk moeten vertellen. Na het avondeten. Er bestaat geen geschikt moment voor zo'n mededeling. Toen ik met mijn luttele zinnen klaar was, keek mama met samengeperste lippen langs me heen. Zo keek ze als iets pijnlijks genegeerd moest worden, als papa in zijn ontwikkelingsdrang een onderwerp aansneed dat ze niet beschaafd vond, of als een van zijn zakenvrienden na de tweede fles Lübecker Rotspon een minder nette mop begon te vertellen. Ze heeft het onderwerp nooit meer ter sprake gebracht, al die jaren niet. Met sommige dingen was in haar wereld geen rekening gehouden.

Papa was eerst sprakeloos en vervolgens praatte hij te veel. Hij zei dat het daar niet op aankwam, dat zijn zoon zijn zoon was en een held een held. Later heb ik van dokter Rosenblum gehoord dat papa van hem wilde weten of er echt niets aan te doen was. Zo niet nu, dan misschien later. Ik weet niet of hij echt zoveel vertrouwen in de vooruitgang van de wetenschap had of dat hij mijn verwonding gewoon niet onder ogen wilde zien.

Doet er niet toe.

Het ergste wat je een beginnend acteur kunt aandoen is tijdens de repetitie tegen hem zeggen: 'Wees gewoon jezelf.' Dan weet die arme kerel helemaal niet meer waar hij zijn handen moet laten. Zo ging het met mij ook. Dag en nacht was ik bezig die mij zo vreemd geworden Kurt Gerson te imiteren. Ik had het gevoel dat ik er niet veel talent voor had.

De gymnasiast Kurt Gerson. Dat was honderd jaar geleden. Onze leraren met hun baarden en hun frasen – 'Na si, nisi, num en ne gaat Ali niet met Quisje mee' – waren clichéfiguren uit een kostuumstuk. Een zwijmelstuk uit de vorige eeuw. Dat alleen nog op het repertoire stond omdat niemand de moeite had genomen het eraf te halen. Toch waren er sinds ons noodexamen, die parodie op een echt examen, nog geen twaalf maanden verstreken.

Toen had ik, had die andere Kurt Gerson, als beroepskeuze 'medicijnen' op een lijst ingevuld, en daarom begon ik maar te studeren. Het had ook een ander vak kunnen zijn.

Het zou me een zorg zijn, een rotzorg.

Van mijn medeleerlingen, de elite van de natie, zoals Kramm ons had genoemd, waren er toen al vier gesneuveld.

Ach, Kalle.

Wij eerstejaars waren een merkwaardig zootje. Allemaal ongeschikt of afgekeurd. De een kroop haast in zijn boeken omdat hij met zijn slechte ogen de letters niet kon ontcijferen, de ander had de lege mouw aan de schouder van zijn jasje gespeld en keek bij het ontleden alleen toe. Er waren ook een paar meisjes bij, maar die werden niet serieus genomen. Professor Waldeyer, de hoogleraar anatomie, zag ze niet eens staan.

'Het menselijk lichaam, mijne heren, is het meesterwerk der natuur,' declameerde hij tijdens zijn eerste college. Daar viel over te twisten. Het lichaam misschien. Het brein beslist niet.

Ik was een ijverige student. Mama stelde het vol trots vast en papa had niet anders verwacht. Terwijl ik alleen in de rust van mijn kamer wegkroop om aan hun zorg te ontsnappen. Natuurlijk moest ik botten, spieren en organen stampen, maar met mijn goede geheugen voor teksten ging me dat gemakkelijk af. Nog jaren later, in mijn cabarettijd, vermaakte ik mijn collega's met het opsommen van alle gelaatsspieren die een toeschouwer in beweging moest zetten om te lachen om onze grappen. Ik weet ze nog steeds.

Musculus orbicularis oris.

'Ōs, oris, de mond,' hebben ze ons bij Latijn ingeprent. 'Neutrum, Gerson, neutrum! Denk altijd aan het ezelsbruggetje: Ōs, de mond, en os, het been, hebben het neutrum gemeen.'

Musculus depressor anguli oris.

Als je menselijke botten doorsnijdt, kraken ze. Niet veel anders dan bij een kip, alleen harder.

Musculus transversus menti.

Bij de anatomische oefeningen gingen alleen de studenten die niet in dienst hadden gezeten, over hun nek. Degenen die aan het front waren geweest, waren erger gewend.

Musculus risorius.

Slechts één keer, toen de professor de dunne darm hand over hand uit een lijk haalde om ons te laten zien hoe lang die was, viel Thalmann, de student met de vastgespelde mouw, in katzwijm. Het moet hem ergens aan herinnerd hebben.

Musculus zygomaticus major. Musculus zygomaticus minor.

In het studieboek stond: 'De lengte van de menselijke darm ligt tussen die van een planteneter en die van een vleeseter. Daaruit valt op te maken dat homo sapiens een alleseter is.' In Theresienstadt leveren we daarvan elke dag het proefondervindelijke bewijs. Als een mens maar genoeg honger heeft, eet hij alles.

Musculus levator labii superioris. Musculus depressor labii inferioris.

Op een keer hadden we van een afgesneden been de pezen blootgelegd. Als je aan een ervan trok, bewoog de grote teen. Dat vonden we allemaal erg grappig.

Musculus levator labii superioris alaeque nasi.

In de twee studiejaren voordat ik weer voor dienst werd opgeroepen, kwamen levende patiënten niet voor. Dat maakte de medische studie een stuk makkelijker.

Musculus levator anguli oris. Modiolus anguli oris.

Om het werken met de stethoscoop te oefenen stonden we met ontbloot bovenlijf tegenover elkaar en beluisterden we elkaars borst. De dames gingen daarvoor naar een aparte kamer. Ik hing de versierder uit en vroeg of ze in het kader van de gelijkberechtiging niet liever met ons mee wilden doen. Algemeen gejoel. Ik werd steeds beter in mijn rol.

Musculus buccinator. Musculus mentalis.

Ik ken ze nog steeds uit mijn hoofd, de lachspieren.

Als ik niet naar college was of thuis zat te blokken, ging ik naar het theater. Niet uit culturele belangstelling. Dat dacht alleen mama, die trots was op haar zoon. Mijn hang naar het theater had een heel andere, veel simpeler reden: tijdverdrijf.

Een veel betere formulering dan 'de tijd doden'. Want je krijgt de tijd niet dood. Je kunt hem alleen verdrijven, steeds weer opnieuw, als een lastige steekmug. Ik heb mijn hele leven niets anders gedaan. Elke minuut in mijn agenda volgepropt. In het meest krankzinnige jaar vroeg Camilla Spira een keer: 'Wanneer houdt u eigenlijk tijd over om na te denken, meneer Gerron?' Ik kon haar niet uitleggen dat het daar juist om ging: dat ik geen tijd had om na te denken.

In het theater was ik altijd gek op stukken waarin iets gebeurde. Waarin iets aan de hand was. Waarin je werd overweldigd door de handeling of de effecten. Waarin je gedachten niet konden afdwalen en toch weer daar belandden waar je niet wilde zijn. Ik was altijd op zoek naar de rolschaatsende beer.

Voor discrete, stille, intellectuele acteurs kon ik niet warmlopen. Toen in de jaren twintig de Nieuwe Zakelijkheid opkwam en ze allemaal alleen nog opvallend onopvallend hun zinnen oplepelden en constant onuitstaanbaar fijnzinnig waren, hield ik de premières voor gezien. Ik ging liever naar Grock en lachte me een bult als hij een roze korset uit de piano viste. Een acteur – en daar bedoel ik niet mijn eigen postuur mee – moet meer dan levensgroot zijn.

Ik zal nooit vergeten dat ik Jannings voor het eerst zag. Hij speelde in de Volksbühne een van Schillers rovers, geen hoofdrol, in feite een flutrol, maar hij speelde ze allemaal onder de tafel. En het was geen slecht bezette uitvoering. Dat kwam bij Reinhardt niet voor. Als ik me goed herinner, speelde Wegener Franz Moor. Maar voor mij bestond op het toneel alleen Jannings. Hoe oud zal hij toen geweest zijn? Amper dertig, schat ik. Nog niet de heel grote ster. Maar hij maakte dat je ademloos in de zaal zat. Zo moet een acteur zijn.

Later, toen we bevriend waren – voor zover je met een egomaan als Jannings bevriend kon zijn –, hebben we ontdekt dat ik hem al eerder gezien moet hebben. In een van die ongelooflijke jubelfilmpjes, zoals ze in de eerste euforie van 1914 werden geproduceerd. *Een tienjarige oorlogsheld* of zoiets. Ik herinner me liever *De rovers*.

Wat toneel betrof was ik een alleseter. Een homo omnivorus met een acht meter lange darm. Schiller of Schönthan, het maakte mij niet uit. Zolang ik maar werd afgeleid van mezelf. Ik ging ook vaak naar het variété. Hoewel de Wintergarten, waar ik zulke gelukzalige herinneringen aan had, in die tijd één grote teleurstelling was. Ze speelden alleen nog patriottische revues, de girls zwaaiden in uniformen uit de tijd van Frederik de Grote met de beentjes en zelfs de miserabelste bekkentrekker voelde zich nog verplicht een toost op de dappere soldaten uit te brengen. Walgelijk gewoon.

Soms ging Thalmann, de student met de lege mouw, met me mee. We waren niet bevriend. Vriendschap is iets anders. We hadden ongeveer hetzelfde meegemaakt en daarom begrepen we elkaar.

Niet dat we veel over onze ervaringen praatten. Ik zei 'Yper', hij zei 'Dünaburg' en meer viel er niet te zeggen. We hadden allebei genoeg aan onze eigen nachtmerries.

Ik kan me niet eens zijn voornaam herinneren. Als ik hem al ooit heb geweten. Zoals we ons dat in het leger hadden aangewend was ik Gerson en hij Thalmann.

En ook die naam zou ik allang vergeten zijn als hij niet later in mijn leven nog eens heel belangrijk geworden was. Toen hij in Hamburg al een eigen praktijk had, bewees hij mij – zonder het te weten – de belangrijkste dienst van mijn leven. Ik zal hem daar eeuwig dankbaar voor zijn.

Ik studeerde. Ging naar het theater. En vrat.

Ook op dat punt verschilde ik van de scholier Kurt Gerson. Die was altijd een slechte eter geweest. Een kieskeurige bordenprikker, zoals mama dat verwijtend noemde.

Als er iets heel lekkers op tafel kwam – ah, de zalmmayonaise toen met opa! –, liet mijn eetlust niets te wensen over. Maar als we alleen kale noedels of saaie aardappelballetjes kregen, kon ik mijn eten een halfuur op mijn bord heen en weer schuiven. Tot alles koud was en nog minder smaakte.

Op een keer – ik moet toen pas op school gezeten hebben – probeerde papa het met draconische maatregelen. Hij bepaalde dat ik steeds weer hetzelfde bord voorgezet zou krijgen, desnoods de volgende dag nog bij het ontbijt, tot het helemaal leeggegeten was, het moest toch alderbarstend raar lopen als die jongen geen fatsoenlijke tafelmanieren bij te brengen waren. In de paar weken dat we geen van beiden toegaven, werd ik nog spichtiger dan ik al was. Toen dokter Rosenblum over ondervoeding en bloedarmoede begon te orakelen, moest het opvoedkundige experiment voortijdig worden gestaakt.

Dat was in de tijd van de oude, magere Kurt Gerson. De nieuwe, die uit het lazaret was ontslagen, at elk bord dat hem werd voorgezet leeg en vroeg zelfs nog om een extra portie. Mama was enthousiast over mijn pas ontdekte eetlust. Nu kon ze me haar liefde, die ze anders niet wist te tonen, tenminste op mijn bord bewijzen. 'Die arme jongen heeft op het slagveld niet genoeg te eten gehad,' zei ze en ze deed alles om dat gemis goed te maken. Wat vanwege de rantsoenering van de levensmiddelen niet eenvoudig was. Als ik een studieboek opensloeg, viel er soms een broodbon uit, die ze opzij had gelegd 'zodat die arme jongen eens iets kan kopen'. In de mensa van de universiteit had je belegde boterhammen met alleen margarine en bieslook. Echt armeluisbrood, dat niettemin even patriottisch als lachwekkend 'triomfbrood' werd genoemd. Vroeger zou ik zoiets niet aangeraakt hebben, dan had er koud vlees of vingerdik kaas op moeten zitten. Nu schrokte ik het naar binnen en vergat van pure gulzigheid te kauwen.

Want ik had honger. Eeuwig en altijd. Dat was geen tijdelijke inhaalbehoefte, dat was een nieuwe blijvende toestand, die bij de veranderde Kurt Gerson hoorde. Zoals andere mensen chronische migraine of platvoeten hebben.

Ik had honger.

Had? Ik heb tegen Olga gelogen. Ik heb honger. Maar nu is dat niets bijzonders meer. Nu onderscheidt het onafgebroken verlangen naar iets eetbaars me niet meer van andere mensen. Honger is iets vanzelfsprekends geworden. Het gewoonste van het gewoonste. De zon schijnt, de regen valt, de maag knort.

Toen was dat anders. In het begin niet eens onaangenaam, niet echt. We hadden te eten. Mama was blij als ik flink toetastte. Maar mijn honger was niet te stillen. Ik wilde meer en meer. Al een halfuur na een overvloedige maaltijd trok de voorraadkamer me onweerstaanbaar aan.

Ik werd steeds dikker. Achttien jaar lang was ik een bonenstaak geweest. Opgeschoten onkruid. Een wandelende bezemsteel. Nu begon mijn lichaam te veranderen. Maar het werd niet steviger, alleen dik. Als ik een oud jasje aantrok, moest ik het open laten hangen. Een broek die me altijd had gepast, kreeg ik niet meer dicht. Op zich geen probleem. Wij waren Max Gerson & Cie. Daar werkten genoeg vrouwen die mijn spullen wijder konden maken. Maar ook de beste naaister krijgt een uitgezakt gezicht niet meer in model.

Ik zag er niet meer uit zoals ik eruitgezien had. Van de dertienjarige op de foto op mama's toilettafel was ik zelfs geen familie meer. Niet dat ik vroeger een adonis was geweest, zo ijdel was ik niet, maar het gezicht dat me nu elke dag bij het scheren vanuit de spiegel aankeek, stond me absoluut niet aan. Het zwol steeds meer op. Cakebeslag waar te veel gist in is gedaan. Een slap, opgezet gezicht met hangwangen, waarachter ik mezelf amper nog herkende.

Ik werd vet. Ik wilde niet vet zijn.

Vroeger zou ik met dat probleem naar dokter Rosenblum gegaan zijn. Nu was ik medisch student en in de universiteitsbibliotheek stonden boeken genoeg. Ik vond de oplossing van het raadsel in een *Beknopt overzicht van de endocrinologie*. Het was heel eenvoudig. Ik had er ook zonder studieboek op kunnen komen.

Als er iemand is die ons lot bedenkt, als ergens op een wolk zo'n hemelse dramaturg levensverhalen op zijn typemachine zit te rammen, dan moet die vent constant dronken zijn. Of hij heeft een verdomd valse humor.

Er is één truc waar hij bijzonder gek op is. Hij vervult alle wensen van zijn figuren, de achterbakse schoft, hij laat ze schijnbaar mooie dingen meemaken. Alleen om ze uitgerekend daarmee vreselijk op hun bek te laten gaan. Dan komt het harder aan. Vaak neemt hij uitgebreid de tijd voordat hij de explosieve lading tot ontploffing brengt. Hij pakt de zaak grondig aan. Wiegt zijn personages in slaap voor hij het tapijt onder hun voeten wegtrekt. Hij heeft geen haast. Zo'n levensverhaal beperkt zich niet tot de lengte van een film. Hij kan wachten. Tot de toeschouwer heel zeker weet dat het deze keer goed afloopt. Pas dan – *wam*! – slaat hij toe.

En lacht zich krom en is apetrots op zijn idee.

Misschien is er niet één, maar zijn er een heleboel, misschien heeft ieder mens zijn eigen draaiboekschrijver, misschien zitten ze elke avond met nectar en ambrozijn bij elkaar en scheppen ze op hoe geweldig ze de boel weer in scène hebben gezet. Pronken ze met hun nieuwste verhalen. Willen ze elkaar overtroeven. Allemaal kleine Alemannetjes.

Ze volgen natuurlijk ook de mode. Draaiboekschrijvers zijn kuddedieren.

Net als in de middeleeuwen, toen ze de pest allemaal zo prachtig vonden. Dat was ook een steengoede titel. *De zwarte dood*, dat doet het prima boven de ingang van de bioscoop. Voor hun laaghartige handelingen was dat onderwerp uitstekend geschikt. Ze hoefden zich dramaturgisch niet in allerlei bochten te wringen om hun helden in de puree te helpen. Ze lieten een liefdespaar na de gebruikelijke verwikkelingen zo plechtig naar het trouwaltaar schrijden dat iedere bioscooppianist meteen met veel trillers de bruiloftsmars inzette en dan wachtte daar – verrassing! – niet meneer pastoor, maar Magere Hein. Om je dood te lachen.

Er is één probleem wanneer je als bedenker van levensverhalen succesvol wilt blijven: ook de beste effecten zijn aan slijtage onderhevig. De toeschouwers denken mee en weten al wat er komt. Dan zitten ze alleen nog maar te geeuwen. Je moet jezelf voortdurend overtreffen. Tien doden, honderd doden, duizend doden. Net als in de tijd dat de geluidsfilm begon. Toen waren de mensen nog blij als je zes girls voor ze neerzette. Nu moeten het er al vierentwintig of achtenveertig zijn.

Op een gegeven moment is elk onderwerp tot op het bot afgekloven. Maar ze zijn inventief, die hemelse dramaturgen van het lot. Als de pest geen publiek meer trekt, bedenken ze de Dertigjarige Oorlog. Of de nazi's.

Het meeste is natuurlijk massawaar. Een stuk of tien mensen bij hetzelfde vliegtuigongeluk. Maar soms doen ze hun best. Misschien is er een prijs voor de origineelste valsheid uitgeloofd. Misschien heet de goede God Hugenberg.

Wie mijn levensverhaal ook heeft verzonnen, het is een ellendige klootzak. Maar een zekere creativiteit kan hem niet worden ontzegd. Alleen al vanwege dat gedoe met mijn eetlust. Kom daar maar eens op. Eerst met een truc zorgen dat de hoofdrolspeler constant honger heeft, en hem dan in een situatie brengen waar niets te eten is. Om je een bult te lachen. Een beetje veel moeite voor het effect, vind ik. Moest het dan meteen Westerbork én Theresienstadt zijn om mij op mijn donder te geven? Dat had ook eleganter opgelost kunnen worden. Maar hij heeft er op zijn wolk vast een hoop applaus voor gekregen.

Wat hem voor mijn buik te binnen is geschoten, dat noemen ze in Amerika een running gag. Eerst heel dun, dan lekker dik en in de laatste scène hangt de overtollige huid als een lege zak voor het lijf.

Ha, ha, ha.

Wie mijn verhaal ook heeft geschreven, wie het beroerde draaiboek met mijn rol ook in elkaar heeft gezet – moesten jullie Olga erin betrekken? Zij had in elk geval een gelukkig einde verdiend.

De waanzinnig grappige running gag met mijn steeds dikker wordende buik werd vervolgd toen ik in 1917 voor de tweede keer werd opgeroepen. Niet meer voor de gevechtstroepen, maar voor de geneeskundige dienst. Ik moest in uniform verschijnen en de rekruteringsofficier keek over de rand van zijn bril naar mijn broekband, die zelfs met geweld niet meer dichtging, en zei: 'U schijnt het niet slecht gehad te hebben als burger.'

Luid gelach in de bioscoop.

Het medisch onderzoek werd me bespaard. Ze wisten uit mijn dossier wat ik miste. Letterlijk miste. En ik was geen gewoon dienstplichtige, maar bijna afgestudeerd arts.

In theorie.

Ik had net mijn eerste artsexamen afgelegd. Het examen was net zo'n zotte vertoning geweest als destijds het eindexamen. Zonder artsexamen mochten ze je bij de geneeskundige dienst niet op de gewonden loslaten, maar ze hadden heel dringend mensen nodig. Wat een verrassing: we zijn allemaal, allemaal geslaagd. Om te zakken had je de blindedarm achter de knieschijf moeten zoeken.

Ik droeg dus weer het staatsiekleed van de natie. Dulce et decorum. Een nieuw uniform, waarin genoeg plaats was voor mijn buik. Kandidaat-arts met de rang van onderofficier. Een benaming die ze speciaal voor mensen als ik hadden moeten verzinnen. Ze wilden de gewonden niet aan hun neus hangen dat de man die daar met de stethoscoop liep te zwaaien, in zijn twee studiejaren niet één keer aan een ziekbed had gezeten. De overhoopgeschoten arme donders die elke dag bij ons werden afgeleverd, noemden me 'Dokter'. Ik protesteerde er niet tegen. Als het hun hoop gaf, vond ik het best. Hoop was het enige wat ik hun kon geven.

Ze stuurden me naar het etappegebied. Naar het Duitse rijksland Elzas-Lotharingen. Een jaar later was het Frans en nu is het weer Duits. Zal ook wel niet lang duren. De idioot die dat draaiboek schrijft, kan maar geen beslissing nemen.

Toen ik mijn ouders vertelde dat ik bij het reservelazaret in Colmar was gedetacheerd, zei papa als in een reflex: 'Isenheimer altaar.' Hij had zijn encyclopedie zo grondig bestudeerd dat elk echt gesprek hem bespaard bleef. Voor mama was alleen belangrijk dat ik niet meer naar het front hoefde. 'Een ziekenhuis kan niet zo erg zijn,' zei ze. Het was geen ziekenhuis, mama. Het was een lazaret. En veel erger kan ik het me niet voorstellen.

Terwijl we eigenlijk alleen de onschuldiger gevallen zouden krijgen. Die op de verbandplaats weliswaar bij de zwaargewonden waren ingedeeld, maar vervoerd konden worden. Wie wel en niet vervoerd kon worden, had minder te maken met de ernst van de verwonding dan met het dagelijkse gewondenaanbod op de verbandplaats. Gewondenaanbod. Zo werd dat echt genoemd. Als er geen britsen meer vrij waren, kon plotseling bijna iedereen vervoerd worden.

Ze kwamen met de ambulance bij ons aan. Ambulanceafdeling. Dat klinkt heel wat professioneler dan het in werkelijkheid was. Van de goed uitgeruste ambulances waarmee ze ooit waren begonnen, was na drie jaar oorlog niet veel meer over. Ze moesten zich behelpen met gevorderde transportwagens. Ik herinner me een man met een ernstige verwonding aan zijn gezicht, die ze in de bestelwagen van een slagersgroothandel bij ons brachten. Ook zo'n goedkope grap.

Bij ons werd er dan opnieuw geselecteerd. Wie een kans had om te overleven, werd geopereerd. Wat meestal amputatie betekende. De anderen kregen zoveel morfine als we overhadden en werden de verloskamer in geduwd. Naar de kraamafdeling om te sterven. Ons lazaret was vroeger het hospitaal van een liefdadige orde geweest; een paar zusters liepen er nog in hun grijze habijt rond. De hopeloze gevallen lagen nu daar waar vrouwen vroeger hun kinderen hadden gebaard. Misschien was er ook weleens iemand bij die op dezelfde plaats het levenslicht had aanschouwd. De cynische bedenkers van het lot daarboven op hun wolk waren ertoe in staat.

In het uit mijn hoofd leren van botten en spieren was ik een kei geweest. *Musculus zygomaticus major. Musculus zygomaticus minor.* Voor de praktische geneeskunde – dat bleek in Colmar algauw – was ik totaal ongeschikt.

Toen Carola Neher zich een week voor de première definitief uit *De driestuiversopera* terugtrok, kwam Aufricht in zijn wanhoop met een bleekgeschminkte roodharige aanzetten, van het type dat vierentwintig uur per dag op de interessante toer gaat. Geen idee waar hij die had opgescharreld. Of zij hem. In Berlijn wist iedereen dat hij een rijke vader had. Hij had een natuurtalent ontdekt, verkondigde hij heel trots, weliswaar nog zonder enige ervaring, maar enorm getalenteerd, en die moest nu Polly spelen. Niemand was enthousiast over het idee, maar Aufricht was nu eenmaal de directeur en financierde het geheel. We hebben dus inderdaad een scène met haar gerepeteerd.

Tot ze op moest, was ze zo brutaal als de beul, maar één stap uit de coulissen en het natuurtalent stond alleen nog te schutteren. Ze wist niet meer hoe ze zich moest bewegen. In plaats van haar tekst op te zeggen piepte ze als een uit het nest gevallen vogel. Ik weet niet of Aufricht haar toch nog het bed in heeft gekregen; de rol kreeg ze in elk geval niet.

Zo ongeveer was ik als arts. Theoretisch wist ik een hoop, maar voor de toepassing schoten alle studieboeken tekort. Je kunt onder de microscoop een miljoen bloedlichaampjes bekeken hebben. Daar heb je niets aan als het bloed helderrood uit de slagader spuit.

Daar kwam mijn aangeboren onhandigheid nog bij. Ik was altijd al een doezel geweest. Twee linkerhanden worden nog geen chirurgenvingers doordat je zonder stotteren *articulatio femoropatellaris* kunt zeggen. Bij de eenvoudigste taken ging het al mis. Als ik de metaalsplinters uit een kapotgeschoten been moest verwijderen, zat ik zo onbeholpen in de wond te peuteren dat de eerste de beste ziekendrager het beter gedaan zou hebben. En het ook beter deed. Er was er een, loodgieter van beroep, die zei soms: ‘Laat mij maar even, dokter.’ Ik was hem er dankbaar voor.

Niet mijn handen waren het grootste probleem, maar mijn hoofd. Ondanks de tijd in Vlaanderen had ik nog niet die scheidingswand opgetrokken, die innerlijke ruit waarachter je je kunt terugtrekken. Sommige dingen kun je alleen aan als je ze van een afstand bekijkt, alsof ze een beeld op het witte doek zijn en jijzelf maar de plaatsaanwijzer of de filmoperateur. Die immers ook doodgemoedereerd een hap van zijn boterham neemt – ah, boterham! –, terwijl ze in de zaal allang allemaal om het hardst zitten te snikken.

Tegenwoordig lukt me dat. Bijna altijd. Toen we voor het eerst met Karussell zouden optreden en er lijken lagen op de zolder die de afdeling Vrijetijdsbesteding ons had toegewezen, heb ik me alleen afgevraagd hoe we die het beste weg kregen voordat de mensen kwamen. Ik heb het heel zakelijk aangepakt. Het doek moest op tijd opgaan. Ook al hadden we helemaal geen doek.

In Colmar lukte me dat in het begin nog niet. Ik was vitaler dan nu, maar vitaal zijn doet ook pijn. Medelijden betekent meelijden. Soms zelfs bij dingen die nog niet eens gebeurd zijn. De vloek van de fantasie. Als een gewonde pijn had, stelde ik me ook nog de pijn voor die ik hem dadelijk met mijn behandeling zou doen, waardoor ik steeds onzekerder werd.

Te weinig distantie. De beste dokter die we in Colmar hadden, wilde niet eens de namen weten van de mannen aan wie hij zat te snijden of te zagen. Ze waren voor hem alleen 'het buikschot' of 'de splinterbreuk'. Na tien uur aan de operatietafel waste hij zijn handen, ging aan tafel en praatte alleen nog over zijn bloementuin thuis, wat daar nu bloeide en hoeveel moeite zijn vrouw had om alles bij te houden, want de tuinman was inmiddels ook opgeroepen. Ik vond dat toen gevoelloos. Nu doe ik het net zo.

Je kunt niet anders. Want dan hou je het niet vol.

Erg lang lieten ze me niet met de patiënten aanknoeien. Bij de eerste de beste gelegenheid werd ik geloosd naar een andere post. 'Daar kunt u niet veel onheil aanrichten,' zeiden ze.

De plaats waar ik volgens mijn superieuren geen onheil kon aanrichten, was typisch voor het Pruisische leger en zijn bureaucratie. Een van die instellingen die met de beste bedoelingen worden opgericht en waar men dan zo trots op is dat men uit pure zelfverheerlijking vergeet de noodzakelijke middelen ter beschikking te stellen. Toen de loopgravenoorlog begon en het aantal geamputeerde soldaten steeds groter werd, was er aan elk reservelazaret een zogenaamde herstelafdeling toegevoegd. Officieel heette dat zo. Voor de mensen was het gewoon het invalidenhuis.

Daar werd ik de chef van, niet formeel, maar in de praktijk. De eigenlijke functionaris, een majoor uit München, was een zware alcoholist. In de verte familie van de Wittelsbachs, reden waarom hij niet ontslagen kon worden. Zijn werk moest ik nu doen. Als amper twintigjarige. Met twee jaar medicijnenstudie. Omdat ze me in het lazaret liever kwijt dan rijk waren.

Ik maakte bezwaar. Legde uit dat ik me op geen enkele manier tegen die taak opgewassen voelde. Men glimlachte geruststellend en zei: 'Maak u geen zorgen, Gerson. Die mensen daar zijn toch niet meer te helpen.'

Zo kreeg ik mijn eerste hoofdrol. Zij het in een derderangstheater. Bij een alibi-instantie die de middelen noch het personeel had om haar taak echt te vervullen. Wat niemand leek te interesseren. Er was een afdeling opgericht om te kunnen zeggen dat ze bestond. Herstelafdeling. Dat klinkt beter dan: verzamelplaats voor defect mensenmateriaal. Hoewel dat toepasselijker geweest was.

Als er aan een zwaargewonde niets meer te opereren viel, maar hij ook nog niet zo ver hersteld was dat ze hem naar huis konden sturen, als hij geen neus meer had en telkens hysterisch begon te gillen als hij in de spiegel keek, als zijn benen alleen nog uit stompjes bestonden en er geen prothesen waren waarmee hij weer had kunnen leren lopen, dan stuurden ze hem naar ons. Allerlei mensen waar nog maar driekwart of twee derde van over was. Alleen de blinden kwamen ergens anders terecht; die hadden eigen instellingen. Verder waren wij de vuilnisbak voor het afval uit de grote worstmachine. Van ons werd verwacht dat we die onsmakelijke mensenresten zo niet uit de weg, dan toch uit het oog, uit het hart ruimden. Al werd onze taak wel wat eleganter geformuleerd.

Wij moesten – dat was de theorie – van hulpeloze invaliden, van mensen zonder ledematen, weer nuttige leden van de maatschappij maken. Waarbij met nuttig werd bedoeld: mensen die niet op de zak van de staat teerden. Die voor zichzelf konden zorgen.

Hoe dat moest, werd er niet bij verteld. Het enige document dat ik aantrof, was een dunne brochure, geschreven door een of andere onmisbare kantoorpik. Daarin was alfabetisch en met Pruisische precisie opgesomd met welke verwonding je voor welk beroep nog wel of niet meer in aanmerking kwam. Naar het motto 'Het mooiste slagveld is het bureau' stonden daar zulke wijsheden als dat je zonder benen geen dakdekker moest worden, maar met dezelfde handicap beslist nog geschikt was voor tandtechnicus. Mits beide handen intact waren. Portier kon iedereen worden, als je de brochure mocht geloven. Ook nog met een half gezicht, of zoals dat in bureaucratentaal heette: bij het ontbreken van het kaakapparaat. Als dat echt zo geweest was, had elk hondenhok in Duitsland een eigen portier gehad.

We waren gehuisvest in een school, de lokalen waren als slaapzaal ingericht. Het eten kwam uit het ernaast gelegen hotel, waar ook mijn zogeheten superieur zijn intrek had genomen. 's Morgens was hij nog dronken en 's middags al weer.

'Doe maar, jongeman,' zei hij als ik hem iets wilde vragen. 'Maar val me niet lastig.'

Doe maar. Bijna honderdvijftig verminkte mensen. Misschien was hij daarom aan het zuipen geslagen. Een situatie waarin je heel vlug je innerlijke muur moest optrekken. Anders was het niet vol te houden.

Niet vol te houden voor de kandidaat-arts met de rang van onderofficier Kurt Gerson. Er waren mensen die het wel konden. Zonder veel ophef.

Eén in elk geval. Eerst dacht ik dat hij gewoon niet zo gevoelig was als ik. Onzin. Hij was simpelweg een beter mens.

Otto.

Otto Burschatz.

'Een stomme naam,' zei hij toen hij zich aan me voorstelde. 'Maar zo is het nu eenmaal.' Oorspronkelijk heette zijn familie Bourgeois. Hugenoten. 'Ik ben dus eigenlijk een Fransman en voer oorlog tegen mezelf. Volkomen krankjorum als je er goed over nadenkt. Maar zo is het nu eenmaal.'

Dat was zijn zin. De beknopte filosofie die hem hielp het leven aan te kunnen. Hij gebruikte hem voor alles. Voor zijn naam die hem niet aanstond en voor het feit dat hij zijn rechterhand miste. Een te vroeg ontplofte handgranaat. 'Zo is het nu eenmaal.'

Ondanks zijn handicap had hij weten te voorkomen dat hij uit het leger werd ontslagen. 'Wat moet ik in Berlijn? Op de zak van mijn familie teren? Nee, zolang mijn hoofd er nog op zit, moet het ook op een andere manier gaan.'

Een gedrongen postuur. Korte beentjes. Als hij tegenover je zat en opstond, werd hij niet groter. 'Toen ze aan Onze-Lieve-Heer vroegen hoe ik moest worden, antwoordde hij: "Dat zal me een worst wezen." En zo zie ik er dan ook uit.'

Hij lachte niet om zijn eigen uitspraken. Hij kauwde alleen tevreden op zijn snor als hij er een ten beste had gegeven.

Voor de oorlog – in de goede oude tijd, zoals hij dat noemde – was hij sterkstroommonteur bij Siemens-Schuckert. Maar met maar één hand zouden ze hem daar vast niet meer aannemen. 'Kan ik ook inkomen,' zei Otto. 'Wat moeten ze met een mismaakte?'

Hij was nu geen infanterist meer, maar hospik. Een soort geüniformeerde verpleger. En de goede ziel van het hele zaakje. Wat geen holle frase was, maar gewoon een feit. Otto Burschatz was een goede ziel.

Waarom, valt me ineens op, denk ik aan hem in de verleden tijd? Er is geen reden waarom mijn vriend Otto tot het verleden zou behoren.

Toen hij ons in Amsterdam opzocht – 'Zou ik jullie opeens niet meer kennen? Ik heb toch geen bruine smurrie in mijn kop!' –, bracht hij in plaats van een bos bloemen een mooie bos worsten mee. Ik ruik ze nog. 'Je bent een engel,' zei Olga. Een engel met een ruige snor en een grote mond.

'Onze majoor' – dat was een van zijn uitspraken – 'onze majoor is een medisch wonder. Amper nog bloed in zijn alcohol, maar hij weet toch overeind te blijven. Pas als ze op een dag de sterkedrank rantsoeneren, is de lol van die hele oorlog er voor hem af.'

Zelf dronk Otto liever bier. 'Hoewel – wat ze de laatste tijd brouwen, dat is pis met schuim. Maar na drie jaar onafgebroken zegevieren kun je ook niets beters verwachten. Zo is het nu eenmaal.'

Hij was – nee, verdomme, hij is – een meester in kernachtig formuleren. 'De officiële weg is altijd de verkeerde weg.' Een diepe wijsheid die je in de voorgevel van alle overheidsgebouwen zou moeten beitelen. Bij ons had je formulieren waarmee je voor de patiënten prothesen kon bestellen. Met nauwkeurige aanwijzingen hoe de stomp gemeten en de maten genoteerd moesten worden. Allemaal uitstekend georganiseerd. Alleen liepen ze achter met leveren. Bij ons lagen mensen die al meer dan een jaar op een kunstbeen wachtten.

Otto bewandelde niet de officiële weg. Toen de Wittelsbachse majoor helemaal niet meer op zijn kantoor verscheen, had hij besloten zelf te doen wat er gedaan moest worden. Hij had een netwerk van vaklieden opgezet die voor hem werkten. De prothesen die ze maakten, waren niet perfect. Een specialist zou er duizend dingen op aan te merken gehad hebben. Maar ze vervulden tot op zekere hoogte hun functie. 'Een slecht houten been is beter dan helemaal geen,' zei Otto.

Iemand die zo'n been had gekregen, was Gerstenberg. Die ik later in Berlijn weer heb ontmoet. Hij deed in het lazaret al niets anders dan klagen.

Wat Otto Burschatz deed, was zinvol, maar door geen enkel dienstvoorschrift gedekt. Het was zelfs uitdrukkelijk verboden. Toch vertelde hij het me meteen de eerste dag. Hij maakte er absoluut geen geheim van. 'Op een dag zou u het toch ontdekt hebben. Die toestanden kunnen we ons allebei besparen.' Hij verklapte me ook hoe hij het aanlegde dat de divisiekassa alles betaalde. 'Met heel veel fantasie.' Hij liet de timmerman in plaats van prothesen altijd doodskisten in rekening brengen. 'Doodskisten geloven ze altijd,' zei Otto.

'En als ik het rapporteer?'

Hij keek me aan en schudde zijn hoofd. 'Dat zult u niet doen. Want u bent een verstandig mens.'

'Weet u dat heel zeker?'
'Ja,' zei Otto. 'Zo is het nu eenmaal.'

Samen deden we wat we konden. Veel was het niet.

Een paar van de afschuwelijk verminkten vatten de moed om zich weer aan de blikken van andere mensen bloot te stellen. Hun walging te verdragen. Dat was al heel wat. Deze of gene vond een manier om zich zonder armen te redden. Of hij leerde weer lopen. Dakdekker werd niemand. Tandtechnicus ook niet. Het hoogste wat we konden bereiken was ze als iets betere invaliden naar huis te sturen. Waar ze dan moesten vaststellen dat ze weliswaar helden waren, maar van het lastige soort. In 1917 was het niets bijzonders meer als je een lichaamsdeel miste. Een paar beenstompen waren niet genoeg om achter een lege hoed het medelijden van voorbijgangers op te wekken. En de zitplaats in de tram waar je met je invalidenkaart recht op had, was meestal al bezet door iemand anders die in de oorlog geblesseerd was geraakt.

Geblesseerd. Wat een mooi woord. Klinkt duizend keer beter dan invalide, waarvoor je geen meester in het Latijn hoeft te zijn om er onbekwaam, ongeschikt, onwaardig in te horen. Geblesseerd, dat klinkt al bijna begerenswaardig. Zeer geëerde in de oorlog geblesseerden.

Otto noemde hen 'mismaakten'. Omdat hij dat woord ook voor zichzelf gebruikte, nam niemand hem dat kwalijk. Ook verder had zijn taal beter in de loopgraven gepast dan in een ziekenhuis. 'Mij steekt ook niemand een veer in mijn kont,' zei hij. Het duurde een poosje voor ik begreep dat dat zijn manier was om met onaangename dingen om te gaan. Hoe meer hij zich iets aantrok, hoe grover zijn toon werd. Toen iemand hem vroeg hoe dat was, met maar één hand, antwoordde Otto: 'Ik mis iets. Ik kan geen sigaret meer opsteken terwijl ik me afruk.' En hij kauwde op zijn snor.

Ik liet hem zijn gang gaan en hij deed zijn werk goed. Ik zag het als mijn taak hem rugdekking te geven, ervoor te zorgen dat het niemand opviel hoe hij met alle voorschriften sjoemelde. Als in die tijd elk papier dat ik tekende door een hogere instantie was gecontroleerd, was ik voor de krijgsraad gesleept. Gelukkig had niemand genoeg belangstelling voor ons.

Voor onze patiënten was de eeuwige verveling bijna nog moeilijker te verdragen dan hun handicap. Als je nergens heen kunt omdat je al op andermans hulp bent aangewezen wanneer je moet plassen of een lepel soep wilt eten, dan lijkt de klok stil te staan. Als je op een prothese wacht die niet komt, hoewel die er allang had moeten zijn, dan zijn de dagen lang. We hadden vakmensen moeten hebben om oefeningen met hen te doen, om hun te leren hoe je met zo'n radicaal veranderd lichaam omgaat, maar het ministerie van Oorlog had andere prioriteiten. Wij moesten de mensen opbergen, zodat niemand last van ze had, meer werd er niet verwacht. Het was oorlog en iedere beschikbare man was nodig. Om zich dood te laten slaan of anderen dood te slaan. Voor ons bleef er niet genoeg personeel over.

Toen heb ik in de aula van de school bonte middagen georganiseerd. Daar heb ik mijn eerste theaterprogramma's gedaan. Zonder theater en ook zonder echt programma. Wie niet kon lopen, werd erheen gedragen. Iedereen werd opgeroepen om mee te doen, en als er niemand meer was die een lied kon zingen of een instrument kon bespelen, droeg ik zelf gedichten voor, net zo podiumgeil als ik op het gym al was. Niet de heldengedichten met 'Wij loven tesaam, wij haten tesaam', dan hadden ze me uitgefloten, maar dwaze dingen die ik ergens had opgepikt en die in mijn tekstgeheugen waren opgeslagen. 'Dat is de leerling Jacques Manas, de jongeman van de kleine kas.' Dat soort dingen. Otto, die alles op de kop wist te tikken, bezorgde me *Het grappige Salzer-boek* en ik reciteerde met emfase de daarin verzamelde flauwekul. 'Eerst kwamen de blouses en rokken en toen de jupons vol plissé en toen de dessous en de sokken ...'

Doet er niet toe. Ik hield de mensen bezig en oefende bovendien voor een beroep waar ik toen nog niet eens van droomde.

Ik wilde hun iets geven, maar zij gaven mij veel meer. Ze leerden me hoe je naar je toeschouwers luistert en op hun stemmingen reageert. Later heb ik vaak van die ervaring geprofiteerd. Op die bijeenkomsten in de aula van de school had ik altijd een dankbaar, zij het primitief publiek. Met de fijnzinnigheid van een knappe woordspeling hoefde je bij onze patiënten niet aan te komen. Daar was grof geschut meer op zijn plaats. Een flauwe mop of een schuine opmerking. Ze hadden verder niet veel te lachen. Het maakte me trots als ze dat een paar minuten vergaten.

Otto vond het goed wat ik deed. Maar hoewel we allang vriendschap hadden gesloten, was het niet zijn gewoonte om me dat rechtstreeks te zeggen. Je moest zijn grofheden weten te interpreteren. Het was een compliment toen hij een keer tegen me zei: 'Heel verstandig dat je voor allemaal mismaakten optreedt. Dan kan je publiek niet weglopen.'

En dan Unthan. De absurde geschiedenis met Carl Hermann Unthan. De man met het colbertje zonder mouwen.

Het was al meer dan tien jaar geleden sinds die avond in de Wintergarten, toen hij het hart uit een hartenaas had geschoten en zonder armen viool had gespeeld. Nu stond zijn naam in een officieel schrijven van het Pruisische ministerie van Oorlog, afdeling Interne Informatie. De populaire artiest, zo werd ons meegedeeld, was zo goed geweest zich beschikbaar te stellen om soldaten met een vergelijkbare handicap aan de hand van zijn eigen voorbeeld te demonstreren dat ook met ontbrekende ledematen een succesvol leven heel goed mogelijk was. Dat moest het moreel van de oorlogsinvaliden opvijzelen en hun weer nieuwe moed geven. Bij dezen werden alle herstelafdelingen verplicht passende evenementen te organiseren. *Waarvan binnen drie weken rapport uitgebracht dient te worden.*

Met andere woorden, de heer Unthan kon vanwege de oorlog niet meer in het buitenland optreden. In Duitsland waren ze op zijn kunstjes uitgekeken, daarom had hij een patriottisch manteltje aangedaan – zonder mouwen natuurlijk! – en op deze manier een tournee georganiseerd. Het ministerie van Oorlog, dat ons geregeld meedeelde: *Vanwege de door de oorlog veroorzaakte schaarste aan financiële middelen kan de levering van de bestelde kunstledematen helaas niet binnen de gestelde termijn plaatsvinden* – datzelfde ministerie had voldoende geld in kas voor Unthans vast niet bescheiden gage. Alle kosten werden voldaan, wij moesten alleen voor een passend onderkomen zorgen.

En daarmee begon het gelazer al.

Unthan kwam niet met de trein, maar had uiteraard een eigen auto. Inclusief chauffeur en jonge begeleidster. Die hij aan ons voorstelde als zijn assistente, 'die mij tijdens mijn optreden zal bijstaan'. Ze zorgde ook meteen voor het uitladen van de reusachtige rekwisietenkoffer. Zoals ze bezorgd om de twee hotelbedienden heen dartelde, had je kunnen denken dat die koffer minstens de kroonjuwelen bevatte. Inclusief de rijksappel.

Unthan moest er toen al bijna zeventig jaar op hebben zitten, maar hij probeerde op alle mogelijke manieren jonger te lijken. Dat heb ik later ook bij veel andere variétékunstenaars gezien. In dat beroep, waar altijd alles moet schitteren, wil niemand oud worden. Hier in Theresienstadt is een witharige Tsjechische jongleur die zijn nummers alleen nog zwijgend vertoont, want bij het praten zouden de ontbrekende tanden zijn leeftijd verraden. Vroeger bestond zijn beste truc uit het jongleren met acht eieren. In Theresienstadt zijn geen eieren en als ze er wel waren, zou niemand zoiets kostbaars aan hem toevertrouwen.

Unthans gebit was compleet. Zo onnatuurlijk wit als alleen duur geïmplanteerd porselein kan zijn. Het haar zwart geverfd. Hoewel het evenement pas voor de volgende dag was gepland, stapte hij met een geschminkt gezicht uit de auto. We hadden kamers voor hem geregeld in hetzelfde hotel waar onze dronken majoor resideerde. Unthan was nog niet binnen of hij deed al zijn beklag over het logies. Hij had verwacht dat er kamers voor hem waren gereserveerd in het beste hotel van de stad, dat was toch niet te veel gevraagd wanneer een wereldberoemd kunstenaar zich voor liefdadige doelen beschikbaar stelde, in Berlijn was hem dat ook toegezegd. Maar hij wilde voor één keer door de zure appel heen bijten, tenslotte was het oorlog en dan moest iedereen een offer brengen.

Bla, bla, bla.

Nog beledigder was hij omdat hij de badkamer met zijn assistente moest delen. Hoewel die twee – zo leek het althans door de manier waarop zij met hem dweepte – waarschijnlijk nog veel meer met elkaar deelden.

Maar Unthan was nu eenmaal een hufter.

Mij liet hij door zijn assistente een gedrukt papiertje in de hand stoppen, waarop de tekst stond waarmee hij aangekondigd wilde worden. 'Leert u dat voor morgen alstublieft uit uw hoofd, jongeman, dat maakt een veel natuurlijker indruk dan wanneer u het voorleest.' Het was – woord voor woord, leek me – exact dezelfde aankondiging die ik als kleine jongen in de Wintergarten had gehoord. Van 'Het is mij een grote eer u nu een heel bijzondere gast te mogen aankondigen' tot en met 'de ongelooflijke en weergaloze Carl Hermann Unthan'.

'En dan nog iets: zullen er veel eenarmigen in het publiek zitten?'

'Hoezo?'

'Die zouden er misschien op attent gemaakt moeten worden dat je van enthousiasme ook kunt stampen. Het is voor een kunstenaar altijd onaangenaam als er tegen zijn verwachting in geen applaus komt.'

Er stampte niemand. Het optreden was geen succes. Op z'n zachtst gezegd. Unthan ging compleet af. En hij merkte het niet eens.

Hij was – dat had hij zich in het variété aangewend – een uur te vroeg, nog zwaarder geschminkt dan bij zijn aankomst, en hij begon meteen weer te kankeren. Op alles wat ik voor hem had klaargezet, had hij iets aan te merken. De toneelknechten in het Deutsches Theater hebben eens bij een gast die zich zo gedroeg, een laxeermiddel in zijn thee gedaan en de deur dichtgetimmerd toen hij op de wc zat. Ik had ook wel een paar leuke dingen geweten die ik graag met Unthan had uitgehaald. Maar het ministerie van Oorlog had zijn optreden verordonneerd en daarmee konden we ons geen moeilijkheden veroorloven.

Wat hem het meest ergerde was dat de aula van de school geen podium had. Geen coulissen van waaruit hij theatraal had kunnen opkomen. 'Als de mensen me van tevoren zien, is het effect weg,' klaagde hij. Zijn assistente speelde daarbij de rol van het handenwringende Griekse koor. Maar ze was niet half zo komisch als ik een paar jaar later als het 'Koor der Romeinen' bij het Kadeko.

'Effect' was trouwens toch Unthans lievelingswoord. Er was het effect als er bij het vioolspelen een snaar sprong – de kleine jongen die nog altijd in mij huisde, moest teleurgesteld vaststellen dat de pech toen in de Wintergarten geen eenmalige gebeurtenis, maar opzet was geweest –, er was het effect met de doorboorde speelkaart en dus het effect als hij opkwam en de toeschouwers zich verbaasd moesten realiseren dat er inderdaad iemand zonder armen voor hen stond. 'Er gaat dan altijd een Oh! door de rijen,' zei Unthan trots. Zijn assistente tuitte haar mondje alsof ze iedereen die verbazing wilde voordoen.

Ik geloof dat hij het 'Oh!' toen echt heeft gehoord. Hoewel er geen 'Oh!' kwam. Aan het slot bedankte hij met ingestudeerde bescheidenheid voor een applaus dat in zijn oren daverend was, hoewel het maar vermoeid voortkabbelde. Hij was een oude toneelrot en draaide zijn nummer af zonder te merken hoe absurd dat in deze omgeving was. In Theresienstadt begroeten de mensen elkaar ook nog steeds uiterst beleefd met 'Doctor' en 'Professor', hoewel die titels hun allang zijn afgepakt en ze officieel tot rotjoden zijn gebombardeerd.

Ik kondigde hem aan zoals gewenst. Hij kwam op door de zaaldeur en stapte door het middenpad naar voren. Het effect viel in het water, omdat geen hond op het idee kwam dat hij de ster van het evenement kon zijn. Een man zonder armen in een invalidenhuis – nou en?

De hele patriottische tournee was één grote denkfout. Ik weet niet het hoeveelste optreden wij op zijn rondreis waren; in elk geval had hij bij ons in Colmar nog niet begrepen dat zijn handicap voor dit speciale publiek geen attractie was. Niet eens iets bijzonders. Invalide waren ze hier allemaal. Menigeen die door Unthan hoogdravend als zijn beste krijgsmakker werd aangesproken, had dolgraag met hem willen ruilen. Als je geen benen hebt en al maanden vergeefs op een rolstoel wacht, lijkt een leven zonder armen gewoon paradijselijk. Otto met zijn grote mond vatte het kort samen. 'Zonder armen wekt geen erbarmen.'

De mensen waren gekomen om vermaakt te worden. Om te lachen om oeroude grappen of zich in een gelukkige, melancholische stemming te laten brengen door een sentimenteel gedicht. Als Unthan zich tot zijn kunstjes had beperkt, zoals de doorboorde speelkaart en de met de voeten bespeelde viool, dan hadden ze dat als afleiding beslist geaccepteerd. Maar nee, die idioot moest ook nog een toespraak houden. En wat voor een! Hij vertelde uitvoerig over zijn eigen leven, en zoals hij het beschreef was het een heldenepos waarin hij met zijn ijzeren wil en zijn positieve instelling alle obstakels had overwonnen en de vanaf zijn geboorte ontbrekende armen door bijzonder behendige voeten had vervangen. 'Ook jullie kunnen dat, beste krijgsmakkers. Als je maar in jezelf gelooft.'

Bombast, zoals ze bij het toneel zeggen.

Ze hebben hem niet uitgefloten, dat niet. Daar hadden ze de energie niet voor. Toen hij zijn gefiedel tot een goed einde had gebracht, klapten er zelfs een paar. Zijn assistente kreeg heel wat meer applaus. Die was tenminste knap.

Unthan heeft van zijn afgang niets begrepen. Daar was hij veel te ijdel voor. 'Hebt u gemerkt hoe stil het in de zaal was?' vroeg hij me na afloop. 'De mensen zijn altijd stil als je ze in het hart raakt.'

Jammer dat hij al voor het avondeten vertrok. Ik had hem graag naast de man met de twee geamputeerde armen gezet, bij wie je zijn eten hap voor hap in zijn mond moest steken. 'Die zak heeft het goed,' zei hij tegen me. 'Hij is zonder armen geboren. Maar ik ben horlogemaker.'

Ben ik zo iemand als Unthan? Als Alemann? Ben ook ik bereid me te verkopen?

Als het leven een rekening was, een boekhouding met keurige kolommen links en rechts, winst en verlies, zwarte inkt, rode inkt, dan hoefde ik niet lang na te denken. Dan was het duidelijk wat ik moet doen. Moraal is altijd een slechte investering. Er is een klant en ik ben het artikel. Beschadigd en met kleine gebreken. Maar nog altijd verkoopbaar. Ik woon niet toevallig in een bordeel.

Waarom hak ik de knoop niet door en geef ik het toe?

Als ik het niet doe, zal niemand me daarvoor prijzen. Er is geen applaus voor iemand die uiterst elegant in de trein naar Auschwitz stapt. Geen lauwerkransen en enthousiaste kritieken. Geen bravogeroep. Ze zullen alleen allemaal blij zijn dat ik op de lijst sta en niet zij.

Alemann sliep in de oorlog elke nacht in een bed. Unthan had een auto met chauffeur. Als ze zich ooit hebben geschaamd, konden ze dat tenminste comfortabel doen.

Maar ze hebben zich niet geschaamd.

Waarom ook?

Ik heb betere redenen dan zij. Veel betere. Uit Auschwitz is nog niemand teruggekomen. Ik wil niet in die trein stappen.

'We rijden met de trein, tjoeke tjoeke tjoek,' zong opa. 'We rijden met de trein, wie rijdt er mee?'

Ik wil niet meerijden.

Ik wil niet.

Je zou dood moeten kunnen zijn zonder eerst te hoeven sterven. Dat zou een alternatief zijn.

Niemand kan me iets verwijten. Ze zouden het allemaal doen. Allemaal.

De meesten.

Ik ben geen held. Niet op het toneel en niet in het leven. Ik ben een karakterspeler. Iemand die voor anderen een karakter speelt.

Films maken is mijn beroep. Mijn vak. Als iemand dokter is, werkt hij ook in de ziekenboeg. Als iemand schoenmaker is ...

Dat is niet hetzelfde.

Rahm wil dat ik hem help liegen. Hij twijfelt er geen moment aan dat ik het zal doen. Hij is de almachtige. De heer over leven en dood.

Ik wil niet sterven.

'Er zijn ergere dingen dan verachting,' zei Olga. 'Misschien,' zei ze, 'is de oorlog voor die tijd afgelopen.' Meent ze dat of wil ze alleen een deur voor me op een kier zetten waardoor ik naar buiten kan glippen om mijn hachje te redden?

Doet er niet toe.

Het is maar een film. Een documentaire. Zelfs geen dialogen. Geen speelhandeling. Alleen laten zien wat er is.

Alleen laten zien wat er niet is.

In de hel zitten en over het paradijs vertellen.

Ik kan dat niet. Ik wil dat niet. Ik mag dat niet.

Ik zal Rahm antwoorden dat ik weiger.

Ik zal Rahm antwoorden dat ik de film maak.

Ik wil niet die trein in gedreven worden als een stuk vee. 8 PAARDEN OF 40 MAN. Ik ben bang.

Er wordt gezegd dat de SS voor de deportatietreinen bij de spoorwegen kaartjes moet kopen. Zouden ze groepskorting krijgen?

Ik wil niet in die trein stappen. Ik doe alles om niet in die trein te hoeven stappen.

'We rijden met de trein, wie rijdt er mee?'

Ik wou dat ik bij opa was. Ik wou dat ik net als hij dood was.

Alleen zou ik dan in de hemelse kunstgalerij mijn beeld moeten bekijken. De Kurt Gerron die ik had kunnen worden. Dat wordt afschuwelijk.

Maar als een verwijtende stem me dan vraagt: 'Wat heb je van je leven gemaakt, Gerron?' zal ik geen dagboek nodig hebben om het me te herinneren. Alleen een spoorboekje. Alles wat beslissend was voor mijn lot, had iets te maken met een treinreis. Misschien beginnen daarom zoveel moppen met de woorden: 'Twee Joden zitten in de trein.'

Er was de boemeltrein naar Kriescht, die zo geweldig hard floot terwijl hij me vanuit mijn kinderparadijs naar de echte wereld vervoerde. Het troepentransport van Jüterbog naar Vlaanderen, waarin we ons met heldenverhalen moed inspraken terwijl we de voedselpakketten van onze ouders naar binnen werkten. 'Deze legertrein is geen sneltrein.' Waar heb ik die kreet voor het eerst gehoord? De sneltrein waarmee we Duitsland verlieten, in een eersteklascoupé. Al die treinen waarmee we dwars door Europa reden, op zoek naar een plek waar we konden blijven en iets nuttigs konden doen. Waar we iemand mochten zijn. In mijn herinnering kan ik ze niet meer uit elkaar houden; ik heb het idee dat we eeuwig onderweg waren, en om de paar uur was er een grens. Amsterdam-Westerbork, die schone Nederlandse speelgoedtrein met een echte conducteur, die correct en beleefd groetend door de wagons liep, hoewel er helemaal geen kaartjes te controleren vielen. De volgende trein, die zo oneindig langzaam binnenreed op de Boulevard des Misères, waar wij, die op de lijst stonden, met ingehouden adem afwachtten wat voor wagons het zouden zijn. Want niet alle treinen naar Auschwitz waren voorzien van een opschrift. Hoewel de spoorwegen – orde moet er zijn – speciale bordjes hadden laten maken. WESTERBORK-AUSCHWITZ, AUSCHWITZ-WESTERBORK. Met de aantekening: *Geen wagons loskoppelen, trein moet aaneengesloten terug naar Westerbork.* Maar er waren altijd meer treinen, meer dan ze bordjes hadden, en je kon pas gerust zijn als de wagons echte zitplaatsen hadden. Ook de derdeklas betekende dat de reis niet naar Auschwitz ging en niet naar Sobibor, maar naar Theresienstadt. En Theresienstadt – zo handig hadden ze ons gemanipuleerd – was voor ons het gedroomde paradijs, het toevluchtsoord waar maar weinig uitverkorenen werden binnengelaten. De Elysese velden.

Waar al een 8/40'er op me wacht.

'We rijden met de trein.'

Ik ben in dit leven in veel treinen beland. De keizerlijke hoftrein was er niet bij. Alleen een keizerlijke ambulancetrein. Van Colmar naar Berlijn.

Otto was er allang van overtuigd dat de oorlog voor Duitsland verloren was. 'Zo is het nu eenmaal,' zei hij. 'Een land dat voor zijn soldaten geen prothesen op de kop kan tikken, kan ook geen oorlogen winnen.'

Toen het eenmaal zover was, joeg de dronken majoor een kogel door zijn hoofd. Delirium tremens of patriottisme. Zoveel verschil is er niet.

Het ging opeens heel vlug. Het lazaret moest worden ontruimd, heel Elzas-Lotharingen moest worden ontruimd, in twee of vier weken. Zo precies weet ik het niet meer. Vroeger – dat heb ik eens ergens gelezen – plunderden ze voor ze wegliepen altijd nog vlug de lijken op het slagveld, zodat de moordpartij niet helemaal zinloos was geweest. Zo ongeveer ging het ook in Colmar. Iedereen probeerde uit de algemene chaos een slaatje te slaan. Het leger kon alleen het hoogstnodige afvoeren en zo begon er een levendige handel in alles wat niet spijkervast was. Lakens. Matrassen. Medicijnen. Men deed zaken en vermomde ze voor het eigen geweten als vaderlandse daad. Met de geweldige smoes dat de spullen niet in handen van de Fransen mochten vallen.

Smoezen vind je altijd.

Officieren waren er bijna niet meer. Ze hadden zich niet allemaal doodgeschoten zoals onze majoor. Zo vreselijk veel hielden ze nu ook weer niet van hun vaderland. Ze verdwenen gewoon, de een na de ander. Het was niet ver naar de overkant van de Rijn en ze 'maakten dat ze wegkwamen', zoals Otto het formuleerde. Ze repatrieerden bij die gelegenheid ook meteen van alles wat ze thuis goed konden verkopen. Er werd gefluisterd dat een kolonel twee koffers vol blikvlees naar het perron had gesjouwd. Ik geloof dat verhaal niet. Het sjouwen zal hij wel aan zijn oppasser hebben overgelaten.

Op een gegeven moment, voor de laatste of voorlaatste dag die volgens de voorwaarden van de wapenstilstand mogelijk was, werd er een ambulancetrein aangekondigd, die de pas geopereerden naar het vaderland moest overbrengen. Het bleek dat daarin geen plaats was voor de patiënten van het invalidenhuis.

Die was men vergeten.

Natuurlijk was het weer Otto die het probleem oploste. Je kunt hem aan een parachute boven de Sahara neerlaten en vierentwintig uur later heeft hij niet alleen een oase gevonden, maar zijn ook alle bedoeienen zijn kameraden. In Colmar kende hij iedereen en iedereen kende hem.

Hoe hij het ook heeft gefikst en welke papieren hij ervoor heeft vervalst – toen de trein het station binnenreed, hadden de spoorwegen van Elzas-Lotharingen er drie extra wagons aan vastgekoppeld. Geen ambulancewagons, zoals dat in een ideale wereld had moeten zijn. Otto kreeg veel voor elkaar, maar voor wonderen kon hij ook niet zorgen. Gewone wagons, niet echt geschikt voor onze beschermelingen. Bedden waren er in de trein niet vrij. In de wagons met het rode kruis op het dak lagen ze voor een deel zelfs met z'n tweeën op een veldbed.

Omdat de militaire bureaucratie de invaliden was vergeten, was er ook geen eten voor hen. Zoiets was voor Otto een kleinigheid. Hij had voor een hele coupé met foerage gezorgd en speelde daar voor kwartiermeester. Voor de stomp aan zijn rechterarm had hij – 'Ik laat me omscholen tot piraat!' – een apparaat laten maken met een haak eraan. Die sloeg hij in een hele ham en sneed er met zijn linkerhand dikke plakken af. 'Tast toe,' zei hij tegen mij. 'Ik weet dat je honger hebt. Ik hoor dat ze in Berlijn allemaal al nieuwe gaatjes in hun broekriem maken.'

Met alle onderbrekingen en wachttijden nam de reis vijf volle dagen in beslag. Alleen al in Karlsruhe stonden we achttien uur stil. Omdat ze voor de locomotief geen kolen te pakken konden krijgen. In Hildesheim wilde een halsstarrige kantoorpik onze drie wagons laten loskoppelen. Ze voldeden niet aan de voorschriften voor regulier ziekentransport. Ze kwamen in de treinpapieren niet voor. Dat was de enige keer dat ik Otto zijn stem heb horen verheffen. De officier stond minstens vijf rangen hoger dan hij, maar Otto gaf hem zo op zijn donder – dat hij met zijn dikke reet op een bureaustoel zat, terwijl anderen zich de benen onder hun kont vandaan lieten schieten – dat de kerel ten slotte met de staart tussen de benen afdroop en zich niet meer liet zien.

In de loop van de reis kwamen er in de trein steeds meer plaatsen vrij. In de ambulancewagons stierven een paar mensen en velen lieten zich afzetten als de trein in de buurt van hun woonplaats stopte. Ik herinner me een van onze invaliden, een man die beide benen miste. Op een heel klein station, ergens tussen Hanau en Fulda, hebben Otto en ik hem de trein uit gedragen en bij het bagagedepot van het stationsgebouw als een pakket tegen de muur gezet. Daar wilde hij wachten tot iemand hem ophaalde. Toen we verder reden, zwaaiden we naar hem, maar hij leek het niet te zien.

Als een Ufa-auteur het 'reisgezelschap Gerson' in een draaiboek had opgenomen, precies zoals wij eind 1918 bijna een week lang met steeds minder passagiers door Duitsland sukkelden, dan had de man wel kunnen inpakken. Niet vanwege problemen bij de rolverdeling. Invaliden waren er in Berlijn na de oorlog genoeg en ze zijn net weer een hoop opvolgers voor die rol aan het produceren. Maar omdat de werkelijkheid slecht verkoopt. 'Te depressief,' zou er gezegd zijn. 'Drie wagons vol invaliden? Veel te onwaarschijnlijk.' En toch was het zo. Precies zo. Ik weet nog dat er in één coupé acht mannen zaten die geen van allen aan de noodrem hadden kunnen trekken. In onze wagons was niemand ongedeerd. Ook de kandidaat-arts met de rang van onderofficier niet.

Op het laatste traject, al voorbij Braunschweig, probeerden Otto en ik in beschonken toestand uit te rekenen hoeveel ledematen onze invaliden gemiddeld nog hadden. Ik meen me te herinneren dat we uitkwamen op één komma vier benen en ongeveer evenveel armen. Het kunnen er ook minder geweest zijn. Ik weet het niet meer precies. Onze reis liep ten einde en we hadden ongelooflijk gezopen. Er was nog één fles cognac over en daarmee vierden we het afscheid tot hij leeg was.

We waren vrienden geworden, Otto en ik. Maar we waren ervan overtuigd dat we elkaar nooit meer zouden zien. Zo ging dat toen. 'Ajuus' en 'Het beste' en je bij het weglopen niet meer omdraaien. 'Leuk kennis met je gemaakt te hebben' en uit met de pret.

'Zo is het nu eenmaal,' zei Otto.

Dat het heel anders liep, dat we elkaar niet alleen voor de tweede keer ontmoetten, maar nog jaren samenwerkten, was niet te voorzien.

Niets van wat er allemaal nog met me gebeurde, was te voorzien.

Hij herkende me eerst niet. Geen wonder: ik had een sportpet ver naar beneden getrokken en in mijn mondhoek walmde een sigarettenpeuk. Ik was een pooier, wat me op het lijf geschreven was. Ze lieten mij graag de booswicht spelen. Daar had ik het gezicht en het figuur voor. In de stomme film moet je spelen waar je op lijkt. Als ik bij die stormaanval niet tegen wil en dank een held was geworden, had ik misschien voor een natuurliefhebber kunnen doorgaan. Die mogen ook weleens lang en mager zijn. Ik was lang en vet. Speelde krachtpatsers, worstelaars, en pooiers dus.

Je had toen nog niet die prachtige studio's waar je in de ene hal Sodom kunt opbouwen en in de andere Gomorra. We draaiden in de Wallstraße bij de Spittelmarkt. Op een zolderverdieping met ramen, die vroeger een particuliere kunstschool was geweest. De vele ruiten waren goed voor het licht, maar slecht voor de gezondheid. In de zomer zweette je je kapot en moest je je Leichner-schmink constant bijwerken. In de winter bibberde je de botten uit je lijf. Maar bij de bioscoopfilm viel geld te verdienen. Bij het cabaret trad je op voor een bord goulashsoep en vijf mark. Daar kon je, ook vóór de inflatie, geen riddergoed van kopen.

Regisseur was Franz Hofer, die toen nog zijn eigen filmmaatschappij had en permanent in de rode cijfers zat. Om het hoofd boven water te houden produceerde hij voorlichtingsfilms. Een pedagogisch etiket voor smeerlapperijen, die succes hadden bij het publiek. *De biecht van een gevallen vrouw* en dat soort dingen. Mijn film heette *Wegen der zonde*. Ik had het soort rol waarmee ik mijn reputatie had kunnen verpesten. Als ik toen al een reputatie had gehad.

Wat er in de film gebeurde, ben ik allang vergeten. Ik herinner me alleen nog die ene situatie waarin ik Otto weer ontmoette. Voor me op de grond knielde Grita van Ryt, die Hofers nieuwste vlam was en daarom de hoofdrol speelde. Met rode schmink rond haar ogen. Omdat dat in de film extra donker uitkwam. En met twee dikke loodrechte strepen vaseline over haar wangen, die tranen moesten voorstellen. In die scène smeekte ze me om iets, ik weet niet meer wat, ik moest haar uit de hel van de zonde verlossen, haar arme oude moeder van de hongerdood redden of geen roet in haar eten gooien – doet er niet toe, die details vulden ze naderhand in met de tussentitels. Ik hoefde niets anders te doen dan eruit te zien zoals Hofer zich een booswicht voorstelde. Genadeloos en onverbiddelijk. Grita was een Nederlandse. Om de juiste gelaatsuitdrukking te krijgen hield ze een monoloog in haar moedertaal, waar ik toen nog geen woord van verstond. Ze heeft nooit echt goed Duits geleerd. Toen de geluidsfilm opkwam, telde ze niet meer mee. Terwijl het bij mij toen pas goed begon.

Ze vertelde me dus jammerend haar tragische levensverhaal, of misschien declameerde ze de kaasprijzen op de markt in Alkmaar, ik verstond het toch niet. Ik hoopte de hele tijd alleen maar dat Hofer er vlug een punt aan zou draaien. Mijn sigarettenpeuk werd steeds korter en ik wilde mijn lippen niet verbranden.

Toen zei een stem: 'Nou breekt mijn klomp. Gerson!'

Tijdens de opnamen van een stomme film werd er in de studio altijd gekletst, door technici of collega's die toevallig niet aan de beurt waren. Je leerde snel je daardoor niet te laten afleiden. Maar op die dag ben ik uit de scène weggelopen, midden in Grita's jammerklacht. Het kon me geen moer schelen dat Hofer zich daarover opwond.

Ik had Otto Burschatz teruggevonden. In een filmstudio bij de Spittelmarkt.

In zijn ogen was het geen toeval, maar iets vanzelfsprekends. 'Zo is het nu eenmaal,' zei hij. 'Je komt niet van me af.'

Toen de scène er bij de tweede poging op stond – in de regel moest het bij de eerste keer lukken, filmmateriaal was duur –, gingen we bij elkaar zitten en begonnen we te vertellen. Zoals Otto had verwacht, was hij bij Siemens-Schuckert niet meer aangenomen en toen ze hem vanwege zijn handicap ook nergens anders wilden hebben, had hij ten slotte als elektricien bij de film gesolliciteerd. Maar daar zochten ze net een rekwisiteur en hij kreeg de baan op proef. En daarmee had hij zijn roeping gevonden. Hij was altijd al de ongeslagen kampioen ritselen geweest. Op een keer – daar was hij trots op – troggelde hij de dierentuin voor één dag een leeuwenwelp af, en de antieke divan die ze voor een kostuumfilm nodig hadden, leende hij bij een bordeel in de Friedrichstraβe. Wat een regisseur ook bedacht – Otto regelde het. Uit de losse hand. 'Al heb ik er nog maar één,' zei hij, 'het komt voor elkaar.' En hij kauwde op zijn walrussnor. 'Maar hoe komt het dat jij plotseling Gerron heet? Is dat een drukfout of opzet?'

Ik heb mijn nieuwe naam niet zelf uitgezocht. Ik zou een elegantere gekozen hebben. Zo'n klinkende tenorennaam. Die het goed doet op een affiche of als de letters door gloeilampen worden verlicht.

Het was een idee van Trude Hesterberg. Een vrouw die je niet tegenspreekt. Zo charmant als wat, maar koppig. Ik was het met de verandering onmiddellijk eens. Het kon me niet schelen met welke naam ik op het progamma verscheen. Als ik er maar op stond. Ik had me ook Willibald Knautschke laten noemen.

Hesterberg had toen net haar Wilde Bühne opgericht, in het souterrain van het Theater des Westens met al die dreigende oude Germanen in de mozaïeken. Of dreigen ze niet meer? Ik geloof dat Nelson ze later allemaal heeft laten weghalen. Het engagement was echt een buitenkansje voor een beginneling als ik. Het heeft mijn carrière een flinke zet gegeven. Omdat daar goede mensen teksten voor me schreven. Iedereen die nu verboden is, heeft voor Hesterberg gewerkt.

We bereidden dus de openingspremière voor en na een repetitie zei ze tussen neus en lippen: 'O ja, Kurt, bij mij heet je trouwens Gerron. Gerson klinkt me te Joods.' En weg was ze. Die vrouw is een wervelwind. Ze was nog geen dertig toen ze haar eigen theater oprichtte en tegelijk zong ze elke avond in het Metropol-Theater *De vrolijke weduwe*.

Ze heeft mijn nieuwe naam waarschijnlijk uitgekozen zonder lang na te denken. Misschien alleen omdat de dubbele r zo Pruisisch mannelijk klonk. Later heb ik altijd een ander verhaal verteld. In een chanson van Mehring – 'Het circus heerst! Het geleuter is voorbij!' – moest ik zingen: 'Vive la guerre en sla erop los.' Omdat ik de r theatraal liet rollen en het 'en' eraan vastplakte, klonk het bij mij als: 'Vive la Gerron, sla erop los.' En daarom ... Klinkt overtuigend, maar is helaas niet waar. Het lied van Mehring heb ik pas in mijn allerlaatste programma bij Hesterberg gezongen.

Nee, die naam was toeval. Zoals zoveel in mijn carrière. Alleen al het feit dat ik bij de Wilde Bühne kwam. Omdat Hesterberg uitgerekend op de avond dat ik daar optrad in het Künstler-Café van Resi Langer zat. Als ze daar niet op woensdag, maar op donderdag was gekomen ... Als ze niet rode Trude was geweest ... Zo werd ze genoemd vanwege haar geverfde haar, maar ook vanwege haar opvattingen. Omdat ik deel uitmaakte van haar ensemble, ging ik meteen door voor een serieuze politieke zanger. Wat ik helemaal niet was. Podiumgeil als ik was, zou ik in die tijd alles hebben gezongen. Als in plaats van Hesterberg Rudolf Nelson me had ontdekt, was ik met hetzelfde enthousiasme een ordinaire, zingende bekkentrekker geworden.

Wat ik, als je Brecht mag geloven, ook altijd ben geweest.

Doet er niet toe.

Gerson of Gerron, voor mij was het geen punt. In die tijd veranderde iedereen zijn naam. Goldmann werd Reinhardt, Lewysohn werd Nelson en László Loewenstein werd Peter Lorre. Dat was gebruikelijk. Maar papa – en daar had ik nu echt niet op gerekend – wond zich er vreselijk over op. Niet vanwege de naamsverandering op zich, maar vanwege de motivatie. 'Schaam je je soms voor je afkomst?' vroeg hij heel theatraal. Uitgerekend hij, die niets van judden moest hebben. De mens is geen consequent wezen.

Mama maakte zich meer zorgen over wat ze bij de première moest aantrekken. En kwam toen veel te elegant. In een knisperende blouse.

Sinds dat optreden ben ik dus Kurt Gerron. En tegelijk nog altijd Kurt Gerson. Geen slecht onderwerp voor een sketch. Die twee ontmoeten elkaar en houden een dialoog over wat ze gemeen hebben en waarin ze verschillen. De publiekslieveling en de rotjood. Daar zouden heel wat grappen in zitten. Je zou het als dubbelrol kunnen spelen, daar houden de mensen van. In een tweedelig colbertje, zoals Jushny een keer in Der blaue Vogel droeg. Aan de ene kant een smoking en aan de andere kant een gestreept boevenpakje. Nee, dat zouden ze niet toestaan. Te politiek. Half smoking en half iets neutraals. Een lichte stof, vanwege het contrast. Zodat je er verschillend uitziet, al naargelang je je linker- of je rechterprofiel laat zien. Je gezicht zou je ook dubbel moeten schminken, half om half. De ene helft elegant, met monocle misschien, en de andere ...

Er is me vaak gevraagd: 'Bent u echt met geneeskunde gestopt om acteur te worden?' Nee, ik ben acteur geworden omdat ik met geneeskunde was gestopt. Niet op grond van een verstandige overweging. Wie verstandig is, wordt geen acteur.

Eerst dacht ik door te kunnen gaan waar ik was onderbroken. Alsof de oorlog niet meer was geweest dan stroomuitval of een klemmend draaitoneel. Wij vragen begrip voor de kleine storing en heten u van harte welkom bij het vervolg van de voorstelling.

Het werd van me verwacht. Wie het eerste artsexamen op zak heeft, begint aan het tweede, dat is nogal logisch. Mama verheugde zich er al zo lang op eindelijk 'Mijn zoon, de dokter' te kunnen zeggen.

Ik heb me braaf weer ingeschreven aan de universiteit. Ik ben er zelfs een paar keer heen gegaan. Maar ik hield het er niet meer uit. Het was niet zomaar een pauze geweest. Een paar miljoen mensen hadden elkaar doodgeschoten en opgeblazen. Dat kon ik niet gewoon wegstoppen. Dat kon ik niet in de kast hangen zoals mijn oude uniform. Dat zat in me.

Wij waren niet meer dezelfden en de wereld was niet meer dezelfde. Alleen op de faculteit was niets veranderd. Absoluut niets. Alles op sterk water gezet, zoals de misgeboorten in de verzameling preparaten. Dezelfde professoren met dezelfde verzorgde baarden hielden dezelfde colleges. Maakten nog steeds op dezelfde momenten dezelfde grappen. Die ook een verzorgde baard hadden. 'Waarom zijn chirurgen zo impopulair? Omdat het opsnijders zijn.' Ha, ha, ha.

Alleen was er niemand meer die lachte.

Als het al geneeskunde moet zijn, dachten wij teruggekeerde soldaten, dan niet om volgevreten zwendelaars poedertjes voor te schrijven voor hun buikpijn. Of ze een salvarsan-injectie te geven tegen hun syfilis. Als het al moet, dachten wij, dan willen we iets veranderen. De oorlog had ons idealistischer gemaakt, maar niet intelligenter. Vier jaar worstmachine en wij dachten echt dat iemand zich voor onze ervaringen zou interesseren.

In de ambulancetrein hadden de optimisten nog gezongen: 'In het vaderland gekomen, begint er een nieuw leven, fluks wordt er een vrouw genomen, kind'ren zal de Kerstman geven.' Wij waren net zo naïef. Als je in de Kerstman gelooft, is het je eigen schuld.

De vrede was net zo onverwachts uitgebroken als vier jaar daarvoor de oorlog. Ook zo chaotisch. En ook zonder waar te maken wat ervan werd verwacht. Alles was in elkaar gestort, de oude autoriteiten en de oude zekerheden. Niet geleidelijk, zodat je eraan had kunnen wennen, maar van de ene dag op de andere. De sociaaldemocratische rijkskanselier, zo werd er verteld, ging bij zijn eerste bezoek aan het stadspaleis in het bed van de keizer liggen. Alleen om te kijken of echt niemand hem eruit gooide.

Het staatsbestel was bezweken en uit het puin moest nu iets nieuws worden opgetrokken. Een goede tijd voor mensen die beweerden dat ze een bouwplan hadden.

Of iemand in de chaos links of rechts werd, of hij bij de arbeidersraden of het vrijkorps van Lützow terechtkwam, was net zo toevallig als rood of zwart bij roulette. *Spartakus, handlanger van de Entente* of *Bolsjewisme, de moordenaar van Duitsland* – men zette zijn fiches op goed geluk in. Iedereen was op zoek naar een systeem, een recept om de wereld opnieuw in te richten. Dat natuurlijk niet bestond. Daarom waren de mensen zo enthousiast toen de nazi's hun dat ongewone zelfstandige denken weer afpakten en vervingen door de goede oude commandotoon.

Met een paar studiegenoten, die ook allemaal kandidaat-arts of hospik geweest waren, richtte ik een comité op dat zich moest inzetten voor een betere verzorging van de oorlogsgewonden en oorlogsinvaliden. We gaven onszelf – dat was nog de invloed van het gymnasium – de mooie naam Actiegroep Paracelsus. We hielden vergaderingen. Schreven petities. Discussieerden nachtenlang over de formulering van een oproep.

En bereikten niets. Minder dan niets.

De nieuwe mensen in de oude bureaus waren met heel andere dingen bezig. Zij interesseerden zich niet voor de helden van gisteren. De oorlog was voorbij. Waarom zouden ze zich druk maken om het afval van de oorlog?

Ons comité is nooit ontbonden. Het sliep in. Bij de laatste vergadering waren we nog met z'n drieën.

Sindsdien heb ik me niet meer voor politiek geïnteresseerd.

Naar Friedrich Wilhelm, zoals we de universiteit noemden, ben ik nooit meer teruggegaan.

Mijn ouders hebben dat heel lang niet gemerkt. Ze hadden andere zorgen. Het geld was schaars geworden. Niet dat we echt arm waren, dat nu ook weer niet. Dat je aardappelschillen ook zonder aardappelen kunt eten, leerde ik later pas. Maar we waren ook niet meer de gegoede middenstanders van voor de oorlog. Max Gerson & Cie. zat in de problemen. Het ontbrak aan kapitaal, niet in de laatste plaats omdat papa, de voorvechter van het gezond verstand, zich in de schulden had gestoken om op oorlogsleningen in te tekenen.

Natuurlijk werd de maatschappelijke schijn opgehouden. Dat lukte mama zelfs nog in Amsterdam, toen we met z'n vieren twee kamers bewoonden. Maar er moest bezuinigd worden. We konden ons geen kokkin meer veroorloven, amper nog een werkster. Mama, die aan haar eigen keuken tot dan toe alleen staatsiebezoeken had gebracht, deed haar best, maar ze had voor dat beroep niet meer talent dan ik voor de chirurgie. Toch prezen we wat ze ons voorzette. We verzekerden schijnheilig dat we ons niets lekkerders konden voorstellen. Opa heeft me een keer uitgelegd dat de straf voor leugens erin bestaat dat ze ooit werkelijkheid worden. Ook daar had hij gelijk in. Als ik nu aan mama's taaie zondagse vlees denk, loopt het water me in de mond.

Hoe slechter het financieel met papa ging, hoe conservatiever hij werd. Zijn gefantaseer over revolutie was niet opgewassen tegen de werkelijke revolutie. Sinds Wilhelm zich in Doorn bekwaamde in het houthakken, pleitte hij voor herinvoering van de monarchie. Natuurlijk niet openlijk. Weliswaar waren de meeste collega's aan de stamtafel van de confectionairs uit hetzelfde conservatieve hout gesneden, maar er waren ook anderen, en zoals de zaken ervoor stonden, mocht hij het bij geen van de toch al weinige klanten verbruien.

Papa's nieuwe opvattingen kwamen exact overeen met die van onze portier Heitzendorff. Die zat toen nog niet bij de nazi's, maar bij de Duitse Nationale Volkspartij. Waarvan de aanhangers ook de goede oude keizer Wilhelm terug wilden. Voordat ze een paar jaar later de goede nieuwe keizer Adolf toejuichten. Ik kan me lange gesprekken in het trappenhuis voorstellen waarin de twee rechtschapen Duitse mannen gezamenlijk het vaderland redden. Als NSDAP'er weigerde Effeff later nog kolen voor mijn ouders uit de kelder te halen. Een ariër kon volgens hem geen slaaf van de Joden zijn. Waarop papa, zonder dat als grap te bedoelen, verontwaardigd antwoordde: 'Maar u bent geen ariër, meneer Heitzendorff. U bent portier.'

Ik voelde me in de Klopstockstraβe niet meer op mijn gemak. Niet omdat ik elke dag even hongerig van tafel opstond als ik was gaan zitten. Ik had me erbij neergelegd dat de honger mijn permanente metgezel was. Het was mijn slechte geweten dat me prikkelbaar maakte. Mama begreep niet waarom ik zo afwijzend reageerde als ze me verwende. Ik voelde me een klaploper. Het waren moeilijke tijden en ik teerde op de zak van mijn ouders.

Ik had hun moeten vertellen dat ik gestopt was met mijn studie. Maar dan hadden ze gevraagd: 'Als je geen dokter wilt worden – wat wil je dan van je leven maken?' En daar had ik geen antwoord op geweten.

Om discussies uit de weg te gaan was ik zo min mogelijk thuis. Terwijl mijn ouders dachten dat ik college liep of werkgroepen volgde, zwierf ik door de stad. Ik had het gevoel dat Berlijn één reusachtig theaterpodium was geworden. Men speelde staatsgreep of revolutie en de wapens waarmee de spelers op elkaar afstormden, waren niet geladen met klappertjes. Puur uit belangstelling voor het theater ging ik vaak naar politieke vergaderingen en toch heb ik niets gemerkt van wat zich daar zo duidelijk aankondigde. Ik lette op de enscenering, niet op de tekst. En op de spelers natuurlijk. Waarbij die met de grote monologen me het minst boeiden. Ik had het idee dat de verkondigers van het paradijs en de heilsprofeten, of ze nu achter een met vlaggen versierd spreekgestoelte stonden of op een zeepkist, allemaal volgens hetzelfde schema en met dezelfde gebaren optraden. Communisten of monarchisten – ze gebruikten allemaal dezelfde goedkope theatertrucs.

Veel interessanter vond ik de bijrolspelers. De gespierde slagersknecht die als ordebewaarder wijdbeens voor het podium stond en van pure trots op zijn eigen gewichtigheid uit zijn hemd barstte. De oudere man die zijn persoonlijke recept voor de redding van de mensheid op twee plakkaten door de stad droeg, één voor zijn buik en één op zijn rug, en daarover was hem zoveel te binnen geschoten dat de letters naar beneden toe steeds kleiner werden. De oorlogsinvalide die zich bij een protestmars wilde aansluiten, op zijn krukken achter de stoet aan strompelde en wanhopig riep dat ze op hem moesten wachten. In die jaren verveelde je je in Berlijn niet. Ik heb daar meer types kunnen bestuderen dan ik in mijn hele leven heb gespeeld.

Vroeg of laat belandde je in een van de cafés die niet alleen erwtensoep en bier serveerden – en als je geluk had gratis broodjes –, maar ook een postzegelgroot podium hadden, waarop vreselijk overtuigde mensen vreselijk overtuigde verzen voordroegen. Het vaakst was ik in het Künstler-Café in de Budapester Straße. Daar is ook het toneelspelen begonnen.

Vijf mark. Dat was het honorarium voor een optreden in het Küka. Voor iedereen hetzelfde bedrag, er viel niet over te onderhandelen.

Na de voorstelling boter bij de vis. Als je trillend je teksten had afgedraaid, zette Resi Langer een biertje voor je op de bar en legde ze er een pakje naast. Vijf markstukken, keurig in krantenpapier gewikkeld. Zoals de munten die mama soms voor een bijzonder gevoelig kwelende straatzanger uit het keukenraam gooide. Toen ik het eerste pakje in mijn zak stak, bewust nonchalant, alsof het op het geld niet aankwam, nam ik me vast voor ten minste een van die munten te bewaren. Als herinnering aan mijn allereerste gage. Maar al na een paar dagen waren ze allemaal, inclusief de rijksadelaar en de krans van eikenloof, omgezet in gekookte worst en goulashsoep.

Later, bij de Wilde Bühne, stonden er geen bedragen meer in het contract. Tijdens de inflatie zou dat geen zin gehad hebben. De gage werd berekend naar zitplaatsen. Als beginneling had ik recht op anderhalve parketplaats. Wat die op die avond kostte, kreeg ik uitbetaald. Indrukwekkende bedragen. Op papier. Je moest ze alleen uitgegeven hebben voordat de volgende dag om twaalf uur de nieuwe koers bekend werd en je gage niets meer waard was. 'Andere landen beelden hun koning op hun bankbiljetten af,' zei Otto. 'Wij drukken onze ministers erop. Allemaal nullen.'

Toen ik eenmaal een ster was, een van de bestbetaalde van de Ufa – niet direct zoals Willy Fritsch of Hans Albers, maar toch een die zich alles had kunnen veroorloven –, was het geld voor mij alweer niets waard. Omdat ik geen tijd had om het uit te geven. Het stond alleen maar op mijn rekening. Waar ze later beslag op hebben gelegd.

In elk geval konden we ons in Parijs, waar de meeste vluchtelingen niet veel meer hadden dan een kamer in een luizig hotel, nog een eigen woning veroorloven. In Amsterdam hadden we ook daar niet genoeg meer voor.

Geld is iets eigenaardigs. Er was die driehonderd gulden die je telkens bij de vreemdelingendienst moest overleggen als je je verblijfsvergunning liet verlengen. Om aan te tonen dat je voldoende kapitaalkrachtig was om de Nederlandse staat niet tot last te zijn. Die driehonderd gulden hadden we allemaal. Je liet ze zien, gaf ze door aan de volgende, die ze een uur later op zijn beurt liet zien. Wat een wonderbaarlijke geldvermenigvuldiging! Ik weet zeker dat de ambtenaren de truc doorzagen, maar besloten hadden niet zo nauw te kijken. Omdat ze ons wilden helpen. Of omdat ze geen zin hadden in gedoe.

Doet er niet toe.

Later hadden we helemaal geen geld meer nodig. In het kamp heerst het communisme. Niemand heeft iets en dat wordt broederlijk gedeeld. In Theresienstadt is het nog ingewikkelder. Daar heeft iedereen zijn theoretische bankrekening. Waarvan hij natuurlijk niets kan opnemen. Voor mijn film – mijn? – moeten we een coulissenbank bouwen en doen alsof hier echt geld is, waarvoor je iets kunt kopen. Dat heeft Rahm zo bedacht. Waarom ook niet? De stapels bankbiljetten die Otto voor een casinoscène op de speeltafel legt, zijn ook niet echt.

Net zomin als Olga's erfdeel toen haar vader stierf. In zijn eigen bed. Zij komt uit een fortuinlijker familie dan ik. Toen het bericht Nederland bereikte, was het geld allang gestolen. Op strikt legale wijze, daar hechten ze aan in Duitsland. In haar onverbeterlijke optimisme heeft Olga haar pogingen om het spaargeld van de familie terug te krijgen, nooit gestaakt. Ik weet het bedrag nog steeds: 9.648 rijksmark. En 98 pfennig. Geconfisqueerd bij de depositobank Fischmarkt. Al die verzoeken die ze heeft geschreven. Heeft laten schrijven. Door die advocaat die zich geen advocaat meer mocht noemen, maar alleen nog adviseur. Omdat hij een judde was, hadden ze hem voor de tweede keer besneden. Zijn titel weggesnikkerd.

Tot op het laatst hoopte ze dat ze ten minste een deel van haar erfenis terug zou krijgen. Ze wilde niet geloven dat rovers ook rovers blijven als ze in plaats van pistolen dossiernummers gebruiken. Als ze niet 'Handen omhoog!' zeggen, maar 'Verordening 11 van de Rijksburgerwet'.

9.648 rijksmark en 98 pfennig. Daarvoor had ik bijna tweeduizend keer in het Küka moeten optreden.

Toen ik nog interviews gaf in plaats van bij vragen in de houding te springen en 'Jawel!' te brullen, wilden ze geregeld van me weten: 'Waarom bent u acteur geworden?' Ik gaf dan de gemeenplaatsen ten beste die van me werden verwacht, 'fascinatie voor het theater' of 'de drang in andere karakters te kruipen'. Het eerlijke antwoord had moeten zijn: 'Ik ben acteur geworden omdat een dilettant het in zijn broek deed.' Alleen kun je dat een verslaggever niet laten opschrijven.

Maar zo was het wel.

Ik was weer eens tegen elf uur 's avonds in het Küka beland. Het moet op een maandag geweest zijn, want een nieuweling had er zijn eerste optreden. Ik weet niet meer hoe hij heette. Het was waarschijnlijk geen naam om te onthouden. Ik heb later nooit meer iets van hem gehoord. Resi Langer kondigde haar wekelijkse avonden voor aankomend talent altijd groots aan als gastoptreden, maar iedereen wist: er maakt zich alleen maar weer iemand voor vijf mark belachelijk. Toch heb ik de kleine advertentie met *Gastoptreden Kurt Gerson* jarenlang in mijn portefeuille gehad. Tot het dunne krantenpapier op een gegeven moment begon te verpulveren. Mijn bijgeloof heeft mij in het leven net zo weinig geholpen als anderen hun geloof.

Het toneel was piepklein en werd nog kleiner doordat de stamgasten zich hadden aangewend er hun glas op te zetten. Bij Resi dronk je bier. Wie wijn bestelde, deed dat op eigen risico. Er was geen gordijn. Geen coulisse van waaruit je kon opkomen. Wie aan de beurt was, klom op een stoel en vandaar op het podium. Als je naderhand weer naar beneden wilde, was de stoel meestal bezet en moest je maar zien hoe je je redde. Beslist geen nationale schouwburg.

Sommige mensen kunnen zich op het toneel nog zo onhandig gedragen, de toeschouwers vinden hen toch leuk. Dilettantisme kan ook beminnelijk zijn. De snoever op die avond had niets van die naieve charme. Hij was lang en mager, ongeveer mijn figuur van voor de oorlog. Zijn armen en benen leken verkeerd vastgeschroefd, zo verlegen stond hij daar. Hij draaide met zijn bovenlichaam en wrong zijn handen. Dokter Rosenblum bij een hopeloze diagnose. Maar tegelijk wilde hij vreselijk uit de hoogte doen, de burgermannetjes in het publiek eens precies zeggen waar het op stond. Alleen zaten er helemaal geen burgermannetjes. In het Küka niet.

'Hij is sneller met interessant doen dan jij met gapen.' Dat zei Otto een keer over een acteur die in de studio het genie uithing in plaats van gewoon netjes zijn rol te spelen. De jongeman op het postzegelpodium wilde de wereld bewijzen hoe modern hij was. Hij droeg nietszeggende gedichten voor. Van die dadaïstische onzin waar Resi van hield sinds ze een verhouding met Hugo Ball had gehad. Hij tetterde met zijn falsetstem dingen als 'Sjampa woella woessa!' Een opstandige gymnasiast die zijn leraren wil jennen. Hij hoopte dat het publiek boos op hem zou worden om het vervolgens te kunnen verachten.

Maar niemand werd boos. De mensen deden niet eens de moeite om hem uit te fluiten. Geen interrupties. Ze begonnen gewoon met elkaar te kletsen. Dat moet hem volledig van de wijs hebben gebracht. Hij begon aan een volgend gedicht – weer zo'n dada-spreekoefening waar hij de stem niet voor had – en wist na de eerste woorden niet meer hoe het verderging. Hij stond totaal blank. Kwam niet op het idee om te improviseren, wat niemand bij zo'n tekst zou hebben gemerkt. In zijn wanhoop wrong hij zijn handen steeds krampachtiger. Alsof hij de juiste tekst er met geweld uit wilde persen.

En toen liep er een geel straaltje uit zijn broekspijp. Ik denk niet dat behalve ik iemand het plasje naast zijn schoen heeft gezien. En zo ja, dan hebben ze vast gedacht dat het bier was. Maar het was geen bier.

Hij liep met heel kleine pasjes naar de rand van het podium, wat in het Küka niet ver was, en stapte vervolgens in het luchtledige. Hij viel naar beneden, wat hem het enige applaus van zijn hele optreden opleverde. De eerste rij ving hem op en Resi troostte hem. Ze zette zijn bier voor hem neer en legde het pakje met de markstukken ernaast.

De jongen ging af als een gieter. Maar hij had de moed gehad het te proberen. Als hij het kon, waarom ik dan niet?

Ik ben nog diezelfde avond naar Resi gegaan en heb haar gevraagd mij de volgende maandag op het programma te zetten. Ze knikte, alsof ze dat allang had verwacht, en vroeg: 'Wat wil je voordragen?'

Ik had geen idee.

Nu had ik een optreden, het zou zelfs in de krant worden aangekondigd, maar mijn podiumgeilheid miste een onderwerp. Ik had geen repertoire. Met 'De jongeman van de kleine kas' kon ik in het Künstler-Café niet aankomen.

Ik ben nooit een groot lezer geweest. Helaas. Ik liet me de verhalen altijd liever vertellen of voorspelen op het toneel. Olga is heel anders. Die kan echt in een boek opgaan. Urenlang. Op de avond dat Max Schmeling kampioen zwaargewicht werd, hebben we de wedstrijd bijna gemist omdat ze niet uitgelezen raakte. 'Nog vijf minuutjes,' zei ze. En telkens nog eens vijf. En ik stond als een idioot in mijn rokkostuum in de deuropening.

Natuurlijk is het volkomen belachelijk om je op te doffen als je naar een bokswedstrijd gaat. Maar dat deed je toen. De avond in het Sportpaleis was net zo belangrijk als een première van Reinhardt. Belangrijker. De dames lieten hun enorme sieraden uit de bankkluis halen en wie wilde laten zien dat hij het had gemaakt, permitteerde zich een plaats vlak bij de ring. Waar met een beetje geluk het bloed op je plastron spatte.

Achteraf denk je: Een volk dat zo warm kan lopen voor georganiseerde knokpartijen, daar moet je voor uitkijken. Achteraf denk je zoveel.

Als ik Olga haar boek had laten uitlezen en die avond thuis was gebleven, had ik de kleine Korbinian niet weer ontmoet. Dan was hij mij misschien vergeten en had hij me vijftien jaar later niet zo trots gedemonstreerd ...

Daar wil ik niet aan denken.

Liever aan mijn allereerste optreden.

Waar ik geen tekst voor had. Bij Resi beweerde ik natuurlijk dat ik ze maar voor het uitkiezen had. Misschien dat ze daarom tegen me zei: 'Grootheidswaan is het halve werk.'

Ik koos voor Wedekind. Omdat zijn teksten volgens mij vreselijk modern en controversieel waren. Ik had geen idee dat ze toen, na de oorlog, al weer oude koek waren. Ik was nu eenmaal geen lezer.

Ik kwam op Wedekind, omdat het roze bundeltje met *De vier jaargetijden* bij ons thuis in de glazen boekenkast stond. Een van papa's zakenvrienden – zijn naam weet ik niet meer, maar hij had een heel dikke vrouw – had het een keer meegebracht bij een van de rituele diners waarvoor de betere Berlijnse confectionairs elkaar over en weer uitnodigden. Papa bedankte net zo overtuigend hartelijk voor het presentje als mama voor de obligate bos bloemen. Vier gangen en drie verschillende wijnen lang speelde hij de beleefde gastheer. Pas toen het echtpaar weer vertrokken was, liet hij zijn verontwaardiging de vrije loop: het was pulp en ronduit smakeloos om zoiets mee te brengen. Papa, de revolutionair, is altijd preuts geweest. Het liefst had hij het boek weggegooid. Maar daar was hij te zuinig voor. Dus kreeg het een plaats in de kast, helemaal rechts onderin, waar de titel op de rug onscherp werd door de geslepen rand van de ruit.

Een boek dat mijn vader zo verachtte, was precies wat ik zocht. Dus leerde ik gedichten van Wedekind uit mijn hoofd. 'De zware vloek die rust op hoofd en schouders, drukt mij terneder in het slijk der straat.'

Ik zou het hele programma nu nog kunnen opzeggen. Zonder het valse vibrato van toen. Niet als visioen van het kwaad, maar als gebed. 'Neem mij als zoenoffer en laat mij sterven.'

In de film die Rahm van me wil, zou ik een scène moeten opnemen waarin mensen bidden. Witte ruggen onder gebedsmantels. De hoofden bedekt. Een traag panoramashot als over louter zeilen. Daartussen steeds weer één enkel gezicht gemonteerd. Met gesloten ogen. In zichzelf gekeerd. Oude mannen. Die zijn het best te fotograferen.

Maar ook jonge. Het licht recht van boven om de gezichten plastischer te maken.

Baeck van de Raad van Oudsten is rabbijn. Die moet dat kunnen regelen.

Minstens dertig of veertig mensen. Anders werkt het niet. Niet te dicht op elkaar. Niet zo dat het lijkt of ze opgesloten zijn.

Opgesloten.

Ik wil die film niet maken. Alleen maar om nog één keer in mijn leven regisseur te kunnen zijn? Dat heb ik niet nodig.

Jawel. Ik heb het nodig. Maar ik wil het niet.

Ik wil het wel en niet.

Wedekind.

'Ik was niet slecht; nu boet ik in aan waarde. Ik offerde het beste wat ik ken. Haal mij hier weg, zolang ik mens nog ben. Voor ik een beest, een duivel word op aarde.'

Ook een gebed.

Het optreden zelf kan ik me niet herinneren.

Ik weet dat mijn pak te strak zat omdat ik alweer was aangekomen, en dat ik op het moment dat Resi me aankondigde, opeens heel erg moest plassen. In het Küka stonden kaarsen op het toilet, niet vanwege de romantiek, maar als huismiddeltje tegen de stank. Die avond brandden ze allemaal nog, wat betekende dat ik op een redelijk nuchter publiek kon rekenen. Het was daar namelijk traditie dat dronken gasten met een goed gemikte straal hun krachten als brandblusser beproefden. Dat weet ik allemaal nog. De achterwand van het urinoir zou ik nog kunnen beschrijven. Vaalwit kunstmarmer met fijne grijze adertjes. Een blikken bordje met de naam van de fabrikant, ingenieur huppeldepup. Toen hoorde ik mijn naam, harder en nadrukkelijker, en rende ik zonder mijn handen te wassen terug naar het café. Ik wurmde me tussen de tafeltjes door en controleerde met een greep, die later een automatische reflex zou worden, of mijn gulp weer netjes was dichtgeknoopt. Daarna moet ik op de stoel gestapt en op het podium geklommen zijn. Dat kan ik me niet herinneren. Ik ben mijn eerste optreden kwijt. Een foto waar je in het familiealbum vergeefs naar bladert. De opwinding.

Ik kan niet heel slecht geweest zijn, want dat de mensen klapten, weet ik weer wel. Ik werd verrast door het geluid. Ik wist niet hoe ik moest reageren. Ik heb waarschijnlijk een onhandige buiging gemaakt of ook niet, en dan – dat deel van mijn herinnering is heel duidelijk – sta ik aan de bar, met een biertje in mijn hand, en voor me ligt het papieren pakje met de vijf markstukken. En Resi glimlacht naar me, wat alleen kan betekenen dat ik niet ben afgegaan.

Op dezelfde avond ...

Het kan niet dezelfde avond geweest zijn. Ik haal de dingen door elkaar. Want ik heb daarna vaker in het Küka opgetreden, niet meer op de maandagen voor de beginnelingen en ook niet meer met Wedekind. Resi heeft me aan andere teksten geholpen, politieke, omdat ze vond dat die bij me pasten.

Een eigenaardig idee dat politiek bij de een zou passen en bij de ander niet. Alsof je tegen iemand zegt: 'U zou het eens met tuberculose moeten proberen, dat past bij u.'

In het Küka heb ik mijn eerste chansons gezongen; Resi had een pianist die ook zonder noten alles kon begeleiden wat je hem een keer had voorgeneuried. 'Een stem met karakter,' zeiden de mensen. Een beleefde formulering voor 'niet mooi, maar krachtig'. Doet er niet toe, lof is lof en wordt altijd in dank aanvaard. Men leek het erover eens te zijn dat ik een podiumbeest was met talent.

Niet dat ik meteen een ster was. Dat kwam in het Küka niet voor. Maar het gebeurde weleens dat iemand me na mijn optreden op een paar Weense worstjes trakteerde. Wat ik heel wat liever had dan welke lauwerkrans ook.

Ah, Weense worstjes met mosterd! Ooit heb ik die voor het laatst gegeten zonder te weten dat het een afscheid was. Anders hadden ze me waarschijnlijk niet gesmaakt.

Het was dus niet op de dag van mijn eerste optreden, maar een paar weken later. Of maanden. Ik heb collega's gekend die al hun premières konden opsommen. Met de exacte datum erbij. Alsof ze een toneelalmanak hadden ingeslikt. Bij mij loopt alles door elkaar. Welk lied ik in welke revue heb gezongen, of welke rol ik wanneer heb gespeeld. Geen idee. Het komt er niet op aan. Wat niet blijft hangen, was ook niet belangrijk.

Het feit dát ik hem leerde kennen was belangrijk. Ook al heb ik later ruzie met hem gemaakt als met geen ander. Nu nog, nu het echt niet meer uitmaakt, ben ik er heilig van overtuigd dat het niet aan mij lag, maar aan hem. Omdat hij een egocentrische, nietsontziende, leugenachtige klootzak is. Een genie misschien. Maar een klootzak zeker.

Eugen. Als ik hem kwaad wilde maken, moest ik hem zo noemen. Hij haatte die naam, omdat die niet paste bij de proletarische rol die hij zichzelf op het tengere lijf had geschreven. Dat was voor hem zoiets als wanneer Julia op het toneel haar partner niet aanspreekt met Romeo, maar met zijn privénaam. 'Nooit was er een triester verhaal dan dat van Julia en haar Eugen.' Dan is al die mooie romantiek meteen naar de knoppen. Eugen, dat is een naam voor een braaf burgerzoontje uit Augsburg. En hij wilde de schrik van de burgerij zijn. Bertolt moesten we hem noemen. Of nog liever: Bert. Hij had een nieuw karakter in elkaar gezet en wilde niet door valse trefwoorden uit zijn rol gehaald worden.

Op de avond dat we elkaar voor het eerst ontmoetten, zong hij eigen liederen bij de gitaar. Hij speelde niet bijster goed en een groot zanger was hij ook niet. Maar hij had dat wat je moet hebben als je wilt dat de mensen naar je luisteren. Als hij daar stond, met zijn voet op een kruk, dan was het toneel niet leeg. Dan stond daar iemand. Er bestaat een verhaal over een jonge acteur die geen uitstraling heeft en bij Lutter & Wegner een fles sekt probeert te bestellen. Hij kan zijn wens nog zo hard de zaal in tetteren, de kelner gelooft hem niet. Brecht zou hij die fles meteen hebben gebracht. Geen sekt, maar gelijk champagne. Dat had beter bij hem gepast, bij die luxeproletariër.

In het Küka dronk hij bier. De jenever die Resi ook voor hem inschonk, liet hij staan. Terwijl hij net op het toneel nog de grote zuiplap had uitgehangen. 'In de groene reutemeteut neemt een loeder een flinke neut.' Hij was niet half zo verdorven als hij zich graag voordeed. Ook niet zo wereldwijs. Hij bezong als een oude man de vergeten jaren van zijn jeugd, terwijl hij pas tweeëntwintig was. Een jaar jonger dan ik. Hij voelde zich niet prettig in zijn jonge vel, die meneer Brecht. Een leerling van de toneelschool die koste wat het kost de oude Moor wil spelen. Nog jaren later, bij de repetities van *Happy End*, kon ik hem witheet maken door te zeggen: 'Nu moet u eens goed luisteren, jongeman ...' We hebben elkaar altijd met u aangesproken, ook toen we samen dat grote succes vierden. En zeker toen we eenmaal ruzie hadden.

Op die avond in het Küka wist ik niet dat we nog eens iets samen zouden doen. Hij was voor het eerst in Berlijn, een paar dagen maar. Hij wilde contacten leggen. Daar was hij altijd goed in, vooral als het om vrouwen ging. Geen idee hoe hij het in die korte tijd had klaargespeeld om een optreden bij Resi te krijgen. Nou ja, ze heeft altijd al een fijne neus gehad. Hij was tenslotte walgelijk getalenteerd.

'Jullie kunnen het vast goed met elkaar vinden,' zei ze. 'Allebei met de studie medicijnen gestopt, allebei aan het front geweest.' Precies wat Aufricht later ook dacht.

Ze vergisten zich allebei. Brecht heeft nooit medicijnen gestudeerd. Hij heeft zich alleen aan de faculteit ingeschreven om uitstel van militaire dienst te krijgen. Daarvoor heeft hij zelfs de handtekening van zijn vader vervalst, waar hij uitermate trots op was. Hij is ook nooit aan het front geweest. Niks geen 'Soldaten slapen nooit zonder wapen'! Een paar maanden heel lichte dienst in een reservelazaret. In je eigen stad. Waar moeders het avondeten voor je warm houdt. Al die tijd zonder één echte gewonde te zien. Ze behandelden daar alleen geslachtsziekten. Hij heeft zich handig door de oorlog heen gesjoemeld, dat moet ik hem nageven. En in zijn liederen speelde hij de onverschillige, cynische veteraan. 'Als je dood bent, kun je alleen nog stinken.' Aan het applaus kon je merken dat hij daarmee indruk op de mensen maakte.

Hij was toen al een huichelaar. Nee, een kameleon.

Een door de muze gekuste kameleon.

In het Küka straalde hij toen een fascinerende mengeling van bescheidenheid en superioriteit uit. Die bescheidenheid was hij gauw kwijt. Toen ik hem bij *De driestuiversopera* weer tegenkwam, was hij een diva. Hij pronkte net zo ijdel met zijn verstand als een tenor met zijn knallende hoge C. Hij was briljant, beslist de briljantste van alle schrijvers die ik heb ontmoet, maar hij wilde er ook om bewonderd worden.

Die avond was hij vriendelijk tegen me. In het Theater am Schiffbauerdamm behandelde hij me alleen nog als een stuk gereedschap. In Parijs, toen we elkaar daar als emigrant tegenkwamen, noemde hij me een hoop stront.

'Als je dood bent, kun je alleen nog stinken.'

Ik zou woedend moeten worden als ik aan Brecht denk, maar ik kan geen woede meer opbrengen. Ik weet dat ik hem niet mag en hij mij al helemaal niet, maar ik weet het alleen nog en voel het niet meer. Alsof het om een andere Brecht en een andere Gerron gaat, twee figuren uit een film of uit een draaiboek dat nooit is verfilmd, omdat het verhaal niet origineel genoeg was en de karakters niet overtuigend. Zoals een van de scenario's die ik samen met Kalle bedacht. Jij was een schrijver en ik een toneelspeler, en toen maakten we vreselijk ruzie. Niet meer dan een spel. Waarbij je elk moment de regels kunt veranderen, je hoeft het maar te besluiten en dan is alles omgekeerd, pais en vree, twee oude mannen ontmoeten elkaar, de een zegt: 'Weet je nog, toen in het Künstler-Café?', en de ander knikt en dan kijken ze elkaar diep in de ogen, close-up, ze geven elkaar een hand en fade-out en aftiteling.

Maar ik wil juist woedend zijn. Alleen is mijn woede weggezakt. Verdwenen zonder dat ik weet waarheen. Ik ben mijn eigen rol vergeten. Dat is een slecht teken.

Het is niet gebruikelijk dat je milder wordt als het beroerd met je gaat, dat je dan vergeeft en vergeet. Dat is alleen in draaiboeken en heiligenlegenden zo. De werkelijkheid is anders. Je gevoelens, ook de negatieve – juist de negatieve! – houden je overeind. Wie nog kan haten, is nog niet dood. Op het perron in Westerbork heeft iemand zich eens met zijn laatste krachten uit de veewagon geworsteld, hoewel ze al op hem insloegen, enkel om een van de achterblijvers nog te verwensen. Het ging om een stuk brood dat de een had bewaard en de ander voor zijn neus had weggesnaaid, zoiets. Het doet er niet toe waar het om ging. Belangrijk was alleen dat hij zijn woede levend had gehouden en de woede hem. Hij had het nog niet opgegeven.

Als ik het opgeef, hebben ze gewonnen.

Zo is het toch: pas als de mensen goedmoedig worden en alleen nog mild glimlachen, moet je je zorgen gaan maken. Dan loopt het met ze af, en dat ligt niet aan de honger of aan een ziekte, althans niet in de eerste plaats, het ligt aan het feit dat ze het hebben opgegeven. Als een bokser die zijn dekking laat zakken. Schmeling heeft me een keer uitgelegd dat hij aan de ogen van zijn tegenstander ziet wanneer het zover is. 'Dan hoef ik niet eens meer echt toe te slaan,' zei hij. 'Eén tikje en ze zakken vanzelf in elkaar.'

Ik wil nog niet verloren hebben.

Ik kan mijn woede niet meer vinden en dat maakt me bang. Mijn woede is er niet meer. Verbleekt, opgedroogd, verdwenen. Het draaiboek is te vaak overgetikt en nu geeft het lint geen inkt meer af.

Of nog maar af en toe. Bij de Dresdner kazerne, waar alle oude vrouwen zijn ondergebracht, is een kraan waar meestal geen water uit komt, de mensen schudden hun hoofd en lopen door met hun blikken emmers, maar als je lang genoeg wacht, klinkt er soms zoiets als een hoest in de leiding, een zucht, en dan komt er toch nog een stroom water en nog een, geen schoon water, het is rood van de roest, maar je kunt het drinken als je dorst hebt. Zo gaat het met mijn gevoelens. Soms zijn ze er nog, een hele stroom, en dan is de roest op mijn ziel weer te sterk en wacht ik vergeefs.

Maar ik heb wel dorst.

Ik ben geen goed mens, verdomme, dat wil ik ook niet worden. Dat is geen rol voor mij. Ik heet Gerron en niet Rühmann. Ik ben geen held, maar ik wil ook geen figurant zijn die je van hot naar haar stuurt, die alleen het beeld opvult en wie het geen moer kan schelen wat hij uitbeeldt, slachtoffer of dader, omdat het hem niets aangaat wat er met hem gebeurt, zolang hij maar zijn gage krijgt en een bord warme soep in de kantine. Ik ben geen figurant, verdomme! Ik ben een hoofdrolspeler! Ik ben Kurt Gerron!

Ah.

Ik ben nog niet dood. Het is me nog een keer gelukt om woedend te worden. Om mezelf te zijn. Wie dat ook mag zijn.

Kurt Gerron. Uitspreken met een rollende r alsjeblieft.

Er was een tijd – het is amper een decennium geleden, maar dat decennium duurt nu al duizend jaar –, er was een tijd dat ze die ansichtkaarten van mij om de paar maanden moesten bijdrukken. Toen verkocht Gerron, zoals ze bij de Ufa zeiden. Als ik op een filmplakkaat stond, vlogen de toegangskaartjes weg. In elk restaurant in Berlijn kreeg ik het beste tafeltje. In een taxi hoefde ik maar te zeggen: 'Naar huis!' en de chauffeur wist: Paulsborner Straße. En dat niet alleen bij Kraftag, waar ze me betaalden om reclame voor hun taxi's te maken.

Dat was mijn grote tijd. Mijn grote tijden, zoals rector Kramm gezegd zou hebben. Meervoud. Toen het alleen maar beter en beter en beter ging. Toen ik niets verkeerd kon doen.

En toch had ik nog maar pas met knikkende knieën mijn Wedekind voorgedragen. 'Vandaag nog van 't leven genoten, morgen in de borst geschoten.' Heb ik ook eens gezongen. Ik zong alles. Overal. In het Küka en bij de Wilde Bühne, in de Rakete en bij het Kabarett der Komiker, bij Nelson en in het Metropol-Theater. Ik was altijd van de partij. Zelfs in mijn wildste fantasieën had ik niet van zo'n carrière durven dromen. Het paradijs van het podiumbeest.

Het ging razendsnel. Alsof je in een draaimolen stapt, die dan niet gezellig begint te tuffen, maar gas geeft zoals Caracciola. 'Wij draaien in een mallemolen op houten paarden in het rond.' Om bang van te worden. Maar ik heb ervan genoten.

Van de plankenkoorts was ik gauw af. Resi heeft dat goed gezien: grootheidswaan maakt immuun. Grootheidswaan en applaus. Kun je wat, dan heb je wat, dan ben je wat. *Ik ben niet mooi, maar brutaal.* Dat heeft Nelson ooit voor Claire Waldoff geschreven. Tegen mij zei hij: 'Eigenlijk had jij dat lied moeten zingen.' Een goede vriend, die Nelson. Geen idee wat er van hem geworden is.

Hij had gelijk. Als het bij toneelspelen op schoonheid aankwam, had ik niet eens de derde rij van de figuranten gehaald. Ik werd steeds vormlozer. Mijn grootvader was waarschijnlijk toch een echte reus. Ik was zo groot als Curt Bois klein was. Zo dik als Siegfried Arno dun. Die zitten ook allebei in Hollywood. Ik zou nu naast hen in de zon kunnen zitten en sinaasappels eten, zo van de boom. Maar ik wilde niet. Eigen schuld. Grootheidswaan is toch niet altijd nuttig. Je bent wel beschermd tegen plankenkoorts, maar je wordt er dom van. Levensgevaarlijk dom.

Een paar jaar ging het alleen maar bergopwaarts. Alsof ze op me hadden gewacht. Bij het cabaret schreven ze me de teksten op het lijf. Waar genoeg plaats was. En ik maakte er iets van. Als ik met de zweep knalde, hield het publiek zich koest. 'Het circus heerst.'

En bij de film ...

Ik heb me altijd voorgenomen een keer de films te tellen waarin ik heb meegespeeld. Ze alleen maar te tellen. De rollen weet ik toch niet meer. De allereerste was een verhaal met de titel *Spook op slot huppeldepup.* Eigenlijk wilden ze niet mij daarvoor, maar alleen mijn buik. En zo ging het maar door. Ik was wereldkampioen dreigend in de camera staren.

De karakterrollen kwamen later. Naast het cabaret steeds meer toneel. En nog meer en nog meer. Ik was een alleseter en kon er niet genoeg van krijgen. 'Wij willen wervelen en dolen voor we belanden op de grond.'

Ik heb mijn naam beroemd gemaakt. Kurt Gerron – dan wist iedereen wie dat was.

Mama verzamelde alle programmaboekjes, alle nummers van de *Film-Kurier* en alle kritieken. Ze liet het me altijd vol trots weten als ze voor die rommel weer een nieuw album moest kopen.

De zorgvuldig ingeplakte verzameling, voor haar minstens zo

waardevol als het poëziealbum waaruit ik ooit laaghartig een blaadje heb gescheurd, de hele stapel levensgeschiedenis is in de Klopstockstraße blijven liggen. Nu steekt Effeff er zijn stinkende sigaren mee aan.

Doet er niet toe.

Doet er allemaal geen ene moer toe. Wat ik waar en met wie heb gespeeld, of het bij de mensen wel of niet in de smaak viel, wat de kranten schreven. Allemaal niet belangrijk. Niet op de lange termijn. Zo'n theatersucces is als een uitgelezen maaltijd: eeuwig lange bereiding, veel te snel opgegeten, en je hebt hem nog niet verteerd of je krijgt al weer trek in de volgende. Die dan zo mogelijk heel anders moet smaken. De laatste gang scherp gekruid? Dan nu alsjeblieft iets zoets.

En naar binnen ermee.

Honger duurt langer. Honger heeft een geheugen. Een aangebrande maaltijd herinner je je langer dan een geslaagde. Een flink premièreschandaal blijft hangen. Als ik alleen al aan *Baal* denk. Maar dat was jaren later.

Allemaal niet belangrijk. Alleen dat ene. Het grote geluk van mijn leven. Dat zich – mijn hemelse dramaturg houdt van verrassende wendingen – aanvankelijk aandiende als een ongeluk. Als een ziekte. Een verharding in de liesstreek, waarvan ik in paniek raakte. Het oude verhaal begint weer, dacht ik. Maar er begon een nieuw verhaal.

Het was in 1923. Ongeveer tien jaar voordat die idioten in Duitsland de macht overnamen. Tien jaar voordat ze ons begonnen te vervolgen. Wat langere rustige passages komen in mijn draaiboek niet voor. De laatste waanzin hadden we net achter de rug, de inflatie en het gedoe met waardeloze miljarden en biljoenen. Het was tijd voor een nieuwe normaliteit. Zelfs in mijn leven.

Eerst was ik alleen maar bang. Wat ik daar in mijn lichaam voelde, kon iets kwaadaardigs zijn. Dat is het nadeel van een medische studie: als je zelf iets hebt, schieten je altijd meteen de afschuwelijkste complicaties te binnen. Ik ben nooit graag naar de dokter gegaan, nogal logisch met zo'n lichaam, maar nu moest het. Dokter Rosenblum was er niet meer. Volkomen onverwachts gestorven. Aan net zo'n kankergezwel als mijn grootvader. Ik had naar zijn begrafenis willen gaan, maar die middag moesten we repeteren.

Mijn collega's bevalen me een jongeman aan die Drese heette. Ze waren allemaal enthousiast over hem en voorspelden hem een grote carrière. Die heeft hij ook gemaakt. Otto Wallburg, die bij hem onder behandeling was voor zijn suikerziekte, heeft het me later in Amsterdam verteld. Drese is iets belangrijks bij de Rijksartsenkamer geworden en heeft bij de grote juddenuitverkoop een kliniek ingepikt.

Op mij – wat heb ik toch een mensenkennis! – maakte hij een heel sympathieke indruk. Wat ik had gevoeld was volgens hem waarschijnlijk iets onschuldigs, een ongevaarlijke nasleep van de oude verwonding, maar helemaal zeker wist hij het niet. Het was toch beter als ik me liet doorlichten. Daar had ik niet veel zin in. Niet om medische redenen, maar omdat Berlijn nu eenmaal Berlijn was. De meest roddelzieke stad van de wereld. Wanneer iemand als ik, die toch al tamelijk bekend was, zo'n onderzoek liet doen, hoefde een assistent of een röntgentechnicus zijn mond maar voorbij te praten en de hele stad wist wat ik miste. In de meest letterlijke zin van het woord miste. Een ondraaglijk idee. En alweer een bewijs van mijn grootheidswaan. Zo geweldig beroemd was ik toen nog helemaal niet.

Ik verzette me wekenlang tegen het doorlichten, maar Drese bleef aandringen. Hij maakte sombere toespelingen. Als het toch iets gevaarlijks was en het werd door mijn koppigheid niet op tijd herkend, dan moest hij voor zich elke verantwoordelijkheid van de hand wijzen. Toen schoot Thalmann me te binnen. Mijn eenarmige studiegenoot.

Sinds we allebei voor het eerste artsexamen waren geslaagd, hadden we elkaar niet meer gezien. Ik was weer opgeroepen, terwijl hij verder studeerde. Op een dag, het was nog niet zo lang geleden, had ik post van hem gekregen: het bericht dat hij een eigen praktijk opende. *Röntgenpraktijk dr. Thalmann.* Een logische specialisatie. Voor chirurgie had hij twee armen nodig gehad.

Hij woonde nu in Hamburg, dat was het beste van al. Want daar kende nog geen hond me en zou ik een patiënt zijn als alle andere.

Ik schreef hem dus een brief, hij schreef terug, we maakten een afspraak en ik ging op weg. Kocht een kaartje en stapte in.

Van Berlijn naar Hamburg. Met de trein naar het geluk. Klinkt als de titel van een film.

Alleen zou een film anders geënsceneerd zijn. Niet in zo'n decor.

Een kaal vertrek. De muren wit gestuukt. Geen gordijnen voor de melkglazen ruiten. De grijze metalen kolos van het röntgenapparaat met zijn rails en vastzetschroeven net zo onpersoonlijk en bedreigend als een guillotine. De rest van het interieur meer dan spartaans: twee haken voor je kleren – op het enige hangertje stond het reclame-opschrift van een warenhuis – en een simpele keukenkruk. Met een hygiënisch papier erop dat je alle lust om te gaan zitten benam.

Geen regisseur ter wereld zou op het idee gekomen zijn om uitgerekend hier een liefdesgeschiedenis te laten beginnen.

De enige wandversiering een ingelijst document. De op namaakperkament gedrukte bevestiging dat een zekere Olga Meyer uit Hamburg haar opleiding tot röntgenassistente met succes had voltooid. Het was de eerste keer dat ik haar naam las.

Olga Meyer. Olga Gerron, geboren Meyer. Olga Sara Gerson, genoemd Gerron.

Het vertrek waar we elkaar voor het eerst ontmoetten, kan ik nu nog beschrijven. De tegels op de vloer zou ik nog kunnen tellen. Waarschijnlijk heb ik het onder het wachten ook gedaan. Ik kan niet goed tegen nietsdoen.

Toen kwam Olga binnen, met de metalen cassette met de gevoelige plaat onder haar arm, en hoe ik mijn hersens ook pijnig, ik zou niet kunnen zeggen hoe ze er die dag uitzag. Als ik aan haar denk, tuimelen er zoveel beelden over elkaar heen dat ze apart niet meer te herkennen zijn.

Ze zal haar haar niet los gedragen hebben. Dat was niet gepast geweest in een dokterspraktijk. Opgestoken of in een knotje gedraaid. Haar gouvernantenkapsel, zoals ze dat noemt.

Ze zal haar ernstige gezicht getrokken hebben. Haar lieve ernstige gezicht, dat ze altijd opzet als ze zich ergens op moet concentreren, al is het maar op het aanzetten van een knoop. Ze krijgt dan heel kleine ogen en de rug van haar neus rimpelt. Alsof ze een geur probeert op te snuiven die ze niet goed kan thuisbrengen.

Ze zal de witte jas gedragen hebben waarin ze er een beetje uitzag als een dokter. Alsof er waar ook ter wereld zulke onweerstaanbaar lieve dokters bestaan. Ze was onweerstaanbaar die dag, dat verzin ik niet. Dat was ze altijd.

Is ze altijd nog.

Al heb ik bij de herinnering aan onze eerste ontmoeting geen exact beeld van haar, iets anders weet ik nog heel goed: dat ik schrok toen ze binnenkwam. Thalmann had me niet verteld dat een vrouw de foto zou maken. Het ging tenslotte om iets wat je liever niet met het andere geslacht bespreekt. Die reactie was vast op mijn gezicht te lezen. Als later iemand aan ons vroeg: 'Hoe was dat bij jullie, toen jullie elkaar leerden kennen?', antwoordde Olga altijd: 'Mijn man keek me aan alsof ik de lelijkste vrouw ter wereld was.'

Zo zou niemand een liefdesgeschiedenis ensceneren. Niet op die plaats. Niet met die dialoog. Ook de meest onervaren schrijver zou niet op het idee komen om voor de vrouwelijke hoofdpersoon als eerste zin in het draaiboek te zetten: 'Mijn naam is Olga Meyer; trek uw broek uit alstublieft.'

Als dertienjarige, destijds in de portretstudio in de Friedrichstraße, had ik tenminste mijn eerste echte pak aan. Nu stond ik in mijn hemd, allesbehalve nonchalant, en drukte mijn naakte onderlichaam tegen koud metaal. Olga bracht de marionet die ze moest fotograferen, net zo onpersoonlijk in de juiste houding als de assistent van Tiedeke dat had gedaan. Alleen verdween ze voor de foto niet onder een zwarte doek, maar achter een zwaar loden gordijn.

Niet meer ademen. Weer ademen. Dank u.

Ik heb haar later gevraagd of mijn verwonding haar meteen was opgevallen, en ze antwoordde: 'Is dat belangrijk?'

Natuurlijk is het belangrijk. Dat is het altijd geweest.

Olga is getrouwd met een man die geen man is. Ze moet eronder hebben geleden. Misschien lijdt ze nog steeds. Ze is een vrouw, een fantastische vrouw, en ik ...

B-kwaliteit. Oorlogsinvalide. Zoals soms voorkomt als er een granaat is ingeslagen. De gevel staat nog overeind, maar het gebouw is niet meer bewoonbaar.

Olga heeft zich er nooit over beklaagd. Nooit. We praten over alles, echt over alles, maar bij dat onderwerp ging ze me al die jaren uit de weg. Ze nam gewoon geen notitie van mijn vragen. En – daar ben ik haar het dankbaarst voor – ze zei ook nooit een van die vreselijke zinnen waarmee je problemen mooiliegt. 'Ik hou van je karakter.' Daar had ik niet tegen gekund. Ik ben gevoelig voor valse tonen. Maar bij Olga komen valse tonen niet voor.

We hebben er nooit over gepraat. Niet één keer. Over sommige dingen praat je niet.

In de Joodsche Schouwburg, toen ik mama bij het afscheid wilde omhelzen, haar tenminste op de dag van haar deportatie wilde laten zien hoeveel ik van haar hield, duwde ze me weg. Niet boos, maar met een afkeurend hoofdschudden. Alsof ze haar knisperende uitgaansblouse droeg en ik die bijna had gekreukt. Ze wilde zich niet door haar gevoelens laten overweldigen. Zich ook op dat moment aan haar eigen regels houden. Voor de laatste keer.

Over de echt belangrijke dingen praat je niet.

Op dat punt, alleen op dat punt, doet Olga me aan mama denken.

Ik zou een scène moeten draaien – niet dat ik die van Rahm zou mogen draaien, maar het zou wel moeten –, een lange scène met alleen maar afscheid nemende mensen. Echtparen. Vrienden. Ouders en kinderen. Omhelzingen. Handdrukken. Laatste blikken. Als Rahm Theresienstadt wilde laten zien zoals het echt is, zouden er niet genoeg afscheidsscènes in zijn film kunnen voorkomen.

Maar juist dat wil hij niet. Ik moet een Theresienstadt voor hem bedenken waar je graag naar kijkt. Een aantrekkelijk Theresienstadt. Een Theresienstadt uit een prentenboek. Zoals de heks een peperkoekhuisje heeft bedacht. Ik moet voor hem liegen.

Vrijwillig. Omdat ik een kunstenaar ben en een kunstenaar onder dwang niets te binnen schiet. Ha, ha, ha. Volkomen vrijwillig moet ik vertellen wat er niet is. Verzwijgen wat er wel is.

DE DINGEN WAAROVER JE ZWIJGT, SCHREEUWEN HET HARDST. Dat was een tussentitel uit een van die idiote voorlichtingsfilms waar Franz Hofer zijn geld mee verdiende. Er moet een reden zijn waarom ik die onthouden heb.

Over de echt belangrijke dingen praat je niet.

Reinhardt heeft ooit tijdens een repetitie gezegd: 'Het cruciale van een rol zijn de zinnen die je niet uitspreekt en die de toeschouwer toch hoort.' Olga zegt niet: 'Ik hou van je.' Maar ik hoor het de hele dag. Elke dag.

'Je moet erachter zien te komen wat voor iemand je bent,' heeft ze gezegd. En sindsdien laat ze me alleen. Ze wil me niet beïnvloeden. Hoewel mijn beslissing haar net zo goed zal raken als mij. Verachting of transport. Scylla of Charybdis.

Mijn god, wat zou Kramm trots zijn dat ik dat nog altijd weet. Dat me dat zelfs in deze situatie meteen te binnen schiet. Al die roestige gemeenplaatsen waarmee ze ons hoofd hebben volgestopt.

Drie dagen. Op een gegeven moment zal ik mijn beslissing nemen. De verkeerde beslissing, want de goede bestaat niet. Olga zal die accepteren. Ze heeft me altijd geaccepteerd zoals ik ben. Zonder ooit te twijfelen. Daar ben ik haar dankbaar voor.

Ik heb Olga niet verdiend.

Ik ben verliefd op haar geworden zonder het meteen te merken. Zoals ik bij mijn verwonding eerst dacht dat ik alleen was gestruikeld. En pas na een poosje begreep dat niets meer was zoals daarvoor.

Dat ik haar voor het eten uitnodigde gebeurde zonder speciale bedoeling. Ik had met Thalmann afgesproken. We wilden over vroeger kletsen. Er was bij hem iets tussen gekomen en alleen in het restaurant van een hotel zitten, daar had ik geen zin in. Misschien was het overmoed, omdat ik opgelucht was dat ik het pijnlijke doorlichten achter de rug had. Of ik speelde de rol van casanova, die al een vanzelfsprekende gewoonte was geworden. Om mijn geheim voor de wereld te verbergen flirtte ik met alles wat een rok droeg. Ik had het voorstel ook gedaan als ze zo lelijk als de nacht was geweest.

Ze is prachtig.

Nog altijd.

Altijd.

Ik had niet verwacht dat ze ja zou zeggen. Bij Olga is nooit iets zoals je het verwacht.

Ze trok haar wenkbrauwen op, wat bij haar betekent dat ze nog niet goed weet of ze iets weerzinwekkend moet vinden of niet. Zoals wanneer je iemand voor het eerst oesters voorzet. Ze keek naar de röntgenplaat in haar hand alsof er door de zware verpakking heen iets op te zien was, haalde haar schouders op en zei: 'Waarom niet?'

'Maar u moet het restaurant voorstellen,' zei ik. 'Ik ben in Hamburg niet bekend.'

'En ik niet met restaurants.'

Ik wist niet of ze dat echt meende of zich alleen vrolijk over me maakte. Bij Olga weet je dat nooit.

'Houdt u van ingewikkelde Franse menu's?' vroeg ze.

'Ik hou van ingewikkelde Franse menu's.'

'Jammer. Ik kan u alleen spiegeleieren aanbieden.'

Zo begon het.

Ze woonde in een pension, hoewel bij haar ouders genoeg plaats was geweest. 'Je wilt toch zelfstandig zijn,' zei ze. Ik gaf haar gelijk en heb haar pas later bekend dat ik – uit gemakzucht en omdat ik ook nog niet zo goed verdiende – nog altijd in de Klopstockstraße woonde.

We moesten op onze tenen naar haar kamer sluipen. Herenbezoek was streng verboden. Met die krakende parketvloeren was het stiekeme gedoe min of meer symbolisch. ‘Mijn hospita weet heel goed dat niemand zich aan de voorschriften houdt. Maar het valt niet mee om pensiongasten te vinden die elke week stipt betalen. Dus hebben we het op een akkoordje gegooid. Ze doet of ze hardhorend is en zolang we allemaal braaf sluipen, kan ze zichzelf wijsmaken dat ze niets heeft gemerkt.’

O, mijn schat, wat kun je toch aanstekelijk lachen.

In haar kamer stonden de gebruikelijke meubels uit het jaar nul. Olga had ze met een paar slim gekozen details van hun wilhelminische plompheid weten te ontdoen. Een vreselijk christelijk olieverfschilderij, een door engeltjes omgeven lijdende maagd, had ze ironisch tot huisaltaar gebombardeerd en achter twee grote bossen papieren bloemen laten verdwijnen.

Toen we onze eigen woning in de Paulsborner Straβe betrokken, hoefde ik me over de inrichting niet druk te maken. Dat is een van Olga’s vele talenten. Zelfs hier in Theresienstadt slaagt ze erin ons piepkleine kumbal een schijn van gezelligheid te geven.

Ze bakte eieren op een spiritusstel en we aten er brood bij. ‘Ik zou nog wel meer mensen uitgenodigd hebben,’ zei Olga, ‘maar ik heb maar twee borden die bij elkaar passen.’

Meer mensen dan wij beiden zijn er nooit nodig geweest.

Het is een ritueel geworden. Op onze trouwdag, als andere stellen elkaar cadeaus geven of gasten uitnodigen, eten wij altijd spiegeleieren.

Aten we spiegeleieren. Aan een eenentwintigste trouwdag durf ik niet eens te denken. Wat je te graag wilt, krijg je niet. Of het is vergiftigd.

Zal er voor ons een volgend jaar zijn? Een volgende 16 april?

We hebben hem niet één keer overgeslagen. Als ik de hele dag in de studio stond en ’s avonds nog een voorstelling had, aten we ’s avonds om halftwaalf spiegeleieren. Dat moest. Toen we een keer tijdens opnamen in een hotel logeerden, lieten we de eieren op onze kamer komen. Omdat ze in de keuken bijzonder aardig wilden zijn of wilden bewijzen hoe voortreffelijk ze waren, verrijkten ze het gerecht met kaviaar. Olga viste de kleine zwarte korreltjes er zorgvuldig uit en legde ze op een stapeltje op de rand van haar bord. Ik deed hetzelfde. Zij het, vraatzuchtig als ik ben, met tegenzin.

Bij onze traditie hoorde geen kaviaar. Als we bij onze kennismaking in een chic restaurant waren gaan eten, hadden we niet de hele nacht over koetjes en kalfjes gepraat. Dan waren we niet 's morgens – op onze tenen natuurlijk, dat sprak vanzelf – het huis uit geslopen om aan de haven te ontbijten, in een kroeg waar het naar vis en pijptabak rook.

En waar ze me voor het eerst vroeg: 'Wat voor werk doet u eigenlijk, meneer Gerron?'

Als de geschiedenis met kaviaar was begonnen, was er meteen weer een eind aan gekomen. Als hoffelijk mens had ik Olga naar huis gebracht of ten minste de taxi voor haar betaald. Dat was het dan geweest. Op een gegeven moment zou ze de ontwikkelde röntgenfoto naar dokter Drese hebben gestuurd – wat ik had gevoeld en nog steeds kan voelen, was iets volkomen onschuldigs, een granuloom, een piepkleine ingekapselde metaalsplinter –, zij zou niet meer aan mij hebben gedacht en ik niet meer aan haar. We zouden nooit gemerkt hebben dat we bij elkaar horen.

Wat verschrikkelijk geweest zou zijn.

Wij leiden geen kaviaarhuwelijk. Wij hebben een spiegelei-metbroodhuwelijk. In de krankzinnige wereld waarin ik toen begon te leven, een wereld die nog steeds krankzinniger wordt, kon me geen groter geluk overkomen.

Zonder Olga ...

Ik moet er niet aan denken.

De dure kaviaar bleef op de rand van het bord liggen. Toen de kelner de borden kwam afruimen en zich erover verbaasde dat we het lekkerste hadden laten liggen, legde Olga hem uit dat twee soorten ei qua smaak niet bij elkaar pasten. Met het ernstigste gezicht van de wereld. Je moet haar heel goed kennen om te merken wanneer ze je voor de gek houdt.

Op een andere 16 april zaten we in Parijs in een bistro. Olga noch ik wist hoe je spiegelei in het Frans zegt. '*Miroir*, *miroir*,' herhaalde ik telkens als een idioot. De kelner keek ons aan met die beleefde minachting waarmee Franse kelners naar je glimlachen als je niet elke kaas op de serveerwagen bij zijn voornaam kunt noemen. *Œufs sur le plat* heet dat. Eieren op de schaal.

In Amsterdam, in de Frans van Mierisstraat, was het weer net als in die eerste nacht in Hamburg: een gemeubileerde kamer en een spiritusstel. Het raam moest openblijven, anders had de geur mijn ouders gelokt, die in de kamer ernaast sliepen.

Het duurste spiegelei hebben we in Westerbork gedeeld. Olga heeft het met haar trouwring betaald.

In Theresienstadt kun je van eieren alleen maar dromen. Om ze daar te willen hebben moet je gek zijn. Zoals de oude jongleur die aan iedereen vertelt: 'Ik kan een kunstje met acht eieren, daar zouden jullie versteld van staan.' In elk geval had ik een stuk papier opgescharreld, een heel leeg vel, er stond alleen iets op de achterkant. Jo Spier had een bord met spiegeleieren voor me getekend, zo levensecht dat je de boter hoorde sissen. Die tekening wilde ik voor Olga neerleggen, maar zij ...

Dat is amper drie maanden geleden.

Ik had die tekening voor haar. Beter dan niets. Al kun je met symbolen je buik niet vullen. Op onze margarinekist-eettafel had ik naast de getekende spiegeleieren mes en vork gelegd. De afgescheurde slip van een hemd als servet. Ik had het raam dichtgedaan, hoewel het een warme lentedag was. De stank van de latrine mocht de romantiek niet verstoren. Als ik al ensceneer, dan doe ik het ook goed.

Olga had er allang moeten zijn, maar sinds een paar dagen werkte haar schoonmaakploeg ook bij de Denen. Daar bleven ze graag wat langer omdat de Denen geregeld pakjes kregen. Er werden wonderbaarlijke dingen verteld over wat daar allemaal in zou zitten. 'Als we heel goed vegen,' zei Olga, 'krijgen we er misschien wel iets van.'

Ik wachtte zonder ongeduld. Getekende spiegeleieren worden niet koud. Toen kwam dokter Springer de kamer binnengevallen, letterlijk gevallen. In zijn haast struikelde hij over de drempel en smakte bijna tegen de grond. Hij zei: 'Kom vlug, Gerron! Uw vrouw wil zelfmoord plegen.'

Ik bleef zitten. Kortsluiting in mijn hersenen. Ik wikkelde nog gauw de messen en vorken in de reep stof en stak ze in mijn zak. In Theresienstadt is bestek kostbaar. Toen pas rende ik hem achterna.

Ze was uit het raam geklommen. Vanaf de zolder van de Dresdner kazerne. Waar de oude vrouwen op hun strozak liggen. Waar Olga zelf de eerste dagen in Theresienstadt ook woonde. Ze had een raam geopend, eigenlijk maar een luik, en was naar buiten geklommen.

Gewoon naar buiten geklommen.

Toen ik aan kwam rennen, stond ze op een richel, veel te smal voor een voet. Ze liep op de tast langs de muur, tien meter boven de grond. Met haar gezicht naar de muur, waar ze met haar ene hand op steunde. Haar andere arm voor haar lichaam. Gebogen alsof ze zich had bezeerd.

Op straat een oploop. Als je zo dicht op elkaar gepakt leeft, is er snel een mensenmenigte bijeen.

'Ze wilde springen,' zei iemand met de trots van de ooggetuige die op tijd ter plaatse was. 'Maar toen durfde ze niet meer.'

Dat iemand zelfmoord pleegt, komt in Theresienstadt elke week voor. Ook dat iemand zijn verstand verliest. We hebben allemaal een reden.

Maar Olga ...

Had het met onze trouwdag te maken? Kon ze er niet tegen dat er een eind aan onze traditie kwam? Vond ze dat erger dan al het andere? Je kunt niet in iemands binnenste kijken. Ook niet als je twintig jaar met iemand getrouwd bent.

Ik riep niet. Mijn stem had haar aan het schrikken kunnen maken. Het precaire evenwicht kunnen verstoren dat ze hervonden leek te hebben. Dat haar ervan had weerhouden zich in de diepte te storten. Nu vooral niet afleiden, niet nu ze de opening in de muur naderde. Met kleine zijwaartse bewegingen.

Ik moest heel zachtjes met haar praten. Geruststellend. Bij het raam gaan staan en haar met mijn vertrouwde stem stap voor stap naar me toe lokken. Mijn hand naar haar uitsteken en haar met zachte drang in het leven terughalen.

Achteraf lachte Olga me uit. En noemde me de titel van de Amerikaanse film waarin we precies dezelfde scène hebben gezien.

De mensen wilden me niet doorlaten. Ik moest me met mijn ellebogen een weg naar de deur banen. Beledigde reacties alsof ik in de rij voor een theaterkassa wilde voordringen. 'Had u maar eerder moeten komen, meneer, dan had u ook een betere plaats gekregen.'

Eindelijk het trappenhuis.

Ik was pas twee verdiepingen hijgend naar boven gerend toen ze me glimlachend tegemoetkwam.

Glimlachend.

Ze stak me het vogelnest toe dat ze uit de dakgoot had gevist. 'Denk je dat duiveneieren ook smaken?' vroeg ze.

Ze had zelfs een heel klein stukje boter meegebracht – geen margarine, maar boter! –, gewikkeld in een stuk Deense krant. Ons fornuis is een geperforeerd conservenblik dat je met houtsnippers vult, het blikken bord werd niet echt heet, en zout hadden we ook niet. Maar het waren de lekkerste spiegeleieren die ooit iemand heeft gegeten.

Twintig jaar.

Toen we besloten te trouwen – nee, we hoefden het niet te besluiten, het was gewoon duidelijk –, waren mijn ouders het er absoluut niet mee eens dat we dat in Hamburg wilden doen. Zonder enige poespas. De lijst van mensen die we volgens hen minimaal – echt minimaal! – hadden moeten uitnodigen, besloeg drie kantjes. Er stonden bijna alleen confectionairs op.

Olga's ouders vonden alles best, als hun dochter maar gelukkig was. Wat een lieve mensen! Maar goed dat ze op tijd mochten sterven. Een natuurlijke dood, zoals dat wel wordt genoemd. Als ik me voorstel dat ook zij ...

Niet aan denken.

Op de burgerlijke stand ging het er niet plechtig aan toe, maar komisch. Zoals bij een belangrijke première, waar je van pure spanning door de kleinste verspreking al van slag raakt. Otto Burschatz had voor zijn optreden als getuige een jacquet weten te versieren. Uiteraard onderhield hij ook met de kostuumafdeling uitstekende contacten. Omdat hij er daarin waardiger uitzag dan alle anderen, dacht de ambtenaar dat hij de bruidegom was. Waar we zo hard om moesten lachen dat de arme bureaucraat tijdens het hele gebeuren stotterde.

De andere getuige was Olga's baas, mijn studiegenoot Thalmann. Toen ik Otto en hem aan elkaar voorstelde en ze tegenover elkaar stonden, de een met maar één hand, de ander met maar één arm, zei Otto: 'Dit schijnt een bijeenkomst voor mannen met kleine gebreken te zijn.' En hij knipoogde naar mij.

Olga had het gehoord, wat Otto vreselijk pijnlijk vond. Maar ze lachte alleen maar. Ze heeft me vanaf het begin geaccepteerd zoals ik ben.

Ik heb haar een huwelijksreis beloofd en mijn belofte niet gehouden. Altijd was er nog een optreden. Nog een rol. Nog een enscenering. Nu heb ik spijt van elk uur dat we niet samen hebben doorgebracht.

Daar staat tegenover dat ze overal bij was. Ook in de studio. 'Ze houdt hem in de gaten,' werd er gezegd. 'Omdat er leuke balletmeisjes in de buurt zijn.' Ik moet mijn rol van verleider overtuigend hebben gespeeld.

Iemand die met de artiestenwereld niets te maken heeft, wordt in onze kringen niet gauw geaccepteerd. Bij Olga lag dat anders. Ze heeft de zeldzame gave echt te kunnen luisteren. Omdat ze zich voor andere mensen, en dat is een nog veel zeldzamer verschijnsel, ook echt interesseert. Iedereen die een keer wilde uithuilen of een probleem wilde bespreken, kwam automatisch bij haar.

Zelfs degenen die anders de sterke man uithingen. Toen we *Nu komt het erop aan* opnamen en Albers zijn zinnen weer eens niet kon onthouden, heeft ze tot vier uur in de morgen teksten met hem zitten stampen. Wat ook niet hielp. De volgende dag stond hij weer blank. We moesten zijn scène wel vijf keer overdoen. Waarop Hans tegen me zei: 'Kijk me niet zo verwijtend aan, Gerron! Je vrouw heeft me de hele nacht uit mijn slaap gehouden.'

En op een keer ...

Hitler is dood. Nu wordt alles anders.

Hij heeft de aanslag overleefd. Ik had kunnen weten dat er geen goed nieuws bestond. Niet voor ons. Geen wonderen op het laatste moment. Ik mag me geen hoop meer veroorloven. Ik moet me concentreren op de dingen die ik nog heb. Beslissen welk offer ze waard zijn.

Situatieschets: vier muren. Een deur. Een raam. Tweemaal drie kleine ruitjes. Een ervan, rechtsonder, is gebroken en hebben we vervangen door een stuk karton.

De stank van de latrine.

Twee bedden boven elkaar. Ik beneden, Olga boven. Maar één echte deken. De andere is gestolen toen we in Theresienstadt aankwamen. In plaats daarvan slaap ik onder bijeengeraapte meelzakken. SCHLEUSENMÜHLE staat erop, bittere ironie. Je komt in Theresienstadt door een sluis en omdat daar zoveel verdwijnt, zeggen ze hier niet 'stelen', maar 'sluizen'.

Twee stromatrassen. Momenteel zonder lastige medebewoners. Dankzij dokter Springers goede betrekkingen met de afdeling Hygiëne konden we ze in de oude brouwerij van ongedierte laten zuiveren. Ze doen dat daar met gas. Zyklon B. Uiterst effectief.

Geen hoofdkussens, natuurlijk niet. Je maakt van je kleren een rolletje en legt je hoofd erop. In de gevangenis hoef je geen scherpe vouw in je broek te hebben.

Ik zou aan echte kussens kunnen komen. Donzen dekens. Ik ben een A-prominent, dan kun je zulke spullen versieren. Maar Olga is er mordicus op tegen dat we er voordeel uit slaan. 'Dat zou niet eerlijk zijn,' zegt ze. Ze is de laatste die nog in gerechtigheid gelooft. Daarom hou ik van haar.

Ook zonder hoofdkussen slapen we niet slecht. Als we niet dromen.

Een koffer als commode. Het gebruikelijke surrogaatmeubel in Theresienstadt. Niet erg groot, maar groot genoeg voor onze bezittingen. En als je op transport gaat, heb je je koffer meteen bij de hand.

Twee stoelen. De ene uit een deftige woning. Met een rugleuning vol houtsnijwerk. Op de zitting resten van een geelfluwelen bekleding. De andere, een kruk, is zijn leven waarschijnlijk begonnen op een boerderij. Niet elegant, maar stevig. Dus voor mij gereserveerd.

De tafel van twee margarinekisten. VYNIKAJÍCÍ KVALITY staat erop, wat ik vertaal met 'prima kwaliteit'. Wie gevoel voor ironie heeft, komt in Theresienstadt wel aan zijn trekken.

De kisten zijn onze kluis. Voor dingen die niet te vervangen zijn.

Een stuk zeep. Een doosje met tandpoeder. Een tandenborstel. De tweede is gestolen. We hebben er lang over gefilosofeerd wat de dief met hygiëne had.

Een potloodstompje. Een gelinieerd schoolschrift met een paar lege blaadjes. Tsjechische taaloefeningen, gecorrigeerd met veel rode inkt.

Olga's naaigerei met die ene kostbare naald.

Twee blikken borden. Een eetketeltje, drie bakjes boven elkaar. Twee glazen. Echt glas helaas. Als er een breekt, zal het moeilijk te vervangen zijn. Een kleine metalen kan, van onderen helemaal zwart. Daar warmen we ons water in op. Als je de goede grasssprietjes vindt, kun je jezelf wijsmaken dat je thee drinkt.

Twee lepels. Twee vorken. Twee messen. Een ervan lijdt aan grootheidswaan. Hoogstens alpaca, maar probeert deftig zilver te imiteren. Inclusief een krullerig monogram. In het heft de letters B.D. gegrift. We hebben uren zitten gissen waar die initialen voor zouden staan. De avonden zijn hier lang sinds de avondklok om acht uur ingaat. 'Baron Drenk' zeiden we, of 'Bertolt Drecht'. De goede oplossing schiet me nu pas te binnen: B.D. Binnenkort dood.

T.O. Terugkeer ongewenst.

Twee foto's. Mijn ouders en Olga's ouders. Meer is er niet van hen overgebleven. We hebben de foto's lang niet bekeken.

Een platte steen met een vlammenpatroon dat eruitziet als een gezicht.

Mijn pillen tegen hoge bloeddruk. Ik heb ze niet meer nodig. Het zoutarme dieet in het kamp doet wonderen.

Mijn sigarenetui. Leeg natuurlijk, maar je kunt de sigaren nog ruiken.
Ditjes en datjes.
Aan de muur een plank met twee lege conservenblikken. Het ene, geperforeerd, is ons fornuis. In het andere staat een roos. Allang verdroogd, maar het is een echte bloem. Hoe Olga daaraan is gekomen, is een ander verhaal. Een verdroogde roos en een verdroogd stuk brood. Ook met een verhaal.
Eén enkele plaat. Die hangt scheef omdat we de spijkers moesten gebruiken die al in de muur zaten. Een tekening van een bord met twee spiegeleieren.
Dat is alles wat we hebben. Is het de moeite waard om daarvoor in leven te blijven?

Als we kinderen hadden misschien wel. Maar we hebben geen kinderen. Daar heeft de granaatscherf voor gezorgd. Ik heb eronder geleden, maar misschien was het een geluk.
Voor het kind was het een geluk.
Het zou een zoon geweest zijn, dat weet ik heel zeker. Als ik ervan droomde – en wanneer droomde ik er niet van? –, was het altijd een zoon. Hij had in zijn wieg liggen trappelen. Hij had dikke beentjes gehad en de mensen hadden lachend gezegd: 'Een aardje naar zijn vaartje.'
Ik had liedjes voor hem gezongen, alle liedjes die ik ken, ik had ook nieuwe verzonnen en hij zou niet hebben gehuild. En zo ja, dan had ik gekke bekken getrokken. Ik kan goed gekke bekken trekken. Ik had hem op mijn knieën laten rijden zoals opa met mij deed. 'We rijden met de trein, tjoeke tjoeke tjoek ...'
Nee, dat liedje niet. Ik zou een ander liedje voor hem hebben bedacht. Heel veel andere liedjes.
Hij had leren lopen en praten, niet eerder dan andere kinderen, dat was niet nodig geweest. Hij zou een heel gewoon gelukkig kind geworden zijn en ik had hem niet meer verwend dan andere vaders. Een heel klein beetje meer misschien, maar dat had hem geen kwaad gedaan. Niets had hem kwaad gedaan.
Soms zou hij ziek geweest zijn, alle kinderen zijn weleens ziek. Dan was Olga aan zijn bed gaan zitten en had hem gestreeld, en hij had weer geglimlacht. Ik had me geen zorgen hoeven maken. De mensen hadden gezegd: 'Ze is een geweldige moeder,' en ze hadden gelijk gehad. Olga zou de beste moeder geweest zijn, de allerbeste.

Hij zou naar school gegaan zijn, waar de onderwijzers aardig tegen hem waren. Hij had leren lezen en schrijven. Op mijn verjaardag zou er een tekening op tafel hebben gelegen, waarop stond: *Voor papa*. In onbeholpen letters.

Voor papa.

Ik zou ontroerd geweest zijn, tot tranen toe ontroerd, en dan had hij gevraagd: 'Ben je verdrietig, papa?' Waarop ik had gezegd: 'Er zit iets in mijn oog.' En dan had ik hem heel dicht tegen me aan gedrukt.

Otto Burschatz zou zijn peetoom geweest zijn en allemaal prachtige cadeautjes voor hem meegebracht hebben. Een echte tijgertand en een trein die niet alleen maar rondjes rijdt.

Nee, geen trein. Een vlieger misschien, ja, een vlieger die niet in een boom was blijven hangen zoals de mijne toen.

In 1925 zou hij geboren zijn, dat heb ik uitgerekend. Hij zou acht geweest zijn toen we Duitsland moesten verlaten.

Hij zou niet hebben gemerkt dat het een vlucht was. Vakantie, zou hij hebben gedacht, trots dat hij wel mocht en de anderen niet. In Wenen had hij dan het reuzenrad ontdekt en in Parijs de carrousel in de Jardin du Luxembourg, die uit het gedicht van Rilke. 'Uit het land dat lang blijft talmen voor het ondergaat.' Hij zou niet gewild hebben dat ik meereed, daar was hij al te groot voor geweest. Hij zou helemaal alleen op het houten paard geklommen zijn.

In Nederland had hij vast heel vlug de taal geleerd, hij had een fiets gehad en 's winters met rode konen op een gracht geschaatst. Hij had het in Amsterdam beslist naar zijn zin gehad.

Bij de intocht van de troepen zou hij vijftien geweest zijn en begrepen hebben wat er gebeurde. Maar hij was niet bang geweest, ook niet met de gele ster op zijn borst. Mijn zoon was niet bang geweest.

Daarna zouden ze hem naar Westerbork hebben gestuurd en van Westerbork hier naar Theresienstadt, waar hij samen met de anderen honger had geleden en samen met de anderen ziek was geworden. Of hij was niet ziek geworden, maar had op een dag een SS'er vergeten te groeten, waarop ze hem tot tien stokslagen veroordeeld zouden hebben en, omdat hij niet wilde huilen of schreeuwen, tot nog eens vijfentwintig, en dat had hij niet overleefd. Of hij had het wel overleefd, maar was bij het volgende transport ingedeeld en in Auschwitz terechtgekomen en daar ...

Het is goed dat ik geen kinderen kan krijgen.

Het is een geluk.

Nee. Nee. Nee. Nee. Daar ligt waanzin.

Het is niet mijn kinderloosheid die mij bepaalt. Niet die toevallige oorlogsverwonding. Ik ben kunstenaar. Acteur. Ik heb successen behaald. Mooie successen. Die horen ook bij mij, niet alleen de nederlagen. Waarom vind ik het zo moeilijk me daarop te concentreren? Dat moet ik toch kunnen. Dat heb ik toch geoefend. Als er op het toneel iemand tegenover me staat – daarnet zaten we nog samen in de kantine en vertelde hij schunnige moppen, hij ruikt naar het bier dat we hebben gedronken en op zijn kin heeft hij met roze schmink een puistje weggewerkt –, dan moet ik me er ook op kunnen concentreren dat hij de koning is. Ik moet zijn waardigheid voelen, ook al ken ik hem in onderbroek. Ik moet op een slagveld kunnen staan als het stuk dat vereist, op de heide of in een bos, en het mag me niet storen dat er geen bomen zijn, maar alleen beschilderd karton. Als Jessner weer eens zijn trap opbouwt, moet ik het paleis zien dat hij ermee bedoelt.

Dat moet ik verdomme toch kunnen.

Zonder mijn ogen dicht te doen. Zonder een ademtocht lang te vergeten waar ik ben en waar het om gaat. Desondanks ergens anders zijn. In een andere tijd. Mijn herinneringen kan Rahm niet opsluiten. Ik weet nog heel goed hoe het was.

Dat weet ik toch nog.

Dat moet ik toch kunnen.

Ik zit bij Schwanneke, waar we bijna elke avond belanden, en die man spreekt me aan.

Hij ziet er niet uit als een theaterdirecteur, maar als een jonge, pas afgestudeerde arts. Die nog niet helemaal zeker is van zijn zaak en zich daarom vastklampt aan zijn pijp. Hij heeft inderdaad medicijnen gestudeerd, een halfjaar lang. 'Dat moet toch iets betekenen,' zegt hij. 'Een productie met allemaal mensen die met hun studie medicijnen zijn gestopt. U ook, hoor ik, en Brecht in elk geval. En met hem kunt u toch uitstekend overweg.'

Tja.

Bij Brecht had ik Mech gespeeld, in *Baal* in het Deutsches Theater. 'Ik ben eigenlijk te dik voor poëzie,' moest ik in de eerste scène zeggen en dat was een lachsucces geweest. Maar verder? Een wild fluitconcert. Dat zou Kerr op touw gezet hebben. Misschien, misschien ook niet. Hoe dan ook: na de eerste matinee was het stuk alweer geschrapt. Als je het aan Brecht vroeg, lag het aan alle anderen, alleen niet aan hem. Terwijl hij de regie had gedaan. Wat hij bij *De driestuiversopera* ook constant deed, hoewel hij daar niet voor was geëngageerd. Maar wat moest je? Aufricht liep nu eenmaal met hem weg.

Ernst Josef Aufricht. Wij noemden hem meneer de directeur. Niet uit onderdanigheid, maar omdat de hele productie iets van een improvisatie had. Zoals vroeger met Kalle. Waarbij je elkaar om de paar zinnen met titel en functie moet aanspreken om niet te vergeten wie wat speelt. Aufricht speelde de baas en Brecht deed of hij de auteur was. Hoewel hij het stuk helemaal niet had geschreven. Niet alleen.

Het was een onmogelijk project en we geloofden er geen van allen in. Behalve Aufricht natuurlijk, die kon niet anders. Een verslaafde gokker die zijn laatste geld op een roulettenummer heeft ingezet. Als het niet wint, is hij blut. Zo iemand moet in zijn kans geloven. Anders kan hij meteen een kogel door zijn hoofd jagen.

Zijn vader was een rijke houthandelaar ergens in Opper-Silezië. Van hem had hij honderdduizend goudmark losgepeuterd en alles in die voorstelling gestoken. Het Theater am Schiffbauerdamm gepacht, dat al zo lang leegstond dat er in de toneelkelder muizen nestelden. Besloten dat op 31 augustus de première moest zijn. Geen dag later. Omdat dat zijn dertigste verjaardag was. Hij wilde zichzelf voor dat kroonjaar de opening van een theater cadeau doen. Zo'n idioot was dat.

Alleen een idioot kon van Brecht een stuk kopen dat nog helemaal niet bestond. Niet in een vorm waarin een verstandig mens het op het repertoire zou nemen. Een oeroude Engelse komedie, die door een dramaturg van het stof was ontdaan en in Londen al een eeuwigheid voor uitverkochte zalen liep. Op dat succes wilde Brecht meeliften en hij had Elisabeth Hauptmann opdracht gegeven het stuk voor hem te vertalen. Hij had altijd zijn slavinnen die voor hem mochten zwoegen en hem in ruil daarvoor aanbaden. Als dank moet hij ze vreselijk belazerd hebben met de royalty's.

Doet er niet toe. Ik wil me het succes herinneren. Het applaus. Het gejuich elke avond.

Ook dat is een deel van mij.

Wat me het meest is bijgebleven zijn de ruzies tijdens de repetities. De ene nog dramatischer dan de andere. Er zijn blijkbaar acteurs die alleen daarvoor bij het toneel zijn gegaan. Die alleen gelukkig zijn als ze om de andere repetitie met slaande deuren het toneel kunnen verlaten. Met de volle toneelgalm in hun stem. 'Ik zet nooit meer een voet in dit theater! Nooit, nooit meer!' En exit.

Als ik tien mark had gekregen voor elke keer dat iemand bij *De driestuiversopera* die zin zei en de volgende dag toch terugkwam, dan had ik een Hispano-Suiza kunnen kopen. Met een drietonige claxon.

Complete chaos. Niet meer dan vier weken repeteren, voor een stuk dat niet af was. Toen wij ons in Berlijn verzamelden voor de eerste repetitie, zat Brecht ergens in Zuid-Frankrijk nog steeds nieuwe scènes te schrijven. Maar Aufricht wilde per se aan de premièredatum vasthouden. Omdat het zijn verjaardag was en hij zijn vader al had uitgenodigd. Behoorlijk geschift, die man. Om een theater te openen moet je wel geschift zijn.

Misschien, als alles soepel was gelopen ... Maar niets liep soepel. Helemaal niets. Als het bijgeloof klopt dat op een slechte generale een goede première volgt, dan stond ons succes bij voorbaat vast. Want niet alleen de generale was een ramp, maar de hele repetitieperiode.

Het Theater am Schiffbauerdamm was al tijden niet verpacht geweest. De meest vanzelfsprekende dingen ontbraken. De technici een aanfluiting. De rekwisiteur, Malenke heette hij of Marenke, had kinderen bij drie verschillende vrouwen. Hoe zo'n lelijke dwerg als hij dat voor elkaar heeft gekregen, is me nog altijd een raadsel. Om zijn kroost te onderhouden had hij in de jaren dat het theater leegstond alles wat niet spijkervast was verpatst. De meubels uit het magazijn idem dito. In de conversatieruimte stonden niet eens stoelen. En vlak voor de première heeft hij me bijna om zeep geholpen. Hij had de rails gemaakt voor het houten paard waarop ik aan het eind als rijdende bode het toneel op moest rollen. Van achteren, waar de musici in dat reusachtige orgel zaten, helemaal naar voren tot aan de rand van het podium. Alleen had hij de rails te schuin gelegd. Toen we de schimmel bij wijze van proef alleen weg lieten rijden, sloeg hij over de kop en kieperde hij over de rand de zaal in. De rijdende bode kwam toen te voet en een figurant spreidde een stuk gazon voor me uit, zodat ik tenminste nog een beetje een waardige indruk maakte.

Zo'n uitvoering was dat.

Maar voor het ensemble had Aufricht een fijne neus. De bezetting waarmee we aan de repetities begonnen, was zelfs nog beter dan de definitieve. Peter Lorre als bedelaarskoning Peachum, daarbij liepen de koude rillingen over je rug. Niet dat Erich Ponto, die Peachum uiteindelijk heeft gespeeld, is afgegaan, helemaal niet. Maar Lorre heeft iets wat je op geen enkele toneelschool kunt leren. In de allereerste scène – die aan het eind niet meer de eerste was – zegt Peachum: 'De mens heeft het verschrikkelijke vermogen zich naar eigen believen gevoelloos te maken.' Lorre zei dat al bij de technische repetitie op een manier dat je merkte: die man lijdt onder zichzelf. Die doet niet graag wat hij doet. Die zou zich liever gevoelens veroorloven. Exact de houding die je bij sommige SS'ers kunt waarnemen. Ze willen getroost worden als ze gedwongen zijn je iets aan te doen. Kijken je met vochtige ogen aan, alsof ze willen zeggen: 'Eigenlijk ben ik een goed mens.' Dan pas slaan ze toe. Dienst is dienst en de verhoudingen zijn er niet naar. 'Het vermogen zich naar eigen believen gevoelloos te maken.' Soms begreep Brecht dingen die hij niet meegemaakt kan hebben. Jammer dat de muze voor haar kussen geen aardiger mens heeft uitgekozen.

Ponto miste dat verkrampte wat Lorre had. Dat Lorre eruit is gestapt, was echt een verlies voor de uitvoering. Maar hij was er rotsvast van overtuigd dat het een ramp zou worden. 'We gaan op onze bek,' zei hij steeds. Op een avond heeft hij toen bij Schwanneke een stuk of twintig oesters besteld en een voedselvergiftiging opgelopen. En niet zomaar eentje. Om zich ziek te kunnen melden hoefde hij echt niet te simuleren, met die oude galgeschiedenis van hem en alle troep die hij constant spuit tegen de pijn.

Achteraf had hij er spijt van. Maar eerst was hij alleen maar blij dat hij niet meer mee hoefde te doen.

En Carola Neher. Een fascinerende vrouw.

Op een keer heb ik thuis blijkbaar zo hoog opgegeven van haar ogen, van die blik waarbij je adem stokte, dat zelfs Olga, die daar toch echt geen aanleg voor heeft, bijna een beetje jaloers werd. De volgende dag kwam ze bij de repetitie zitten en na afloop zei ze: 'Ik weet niet wat je bezielt. Die kijkt helemaal niet verleidelijk, ze is gewoon bijziend.'

Neher was getrouwd met Klabund, de man die die prachtige chansons voor Blandine Ebinger heeft geschreven. Ik heb ook eens een paar teksten van hem uitgeprobeerd, maar bij mij pasten ze niet. Ik ben geen man voor ragfijne poëzie. Ik moet ertegenaan kunnen gaan. Toen de repetities begonnen, lag Klabund in een sanatorium in Davos zijn longen uit zijn lijf te hoesten. Hij was altijd al ziek geweest. Carola ging midden in de repetities weg om aan zijn bed te zitten.

Aufricht belde twee keer per dag naar Zwitserland om te vragen wanneer hij weer op haar kon rekenen. Maar Klabund wilde maar niet doodgaan en onze directeur werd steeds ongeduldiger. Terwijl Aufricht toch een aardige vent is. Maar hij had nu eenmaal al zijn geld in die productie gestoken. Als de premièredatum nadert, krijgen alle theatermensen het op hun zenuwen.

Hij stelde de belachelijkste veranderingen in de bezetting voor. Een keer zelfs die complete dilettante die hij bij een glas whisky had opgescharreld. Maar toen ging Klabund nog net op tijd dood. Ik weet nog hoe Aufricht het ons meedeelde. Hij zei niet: 'Hij is dood', maar: 'Morgen repeteert ze weer.'

Neher kwam dus terug. Helemaal in het zwart. Zo elegant dat je niet kon zeggen of ze het droeg omdat ze rouwde of omdat het haar zo goed stond. Brecht noemde haar de kersverse weduwe en was helemaal weg van haar. Hij behandelde haar veel aardiger dan alle anderen.

Als Polly was ze vanaf het begin om te zoenen zo goed. Na de begrafenis werd ze nog veel beter. Expressiever. De dood van haar man maakte haar helemaal doorzichtig.

Dat heb ik wel vaker gezien: als iemand echt aan het eind van zijn Latijn is, kan hij of helemaal niet meer spelen of speelt hij beter dan ooit. Lazarowitsch bijvoorbeeld. Een prutser van het ergste soort, die het de nazi's vooral kwalijk nam dat hij zijn prachtige Germaanse pseudoniem niet meer mocht gebruiken: Adalbert von Reckenhausen. Hoe korter de rollen, hoe langer de naam. Verder dan 'De paarden zijn gezadeld' was hij nooit gekomen. En nu hield hij voordrachtsavonden met alle klassieke auditiemonologen die hij op het toneel nooit had mogen spelen. 'Wij hadden zestien vaantjes saamgebracht, Lotharings volk, om bij uw legerschaar te voegen.' Pijnlijk amateuristisch. Tot op de avond dat hij de volgende dag op transport moest en hij Shylock heel anders sprak dan anders. Zonder die dilettantische dreun. Rustig en zakelijk. 'Als gij ons prikt, bloeden wij niet? Als gij ons kietelt, lachen wij niet? Als gij ons vergiftigt, sterven wij niet?' Het was de enige keer in zijn leven dat hij echt goed was, Lazarowitsch von Reckenhausen.

Neher repeteerde dus weer. Tot die heel grote ruzie een paar dagen voor de première. Ik weet niet meer wat precies de oorzaak was. Toneelruzies zijn net oorlogen. Alles wordt zinloos kapotgemaakt en achteraf kan geen mens meer zeggen waar het eigenlijk om ging. Er was iets geschrapt en dat zinde haar niet. Het stuk was te lang en er werd voortdurend iets geschrapt. Zelfs tussen de generale en de première vloog er nog meer dan een halfuur uit. Bij Neher ging het maar om een paar zinnen, maar ze raakte volkomen over haar toeren. Haar rol werd volgens haar te klein, dat hoefde ze niet te pikken, en trouwens, Brecht moest zijn snertstuk zelf maar spelen. Waarop hij niet, zoals hij bij ieder ander gedaan zou hebben, terugschreeuwde, maar haar heel onderdanig beloofde de rol weer groter te maken. Hij liet een tafel op het toneel zetten, Neher ging bij hem zitten en toen schreven ze samen een nieuwe dialoog. Urenlang. Terwijl wij in de zaal mochten wachten tot de repetitie eindelijk verderging. Tot vijf uur in de morgen. En het laatste tafereel was nog niet gerepeteerd.

Allemaal voor niets. Op het eind pakte Neher toch haar biezen. Aufricht deed nog een laatste poging om haar terug te halen. Hij ging naar haar huis met een kartonnen doos waarin de trouwjurk zat die ze als Polly moest dragen. Hij dacht dat geen enkele actrice zo'n duur kostuum zou kunnen weerstaan. Ze liet hem niet eens binnen.

Toen heeft hij Roma Bahn uit zijn mouw getoverd, die bij het gezelschap van Reinhardt zat, maar daar altijd alleen flutrollen had gespeeld. Die leerde in vier dagen de tekst en al die moeilijke liederen en plotseling was ze een ster. Zo gaat het in dat mesjogge beroep.

Achteraf heb ik gehoord dat het bij Neher niet om een zin meer of minder ging, maar om iets heel anders. Brecht had een hoop gedichten van Villon in *De driestuiversopera* opgenomen, en die kende hij alleen omdat Klabund hem daarop attent had gemaakt. Nog op zijn sterfbed was Klabund kwaad op hem omdat hij altijd van plan was geweest zelf van die teksten een stuk ...

Daarom is ze eruit gestapt. Toen *De driestuiversopera* een jaar later weer op het repertoire werd genomen, heeft ze Polly toch nog gespeeld. Loyaliteit is één ding, maar applaus is iets anders.

Bij de première zag het er niet naar uit dat we applaus zouden krijgen. Marenke – ja, zo heette hij, niet Malenke – was vergeten het draaiorgel aan te zetten. Dat zou bij het eerste couplet mijn enige begeleiding geweest zijn. Ik draaide en draaide, maar er kwam geen geluid uit. Tot op de laatste rij moeten ze gemerkt hebben dat de moed me in de schoenen zakte.

De openingssong bij de moeilijkste première van mijn leven en de muziek valt uit! Het orkest zit achter me en kan niets doen. Voor me een publiek dat alleen is gekomen om de flop van het seizoen niet te missen. Bloeddorstig. Ergens daarbeneden in het donker zaten Kerr en Ihering, die hun recensentenkladblok tevoorschijn haalden en noteerden: *Kurt Gerron: knudde.*

En uitgerekend dat lied is toen het grote succes geworden. De melodie die iedereen op straat floot. Over de hele wereld. Ik moet het wel duizend keer hebben gezongen, bij alle mogelijke gelegenheden. Zonder dat lied zou mijn hele leven anders verlopen zijn. Zelfs Rahm kent het en is misschien alleen daardoor op het idee gekomen dat ik ...

Nee. Nu is het 1928. Nu is het première.

Ik ben een ster geworden omdat Harald Paulsen van die mooie blauwe ogen heeft. Niet te geloven, maar waar.

Hij is een echte operetteman. Zo iemand die elastisch over het toneel wervelt, alsof hij al met lakschoenen aan op de wereld is gekomen. Die niet langs een spiegel kan lopen zonder tegen zichzelf te glimlachen. IJdel bij het leven. Maar niet onsympathiek. Grootheidswaan is het halve werk. Hij kan op het toneel alleen goed zijn als hij voor zijn gevoel onweerstaanbaar is. Andere collega's stoppen een konijnenpoot in hun tricot.

Voor Mack the Knife had hij een maatpak laten maken. Met een hemelsblauw strikje erbij, precies dezelfde kleur als zijn ogen. Want die kwamen zo nog beter tot hun recht. Toen hij bij de kostuumrepetitie in dat pak uit de coulissen kwam huppelen, had je kunnen denken dat hij zich in het stuk had vergist. Léhar in plaats van Weill. Absoluut niet zoals Brecht zich zijn gangsterboss voorstelde. Dus daar had je het. 'Dat strikje moet weg!' 'Zonder strikje treed ik niet op!' 'Ik als auteur ...' 'Ik als kunstenaar ...' En herrie en slaande deuren en 'Ik zet nooit meer een voet in dit theater'. Bij Schwanneke vertelden de collega's elkaar al dat de productie nu definitief was geflopt.

Vanwege een hemelsblauw zijden strikje.

Brecht heeft toen de oplossing gevonden. Hij zei: 'Laat hem dat stomme strikje maar houden. Ik schrijf een nieuwe ballade, waarin Mack the Knife als de gevaarlijkste van alle gangsters wordt voorgesteld. Als de figuur zo geïntroduceerd is, kan hij met zijn stokje en zijn strikje voor mijn part als graaf Cokes van het gasbedrijf het toneel op huppelen. Dat zorgt dan nog voor een interessant contrast ook.'

De volgende dag was de song af en Weill had hem ook al op muziek gezet.

Mijn lied. Dat me zoveel geluk heeft gebracht en zoveel ongeluk. 'En de haai heeft scherpe tanden, scherpe tanden die je ziet.'

Paulsen was niet blij met dat lied. Omdat ik het moest zingen. Hij wilde ook de held spelen. Bedacht duizend redenen waarom het beter was als Mack the Knife zelf ... Maar Brecht hield voet bij stuk. Hoewel hij mij een heel slechte acteur vond. Eigenlijk helemaal geen acteur. Juist daarom had hij me laten engageren. Net als Naftali Lehrmann. Voor de bedelaar een communist, vanwege de juiste overtuiging, voor het hoofd van de politie een revuekomiek vanwege zijn gebrek aan talent. 'Revuemensen zijn sociaal gezien agressiever,' zei hij tegen Aufricht. Wat dat ook mocht betekenen.

Bij de première deed de song helemaal niets. Dat kwam niet doordat het draaiorgel niet werkte. Alle eerste scènes gingen de mist in. De mensen zaten op hun handen. Aufricht vulde in gedachten de faillissementsaanvraag al in. En toen, volkomen onverwachts, sloeg de stemming bij het publiek om. Ik zong met Paulsen de *Kanonnensong* en ze begonnen te juichen. Ze wisten van geen ophouden. We hadden afgesproken geen da capo's te geven, maar ze applaudisseerden net zo lang tot we het lied herhaalden. En het volgende en het daaropvolgende.

Een succes zoals iedere toneelspeler dat wenst. Zoals je maar één keer in je carrière meemaakt. Kritieken alsof Kalle ze met zijn neiging tot overdrijven had bedacht. De mensen vochten om een kaartje. Vanaf die dag was ik een ster. Overal waar ik kwam, stootten ze elkaar aan: 'Daar heb je Gerron. Die van de haaiensong.' En ik heb ...

Ik weet hoe Olga het zou noemen wat ik nu doe. Ik ga in mijn eigen hoofd op de loop.

Door het raam hoor ik Turkavka met zijn Tsjechisch gekleurde figurantengemompel. 'Schoonmaken graag. Schoonmaken graag. Schoonmaken graag.' Rabarberrabarberrabarber. Dokter Springer heeft dat ritueel na de dysenterie-epidemie ingevoerd. Ter bevordering van de hygiëne. Wie geen medicijnen heeft om ziekten te genezen, moet ze zien te voorkomen. Sindsdien staat er voor elke latrine in Theresienstadt een waterton en ernaast zit een oude man of vrouw. Die niets anders te doen heeft dan de mensen eraan te herinneren dat ze hun handen moeten wassen. Ik weet niet of het daardoor komt, maar de dysenterie is redelijk onder controle.

De primus van onze klas is aan dysenterie gestorven. De enige opgave die ik beter heb opgelost dan hij. Hanselmann. Walter Hanselmann. 'Notabítur, hij zal kenbaar gemaakt worden.'

'Schoonmaken graag. Schoonmaken graag. Schoonmaken graag.' Het is al laat. De mensen komen terug van het werk. Ook het poepen kent een spitsuur.

Alles is uitstekend georganiseerd hier in Theresienstadt. Organiseren stelt gerust. Wie organiseert, kan zichzelf wijsmaken dat de dingen beheersbaar zijn.

De SS weet dat. Misdadigers zijn altijd al goede psychologen geweest. Ze hebben ons Joodse Raden laten instellen. Raden van Oudsten. Administraties. Duizend bureaus die lijsten maken voor voedseldistributies en deportaties. Wij doen hun werk. Zelfmoord met een dubbele boekhouding. Een erg Duitse manier om slachtoffer te zijn.

Iedereen die naar Theresienstadt wordt gestuurd, krijgt een nummer toegewezen. Ik ben de gevangene met transportnummer XXIV/4-247. Aangeleverd op 26-2-1944. Afgeleverd ...

Het verkeerde woord. Maar het is van toepassing.

Op mijn systeemkaart zal naast de aanvoer ook al wel een rubriek voor de afvoer staan. Alleen de datum ontbreekt nog en de aantekening erachter. De v van veewagon of de d van doodskist. Andere mogelijkheden zijn er niet. Aanvoer. Afvoer. 'Rahm, de Heer, heeft ze geteld en het aantal vastgesteld.' Halleluja.

Als ze mijn nummer dan definitief schrappen, weet ik heel zeker dat ze het nauwkeurig zullen doen. Met een dubbele trekpen en een liniaal. Zodat het er behoorlijk uitziet. Waar zouden we anders blijven?

Bij onze wiskundeleraar, meneer Pirkhaimer, kon je ook een behoorlijk cijfer krijgen als je geen enkele opgave goed had opgelost. Zolang je maar netjes schreef en de uitkomsten dubbel onderstreepte. Hij zou het systeem in Theresienstadt goed begrepen hebben.

Alles is hier uitstekend georganiseerd. Zelfs de dingen die helemaal niet bestaan. Er zijn nauwkeurige schema's van hoeveel aardappelen ieder van ons moet krijgen. Per dag, per week, per maand. Alleen zijn er helemaal geen aardappelen, of hoogstens rotte. Maar als ze er wel waren, zouden ze correct worden verdeeld. Theoretisch.

Zoals we hier ook allemaal een theoretische bankrekening hebben. Waarschijnlijk op een of andere lijst ook een theoretisch bed en een theoretisch bad. Een theoretische asbak voor theoretische sigaretten.

Theoretische humor om de absurditeit van deze poppenkast nog grappig te vinden ook.

Kalle hadden ze het systeem niet hoeven uitleggen. Hij heeft in zijn goulashkanon genoeg theoretische rantsoenen gekookt.

Ach, Kalle. Ik ben bang dat zelfs jij er niet om had kunnen lachen.

En waarvoor al die administraties en lijsten en schema's? Om ons te kunnen inbeelden dat er nog orde in de wereld heerst. Die willen we niet verstoren en daarom doen we ons werk behoorlijk.

Doen we hun werk behoorlijk.

'Schoonmaken graag. Schoonmaken graag. Schoonmaken graag.' Net een automaat.

In een etalage in de passage Unter den Linden stond jarenlang een reclameautomaat, waarvan ik als kind niet weg te slaan was. Een man in rok, die hij beurtelings links en rechts opensloeg, zodat daaronder zijn vest zichtbaar werd. Dat was aan de ene kant sneeuwwit en aan de andere kant zat een grote inktvlek. Omdat hij namelijk de verkeerde vulpen had gekocht.

Je zou voor die man een van die Germaanse heldentempels moeten oprichten die nu in de mode zijn. Lauwerkransen voor zijn standbeeld neerleggen. Omdat hij Duitsland beter verbeeldt dan wie ook. Het hele land heeft de verkeerde vulpen gekocht. Merk Nazi. En nu krijgen ze de vlek op het witte vest er niet meer uit. Terwijl de vulpen er in de winkel zo aantrekkelijk uitzag. Met een gegraveerd hakenkruis, en als je de dop losschroefde klonk er marsmuziek.

Ik heb politiek nooit serieus genomen. Niet serieuzer dan de keuze tussen twee vulpennen. Vlekken maken ze allemaal en je ziet het er van tevoren niet aan af. Verloren tijd om al die prospectussen door te lezen of je door de heren verkopers de oren van het hoofd te laten kletsen. In de oorlog hebben we geleerd: bij hoerageroep oren dicht. Ik heb die praatjes al die jaren langs me heen laten gaan als monologen bij een auditie. Alleen het optreden interesseerde me. De stijl. Bij Hitler was me na twee minuten duidelijk dat ik die man nooit een rol zou geven. Alleen al vanwege dat belachelijke snorretje. Dus heb ik me verder niet meer beziggehouden met hem en zijn folkloristische club.

Helemaal verkeerd. Maar de figuren die je te zien kreeg, waren echt erbarmelijk.

Heitzendorff. Het moet in 1926 of 1927 geweest zijn toen ik hem voor het eerst in zijn bruine uniform zag. Uitgerekend Effeff met zijn bierbuik, die geboren burger. Hij voelde zich in zijn nieuwe vermomming ook duidelijk niet op zijn gemak. Een figurant die als page verkleed is en nog niet goed weet hoe je je beweegt in een maillot. We ontmoetten elkaar voor de buitendeur en hij salueerde warempel voor me. Wat hij ook meteen weer pijnlijk vond. Vanwege hoger ras. Maar oude gewoonten sterven langzaam.

Als later iemand tegen me zei dat de SA een gevaarlijke organisatie was, kon ik alleen maar lachen. Hoe kon je nu bang zijn voor een club waar de dikke Effeff lid van was?

Er zou in het leven een inspiciënt moeten zijn die belt als het tijd is om bang te worden. Aan de andere kant: als hij voortdurend belt, luister je niet meer.

Olga heeft gelijk: ik ben een politieke analfabeet.

Terwijl ik altijd dacht dat ik mensenkennis had. Een karakter beoordelen aan de hand van iemands bewegingen, een leugenaar herkennen aan zijn manier van praten, hoe hij sommige woorden te veel benadrukt om extra eerlijk te lijken, in dappere woorden de lafaard beluisteren – dat kan ik. Ik kan het ook uitbeelden als een rol dat vraagt. Maar mijn mensenkennis werkt alleen zolang ik met enkelingen te maken heb.

Dat massa's zich anders gedragen, dat één plus één plus één niet drie is, maar iets heel nieuws, dat er geen regels meer gelden, en zeker geen verstandige, als er eenmaal duizenden of honderdduizenden of miljoenen zijn – dat heb ik veel te laat begrepen. Misschien omdat ik zelf helemaal geen talent heb om bij een groep te horen.

De meeste mensen – niet allemaal, maar de meeste – geven even grif hun verstand bij de garderobe af als hun kleren in een Turks bad. Ze vinden het fijn om zich onder te dompelen in de massa als in een aangenaam warme badkuip. Als de masseur hen dan afrost en het pijn doet, zetten ze hun tanden op elkaar en maken ze zichzelf wijs: 'Hij zal wel weten wat hij doet. Naderhand voel ik me vast heel erg lekker.'

Ik had het kunnen weten. Door mijn eigen beroep. Een theaterpubliek reageert net zo. Alsof het maar één hoofd heeft. Maar één long om 'Bravo!' of 'Boe!' te roepen. Maar die massa gaat na twee of drie uur weer uiteen, de een gaat naar Aschinger en de ander naar Horcher, afhankelijk van wat hij te besteden heeft, en ze hebben niets meer met elkaar te maken.

Behalve als er iemand is die de massa's weet te bewerken. Dan kan hij ook een theaterschandaal uitlokken. Zoals toen bij *Baal.*

Ik heb veel te laat gemerkt dat het in de politiek precies hetzelfde is. Ik zag de enkelingen en niet de massa. Ik lachte om Effeff in zijn poepbruine uniform. Op 1 april stonden de Effeffs voor alle winkeldeuren en kon ik alleen nog mijn koffers pakken en naar het station gaan.

Als ik het op tijd had begrepen, zat ik nu misschien in Hollywood. Ik ben al helemaal vergeten hoe sinaasappels smaken.

Nog veel meer dan in Effeff heb ik me vergist in de kleine Korbinian. Die helemaal niet klein is. Een kleerkast van een vent. Een halve kop groter dan Max Schmeling, en die is één vijfentachtig. Brede schouders en enorme spierbundels. Een lijf om jaloers op te worden. En toch heette hij: de kleine Korbinian.

Hij kwam uit Beieren. Uit zo'n gehucht dat uit niet veel meer bestaat dan een brouwerij en een kerk. Hij liep na jaren nóg met grote ogen door Berlijn. Alsof hij het verkeer en al die drukte niet kon geloven. Hij was bokser of had in elk geval op een dag besloten dat te worden. Zoals zijn schoolkameraden bankwerker of meubelmaker werden. Bij hun vechtpartijen was hij waarschijnlijk altijd de sterkste geweest. Hij begon in de plaatselijke turnvereniging te trainen en verloor daar geen enkele wedstrijd.

Zijn omgeving maakte hem wijs dat hij per se naar Berlijn moest, alleen daar kon een talent als het zijne zich echt ontplooien. Zoals de jeugdige held uit Nergenshuizen, die door de dames van de Jonge Vrouwenvereniging smachtend wordt aangekeken en er daarom vast van overtuigd is dat hij Jannings en George onder de tafel kan spelen. Maar als hij in Berlijn aankomt, ligt er bij het Anhalter Bahnhof geen rode loper klaar. Bij Max Reinhardt komt hij niet verder dan de secretaresse. Op een gegeven moment krijgt hij toch iets te spelen, de derde soldaat van achteren of een andere flutrol met twee zinnen, maar als de volgende dag de kritieken verschijnen, moet hij vaststellen dat Ihering en Kerr hem niet eens hebben opgemerkt. Als zo iemand verstandig is, gaat hij heel gauw terug naar zijn boerengat. Waar ze naar hem luisteren als hij over zijn triomfen in de hoofdstad vertelt. Als hij dom is, blijft hij bij het toneel hangen en wordt daar inspiciënt of chef van de figuranten. Ook wie alleen de stront achter de olifanten opraapt, kan zichzelf wijsmaken dat hij in de showbizz zit.

Met Korbinian ging het als bokser ongeveer net zo. Hij slaagde er niet in naam te maken. En dat letterlijk. Geen mens kende zijn achternaam. Niemand interesseerde zich er ook voor. Hij was Korbinian en als iemand hem wilde jennen, de kleine Korbinian. Hij liet het over zijn kant gaan, zoals hij alles over zijn kant liet gaan. Als hij er maar bij mocht zijn. Een kind dat bij de volwassenen wil horen.

Terwijl hij in Berlijn toch een goede start had gemaakt. Hij zag eruit zoals een zwaargewicht eruit hoort te zien. Was bij het trainen ijveriger dan wie ook. Urenlang kon hij tegen een zandzak slaan. Als je een springtouw in zijn handen drukte, hupte hij tot hij erbij neerviel. Bij de eerste wedstrijden waarvoor hij werd opgesteld, leek zijn provinciale carrière een naadloos vervolg te krijgen. Hij was groter en sterker dan zijn tegenstanders. Ze maakten geen kans tegen hem.

Tot hij voor het eerst tegenover een echte bokser stond. Ook een amateur, zoals alle boksers die hij tot nog toe tegenover zich had gehad, maar niet iemand met een glazen kin. Een oude rot met grondige kennis van het handwerk en de bijbehorende trucjes. Hij was twintig kilo lichter en kwam niet eens tot aan zijn kin, maar Korbinian slaagde er niet in ook maar één enkele treffer te plaatsen. De ander was gewoon te snel en te beweeglijk. Hij danste om hem heen en wist steeds weer door zijn dekking heen te komen. Korbinian ging niet k.o., maar toen hij uit de ring klom, bloedde zijn neus en zat zijn ene oog dicht. Voor een bokser stellen zulke blessures eigenlijk niets voor. Een wedstrijd op punten verliezen is geen schande. Maar op die dag bleek dat Korbinian helemaal geen echte bokser was. Alleen een sterke kerel die nog nooit op zijn donder had gehad. Hij had het goede lijf en de goede spieren. Zelfs de techniek had hij enigszins geleerd. Alleen het vechtershart ontbrak. Ondanks zijn lengte was hij toch maar de kleine Korbinian.

Daarna heeft hij nooit meer een wedstrijd gebokst. Twee of drie keer liet hij zich nog opstellen, maar hij zei telkens op het laatste moment af. Vanwege een blessure of ziekte. Zoals Lorre zijn voedselvergiftiging kreeg toen hij uit *De driestuiversopera* wilde stappen. Toch bleef hij ijverig trainen, onvermoeibaar en gedisciplineerd. Als je hem niet kende, zag je alleen die angstaanjagende kleerkast. Maar in de bokswereld wordt net zoveel gekletst als bij het toneel en ze kenden hem allemaal.

Bij elke bar in Westend had hij een baan als uitsmijter kunnen krijgen. Maar zijn grote liefde was nu eenmaal de sport. Hij voelde zich alleen prettig op plaatsen waar het naar zweet en massageolie rook. Hij kwam bij Schmeling terecht, omdat er een keer sprake was van een wedstrijd tegen Primo Carnera en Schmeling voor de training iemand zocht die ook zo'n kolossaal figuur had. De wedstrijd ging niet door en Korbinian, zo was algauw gebleken, zou voor de voorbereiding ook niet geschikt geweest zijn. Sinds die nederlaag was hij gewoon te schijterig. Zelfs bij het sparren, waarbij Max helemaal niet echt raak sloeg. Puur uit medelijden kreeg hij bij hem toen een baantje als een soort manusje-van-alles. Als Max voor een wedstrijd bij het Sportpaleis of waar dan ook naar binnen marcheerde, mocht de kleine Korbinian de emmer met het water en de spons achter hem aan dragen. Hij was ongelooflijk trots op zijn gewichtigheid.

Ik heb hem voor het eerst gezien, toen we Schmeling opzochten in de school waar hij trainde. Een paar dagen voor de strijd om de zwaargewichttitel. Zo'n afspraak die alleen plaatsvindt om de pers erover te laten schrijven. Het Sportpaleis was zeker nog niet helemaal uitverkocht. We gingen er graag heen, want Max was een echte kameraad, die vaak tot in de vroege ochtend met ons bij Schwanneke zat. Het liefst was hij zelf acteur geworden. Hij had ook een keer in een film gespeeld, in een of andere draak waarvan ik de titel ben vergeten. Waar Max me vast dankbaar voor is. Later hebben we zelfs samen gefilmd.

Er waren dus een paar bekende acteursgezichten naar de boksschool gekomen. Curt Bois was erbij en Otto Wallburg. De gebruikelijke foto's werden gemaakt – Max Schmeling duwt Willy Fritsch dreigend zijn vuist onder de neus, ha, ha, ha –, toen was het officiële gedeelte al voorbij en werd er sekt geschonken. Daarvoor hadden ze iets bijzonders bedacht. Ze hadden de meest gespierde bokser die ze konden vinden in een met opzet veel te strakke kelnersjas gestoken. Korbinian dus. Met zijn zilveren dienblad vol glazen zag hij er bespottelijk uit en dat was ook de bedoeling. Komische contrasten leveren interessante foto's op.

Hij was een mooie jongen, zoals dat heet. Alleen een beetje te breed uitgevallen. Otto Burschatz heeft hem eens vergeleken met een diner in een Beiers plattelandsrestaurant: allemaal lekkere dingen, maar van alles te grote porties. Opvallend kroeshaar, dat helemaal niet goed bij zijn type paste. Waarschijnlijk had een Romeinse legioensoldaat zijn sporen in de familiestamboom achtergelaten. Of een Joodse marskramer. Die erfenis heeft hem geen kwaad gedaan. Ook niet toen ze de mensen in rassen begonnen in te delen. Een carrière dat hij in het Derde Rijk heeft gemaakt! Als ik eraan denk, zou ik kunnen kotsen.

Als ik iets in mijn maag had.

De fotografen waren enthousiast over hem. Iemand kwam op het idee dat hij de kleine Curt Bois op de arm moest nemen. Curti was daar meteen voor te porren. Als er flauwekul wordt uitgehaald, is hij altijd van de partij. Toen we bij die revue in het Kadeko bedachten dat hij de Romein Gaius moest spelen met een groot hakenkruis voor zijn borst, aarzelde hij geen moment. De nazi's, van wie er ook toen al heel wat waren, zouden het hem niet in dank afnemen, dat was hem duidelijk, maar de grap was goed en daar ging het hem om.

Hij is hem nog eerder uit Duitsland gesmeerd dan ik, al een week nadat ze die verver rijkskanselier hebben gemaakt. Tegenwoordig zit hij, net als alle verstandige mensen, in Amerika, en als hij daar zijn vroegere collega's uit Berlijn ontmoet, Lorre of Marlene, dan vragen ze misschien: 'Waarom is Gerron hier eigenlijk nooit naartoe gekomen? Het is hem toch aangeboden.' Omdat Gerron een idioot is, daarom.

Curt zat dus als een aapje bij Korbinian op de arm. Korbinian was gelukkig, omdat al die beroemde mensen er waren en hij erbij mocht horen en zelfs even het middelpunt mocht zijn. De journalisten hadden het er allemaal over dat dat een geweldige foto geworden moest zijn, die kolossale man en de kleine Curt Bois, en dat ze misschien juist die foto de volgende dag wilden afdrukken. Toen werd Schmeling kwaad. Het ging tenslotte om zijn wedstrijd waarvoor reclame gemaakt moest worden. Een halve trainingsdag had hij ervoor opgeofferd, dan wilde hij niet dat iemand de aandacht van hem afleidde. Hij stuurde Korbinian weg om iets voor hem te halen en intussen vertelde hij de pers het hele verhaal. Over die ene wedstrijd tegen de veel kleinere tegenstander, hoe die kleerkast was afgerost en sindsdien bang was in de ring en het als bokser wel kon vergeten. Ook dat ze hem de kleine Korbinian noemden.

Max is geen kwaadaardig mens, beslist niet. Hij had zich gewoon geërgerd.

Toen Korbinian terugkwam – hij moest Schmeling zijn sigaren brengen, hoewel die tijdens de training helemaal niet mocht roken –, was hij niet meer de held en de lieveling van de verslaggevers. Alleen nog iemand om te lachen en schampere opmerkingen over te maken.

Korbinian merkte het niet meteen. Zijn succes van daarnet had hem moedig gemaakt en hij had iets bedacht. Ze moesten mij samen met hem fotograferen, stelde hij voor, 'zodat meneer Gerron ook eens de kleinste kan zijn'. Maar daar wilde niemand meer van horen. De fotografen veegden hem aan de kant als een lastig pluisje op de lens. Iemand riep zelfs: 'Hup, in je mandje.'

Mandje.

Je kon zien dat het Korbinian trof als een mokerslag. Ik hou er niet van als ze zonder reden vervelend tegen iemand doen, daarom was ik naderhand extra aardig tegen hem. Daar was hij me zo dankbaar voor dat hij echt aanhankelijk werd en telkens geweldig blij was als we elkaar tegenkwamen. Dan was het altijd meneer Gerron voor en meneer Gerron na, zelfs nog toen hij mij ...

Nee. Die gedachte wil ik nu niet denken.

Op een keer mocht de kleine Korbinian Max Schmeling k.o. slaan. Meer dan eens. In een filmstudio is alles mogelijk.

Max was toen de grote lieveling van het publiek, hoewel alle wedstrijden in Amerika en het wereldkampioenschap nog moesten komen. Het was dus alleen maar logisch dat ze bij Terra op het idee kwamen om een film met hem te maken. Onder het motto: 'Boksen is goed, liefde is goed – hoe goed moet boksen met liefde dan wel niet zijn!' Ook daar hadden ze hun Alemannen en een passend verhaal was dus gauw gevonden. In elkaar gezet uit oude decorstukken. Jonge getalenteerde bokser wordt door al te vroeg succes verleid, verlaat bijna zijn jeugdliefde, maar vindt in de beslissende wedstrijd de weg terug naar de oude trouw en daarmee naar de overwinning. Happy end, lange kus en laat de kassa maar rinkelen. *Liefde in de ring* heette die tranentrekker. Schmeling was natuurlijk de naïeve held IJzeren Vuist. Ik speelde de inhalige manager.

Het geheel was gepland als stomme film en werd ook zo opgenomen. Maar in 1930 waren de kijkers plotseling gek op de moderne geluidsfilms. Dus werd er achteraf wat tekst ingevoegd. En het afgrijselijkste lied dat ik ooit heb opgenomen. Alleen kon je dat Max niet laten zingen, daar heeft hij net zoveel verstand van als ik van kantklossen. Hij heeft toen in elk geval het refrein voorgedragen, en dat is nog beleefd uitgedrukt. 'Het hart van een bokser kent maar één liefde: de winnende wedstrijd alleen.' Voor de microfoon trok Max een doodongelukkig gezicht – ik geloof dat hij zich nog liever drie keer vrijwillig k.o. had laten slaan.

Wat in de film oorspronkelijk ook voorkwam. Er was een scène waarin de held vanwege zijn scharrelpartij de training verwaarloost en daarom een belangrijke wedstrijd verliest. Tegen een bokser die een kop groter is dan hij en spierbundels heeft als een gorilla. Korbinian.

In mijn rol moest ik gedurende de hele scène bij de ring zitten, tussen een horde figuranten die op een teken moesten juichen of wanhopen. Ik heb de ellende dus van heel dichtbij meegemaakt. Dat Korbinian er met zijn vriendelijke boerenjongensgezicht niet echt gevaarlijk uitzag was niet zo erg. Schünzel, die de regie deed, nam hem gewoon van achteren op, zodat je alleen de spierbundels zag en over zijn schouder Schmelings geschrokken gezicht.

Het probleem was iets anders. Het beslissende moment in de scène was die ene treffer waarmee Max gevloerd moest worden. Maar die durfde Korbinian gewoon niet te plaatsen. Hij had te veel ontzag voor Schmeling. Misschien was hij bang dat hij terug zou slaan. Wat de reden ook was, hij gaf hem telkens niet meer dan een tikje en als Max dan volgens de regieaanwijzing omkiepte, zag dat er stom uit.

Schünzels draaiplan liep in het honderd en hij begon te schreeuwen. Waardoor Korbinian nog angstiger werd. De figuranten, die telkens geschrokken moesten opspringen als Max tegen de vlakte ging, hadden al zere benen.

Zelf bleef Schmeling verbazingwekkend kalm. In de studio – dat vond ik geweldig – was hij een echte professional. Hij liet zich door de cameraman uitleggen op welk moment zijn gezicht niet in beeld was. Dan snauwde hij Korbinian telkens toe: 'Vooruit, sla dan, sla dan toch, idioot.' Ten slotte was er iets opgenomen wat met veel kunst- en vliegwerk enigszins bruikbaar was – en toen werd die hele sequentie eruit gegooid. Schmeling had namelijk een Amerikaanse agent genomen, Joe Jacobs, en die wilde in geen geval dat zijn beschermeling werd verslagen. Zelfs niet op het witte doek. 'Wat voor indruk moet dat wel niet maken, nu Mex om de wereldtitel moet strijden?' Hij zei altijd Mex in plaats van Max. Omdat Terra de film per se ook in Amerika wilde uitbrengen, werd het scenario herschreven.

Zodoende miste Korbinian de laatste kans om naam te maken. Als hij in zijn woonkamer een ingelijste *Film-Kurier* aan de muur had kunnen hangen, waarin naast Schmeling en Tschechowa en Gerron ook zijn naam stond, als hij zijn omgeving had kunnen vertellen dat hij als bokser dan misschien niet de absolute topper was geweest, maar in plaats daarvan bij de film carrière had gemaakt, misschien was hij dan voldaan naar zijn Beierse boerengat teruggegaan en had hij de rest van zijn leven heel tevreden biervaten op bestelwagens getild. Maar omdat dat niet zo was, omdat hij al weer was uitgelachen, ging hij een andere weg. Iedere kleine Korbinian wil ook een keer groot zijn.

'Ga slapen,' zegt Olga. Ik heb haar niet binnen horen komen. Buiten is het nacht.

Ik lig op de grond. Ik kan me niet herinneren dat ik ben gaan liggen.

Soms valt het lichaam vanzelf uit. Net als de zekering in de studio als je te veel lampen aansluit. Klik en het is donker. Zonder waarschuwing vooraf. Ik heb dat al twee keer meegemaakt.

Eén keer in de loopgraaf. Bij het allereerste trommelvuur. Het was helemaal niet op ons gericht. Een paar weken later zouden we er niet eens ons hoofd voor hebben ingetrokken. Maar toen hadden we nog niet geleerd uit het gieren van een granaat de baan ervan op te maken. We vatten de explosies en de inslagen nog persoonlijk op. Sommigen baden, anderen huilden. Een van ons deed het in zijn broek. Als je in een loopgraaf weg had kunnen lopen, waren we weggelopen. Het enige waar ik aan dacht was dat ik geen testament had gemaakt. Niet had bepaald wie mijn gouden zakhorloge zou krijgen. Dat leek me op dat moment het belangrijkste op de wereld. Ik zei steeds maar tegen mijn buurman dat hij er absoluut voor moest zorgen dat Kalle ...

En daar lag ik dan. In het vuile water op de aangestampte grond. Het gebeurde zo onverwachts dat de anderen eerst dachten dat ik was geraakt. Maar ik was alleen uitgeschakeld.

Kortsluiting.

De tweede keer was tijdens de repetities van *De rode draad*. Ik filmde toen de hele dag bij de Ufa, stond 's avonds bij Saltenburg op de planken en werkte 's nachts nog aan die revue. Met verschrikkelijke rugpijn. Ik had naar de dokter moeten gaan om een injectie te halen, maar dan had hij me bedrust voorgeschreven. Zo vlak voor de première kon ik geen repetitie laten schieten. De rekwisiteur zette een tafel voor me in de zaal, waar ik op ging liggen en verder regisseerde. Tot het klik zei.

Ik werd pas weer wakker toen de inspiciënt vroeg: 'Wilt u hier blijven slapen, meneer Gerron, of zal ik een taxi laten komen?'

Eén keer van paniek en één keer van uitputting. Vandaag waarschijnlijk van allebei.

'Ga slapen,' zegt Olga.

Daar ben ik huiverig voor. Dat is bij mij altijd al zo geweest. Altijd sinds mijn verwonding. Ik ben helemaal niet zo ijverig als de mensen denken. Ik ben bang. Bang dat ik in slaap val en dat mijn gedachten doorgaan. Zonder dat ik ze kan beheersen. Bang dat mijn hoofd met me doet wat het wil. Bang voor geesten.

'Ik ben de nachtgeest.' Mijn succesvolste lied. Ook uit *De rode draad*. Daar hebben we heel veel platen van verkocht.

'Ik ben de nachtgeest, je lieve nachtgeest, ik wek je onbevreesd, want van jou hou ik het meest.'

'Het schijnt beter met je te gaan,' zegt Olga. 'Je kunt alweer zingen.'

Ik zou dat lied in de film moeten opnemen. Het refrein. Ik zing en in de tegenshot juichen de toeschouwers. Zodat de mensen in de bioscoop zien hoe geweldig je je in Theresienstadt kunt amuseren.

'Hé ho, hé ho, de stemming is weer zo.'

Ik zou verhongerde oude mensen tussen het publiek kunnen zetten. Ze in het crematorium inzamelen en nog een keer gebruiken voor ze worden verbrand. Draden aan de lijken bevestigen en ze in de maat laten klappen. Laten meedeinen. Ik zou ...

'Ga slapen,' zegt Olga.

Ik hoor haar ademhalen en benijd haar dat ze kan slapen. Mijn hoofd komt niet tot rust.

Gedachten zijn net honden. Als je hun riem afdoet, rennen ze naar de plek waar het naar bloed ruikt.

In Amsterdam, toen de mensen zich gingen verstoppen, heeft een SS'er zijn hond zo afgericht dat hij ...

Nee.

'Voor het slapengaan moet je aan mooie dingen denken,' zei mama altijd. Aan fijne dingen.

Een lijst opstellen van alle momenten dat je echt gelukkig was. Er een spel van maken. Een volgorde vaststellen. Het gelukkigste moment. Het nog gelukkigere. Het allerallergelukkigste. Je daarop concentreren. Je gedachten niet op hol laten slaan.

Hier in Theresienstadt is een man die we allemaal de valse rabbi noemen. De verstandigste gek die ik ooit ben tegengekomen. De gekste verstandige. Hij was vroeger bioloog. Zocht de waarheid onder de microscoop. Maar als consequente wetenschapper is hij tot de conclusie gekomen dat het verstand heeft gefaald. Dus probeert hij het nu met religie. Een nieuwe proefopzet. Hij draagt altijd een laken om zijn schouders omdat hij geen gebedsmantel te pakken heeft kunnen krijgen. Hij heeft alle vrome boeken gelezen en kan alle gebeden uit zijn hoofd opzeggen. Hij heeft me verteld over een Talmoedstudent die de kabbala wil bestuderen, niet zoals gebruikelijk pas op z'n veertigste, maar nu meteen, en zijn leraar zegt tegen hem: 'Ik geef je toestemming als je er één keer in slaagt het achttiengebed op te zeggen zonder daarbij aan iets anders te denken.' Wat hem natuurlijk niet lukt. Dat lukt niemand. De honden rukken te hard aan de riem.

'Als je het echt wilt, kun je het ook,' zei mama altijd.

Mooie gedachten. Gelukkige momenten.

Op een keer hebben wij ons verstopt, Olga en ik. We hadden mensen uitgenodigd en Olga had gekookt, zelf, omdat ze vond dat je geen goede gastvrouw bent als je alles aan het personeel overlaat. Als je zegt: 'Bedenk maar iets lekkers. Ik ga intussen naar de kapper.'

Goulash. Ik ruik het nog.

De allerlaatste goulash van mijn leven, de laatste echte goulash, niet de stoofpot die we in Amsterdam zo noemden, hoewel er allang geen vlees meer te krijgen was, niet op de bonnen met een J – die allerlaatste goulash heb ik bij Otto Wallburg gegeten. Hij wilde ons niet verklappen waar hij de ingrediënten op de kop had getikt. Echte stukjes vlees en ...

De honden niet laten lopen. Ik bepaal wat er in mijn hoofd wordt gedacht.

We verwachtten gasten, alles was voorbereid, de tafel gedekt en de wijn ontkurkt, en plotseling wisten we allebei dat we helemaal geen zin hadden in bezoek. Dat we alleen wilden zijn. Het waren vermoeiende weken geweest, er waren toen alleen maar vermoeiende weken, en het was volslagen idioot om op de enige avond dat ik niet hoefde te werken, vreemde mensen uit te nodigen.

Toen er werd aangebeld, deden we niet open. We verroerden ons niet. Het enige wat ons had kunnen verraden was de geur van vlees en uien en paprika, maar die kon ook uit een andere woning komen. We kropen onder de tafel, ook al kon niemand ons zien. Als kind verstopte ik me zo, ik beschouwde het tot op de grond hangende tafelkleed als het doek van een tent op een expeditie in de Himalaya, of als een grot waar zakken vol diamanten en kisten vol parels te vinden waren.

We sloegen onze armen om elkaar heen. Ik kroop heel dicht tegen Olga aan en duwde mijn mond in haar haar om de lach die in me opborrelde, te smoren. We lieten de wereld de wereld, een avond lang. Toen onze gasten de volgende dag opbelden, zeiden we: 'Gisteren? Jullie waren er gisteren? Maar we hebben toch voor vandaag afgesproken!' Maar die dag konden ze niet, wat een geluk was. Want ik had weer voorstelling en had helemaal geen bezoek kunnen ontvangen.

Dat is een mooie herinnering. Olga en ik. Alleen wij beiden.

We hebben de goulash opgegeten, de hele pan met z'n tweeën, en Olga zei: 'Jij hebt mazzel, jij kunt niet dik worden, je bent het al.'

Ik ben het nog steeds, maar alleen naar de maatstaven van Theresienstadt. Een derde van mijn lichaam ben ik al kwijt.

Misschien willen ze ons laten verhongeren. Dat kost niets en geeft geen gedoe. Magere lichamen zijn ook makkelijker op te ruimen.

De honden zijn alweer los.

Terwijl er zoveel mooie herinneringen zijn. Zoveel mooie herinneringen zouden zijn.

Bijvoorbeeld ...

Op een keer ...

Waarom wil me nu niets te binnen schieten? Niet één herinnering uit de tijd dat het goed met me ging?

Als kleine jongen, ja, natuurlijk. Als opa me verhalen vertelde. Maar dat telt niet. Zolang hij de wereld niet kent, kan ieder mens gelukkig zijn.

In Westerbork spelen de kinderen *Transport*. Volgens regels die altijd hetzelfde blijven, ook als de deelnemers wisselen. Omdat er een nieuwe trein is aangekomen en een andere vertrokken. Ieder kind moet een luciferdoosje hebben om mee te kunnen doen; daar zit een briefje in met zijn naam. De doosjes gaan allemaal in een pan of een hoed, net wat er voorhanden is, en iemand is de commandant en mag met een dobbelsteen een getal gooien. Een, twee, drie, vier, vijf of zes. Zoveel doosjes haalt hij er dan blind uit, maakt ze open en leest de namen voor. Wie getrokken wordt, heeft verloren en moet op transport. Wat betekent dat hij naar elke plaats moet die de commandant bedenkt. Kinderen zijn wreed en dus zijn het meestal plaatsen waar ze bang voor zijn. De barak met de gekken of het pad vlak bij het prikkeldraad, waarvan het gerucht gaat dat de bewakers er soms iemand doodschieten, gewoon uit verveling. De anderen, die geluk gehad hebben, marcheren achter de slachtoffers aan en zingen een spotliedje, dat ze uit de beide kamptalen, Duits en Nederlands, in elkaar hebben gezet. 'Zwarte katte, weiβe katze, heeft de maus schon in zijn tatze, weiβe maus, zwarte maus, en du bent raus!'

Van dat spel krijgen ze nooit genoeg. Het is eenvoudig en iedereen kan meedoen. De enige extra regel: als de commandant met zijn familie op transport gaat, op het echte transport, dan moet hij de dobbelsteen achterlaten. Zodat het spel door kan gaan.

Ik denk aan de verkeerde dingen. Terwijl er toch zoveel andere zijn. Een heel leven dat anders was.

Op een keer ... Ja, dat wil ik me herinneren! Dat was een mooie tijd. Toen ik *Een fantastisch idee* regisseerde. De opnamen in Sankt Moritz waren één lange vakantie. We logeerden en filmden in hetzelfde hotel. Onze producent had daar alle kamers afgehuurd.

Ik weet niet meer wie er op het idee kwam. Slezak misschien, dat is zo'n heerlijke malloot. Het kan ook Bendow geweest zijn. Of Lingen. Of allemaal samen. Zoveel komieken op een kluitje. Bovendien werd er 's nachts in de hotelbar ook altijd flink gepimpeld. Doet er niet toe. Opeens was het idee er. Alle mooie meisjes uit de girlgroep moesten zich ergens in het hotel verstoppen, ieder meisje op een andere plek, en de acteurs waren detective en moesten hen zoeken. Een punt voor iedere gevonden girl. Aangeschoten als we waren vonden we dat heel origineel.

Otto Burschatz, natuurlijk allang de beste maatjes met het hele hotelpersoneel, regelde bij de nachtportier een loper, waarmee je elke kamerdeur kon openen. De meisjes kregen vijf minuten voorsprong en toen begon de jacht.

De eerste kamer waar iemand binnenviel, was die van Willy Fritsch. Die zei 's avonds altijd als eerste gedag. Uit angst, zo legde hij ons uit, dat hij wallen onder zijn ogen kreeg als hij ook maar één minuut van zijn tien uur schoonheidsslaap miste. Fritsch was beroemd om zijn ijdelheid. Die avond bleek dat hij nog een andere reden had om zo vroeg naar bed te gaan. Een zwartharige, zeventienjarige reden. Een meisje uit het dorp. Wat hebben wij gelachen! En Willy, zoveel humor had hij wel, lachte mee.

Iedereen die we uit zijn slaap haalden, liet de overval trouwens vrolijk over zich heen komen. We kenden elkaar. In mijn groep heeft het nooit verschil gemaakt of iemand achter of voor de camera stond. Daar heb ik altijd waarde aan gehecht.

Het hoogtepunt was toen Max Adalbert de kamer van Rosalie Pfeiffer binnensloop, onze kostuumjuffrouw, die toen ook al tegen de zestig liep. Ze sliep zo diep dat ze de indringer eerst helemaal niet in de gaten had en pas wakker werd toen Max met zijn dronken kop bij haar onder de dekens kroop. Ook toen schrok ze niet, maar glimlachte heel vriendelijk tegen hem. Het was Max die zich doodschrok. Omdat Rosalie namelijk haar gezicht met witte schoonheidscrème had ingesmeerd en eruitzag als een Egyptische mummie. Grote hilariteit toen hij ons dat vertelde! We hebben hem nog dagenlang bij elke gelegenheid met zijn verovering gefeliciteerd. Duday – typisch producent – wilde er meteen een draaiboek van maken. Hij had ook al een titel bedacht: *Schrik rond middernacht.*

De SS kwam altijd om halfvijf. Ze wisten uit ervaring dat mensen de minste weerstand bieden als je ze uit een diepe slaap haalt. Terwijl ze helemaal niet zo vroeg hadden hoeven opstaan om ons in te rekenen. Waar hadden we heen gemoeten?

Het moet me lukken. Ik moet mijn gedachten onder controle krijgen.

Op een keer – dat was ook bij *De rode draad* – had de costumier mijn schoenen naar de schoenmaker gebracht en vergeten ze op tijd op te halen. Met mijn oude trappers kon ik het toneel niet op. Een revue zonder lak kon niet. Er werden toen andere schoenen opgescharreld, maar die waren me te klein. Tijdens de hele voorstelling deden mijn tenen pijn. Ik dacht de hele tijd alleen maar: Dat wordt vast een eksteroog. En intussen moest ik elegant door het decor huppelen en mijn lied van de nachtgeest zingen. Het is me toen gelukt, het zal me ook nu lukken. Mooie gedachten denken. Omdat ik dat wil.

Mama, die gevoelig was voor zulke trends, heeft het geprobeerd met de methode-Coué. In de Frans van Mierisstraat, waar we zo'n beetje in dezelfde kamer sliepen, kon ik haar door de open deur horen mompelen: 'Het gaat elke dag in elk opzicht steeds beter met me! Het gaat elke dag in elk opzicht steeds beter met me!' Het heeft niet gewerkt. De deur moest elke avond iets verder worden opengezet omdat haar angst voor het donker steeds groter werd.

Ze had nog een tweede toverspreuk, waarmee ze haar eeuwige

maagpijn probeerde te genezen: 'Het gaat voorbij. Het gaat voorbij. Het gaat voorbij.' Maar het is voor haar niet voorbijgegaan.

Het gaat voorbij. Het gaat voorbij. Het gaat voorbij.

Aan mooie dingen denken.

Otto's bruiloft. Ja.

Alleen al hoe het begon. Hij kwam na de opnamen bij me in het kantoor, in dat kleine regisseurshokje. Hij klopte op de deur, wat anders helemaal niet zijn gewoonte was. Eerst kon hij geen woord uitbrengen. Otto Burschatz was verlegen. Otto, die anders niet eens wist hoe je dat woord schrijft. Hij ging van zijn ene been op zijn andere staan, tot ik zei: 'Als je moet piesen, dan alsjeblieft niet hier.' Zo gingen we met elkaar om.

Otto kreeg een kop als vuur. Hij heeft het later ontkend, maar ik kan er een eed op doen: Otto Burschatz bloosde. En hij heeft een gezicht dat niet gemaakt is om te blozen. Niet met zo'n snor.

'Luister, Gerson ...' zei hij. Als we onder elkaar waren, noemde hij me nog altijd zo. Als er anderen bij waren, was ik voor hem de regisseur. Of gewoon de chef. Gerron heeft hij nooit tegen me gezegd. Hij hield niet van die naam.

'Luister, Gerson, ik moet je wat vragen. Je kunt nee zeggen als je het vervelend vindt, maar ik vraag het je gewoon.'

'Wat is er gebeurd?' vroeg ik.

'Gebeurd is het goede woord,' zei hij. 'Zo is het nu eenmaal. Ik kan er niets aan doen.' En omdat hij de situatie zo pijnlijk vond, stond hij nu nog maar op één been.

'Zo is het nu eenmaal,' zei hij. 'Ik ga trouwen.' Daarbij trok hij een gezicht alsof die bruiloft het ergste was wat hem kon overkomen. 'Ik voel me net een idioot,' zei hij. 'Ik ben toch geen schooljongen meer. Op mijn leeftijd ben je een man. Maar ik heb Hilde nu eenmaal ontmoet en nu ... Zo is het nu eenmaal.'

Hilde. Geen schoonheid, verre van dat. Maar als ze tegen je glimlacht, weet je dat ze het meent. Een vrouw die met beide benen op de grond staat. Stevige benen.

Ze had een kroeg vlak achter het Stettiner Bahnhof. Die heeft ze misschien nog steeds, weet ik veel. Berlijn is net zo ver weg als de maan. Verder.

Ze hadden elkaar leren kennen toen ze een biertje voor hem tapte. 'Er is niets mooiers,' zei Otto, 'dan een vrouw die een biertje voor je tapt.' Ze waren nader tot elkaar gekomen, 'eerder dan de wet toestaat', en nu wilden ze trouwen. 'Dat wil zeggen: ik wil het. Hilde kan het geen moer schelen of zo'n kantoorpik ons een boterbriefje geeft. Maar ik vind dat er dingen zijn die je of goed doet of helemaal niet.'

Hij was zo schattig, de verliefde Otto. Hij probeerde de zaak even onbehouwen af te handelen als hij zich graag gedroeg, maar dat lukte hem niet. Hij was als iemand die nog nooit ziek is geweest en voor het eerst griep krijgt. Hij had het te pakken. Dat is iets wat je niet kunt organiseren en daarom kon hij er niet mee overweg. Ik had hem wel kunnen zoenen voor zijn verlegenheid.

Hij wilde dat ik zijn getuige was. Daar kwam hij voor. Ik begreep niet waarom hij er zo omheen draaide. Hij was toch ook de mijne geweest.

'Maar jij bent nu een beroemd man,' zei hij.

'Als je denkt dat dat iets verandert, dan ben je een idioot,' zei ik. 'Zo is het nu eenmaal.'

De bruiloft stelde niet veel voor. Niets om over naar huis te schrijven. Daarom denk ik er zo graag aan terug.

Als ik iets zou kunnen leren van wat er in mijn leven is gebeurd – ik weet dat uit zinloosheid geen zin te destilleren valt, maar toch –, dan misschien dat de kleine momenten het waardevolst zijn.

Na de huwelijksvoltrekking op het raadhuis van Neukölln gingen we naar een volkstuintje, waar in de openlucht feest werd gevierd. Perfect weer natuurlijk. Als Otto Burschatz trouwde, kon het niet anders. Hij had in de ploeg van Petrus vast ook een contactpersoon die hij ooit een plezier had gedaan en die zich nu revancheerde met een stralend zonnetje. Voor het tuinhuisje stond een lange tafel. Eigenlijk alleen een paar planken op schragen. Maar het witte tafellaken was van damast en het servies had in geen enkel goed restaurant misstaan. Het kwam ook uit een goed restaurant. Een rekwisiteur heeft overal connecties.

De stoelen hadden betere tijden gekend. Alleen voor zijn bruid had hij een comfortabele fauteuil aangesleept. Een pronkstuk dat al in menige film een miljonairsvilla had gesierd. Daar had ze vast ook heel lekker in kunnen zitten, alleen had Otto – liefde maakt blind – de hoogte verkeerd ingeschat. Hij had er niet aan gedacht dat zijn Hilde, net als hijzelf, nogal klein was. Toen ze ging zitten, was boven de rand van de tafel nog net het chique hoedje te zien dat ze voor haar grote dag had gekocht.

Iedereen lachte. Een goede lach. Geen onnatuurlijk beleefdheidsgemekker. Niet het gebrul van mensen die denken dat ze leuk zijn als ze een keel opzetten.

Er zijn zoveel toonaarden waarin gelachen kan worden. Het gegiechelde 'Ach, wat bent u grappig, meneer', als hij geld heeft en zij erom verlegen zit. Het uitgehoeste 'Ha, ha, ha', als je wilt laten merken dat je de mop doorhebt, maar hem smakeloos vindt. De vette hik waarmee de zwendelaars aan hun dure tafels een schunnige opmerking beantwoordden.

In Westerbork had het gelach van de eerste twee rijen altijd een neerbuigende bijsmaak. Toen Max Ehrlich in de grammofoonplatensketch Hans Albers imiteerde – hij deed dat op een manier dat je het uitschaterde –, lachten de SS'ers weliswaar, maar zo dat ze hem niet echt grappig leken te vinden. Alleen potsierlijk. Een hondje dat op zijn achterpoten loopt. Een kwetsend gelach. En toch draaiden we allemaal kwispelstaartend om hen heen en bedelden we om een kans ook eens een kunstje te mogen vertonen.

Ik wil niet aan Westerbork denken.

Otto's bruiloft.

De bruiloftsdis stond op een smalle strook gras. In de perken aan weerszijden was de aarde zacht. Als je er met je stoelpoot in terechtkwam, kieperde je achterover en belandde je in de sla. De vader van de bruid lag op zijn rug in de groente, spartelde als een meikever met zijn benen en vond zijn situatie zo komisch dat hij niet meer bijkwam.

Gelach zonder enig leedvermaak.

Het feest was eenvoudig. Echt eenvoudig. Geen Franse champagne. Geen buffet van Rollenhagen. We dronken witbier en jenever. In een oud olievat brandde een vuur waarboven worsten sisten. Niets opmerkelijks. Juist daarom is die middag een van mijn dierbaarste herinneringen.

Daarna werd er gezongen. Iedereen kwam aan de beurt. Olga verraste ons met een Platduits zeemanslied. Ik weet nog maar één regel: 'De masten so scheef as den schipper sien been.' Toen ik aan de beurt was, zei Otto: 'Niet je haaienlied, Gerson. Iets om mee te zingen.' Dat klonk grof en was toch tactvol. Hij wilde me ervoor behoeden de prominent te moeten uithangen.

Ik heb toen iets gezongen wat ik kende uit een revue. Ik weet niet meer uit welke. 'Als de egels in het avonduur' zong ik en aan het slot van elk couplet, bij 'Anna-Luise', probeerden ze elkaar allemaal te overschreeuwen.

Op elk ander feest zouden ze om de Mack-the-Knife-song geroepen hebben. Als ik in de hel kom – Waarom niet? Ik heb ervoor geoefend – zullen ze daar ook die vervloekte verzen van me willen horen. Dat kan ik dan niet weigeren. Ik heb ze al gezongen op plaatsen waar het erger was dan in de hel.

Ik zou nog eens in zo'n volkstuintje moeten kunnen zitten. Eén enkele keer. Met mensen die ik helemaal niet goed ken en toch mag. Ik zou nog eens onbelangrijk moeten kunnen zijn en toch geaccepteerd. Ik zou ... Ik zou ...

'Schoonmaken graag. Schoonmaken graag. Schoonmaken graag.' Ik geloof dat Turkavka nooit slaapt.

Ik heb gedroomd, maar ik weet niet meer wat. Alleen de smaak ervan heb ik nog steeds in mijn mond. Het gevoel dat bij de droom hoort: ik ben op de verkeerde plaats en ben dringend ergens anders nodig.

Geen erg origineel gevoel. We zijn hier allemaal op de verkeerde plaats.

Olga haalt het ontbijt. Koffie. Sinaasappelsap. Verse broodjes. Zachtgekookte eieren.

Ha, ha, ha. Wat ben ik leuk!

Peekoffie. Een stuk brood voor haar, een stuk brood voor mij. Het is een voorrecht dat ik niet telkens zelf in de rij hoef te staan. Ik ben een A-prominent. Een bijzonder iemand.

XXIV/4-247.

We hebben samen carrière gemaakt, de nazi's en ik. Ik werd beroemd, zij kwamen aan de macht. Door het eerste heb ik het laatste niet gemerkt.

Ik zou niet in Theresienstadt hoeven zitten. Niet naar klef brood hoeven snakken. Niet voor Rahm hoeven opzitten en pootjes geven. Ik zou geen film hoeven maken die ik niet wil maken.

Ik zou hier niet hoeven zijn en Olga ook niet.

Maar ik had het te druk om me op tijd zorgen te maken. Ik was een ster. Een ijdele, hufterige ster. De tekenen stonden met vette letters aan de wand, maar ik had geen tijd om ze te lezen. Ik moest zo nodig handtekeningen uitdelen.

Ik moest zo nodig gekheid maken. Ik snapte niets en deed alsof ik alles wist. 'Waar is mijn lijfwacht?' riep ik door de studio. 'Waar is mijn kleine SA?' Ik was zo grappig. Ha, ha, ha.

Ik moest een auto hebben. De beste sigaren. Als bij Rot-Weiß de tennisfinale werd gespeeld, moest ik erbij zijn. Ik was immers beroemd.

Daarom zit mijn beroemde reet nu in dit gat. Omdat ik van pure acteursijdelheid het juiste moment heb gemist om het toneel te verlaten.

Omdat ik politiek als een gezelschapsspel zag. Het spel van een gezelschap waar ik niet bij hoorde. Als ze met hun vrachtwagens door de straten reden en leuzen brulden, ging dat mij niet aan. De mensen met de bebloede koppen waren niet mijn vrienden. In de zalen waar ik kwam, vonden geen knokpartijen plaats.

Het is mijn eigen schuld.

Terwijl ik toch medicijnen heb gestudeerd. Waar me is ingeprent dat je symptomen vroegtijdig moet herkennen. Voordat ze niet meer te genezen zijn. Ik keek niet en luisterde niet. Terwijl ik alleen de krant had hoeven lezen. Maar enkel de toneelkritieken interesseerden me.

Nu is de epidemie uitgebroken. Misschien zal ik eraan sterven. Kapotgaan aan de politiek. Aan een levensbeschouwing die het niet kan schelen op hoeveel plakkaten mijn naam heeft gestaan. Die mij die naam niet eens gunt. Gerron? Kennen we niet. Wij kennen alleen een zekere Kurt Israel Gerson.

Levensbeschouwingen zijn besmettelijke ziekten. De mensen steken elkaar aan. Meestal is dat niet erg. Negenennegentig keer herstelt het lichaam vanzelf. Alleen een beetje koorts, een hoestje en het leed is geleden. Maar bij de honderdste keer ...

Ik had het kunnen merken. Op z'n laatst bij *Happy End*, toen Brecht en Weigel opeens zo gelovig werden. Natuurlijk waren die van de andere partij. Maar de ziekte was dezelfde. Acute wereldverbeteringsdrang. Sommigen krijgen bruine uitslag, anderen rode. De voedingsbodem is dezelfde.

Precies dezelfde.

Terwijl Aufricht helemaal niet aan politiek dacht, maar alleen aan de theaterkassa. Brecht schrijft weer een stuk voor me, was zijn overweging, Weill componeert een paar nieuwe songs, dan hebben we *De driestuiversopera* nog een keer en het publiek staat in de rij. Zo stelde hij zich dat voor.

Happy End. Een misplaatstere titel had niemand kunnen bedenken. Niet voor die uitvoering. Het begon er al mee dat Brecht helemaal geen zin had om nog eens zoiets te schrijven. Het enige wat hem aan het project interesseerde, waren de royalty's en daarom schoof hij de opdracht door. Hij was toen al met Weigel getrouwd, maar zijn schrijfstersharem hield hij aan. Elisabeth Hauptmann, die het werk moest doen, was echt een aardig mens, maar geen groot schrijfster. Ze was zelf niet tevreden over wat ze afleverde en verschool zich achter een pseudoniem.

Zodoende hadden we een stuk van een schrijfster die niet bestond, geschreven door een andere die het niet kon, onder verantwoordelijkheid van een groot dichter die niet de tijd nam om er iets aan te doen. We begonnen aan de repetities toen het laatste bedrijf nog niet eens bestond. Aufricht moest alle mogelijke trucs uithalen om Brecht steeds weer een paar bladzijden te ontfutselen. Die hield zich toen bezig met een ander probleem, dat hij veel belangrijker vond: de vraag hoe hij gratis aan een nieuwe auto kon komen. Op betalen had Brecht het niet zo, eerder op incasseren. Zijn Steyr had hij gekregen voor een gedicht. Echt een goed woordtarief. Hij heeft de verzen een keer in de kantine voorgedragen, zo trots was hij erop. 'Wij wegen: elfhonderd kilo. Onze wielbasis bedraagt: drie meter.' Enzovoorts, enzovoorts. Een meesterwerk van de moderne poëzie. Maar dat op die manier bij elkaar geschreven slagschip had hij ergens bij Fulda tegen een boom geparkeerd. Helemaal in de prak. Een tweede gedicht zouden ze niet van hem nemen.

Brecht weet altijd wel iets te verzinnen. Als hij die film moest maken en niet ik, zou hij er zo'n aanpak voor weten te vinden dat hij er nog om bewonderd werd ook.

Destijds regelde hij een fotoreportage in het tijdschrift *Uhu* en reconstrueerde daarin het ongeluk. Op zo'n manier dat het er voor hem goed uitzag. Het was de schuld van iemand anders – bij Brecht is het altijd de schuld van iemand anders –, die was hem op de verkeerde weghelft tegemoetgekomen en daarom had hij de auto met opzet en in koelen bloede tegen een boom gezet. Omdat hij wist: een Steyr is zo degelijk gebouwd dat de chauffeur zelfs in de gevaarlijkste situaties niets kan overkomen. Daar was de reclameafdeling zo enthousiast over dat ze hem waarachtig opnieuw een auto cadeau deden.

Wie met zulke belangrijke dingen bezig is, heeft natuurlijk geen tijd om stukken te schrijven. Vooral niet als hij zich net tot het communisme heeft bekeerd en nachtenlang over Marx en Engels moet discussiëren. Constant bracht hij allerlei partijleden mee naar de repetities die ons moesten uitleggen hoe er in Moskou toneel werd gespeeld. 'Er schijnt daar een uiterst revolutionaire ontwikkeling aan de gang te zijn,' zei ik een keer. 'Ze leveren de stukken kant-en-klaar af voordat ze de acteurs ermee lastigvallen.' Dat vonden ze helemaal niet leuk.

Of het een modegril of overtuiging was dat hij zich als klassenstrijder gedroeg – dat viel bij Brecht moeilijk uit elkaar te houden. Het ging hem niet om zijn eigen voordeel. Niet zoals bij al die mensen die na de machtsovername opeens hun bruine ziel ontdekten. Dat hele ik-ben-een-arbeider-gedoe was gewoon een rol die hij voor zichzelf had bedacht en nu met volle inzet speelde. Inclusief kostuum en grime. In Berlijn werd verteld dat hij thuis een cosmetisch apparaat had staan dat elke morgen nieuw vuil onder zijn nagels stopte. Zodat hij er ook echt proletarisch uitzag.

Bij de première stapte Weigel spontaan naar de rand van het podium en slingerde partijleuzen de zaal in. 'Wat is een overval op een bank vergeleken met de oprichting van een bank' en zulke onzin. Waarmee de flop gegarandeerd was.

Niet meer dan vier voorstellingen.

Doet er niet toe. Het stuk had toch geen kans gemaakt.

Voor mij had Brecht een gangster bedacht die zich bij overvallen als vrouw verkleedt. Waarom, dat wist geen hond. Het werd in het stuk ook nergens uitgelegd. Brecht deed allang geen moeite meer om over zijn ideeën na te denken. Peter Lorre had zich laten engageren, omdat hij bij *De driestuiversopera* op het verkeerde moment was opgestapt en deze keer het succes niet wilde missen. Hem kon ook niemand uitleggen waarom hij een Japanner moest spelen. Maar Peter had mazzel: zijn personage werd al in het eerste bedrijf doodgeschoten.

Dat was een vriendelijk gebaar van Brecht. Omdat Lorre namelijk tegelijkertijd bij de Volksbühne Saint-Just speelde. Nauwelijks was hij bij ons dood of hij sprong in vol kostuum in een taxi. Voor hij op de Bülowplatz aankwam, had hij zich omgeschminkt en verkleed. Elke avond. Van het Chicago van de gangsters naar het Parijs van de Revolutie. In het theater is alles mogelijk.

Mijn personage kwam in het derde bedrijf nog steeds voor. Dat was pech. Want Brecht was vergeten de rol verder in te vullen. Ik stond de hele tijd op het toneel, maar mijn tekst had op een postzegel gepast. Ik was een beter soort figurant. Een echte sukkel.

Bij een van de laatste repetities, die weer allemaal tot in de vroege ochtend duurden, kwam het tot een uitbarsting. Brecht had, zoals zijn gewoonte was, de regie naar zich toe getrokken en bemoeide zich overal mee. Hij wilde de toneelknechten uitleggen hoe je een decor vastzet. Op een gegeven moment sloegen bij mij de stoppen door. 'U had een stuk moeten schrijven in plaats van hier op het toneel uit uw nek te kletsen,' zei ik tegen hem. Hij stormde op me af alsof de troep die we moesten spelen aan mij te wijten was. 'Misbaksel,' noemde hij me. 'Vette bekkentrekker,' noemde hij me. 'Als u morgen mager wordt,' zei hij, 'dan bent u brodeloos!'

U hebt zich vergist, jongeman. Ik ben niet brodeloos geworden omdat ik mager werd. Andersom: ik ben mager geworden omdat judde-zijn tegenwoordig een brodeloze kunst is. Een vleesloze kunst. In Westerbork had je nog een schuurmiddel nodig om je eetservies schoon te krijgen. In Theresienstadt heb je genoeg aan water. Als er geen gram vet in het eten zit, blijft er ook niets plakken.

Vanwege mijn kwaal – en waarschijnlijk ook vanwege het feit dat ik een prominent ben – hebben ze me dubbele porties voedsel toegekend. Maar twee keer te weinig is nog lang niet genoeg. Het weeë gevoel in mijn maag gaat niet weg. Die druk, alsof de leegte iets lichamelijks is. Wat steeds harder wordt. Zich inkapselt. Binnen in me groeit als een zweer. Een zweer van gebrek.

Terwijl dat knagen niets met een lege maag te maken heeft. Dat weet ik nog van mijn studie medicijnen. Het is proefondervindelijk bewezen: zelfs als je iemands maag verwijdert, voelt hij nog honger. Als hij niet aan de gastrectomie sterft. Wat, als er niets te eten is, beslist begerenswaardig is.

Maar het voelt aan alsof het uit de maag komt.

Toen ik zes of zeven was – ik ging in elk geval al naar school –, vond ik bij het spelen in Tiergarten een keer een popje van celluloid, dat ik in mijn botaniseertrommel mee naar huis smokkelde. Daar boorde ik met de schaar uit mama's naaimandje een gat in zijn buik. Bij de eerste poging schoot de schaar uit en nog maandenlang was ik bang dat de kras op de vensterbank mijn vergrijp aan het licht zou brengen. Ik weet niet meer wat ik dacht dat er in de buik zou zitten, maar behalve een paar splinters celluloid van mijn klungelige operatie zat er niets in, helemaal niets. Dat was een grote teleurstelling voor me.

Het was een goedkope pop. Primitief. De mond alleen geschilderd en volkomen ongeschikt om te voeren. Hij moet constant honger gehad hebben.

Het erge is dat de honger niet alleen als een incubus je buik bezet. Incubus? Hoe kom ik aan dat woord? De honger neemt ook bezit van je hoofd en maakt dat je aan niets anders meer denkt. Je nadert de voedseluitgifte – Olga kan dat niet altijd voor haar rekening nemen – en prompt begint het mechaniek te ratelen. Het probeert uit te rekenen welke plaats in de rij de gunstigste is. Er zijn twee soorten soepscheppers, daar ben je gauw achter: de ene soort steekt de lepel maar oppervlakkig in de soep, zodat je bij hen zo laat mogelijk in de rij moet gaan staan, omdat aardappelen of hele linzen naar de bodem van de ketel zakken en er daarom bij de laatste porties meer uit gevist wordt dan bij de eerste. Bij de andere soort, de diepscheppers, moet je vroeg zijn omdat bij hen op het eind alleen nog bouillon overblijft, niet veel meer dan heet water. Maar als de soep drijvende ingrediënten bevat ...

Incubus. Nu weet ik weer waar ik dat woord voor het eerst ben tegengekomen. In een programmaboekje. Het Joodse theater uit Moskou speelde *De dibboek* en het kwam voor in de inhoudsopgave. Ik moest aan Olga vragen wat het betekent. Olga weet de gekste dingen. Waar duiven nestelen als je spiegeleieren nodig hebt.

Van hongerlijden word je niet slank. Slank was ik op mijn zeventiende. Mama wilde me vetmesten. Ze vond het vreselijk dat je mijn ribben kon tellen als ik in badpak was. Maar alle botersauzen ter wereld maakten mijn buik niet ronder. Daar was een ijzerhoudend middel voor nodig. Een granaatscherf.

Wie ooit dik was – nee, ik was niet dik, ik was vet –, wie ooit vet was, blijft dat zijn leven lang. Dan helpt ook het consequentste gedwongen dieet uit de kampkeuken niets. Ik ben een magere vette man. Met de treurige borsten van een oude vrouw. Mijn buik, de huid die mijn buik ooit omspande, hangt als een schort langs mijn lijf. Alsof hij de door de granaatscherf aangerichte schade wil bedekken.

Honger maakt lelijk.

Maar mijn carrière heeft niet onder mijn magerte geleden, meneer Brecht. Daarin hebt u zich vergist. Zojuist is me de meest grandioze film van mijn leven aangeboden. Met een hele stad als figurant. Ik ben vrij om te beslissen of ik hem wil maken. Helemaal vrij. Ik kan ook in de eerstvolgende trein naar Auschwitz stappen. Net wat ik wil.

T.O. Terugkeer ongewenst. Zo'n aanbod krijg je niet elke dag.

Voor profeet hebt u geen talent. Toen we elkaar in Parijs voor de laatste keer zagen, allebei uit Duitsland verdreven en allebei op zoek naar een nieuw vaderland – nou ja, vaderland, een plaats om te verblijven –, toen u me op dat terras zag zitten, voor een van die cafés waar je voor de prijs van een kop mokka voor een hele middag een stoel huurt, schudde u uw hoofd en zei u tegen uw metgezel – u zei het met opzet zo hard dat ik het wel moest horen –, u lachte en zei: 'Zelfs Hitler kan die reusachtige hoop stront niet wegscheppen.'

U hebt zich vergist, meneer Brecht. Hij is al bezig.

Ik heb mijn brood verslonden, terwijl ik er de hele dag mee zou moeten doen. Ik doe er nooit de hele dag mee. Ik niet.

Olga heeft de helft overgelaten, zoals altijd. Ze legde hem op het doekje dat ze voor dat doel heeft weten te versieren, knoopte de hoeken zorgvuldig samen als bij een geschenkzending en borg het geheel op in de onderste margarinekist. Altijd in de onderste. De remmingen zijn groter als je eerst de ene kist moet optillen voor je iets uit de andere kunt pakken. Zo probeert ze mijn gulzigheid te slim af te zijn.

Het bewaarde brood zou haar avondeten zijn, het zou de smerige soep eetbaarder kunnen maken, maar ze zal het me zoals elke dag aanbieden. 'Ik heb geen honger,' zal ze liegen.

Ik zal een slecht geweten hebben, ik zal weigeren en dan het brood opeten. Ik heb geen sterk karakter.

Nu gaat ze volgens mij vragen of ik al een beslissing heb genomen. Maar Olga is verstandiger dan ik. Ze pakt mijn hand en zegt: 'Kom mee naar de trap. Je moet iets voor me doen.'

Op de kleine overloop boven aan de trap is een plekje waar je door een dakraampje de lucht kunt zien. In nachten met maneschijn zitten we daar soms en noemen het ons terras. Het is de enige lichte plek; verder moet je de weg naar de dode bedden beneden ook overdag in het donker vinden. Je moet blindelings weten waar die ene tree ontbreekt.

Olga zit daar nu op de grond, op ons plekje. Ze zit in het vierkantje zon als in de afgedekte kegel van een schijnwerper. Ze steekt me een schaar toe. Geen idee van wie ze die heeft geleend.

'Knip mijn haar af,' zegt Olga.

Ze zou me net zo goed kunnen vragen haar te slaan.

'Luizen,' zegt ze. 'Het kon niet uitblijven.'

‘Nee,’ zeg ik, ‘niet je haar, alsjeblieft.’ Terwijl ik het zeg, bedenk ik al waar ik het beste kan beginnen. Je leert hier het onvermijdelijke te aanvaarden.

Ze heeft zulk mooi haar. Een lichtbruine kleur, die in de zon glanst als goud. Een van de weinigen hier in Theresienstadt die nog altijd lang haar heeft. Tot over haar schouders. Heel licht golvend, zonder dat ze er iets voor hoeft te doen. Haar kapster in Berlijn heeft een keer tegen haar gezegd: ‘Bij u verdien ik mijn geld gemakkelijk, mevrouw Gerron.’ Als ze het los draagt, valt er steeds een sliert in haar gezicht. Dan maakt ze die beweging met haar hoofd die ze zelf niet eens merkt, als een paard dat last heeft van een vlieg. Ik kan me Olga zonder die beweging niet voorstellen.

Soms draait ze haar haar meteen na het opstaan in een knotje, dat ze in haar sympathieke nonchalance telkens te haastig vaststeekt. Terwijl ze haar kapsel dan fatsoeneert, houdt ze de haarspelden tussen haar lippen, maar blijft praten. Je verstaat er geen woord van. Toen ik haar een keer nadeed, moest ze zo erg lachen dat ze bijna een haarspeld inslikte.

Nu heeft ze luizen.

‘We doen het hierbuiten,’ zegt ze. ‘Anders krijg ik de haren nooit meer uit de woning.’ Ze zegt woning, hoewel het maar een armzalig kamertje in een oud soldatenbordeel is. Olga is de positiefste mens die ik ken.

Ik knip heel voorzichtig. Ze lacht me uit en zegt: ‘Vooral geen scrupules, Kurt.’

Vooral geen scrupules.

Ik knip en knip.

Wat tilde ik Olga’s haar graag op om haar nek te kussen. Nu kus ik hem en heb haren in mijn mond.

‘Ik ga u aangeven bij de kappersbond,’ zegt Olga.

Ik ben onhandig. Bang om haar pijn te doen. Om de stoppels gelijkmatig te krijgen zou je een apparaat moeten hebben.

Een spiegel hebben we niet. Ze loopt de trap af om zichzelf te bekijken in de door de oude Turkavka bewaakte waterton. ‘Ik zie eruit als een egel,’ zegt ze als ze terugkomt.

‘Het spijt me.’

‘Egels hebben geluk,’ zegt ze. ‘Die worden door niemand aangeraakt.’

Uit het bundeltje waarop ze ’s nachts slaapt, haalt ze een hoofddoek en doet hem om. 'Trek niet zo'n gezicht,' zegt ze. 'Je doet wat je moet doen.'

Ze knikt naar me en gaat naar haar werk. Schoonmaken bij de Denen.

Je doet wat je moet doen.

Op de overloop boven aan de trap ligt Olga's haar.

Als je vragen begint te stellen, heb je al verloren. Je moet nemen wat er op je pad komt. Schijt hebben aan wat anderen van je denken. Alle echt succesvolle figuren die ik ken, zijn egoïsten.

Jannings met zijn buik. Waarmee hij alles opzijschuift wat zijn carrière in de weg staat. Meer dan levensgroot, die vent. In Amerika hebben ze hem uitgeroepen tot de beste acteur ter wereld.

Maar toen de sprekende film werd uitgevonden, kreeg hij vanwege zijn accent bij Paramount opeens geen heldenrollen meer aangeboden. Alleen nog karakterrollen. Anders was hij waarschijnlijk in Amerika gebleven. Waar de gage in dollars wordt uitbetaald. Daar had hij dan een villa aan zee laten bouwen. In de grootste kamer zijn eigen portret opgehangen. Er een huisaltaar voor gezet om zichzelf elke dag te aanbidden. Hij vindt zichzelf geweldig en heeft daar ook alle reden voor. Het schilderij hing later in zijn woning in Berlijn – 'Emil Jannings in olie en azijn,' zei Otto – en wie bij hem op bezoek kwam, moest het bewonderen.

Hij had uit Hollywood zijn eigen regisseur meegebracht. Sternberg. Of Von Sternberg, zoals hij zich tegenwoordig noemt. Met hem had hij *Het laatste bevel* gemaakt, de film die in Amerika zo'n grote omzet heeft gehaald. Ik vond er niets aan. Veel te voorspelbaar dat Jannings als Russische generaal aan het eind dramatisch sterft.

Ik heb nooit begrepen waarom de mensen graag zien dat de hoofdrolspeler in de laatste meters film het hoekje omgaat. Ik blijf in zo'n draaiboek steken en zou het liefst naar de kassa gaan om mijn geld terug te eisen. Aan de kassier te vragen: 'Waar draait er een Gerronfilm met een happy end?'

Iedereen verwachtte destijds dat Jannings bij de Ufa een heldenrol zou uitkiezen. Na Danton en Nero weer zo'n grootheid. Maar tot verrassing van de hele branche kwam hij aanzetten met een personage dat totaal niet bij hem paste. Zo totaal niet dat iedereen al sprak van een onvermijdelijke flop. Nog voor er een draaiboek was geschreven. Jannings, die krachtpatser, wilde een zwakkeling spelen, een bangige gymnasiumleraar, die afhankelijk wordt van een danseres en daaraan te gronde gaat. Hij had van Heinrich Mann ook al de rechten van het verhaal gekocht. Het was mij niet duidelijk wat hij erin zag. Hoogstens dat de rol iets weg heeft van zijn Russische generaal: in het begin van de film commandeert hij er lustig op los en aan het eind kun je alleen nog medelijden met hem hebben. Misschien hadden zijn successen in Amerika zijn smaak bedorven. Of hij was een genie en had een fijnere neus voor thema's dan wij allemaal bij elkaar. Of alles tegelijk. In elk geval was hij egoïstisch genoeg om zijn zin door te drijven.

Net als Marlene. Die denkt ook altijd alleen aan zichzelf. Loopt voor haar carrière met haar kop tegen elke muur. Heeft lak aan een goede reputatie. Ze gedroeg zich al als een ster toen ze dat nog helemaal niet was. Omdat Berlijn was zoals het toen was – ik neem aan dat alles daar nu alleen nog grijs en bruin is – had ze besloten verdorven te zijn. Wat totaal niet bij haar paste. Ze was een dochter van goeden huize, een echte, niet zo iemand als mama, die het had aangeleerd. Maar ze ging helemaal op de wilde toer. Zat zonder slipje in het café of zorgde in elk geval dat er werd rondverteld dat ze zonder slipje in het café had gezeten. Bedacht steeds iets nieuws om onderwerp van gesprek te blijven. Zoals de pottennummertjes die ze zo demonstratief weggaf. Het is mij nooit duidelijk geworden of er meer achter zat dan dat ze er in een smokingjasje goed uitzag.

Soms pakten haar reclameacties ook verkeerd uit. Ik herinner me een krantenfoto – bij Marlene waren altijd stomtoevallig fotografen in de buurt – waarop ze met Leni Riefenstahl poseerde. En waarover ze zich later vreselijk opwond, omdat de sjerp die ze om haar heupen had gedrapeerd, verschoven was en je op de foto haar buikje zag. Dat ze eigenlijk mollig was, was haar persoonlijke staatsgeheim.

Ze was over haar lichaam trouwens toch nooit tevreden. In de studio wilde ze altijd alleen van voren opgenomen worden. De schijnwerpers pal in haar gezicht. En profil vond ze haar neus te groot. Terwijl er werd gefluisterd dat ze die al een keer door een chirurg had laten verkleinen. Sternberg heeft toen de oplossing voor haar gevonden. Van hem kon je echt een hoop leren. Een streepje zilverkleurige verf op de neusrug en een schijnwerper direct van boven. Sinds die dag at ze uit zijn hand.

Dat ze de rol in *De blauwe engel* kreeg, was puur toeval. Sternberg ging op een avond naar het Berliner Theater. Omdat hij Rosa Valetti en Hans Albers wilde zien, die hij allebei al voor *De blauwe engel* had geëngageerd. Maar hij had alleen oog voor Marlene. Hoewel ze in *De twee stropdassen* amper één zin had. De volgende dag kwam hij in de studio en zei: 'Ik heb onze Lola gevonden.' Bij de Ufa – dat weet ik van Otto – waren ze niet enthousiast over dat voorstel. Voor Jannings en Pommer zat Marlene gewoon te goed in haar vlees. 'Die billen zijn mooi, maar hebben we niet ook een gezicht nodig?' schijnt iemand gezegd te hebben. Maar Sternberg dreigde onmiddellijk op te stappen en drukte door dat ze uitgenodigd werd voor een proefopname.

Daar was ik graag bij geweest. Marlene dacht namelijk dat het om een oninteressante bijrol ging en kwam met tegenzin aanzakken. 'In een jurk,' vertelde Otto, 'die ze bij de padvinders als tweepersoonstent hadden kunnen gebruiken.' Op de een of andere manier moesten de overtollige pondjes tenslotte worden weggemoffeld. Ze wilde niet eens haar hoed afzetten. En ze schijnt ook geen zin gehad te hebben om voor te zingen. Maar dat was nu net waar Sternberg zo enthousiast over was. Dat je-kunt-de-pot-op-gezicht. Eindelijk eens iets anders dan al die glimlachende doetjes die hij had moeten bekijken.

Hij heeft toen ook heel hard met haar gewerkt. Ook 's nachts in zijn hotelsuite.

Olga begrijpt niet waarom ik die filmroddels niet kan loslaten. 'Dat is toch allemaal niet belangrijk meer,' zegt ze. Maar juist omdat het onbelangrijk is, juist omdat het geen betekenis meer heeft, juist omdat het niemand meer interesseert of ik wel of niet in *De blauwe engel* heb gespeeld, juist omdat niemand die oude verhalen nog wil horen, wie met wie en wie tegen wie, aan welke tafel je in de Ufa-kantine moet gaan zitten en aan welke beslist niet, juist omdat dat allemaal zo ver weg is, zo totaal onwezenlijk, juist omdat niemand me er een stuk brood voor geeft, juist daarom heb ik het nodig. Alleen met herinneringen kan ik nog bewijzen wie ik ben. Wie ik ooit was.

In Westerbork waren mensen die in de ene koffer die was toegestaan, allemaal fotoalbums, schoolrapporten en diploma's hadden meegebracht. 'Hier zit ik aan het strand,' zeiden ze, 'en daar was die limonadeverkoper. Als je dorst had, hoefde je maar met je vingers te knippen. Dit is mijn eerste schooldag,' zeiden ze, 'die broek was gloednieuw en ik heb hem de eerste dag al gescheurd. Dit zijn mijn ouders,' zeiden ze, 'en dit mijn grootouders.' Terwijl die grootouders al dood waren en de ouders waarschijnlijk ook, ze hadden op een lijst gestaan en er was nooit meer iets van ze vernomen. Ik heb geen foto's en met mama's verzameling programmaboekjes en kritieken zal Effeff allang de kachel hebben aangemaakt. Ik heb mijn herinneringen. Het enige wat niemand me kan afpakken.

Olga heeft dat niet nodig. Zij leeft in het heden. Ook nog nu je overal liever zou zijn dan hier en nu. Maar ik ... Toen we in Theresienstadt kwamen, kende iedereen hier professor Walde en professor Strecker. Ze zijn er niet meer, kort na de verfraaiingsactie zijn ze allebei op transport gesteld. Waarschijnlijk hebben ze in de veewagon nog ruziegemaakt. Ze waren specialist op hetzelfde gebied, de geschiedenis van de middeleeuwen, de een had in Königsberg gedoceerd en de ander in Stralsund. Ze hadden waarschijnlijk al hun hele leven in voetnoten hatelijke toespelingen op elkaar gemaakt en elkaar op conferenties vliegen afgevangen. Nu zaten ze elke dag op dezelfde tree voor de Hamburger kazerne, op de plek waar soms de zon schijnt als hij schijnt, en sloegen elkaar met de Merovingers en de Karolingers om de oren. Zolang ze ruzie konden maken, waren ze nog altijd professor, zolang ze met achterbakse beleefdheid tegen elkaar konden zeggen: 'Daar hebt u wellicht iets over het hoofd gezien, geachte collega', waren ze nog altijd in leven. Waren ze nog altijd zichzelf.

Ik heb geen Karolingers of Merovingers. Ik heb Jannings en Albers en Rühmann. Camilla Spira en Marlene. Ik kan nadoen hoe Lorre heel vlug praat als hij iets heeft gespoten, en hoe hij dan plotseling moe wordt en de medeklinkers begint in te slikken. Ik weet waar Siskowitz zijn sigaretten verstopt, omdat hij zonder niet kan werken en er in de montagekamer niet gerookt mag worden wegens brandgevaar. Ik weet dat allemaal en zolang ik het weet, weet ik ook nog wie ik ben.

Opa heeft me een keer een verhaal verteld, een van de legenden die hij zo graag bedacht. Ik had iets opgevangen over het paradijs en wilde van hem weten hoe het er daar uitziet. Een vraag die ik niet aan papa kon stellen, want hij had te maken met de goede God en papa hield niet van de goede God. 'Het is heel mooi in het paradijs,' zei opa. 'Er speelt altijd muziek en er staan gemakkelijke stoelen en tafels vol taart en limonade. Voor de volwassenen zijn er sigaren, die zijn al aangestoken als je ze uit het etui haalt en branden net zo lang als je zin hebt. Je kunt spelletjes doen, *Mens-erger-je-niet* of *Halma*, en omdat het het paradijs is, wint iedereen. Wie in het leven oud was, is weer jong, en wie ziek was weer gezond. Een enkele keer wordt er weleens iemand bleek, zo bleek dat je dwars door hem heen kunt kijken, dan staat hij op en gaat naar buiten en komt nooit meer terug.'

'Wat zijn dat voor mensen die naar buiten gaan?' vroeg ik.

'Degenen die niemand zich meer herinnert.'

Ach, opa.

Ik heb zoveel mensen gekend bij wie het andersom was. Die niet verdwenen omdat men ze vergeten was, maar omdat ze zichzelf vergaten. Omdat ze hun herinneringen ergens achterlieten. Stukken bagage die ze niet meer nodig hadden. Ze werden bleek, dat klopt, bleek en doorzichtig, en ze gingen weg zonder afscheid te nemen. Ze waren weg, hoewel ze er nog waren. Ze stonden nog in de rij voor de voedseluitgifte, lagen nog op hun strozak en als je met ze praatte, gaven ze antwoord.

Maar ze waren er niet meer.

Zo wil ik niet aan mijn einde komen. Ik ben niet in het paradijs, mijn hemel, nee, er zijn hier geen zachte kussens en geen tafels vol limonade, maar ik maak het me gemakkelijk in mijn verleden en laaf me aan mijn eigen belevenissen. Ik rook mijn sigaar die vanzelf aangaat, ik neem nog een trek en nog een en nog een, en ik leg hem niet weg, wat ik er ook voor moet doen.

Wat ik er ook voor moet doen.

Zolang ik mijn herinneringen heb, kan ik me een beeld van mezelf vormen. Kan ik erachter komen wie ik ben. Ik wil er niets van loslaten. Niet het kleinste detail.

De allereerste scène die Jannings voor *De blauwe engel* heeft opgenomen. Waar hij als leraar zijn leerling bij zich thuis laat komen om hem vanwege die blote foto's op zijn kop te geven.

Ik wil me herinneren hoe Jannings losbarstte. Alsof hij in Circus Schumann Oedipus moest spelen. Minstens Oedipus. Hij had ook de tekst herschreven. Van de stomme film was hij gewend dat de woorden er niet toe deden.

Ik wil mijn ogen dichtdoen en zijn monoloog nog een keer horen.

Hoe dan plotseling de stem van Sternberg uit de luidspreker komt – het was immers een geluidsfilm en de regisseur zat met zijn koptelefoon op in die geluiddichte cabine. Hoe hij zegt: 'We zijn hier niet in de schouwburg, Emil. Je hoeft niet als een bezetene achter elke toon aan te zitten.'

Dat wil ik me herinneren. Hoe Jannings beledigd is. Zich gedraagt als een bokkig kind. Volgens hem was hij tenslotte de beste spreker van alle Berlijnse theaters, als Sternberg wilde zou hij hem met plezier de betreffende kritieken laten zien, en als hij nu zijn eerste Duitse geluidsfilm maakte, moesten de toeschouwers daar ook iets van merken. Intussen heeft hij de hele tijd de beginneling die de leerling speelt tussen zijn knieën, en die durft zich uit pure eerbied niet uit die tang te bevrijden. 'Ik zal de Duitse taal niet te schande maken!' schreeuwt Jannings. Hij zegt echt 'te schande maken'. Met de klemtoon op elke afzonderlijke lettergreep.

Dat wil ik me herinneren. Omdat ik de enige hier in Theresienstadt ben die dat nog weet. Omdat je iets moest betekenen om daarbij te kunnen zijn.

Hoe Sternberg dan uit zijn hokje komt. Absoluut niet onder de indruk van Emils gebrul. 'Als je erop staat,' zegt hij, 'speel die rol dan maar zo. Maar alle anderen ga ik als mensen laten praten. Dan zit het publiek straks in de bioscoop zijn hoofd te schudden over je ouderwetse pathos.' 'Ouderwets' zegt hij en 'pathos' en dat tegen Jannings. Terwijl de jonge collega de hele tijd tussen de twee kemphanen ingeklemd zit.

Hoe Sternberg dan gebruikmaakt van Jannings' ijdelheid om hem te krijgen waar hij hem hebben wil. 'Een geniale acteur,' zegt hij, 'moet ook eens tegen de Duitse taal kunnen zondigen.'

Hoe Jannings dat voor zoete koek slikt en alleen nog een uitvlucht zoekt waarom niet hij, maar iemand anders verantwoordelijk is voor de valse tonen. Hoe hij daar de rekwisiteur voor uitkiest, uitgerekend Otto Burschatz, omdat die hem de pikante ansichtkaarten niet van tevoren heeft laten zien, 'en als ik niet weet hoe ze eruitzien, kan ik me ook niet in die situatie verplaatsen'. Maar met Otto moet je zulke geintjes niet uithalen. 'De originelen heb ik helaas nog niet,' zegt hij heel vriendelijk. 'Juffrouw Dietrich wil eerst nog wat afvallen voordat ze zich naakt laat fotograferen.' Waarop Sternberg even slikt en de middagpauze aankondigt.

Dat wil ik me herinneren. Ik heb ook niemand nodig om die verhalen aan te vertellen. Een echte verzamelaar haalt zijn kostbaarste stukken alleen voor zichzelf uit de kluis.

Ik wil me herinneren hoe we een keer de opnamen bekeken. Zonder Marlene. Die was nog niet beroemd genoeg om daarvoor uitgenodigd te worden. Ze was alleen aanwezig op het witte doek, in een scène die we de dag daarvoor hadden opgenomen. Ze was goed. Meer dan goed. Wat bij haar in het privéleven zo gekunsteld overkwam, klopte plotseling als ze voor de camera stond. In de cabine besefte iedereen: dit wordt een ster. Dit wordt de hoofdrol van de film.

Jannings merkt dat natuurlijk ook. Een echt theaterroofdier voelt het als zijn territorium wordt bedreigd. Het licht is allang weer aan, maar hij zit nog steeds naar het witte doek te staren, waar Marlene net nog zong. En opeens horen we hem heel hard zeggen: 'Die wurg ik nog eens.'

Dat wil ik me herinneren.

Hij heeft het ook gedaan. In de scène waarin hij haar met Albers betrapt en van jaloezie over zijn toeren raakt. Er was gerepeteerd dat hij haar bij haar hals pakt en door elkaar schudt. Maar hij liet niet meer los en bleef maar knijpen. Tot hij ten slotte van haar af getrokken moest worden. Het hele draaiplan moest worden omgegooid omdat de wurgplekken aan haar hals niet zomaar weg te schminken waren.

Hoe ik dat ei op zijn hoofd kapot moest slaan en hij niet tevreden was over die scène. Hoe we hem moesten herhalen, nog eens en nog eens, en telkens moest Jannings eerst weer schoongemaakt worden en zijn kostuum ook. Zelfs in zo'n ellendige situatie wilde hij de beste van de wereld zijn.

Hoe Otto Burschatz zegt: 'Neem gerust de tijd. Ik heb buiten een hele kippenren.'

De première in het Gloria Palast. We kregen allemaal applaus, maar Marlene meer dan Jannings. Het liefst had hij haar meteen nog een keer gewurgd. Tijdens het premièrebanket bij Borchardt zag hij vrijwillig af van de ereplaats om niet naast haar te hoeven zitten. En toen verscheen ze niet eens, ze kwam helemaal niet opdagen. Ze ging van de bioscoop rechtstreeks naar het station en vertrok. Naar Amerika, waar Sternberg al op haar wachtte.

Dat wil ik me herinneren.

Dat was op 1 april. Op de dag af drie jaar voordat mijn wereld uit zijn voegen raakte.

Op 1 april. Als het noodlot grappen met je uithaalt.

De grappenmakers waren overal. Terwijl voor mij de studio nog steeds het middelpunt van de wereld was, marcheerden zij al door de straten. Stuurden hun knokploegen eropuit. Ontwierpen hun wetten.

En ik? Ik herinner me rollen, premièrefeesten, vreugde over goede kritieken.

Wat ben ik toch een idioot.

Ze hadden alles voorbereid voor hun film. De heldenrollen voor zichzelf gereserveerd en voor ons alleen de schurken overgelaten. Het draaiboek geschreven. *Mein Kampf*. Een idiote titel. Iets voor de herinneringen van Max Schmeling. Maar met de goede reclame kun je de mensen elke rotzooi verkopen.

We hebben het draaiboek niet gelezen. We vonden andere dingen belangrijker. De eerste filmregie! Een rol bij Max Reinhardt! Kijk eens hoe mooi ik mijn woning heb ingericht! En intussen staat het huis in brand.

Toen ik een kleine jongen was, stond er één keer per jaar een poppenkast bij ons op de binnenplaats. Misschien kwam hij vaker, maar in mijn herinnering is er geen andere regelmaat mogelijk. Het is niet elke maand Kerstmis. Toen heb ik me vast voorgenomen ook ooit poppenspeler te worden. Het mooiste beroep dat ik me kon voorstellen. Ik ben het ook geworden, maar helaas in het verkeerde soort theater. Bij de echte poppenkast kun je het podium gewoon inklappen en op je rug laden, het ensemble in een zak stoppen en meenemen. Willen ze je in het ene land niet meer, dan bouw je je theatertje gewoon in het volgende op. Of in het daaropvolgende. En als je daar de taal niet goed kent en met een belachelijk accent praat, juichen de toeschouwers des te harder.

Het mooist vond ik altijd de scène waarin de boze krokodil achter de grootmoeder aan zit. We schreeuwden dan allemaal: 'Pas op! De krokodil! De krokodil!' Maar de grootmoeder, die sufferd, was hardhorend, en als ze om zich heen keek, was het altijd in de verkeerde richting. Dat was voor mij het grappigste wat er bestond. Omdat je je zo heerlijk superieur kon voelen. Ik – daar was ik vast van overtuigd –, ik zou de krokodil op tijd hebben gezien. Ik zou vliegensvlug Jan Klaassen hebben gehaald om hem met zijn knuppel op zijn kop te slaan.

Ik heb het niet gemerkt. De krokodil heeft me opgevreten.

Terwijl het noodlot me een heel persoonlijke boodschap heeft gestuurd. Het heeft me een rol laten spelen waar alles al in zat wat ik nu meemaak. Ik heb het orakel alleen verkeerd begrepen. Dat is altijd zo met orakels. Wat er echt in die hemelse fopartikelen zit, merk je altijd pas als de klapsigaar al is ontploft.

FAEA heette het stuk. De Fotografisch-Akoestische Experimentele Aandelenmaatschappij. Ik speelde hoofdregisseur Süßmilch. Het decor was een filmstudio, waar ik erop los commandeerde en vreselijk gewichtig deed. Alleen had die Süßmilch in werkelijkheid helemaal niets te zeggen. Hij was maar een armzalige marionet, de eigenlijke baas was heel iemand anders.

'Ik sloof me uit,' moest ik een keer zeggen, 'en hij zit daar te knippen met zijn reuzenschaar.' In Theresienstadt is de reuzenschaar van Obersturmführer Rahm. Hij wil een werkelijkheid in elkaar draaien en ik moet hem het materiaal leveren. Misschien heeft hij destijds in Berlijn een voorstelling gezien. De heren moordenaars hebben altijd al aan cultuur gedaan.

In een van de scènes zegt de eigenaar van de filmmaatschappij tegen me: 'U moet zo dicht bij het leven komen dat u door uw pupillen het einde ziet, al is het de dood.'

Zo denkt Rahm ook. Alleen wil hij het andersom. Met de camera zo dichtbij komen dat de dood buiten beeld blijft.

Soms denk ik dat zulke dingen geen toeval kunnen zijn. Misschien bestaat de hemelse dramaturg echt, hij heet Alemann en kent geen groter genoegen dan aan de zitplank van de latrine zagen. Kijken hoe iemand in de stront plonst. De hele wereld één gigantisch scheetkussen.

Dat is altijd nog makkelijker te verdragen dan het idee dat het je eigen schuld is. Dat je de verantwoordelijkheid op niemand kunt afschuiven. Dat je had kunnen weten wat er komt. Dat je het had moeten merken. Ik was er te stom voor. Ik knabbelde aan het peperkoekhuisje en zag de heks niet.

Ze gaven me een eerste filmregie en daarna een tweede en een derde. Ik zag niets anders meer. Geen werkelijkheid, alleen nog scènes. Ik schrokte de ene peperkoek na de andere naar binnen. Terwijl de heks de hele tijd al achter me stond. Ik had haar zachtjes kunnen horen giechelen. Ik had er geen oor voor.

'1 april,' zei de heks.

Niemand heeft iets gemerkt. Ook de betweters niet die achteraf wijs knikten en beweerden dat ze het wel hadden zien aankomen.

We waren allemaal blind.

Papa had zich het liefst zelf bij de nazi's aangesloten. Als ze hem hadden genomen. 'Hoe ze op de judden afgeven, dat is natuurlijk overdreven,' zei hij. 'Maar verder? Niets op aan te merken. Als Heitzendorff maar niet zo gewichtig deed.'

'Ze hebben het steeds over orde,' zei mama terwijl ze haar spitse kostschoolmondje trok. 'Maar wat is dat voor orde, als de portier de kolen niet meer naar je verdieping brengt? Met dit koude weer.'

'Het komt allemaal goed,' zei papa. 'Dat is het vuur van het eerste enthousiasme.'

Ik wilde leuk zijn en zei: 'Het enige waar Heitzendorff enthousiast over kan worden, is de huisorde.' Ha, ha, ha.

Ze hebben alles netjes aangeveegd.

'Eindelijk eens iets groots,' zei Jannings. 'Er is in dit land te lang niet echt iets groots meer geweest.' De houding die hij daarbij aannam, deed vermoeden dat hij daarmee zichzelf bedoelde.

'Voor de vliegerij is het goed.' Het enige wat Rühmann interesseerde. 'Verkiezingsstrijd met een vliegtuig,' zei hij, 'dat is nog eens wat. Dan zou ik ook wel rijkskanselier willen worden.' Maar ondanks al zijn populariteit had hij geen kans gemaakt. 'Het armzalige konijntje' noemde een criticus hem, en het was geen tijd voor konijntjes. Het was een tijd voor wolven.

Die we aanzagen voor schoothondjes. Die iemand wel weg zou jagen als ze al te vervelend keften. We maakten ons vrolijk over ze.

'Ik ben wereldkampioen zwaargewicht,' zei Schmeling. 'Mij zal het een zorg zijn wie er onder mij Duitsland regeert.'

De kleine Korbinian lachte zijn ondergeschiktenlach en vond het een geweldige uitspraak.

De tegenstanders van de nazi's hadden trouwens allemaal goede grappen. Maar spot is niet dodelijk. Of voor de verkeerde. Voor degene die denkt dat je met grappen tegen wapens op kunt.

Alleen Otto Burschatz vond de nazi's niet om te lachen. Hij vond ze griezelig. 'Omdat je je maar bij die club hoeft aan te sluiten en je bent al chef. Terwijl we toch nog uit de oorlog weten dat ze uiteindelijk de manschappen koeioneren.'

'Ik heb voor de rekwisieten alvast een keuze uit hun uniformen besteld,' zei Von Neusser. Als productieleider dacht hij altijd aan alles. 'Op een dag zullen ze hun eigen films willen maken.'

Waarvan ik de regie moet doen.

'Je kunt maar beter meedoen,' zei de Ufa-kantine. 'Hugenberg steunt ze en die heeft nog nooit verkeerd geïnvesteerd.'

Alemann glimlachte alleen maar. Hij had allang voor een partijinsigne gezorgd, maar droeg het voorlopig nog onder zijn revers. Voor de zekerheid.

'Ik heb geen tijd voor dat kinderachtige gedoe,' zei ik. 'Ik moet films maken.'

Ik moet een film maken.

'Ik mag die mensen niet,' zei Olga. 'Ze zijn groezelig. Als ze hun toespraken houden, is dat net zoiets als wanneer iemand een röntgenfoto laat maken zonder dat hij zich heeft verschoond.'

Ze heeft het goed aangevoeld – Olga voelt de dingen altijd goed aan –, maar ook zij kon zich niet voorstellen waar alles toe zou leiden. Niemand kan zich Theresienstadt voorstellen.

Voorgevoelens, ja, die hadden we. Alleen geloofden we onszelf niet. Niet echt. 'Misschien moeten we Duitsland verlaten,' zei Kortner op een keer.

'Waar wil je naartoe?' vroeg Lorre.

'Naar Oostenrijk. Zolang Reinhardt daar is, wordt niemand van ons werkloos.'

Alleen duurde het niet lang of er was geen Reinhardt en geen Oostenrijk meer.

Als het dak lekt, zet je er een emmer onder. 'Morgen bel ik de loodgieter,' zeg je. Wie komt er nu op het idee dat het hele pand kan instorten?

Een koerier van het centraal secretariaat. Ze hebben daar koeriers en typemachines en secretaresses. Als een echte administratie. Alsof ze werkelijk iets te zeggen hebben. Als je ze hun gang liet gaan, zouden ze uniformen voor zichzelf laten maken.

Ik moet bij Eppstein komen, nu meteen. Niet over tien minuten. Subiet. Hij heeft belangrijke informatie voor me.

'Gaat het om leven en dood?' vraag ik. De jongeman met de mouwband voelt de ironie niet en knikt ijverig. Hij is een idioot. In Theresienstadt gaat het altijd om leven en dood.

'Ik kom,' zeg ik. 'Ik wil alleen een berichtje voor mijn vrouw achterlaten.'

Dat begrijpt hij. Bij het hoofd van de Raad van Oudsten geroepen worden kan ook altijd betekenen dat je bij Rahm geroepen wordt. Vanwaar niet iedereen terugkomt. Maar ik moet opschieten, zegt hij.

'Loop maar vast vooruit en zeg dat ik eraan kom. Anders wordt meneer Eppstein ongeduldig.' Dat maakt hem bang. Een ongeduldige

Eppstein zou een boze Eppstein kunnen zijn. Die een andere, snellere koerier zou kunnen zoeken. Zonder baantje bij de Raad van Oudsten ben je niet meer vrijgesteld van transport.

Hij rent ervandoor. Ik hoor met voldoening dat hij in het donker struikelt bij de ontbrekende tree.

Ik schrijf een berichtje in het schoolschrift. Dat heb ik zo met Olga afgesproken. *Ben bij Eppstein*, schrijf ik en ik stel me voor hoe ook die drie woorden met rode inkt worden verbeterd. Een zin is pas perfect met een gezegde en een onderwerp.

Je zou je hersens moeten kunnen spoelen om al die verrotte resten van je schoolkennis kwijt te raken.

Wat Eppstein van me wil? Niet moeilijk te raden. Hij wil mijn beslissing horen. Hij wil dat ik ja zeg. Het is pas de tweede dag, maar Rahm zal ongeduldig geworden zijn. Als heer over leven en dood is hij niet gewend om te wachten.

Wat zal ik antwoorden? Alsof ik een keus heb. Je doet wat je moet doen.

Misschien kan ik voorwaarden stellen. Niet bij Rahm, natuurlijk niet, maar bij Eppstein. Beter eten of ...

Het is niet belangrijk wat ik eruit kan slepen, het gaat om de eis op zich. Dolly Haas laat in de contracten zetten dat er elke dag gele rozen in haar kleedkamer moeten staan. Ze heeft me ook uitgelegd waarom. 'Welke kleur de bloemen hebben, kan me geen zak schelen,' zei ze. Voor zo'n teer poppetje is ze behoorlijk grof in de mond. 'Maar wie voorwaarden kan stellen, is belangrijk. Wie belangrijk is, wordt niet slecht behandeld.'

Of in elk geval een beetje minder slecht. Ik zal van Eppstein verlangen ...

Ah.

Alleen al het gevoel iets te kunnen eisen doet me goed. Ik zal van Eppstein verlangen ...

Er schiet me nog wel iets te binnen.

Ik leg het schoolschrift weer terug en ga op weg.

'Schoonmaken graag,' zegt Turkavka.

De Raad van Oudsten heeft zijn kantoor in de Maagdenburger kazerne. Ik maak de omweg rond het marktplein. Ik loop niet graag langs het bureau van de commandant.

De straten zijn vol. Zoals altijd. Er zijn hier te veel mensen. Dat heeft ook Rahm gedacht toen hij voor het bezoek van het Rode Kruis de stad liet verfraaien. Hij heeft toen een hele trein vol oude mensen naar Auschwitz gestuurd. Om esthetische redenen.

Plotseling, voor de gevels van de huizen, schiet mijn droom me weer te binnen.

Er was een stad, nee, een dorp was het. Niet zomaar een dorp, het was Poelcapelle, ja, waar onze 8e compagnie ingekwartierd was toen we helden moesten zijn, strijders voor het vaderland. Ik ken daar elke steen, elke dekking voor verdwaald kanonvuur. Ik ben niets vergeten en het was allemaal nog precies zo. Nee, het was allemaal heel anders. De vertrouwde ruïnes van de huizen waren geen ruïnes meer, de verminkte kerktoren had weer een spits, waarop een ooievaar nestelde, en van het overheidsgebouw waar de regimentsstaf zat, was de muur niet meer ingestort. Het hele dorp schoon en gaaf, opgepoetst als voor de vrede of voor een bezoek van de divisiecommandant. Gordijnen voor de ramen, knisperend van properheid zoals mama's feestelijke blouses, zoals de witte boord op een verpakking van Hoffmann's zilverglansstijfsel. Bloembakken aan de gevels, allemaal perfecte bloemen, narcissen, en toen ik dacht: Die zijn toch in Langemarck gestikt, waren het viooltjes. Net als in Olga's bruidsboeket.

Muziek. Er was ook muziek, achteloos op de weg gestrooid. Een handvol vage klanken en nog een en nog een. De melodie niet te herkennen, maar toch vertrouwd. Soms hoor je muziek op die manier. Als je langs een huis loopt waar iemand aan het oefenen is. Of bij de opnamen van een stomme film, als de productie muzikanten laat komen om de acteurs in de goede stemming te brengen. *Mijn broer zorgt bij de film voor de geluiden.*

Onder mijn voeten niet het vertrouwde parcours van Vlaamse modder, die je laarzen als met handen vastgrijpt en ze alleen met tegenzin weer loslaat. Romantische kinderkopjes, elke steen pas geschrobd. Oud-Heidelberg. Ook de huizen als het ware nagetekend van ansichtkaarten. Met krullen versierde puntgevels en erkers. Achter elk dakraampje een arme dichter.

De straat uitgestorven. Alleen voor mij bestemd, helemaal voor mij alleen. Te breed en te lang voor Poelcapelle. Eindeloos. Met elke stap die ik zet, komen er nieuwe gebouwen in beeld.

Ik loop verder en verder en weet zonder verrast te zijn dat de straat maar een decor is, de ene kunstmatige gevel na de andere. De stenen geen stenen, de dwarslatten geen houten balken. Alles maar beschilderd, zorgvuldig gestut karton. Je mag er niet achter kijken, dat is tegen de regels, je mag alleen zien wat ook de camera ziet. In mijn droom weet ik dat en vind ik het heel vanzelfsprekend. Geruststellend. Zo hoort het te zijn.

Ik loop langs de voorkant van de huizen en kruis mijn armen voor mijn borst. Zoals je je dat in de studio aanwent om niet per ongeluk met een zwaaiende arm over natte verf te strijken.

Het valt me op dat de deuren niet van karton zijn. Ze zijn stevig gebouwd, wat betekent dat ze zo open zullen gaan. Je bouwt alleen echte deuren als het draaiboek dat vereist. De rekwisiteur heeft er ook naambordjes op geschroefd. Een vreemd schrift, dat ik niet kan lezen. Belkoorden, elk belletje in een andere toon gestemd. Bimbam, bimbam. Ik hoef niet te bellen. Ik hoef maar voor een deur te blijven staan, of hij gaat al open en er komen mensen naar buiten, steeds een aantal tegelijk, hele gezinnen en scharen bedienden. Met veren versierde baretten, hoepelrokken die breder zijn dan de deurkozijnen en toch niet blijven steken. Maar misschien ben ik mijn droom nu alweer aan het herschrijven en ben ik al bij de volgende versie van het draaiboek, nog weelderiger, nog publieksvriendelijker. Dit mag u niet missen, dit moet u gezien hebben.

Misschien ben ik alweer aan het regisseren.

Ik stel een vraag, steeds dezelfde, en ze antwoorden met opgetrokken schouders, met op z'n Joods uitgestoken lege handen. Ik vraag: 'Waar is de studio waar ik word verwacht?' En ze antwoorden: 'Dat weten we niet. Niet hier. Niet hier.'

Ze blijven geduldig en vriendelijk, ook als ik het steeds nadrukkelijker vraag, steeds ongeduldiger, steeds panischer. Want er is een film die gemaakt moet worden, een heel belangrijke film, ik ben de regisseur, zonder mij kunnen ze niet beginnen, en ik ben op de verkeerde plaats, in welk huis ik ook informeer, ik moet de studio vinden en weet dat ik hem niet zal vinden, dat er helemaal geen studio is, en ook dat is mijn schuld en ook daarvoor zal ik gestraft worden.

Voor mijn film.

De jaren bij de Ufa waren mijn gelukkigste tijd.

Voor iemand als ik, die altijd twee linkerhanden heeft gehad, die vanaf zijn geboorte een doezel is geweest, bestaat er geen mooier gevoel dan wanneer iets lastigs een keer heel erg meevalt. Wanneer alles schijnbaar moeiteloos in elkaar past. Regisseur zijn, dat was voor mij vanaf het begin zoiets als een vertrouwd kledingstuk aanschieten dat je past als geen ander. Dat je elke dag zou willen aantrekken.

Ik zal het opnieuw aantrekken. Ik kan het aanbod niet weerstaan. Omdat het me nog één keer in de gelegenheid stelt om te doen wat ik het beste kan. Omdat het mijn leven is. Mijn beroep. Dat waarop ik me zonder het te weten altijd al had voorbereid.

Geënsceneerd heb ik altijd. Dat is me waarschijnlijk aangeboren. Het begon met het hobbelpaard, waarbij ik stampend en schreeuwend probeerde te voorkomen dat het de wereld zijn verkeerde, niet voor het publiek bestemde kant liet zien. Precies hetzelfde deed ik als ik samen met Kalle Troje veroverde of een nieuwe planeet ontdekte. Ik regisseerde toen ik mezelf de rol van oorlogsheld gaf omdat papa me zo wilde zien. Van vrouwenverleider om de gevolgen van mijn verwonding te verdoezelen. En voor de zoenen van Lore Heimbold ben ik destijds gevlucht met de schrik van een poppenspeler van wie de marionet vanzelf beweegt. Zelfs als ik op de planken stond, gaf ik mezelf constant een rol. Niet de rol die het stuk tekst voor me op het oog had, maar die van de acteur. Ik stond de hele tijd als mijn eigen regisseur naast me. Ik spéélde de toneelspeler altijd alleen maar.

Misschien is dat de reden waarom ik nooit echt een groot acteur geworden ben. Bekend, ja, populair ook, maar niet iemand die maakt dat je de speler achter zijn personage vergeet. Geen Jannings of George. Misschien heeft Brecht toch gelijk en ben ik echt alleen iemand van de revue. Een tingeltangelman. Een zingende buik.

Doet er niet toe. Als ik regisseer, ben ik meer dan dat.

Ik zal het doen. Ik zal mijn voorwaarden stellen. Gele rozen in de kleedkamer. Ik zal nog één keer in mijn leven regisseur zijn. Als het de laatste keer is, dan is het maar de laatste keer.

Er bestaat geen mooier beroep.

In de Wintergarten trad een keer een artiest op, die met één been op het slappe koord stond, om het andere gekleurde ringen liet draaien, met drie ballen jongleerde, blokfluit speelde en een koffiepot op zijn hoofd liet balanceren. Zo is regisseren. Op een onmogelijke manier plezierig en op een plezierige manier onmogelijk.

Natuurlijk doe je het niet alleen. Films zijn ingewikkelde machines en aan de constructie werken veel mensen mee. Specialisten. De meest uiteenlopende vaklieden. Maar de regisseur is de ingenieur. Hij zorgt dat alle stangen en tandwielen in elkaar grijpen, dat ze elkaar aandrijven en niet in de weg zitten, dat alles feilloos draait en beweegt, zo vanzelfsprekend dat je het mechaniek niet waarneemt, dat iedere toeschouwer het gevoel krijgt dat het allemaal heel eenvoudig is.

Dat is het moeilijke ervan en daarom is het zo leuk.

Ik heb prachtige machines gebouwd. Meesterwerken van fijnmechanica. Alleen wat ze eigenlijk produceerden, daar hield ik me nauwelijks mee bezig. Dat schoof ik van me af.

Toen al.

De Ufa was een productiebedrijf voor leugens. Illusies in het groot en in het klein. Of het nu Babelsberg was of Theresienstadt: stadsverfraaiing hier, stadsverfraaiing daar.

Alleen deden de acteurs bij de Ufa vrijwillig mee.

We hebben zo goed gelogen dat de mensen voor de bioscoopkassa in de rij stonden. Ook al zei Otto Burschatz: 'Wat wij produceren, is pure stront. Maar trek je er niets van aan, Gerson. Bij jou is hij tenminste netjes geklopt.'

Kurt Gerron: de beste strontklopper van de Duitse film.

Ik heb altijd kwaliteit geleverd. Dat kan niemand ontkennen. Echt waar voor je geld. Zorgvuldig beschilderd in de kleuren van het seizoen. Onbreekbaar en schokvrij. Ik heb geproduceerd wat er werd besteld. Verhalen verteld die alleen verzonnen werden om gelukkig te kunnen aflopen. 'Wie het ware leven kent, wil in de film een happy end.' De werkelijkheid was er alleen om er de poedersuiker van een lacher overheen te blazen. Zodat ze in het Gloria Palast stampten van plezier. In een tijd dat het hele land op de fles ging, spelden wij 'bankroet' alsof er geen grappiger woord bestond. De b van bedelaar, de a van achterstallige schulden, de n van niemand betaalt. Mijn tekst. Mijn rol. Hier zouden we in plaats daarvan 'honger' kunnen spellen. De h van hulpeloos, de o van ondervoed, de n van niets te vreten. En dan een vrolijk liedje zingen. Dat leidde al bij de Ufa af van het miserabele draaiboek. Je zou dezelfde titels kunnen nemen als toen. 'Het wordt wel weer beter, het wordt wel weer beter, op een dag moet het toch beter met ons gaan.' Het orkest net zo lang op de jazztrom laten slaan tot de mensen in de bioscoop erin geloven.

Tot wij er allemaal aan moeten geloven.

Ik heb de Ufa geholpen de economische crisis weg te liegen. Voor Karl Rahm zal ik van Theresienstadt een paradijs maken. Suikerglazuur hier, suikerglazuur daar. Ze zouden in het kamp misschien wel een andere regisseur kunnen vinden. Maar beslist geen perfecter illusionist.

Ik ben echt een goede leugenaar. Soms lukt het me bijna mezelf te overtuigen.

'Op een dag moet het toch beter met ons gaan.' *Sjing-boem.*

Ik weet niet meer hoe de films allemaal heetten. Ik haal ze door elkaar. Alsof ik ze alleen in de bioscoop heb gezien, lang geleden. Alsof ze allemaal hetzelfde draaiboek hadden. Eén lange rolprent waarin steeds weer hetzelfde gebeurde. Er gebeurde ook steeds hetzelfde. De ene keer met Willy Fritsch en de andere keer met Heinz Rühmann, met Käthe von Nagy en Dolly Haas. Steeds dezelfde kringloop. Het begint met een insolventverklaring of een bankroet en dan komt er een onwaarschijnlijk toeval, of de helden hebben een gek idee dat helemaal niet kan lukken en natuurlijk toch lukt, dan volgt er nog een kleine intrige hier en een kleine intrige daar en na negentig minuten zijn ze allemaal rijk en gelukkig en uiteraard verliefd. Als de draaiboekschrijver niets anders te binnen wilde schieten, zingen en dansen ze tussendoor en een week na de première klinkt het nieuwste lied op elke hoek van de straat uit het draaiorgel. 'Het wordt wel weer beter, het wordt wel weer beter.' De vrouwen dragen een chic hoedje en trekken een guitig snoetje, de mannen zijn constant mannelijk en raken ook in moeilijke tijden hun zelfbeheersing en de vouw in hun broek niet kwijt. Wie op het eind wie krijgt, bepaalt Hugenbergs salariskantoor, gelijke gage bij gelijke gage, en dan kussen ze elkaar in close-up en fade-out.

Steeds dezelfde film. Steeds hetzelfde verhaal.

Op een vervolg meer of minder komt het niet aan.

Voor de Maagdenburger kazerne is de straat geveegd. Dat alleen al bewijst dat hier belangrijke mensen zitten. Verder vegen ze alleen nog voor het bureau van de commandant.

Slechts één keer, toen de commissie van het Rode Kruis op bezoek kwam, blonk de hele stad zo. Althans waar de afgevaardigden heen werden geleid. Elke straatsteen apart gepoetst. De gevels opnieuw geschilderd. Gordijnen voor de ramen. Bloembakken. Rahm heeft zich persoonlijk met elk detail bemoeid. Mensen die hij te lelijk vond, heeft hij op transport gesteld. Zodat ze het totaalbeeld niet bedierven.

Sinds die dag hangt ook dat vreselijk indrukwekkende bord naast de ingang van de Maagdenburger kazerne. Van boven de twee gebeeldhouwde paardenhoofden en van onderen dat bord dat de wereld laat weten dat het hoofd van de Raad van Oudsten hier zijn kantoor heeft.

En zijn woning. Die groter moet zijn dan welk kumbal ook. Jaloerse tongen spreken van hele suites. Maar dat zal wel een *bonke* zijn, zoals ze hier zeggen. Een vals gerucht.

De koerier heeft voor de poort gewacht en rent naar me toe. Eppstein heeft al twee keer naar me gevraagd. Je merkt dat hem dat bang maakt. Ik doe of ik buiten adem ben. Beweer dat ik eerst moet bijkomen voor ik de trap oploop. De oude Ufa-regel: wie de ander kan laten wachten, is al in het voordeel.

Hij rent weg om mijn aankomst te melden. Ik loop langzaam.

De wachtkamer in het centraal secretariaat zit vol mensen die iets van Eppstein willen. Niet iedereen zal tot het Allerheiligste toegelaten worden. Eppsteins tijd is beperkt. Ze willen allemaal hetzelfde. Vrijstelling van transport. Voor zichzelf of voor een familielid. Een arbeidsplaats waar ze onvervangbaar en dus onmisbaar zijn. Zekerheid. Tot de volgende trein naar Auschwitz. Tot de daaropvolgende.

De meeste wachtenden zijn mannen. Je ziet dat ze allemaal ooit iets belangrijks waren. Voor ze werden afgevoerd naar Theresienstadt, waar niemand meer belangrijk is. Bedrijfsleiders moeten het geweest zijn. Ambtenaren. Mensen die gewend zijn met autoriteiten om te gaan. Je hebt connecties nodig om hier zelfs maar in de wachtkamer te komen. Sommigen hebben hun vrouw gestuurd. Of hun dochter. Die zich zo mooi mogelijk heeft gemaakt om Eppstein met haar charme te overtuigen. Of met meer.

Ze bekijken me wantrouwig. Nog een concurrent. Ik word meteen Eppsteins kantoor binnengelaten en hoor achter me het woedende gemompel van degenen die gepasseerd zijn. Er wordt verteld dat de gebruikelijke wachttijd voor een audiëntie drie dagen is.

Eppstein ziet er moe uit. Een kleine man. Te tenger voor het imposante bureau dat ze waarschijnlijk in het kader van de stadsverfraaiing voor hem hebben neergezet.

Hij geeft me een vel papier. 'Hier,' zegt hij. 'Van Obersturmführer Rahm. Een eerste lijst van mensen die in de film moeten voorkomen. Dan kunt u alvast iets bedenken.'

'Ik heb nog niet beslist of ik de film wel wil maken.'

Eppstein kijkt me aan. 'U denkt toch niet echt dat u iets te beslissen hebt, Gerron?'

Tot zover de gele rozen.

De meeste namen op de lijst ken ik. Allemaal A-prominenten. Dr. Meissner. Gradnauer. Meyer. Allemaal ooit minister geweest. Sommer, Von Friedländer, Von Hänisch. Generaals. Dokter Springer en een paar andere artsen. Rabbijn Baeck en de Deense opperrabbijn. Een dure bezetting.

'Deze mensen moeten in close-up worden getoond,' zegt Eppstein.

Ik probeer nog een keer tegen te spreken. 'Rahm heeft gezegd dat ik tot morgen de tijd heb.'

'Obersturmfüher Rahm,' zegt Eppstein, 'heeft beslist dat u hem uiterlijk morgen een concept moet laten zien. Nog vragen?'

Nee, meneer Eppstein van de Raad van Oudsten. Geen vragen meer.

Mijn laatste Duitse film was dus toch niet de laatste. Wegens grote belangstelling geprolongeerd.

Elf jaar geleden is dat nu. Iets meer dan elf jaar. Op 1 april 1933.

De film die we toen maakten, was even onbelangrijk als alle andere. Zo'n gecompliceerde liefdesgeschiedenis, waaraan de ene schrijver na de andere had zitten prutsen, met telkens nog ingewikkelder ideeën hoe het bij voorbaat vaststaande happy end nog even uitgesteld kon worden. Niets bijzonders. Er speelde een hond mee die niet zo goed was afgericht als me was beloofd. De twee hoofdrolspelers hadden een wilde affaire met elkaar. Het gebruikelijke werk.

De nazi's waren al twee maanden aan de macht, maar ik had me er verder niet mee beziggehouden. Wie een film voorbereidt, heeft geen tijd voor politiek. We waren er ook allemaal van overtuigd dat Hitler als rijkskanselier maar een tussenspel zou zijn. Een komisch intermezzo, voordat het verderging met een serieuzere bezetting. 'Met zo'n snor kun je geen land regeren,' zeiden we.

Er werd alleen gediscussieerd over de avond in de Kaiserhof. Niet vanwege de toespraak van Goebbels, maar omdat al onze grote heren erbij geweest waren. Alle directeuren van de filmmaatschappijen. Met Hugenberg voorop. Er werd gefluisterd dat de kersverse minister hun die avond had uitgelegd welke films het publiek wel en niet wilde zien. Waar wij natuurlijk alleen de spot mee dreven. 'Als Goebbels dat echt wist,' zeiden we, 'dan hoefde hij geen minister te zijn, dan kon hij bij de film zo een smak geld verdienen.' Een van zijn zinnen werd extra spottend geciteerd: 'De smaak van het publiek stemt niet overeen met wat zich in het binnenste van een Joodse regisseur afspeelt.'

'Jij bent zeker een arische misstap van je moeder,' zei Otto Wallburg tegen mij. 'Tot nu toe is elke film van jou een kassucces geweest.'

We begrepen niets.

Tot die eerste april.

We draaiden die zaterdag niet in Babelsberg, maar in de spiegelzaal van Bühlers Ballhaus, een paar passen van de Oranienburger Tor. Een scène met tafeltelefoons en schalks geflirt. Ik wilde de sfeer van het vertrek vastleggen – als je al huur betaalt voor zo'n chique locatie, moet daar in de film ook iets van te zien zijn –, maar met de trage panoramashot die ik had ingepland, ging voortdurend iets mis. Er was steeds een geluidshengel in beeld of de camera schokte. Toen in technisch opzicht eindelijk alles klopte, waren de herhalingen de figuranten te veel geworden. In plaats van de voorgeschreven feeststemming uit te stralen hingen ze als zoutzakken in hun stoel.

Het was de tijd dat je je massascènes kon veroorloven. Door de werkloosheid waren figuranten goedkoop. Je kreeg types die zich vroeger nooit aangemeld zouden hebben. Betere burgers die geen geld meer hadden, maar toch nog konden meedoen als er avondkleding was vereist. Op een keer solliciteerde zelfs de oude professor Waldeyer, die in de inleidende cursus anatomie het menselijk lichaam had geprezen als het meesterwerk der natuur. De inflatie had waarschijnlijk zijn pensioen opgegeten. Ik heb gedaan alsof ik hem niet kende en hem helemaal achteraan gezet. Waar het er niet op aankwam hoe hij eruitzag en zich bewoog.

Op 1 april draaiden we die scène in de spiegelzaal, en we waren met het draaiplan achteropgeraakt. Wat me zelden overkwam. Ik sta bekend om mijn stiptheid. Altijd voldoende speelruimte en altijd goed voorbereid. Het draaiboek in mijn hoofd. 'Op Gerron kun je rekenen,' zeiden ze bij de Ufa. 'Hij levert wat er wordt besteld. Hij zorgt niet voor onaangename verrassingen.' Daarom kreeg ik ook steeds weer de volgende film.

Zelfs in Theresienstadt.

We draaiden dus die scène in de spiegelzaal en de panoramashot stond er eindelijk op. Het volgende was een shot van Magda Schneider met die andere die haar vriendin speelde, die met dat korte bruine haar. Ik kom even niet op haar naam.

Doet er niet toe.

De tafeltelefoon moest overgaan, Magda moest opnemen, naar haar vriendin knikken en dan om zich heen kijken om erachter te komen wie er belde. Niets ingewikkelds. Maar Magda zette het veel te dik aan. Alsof haar personage het draaiboek had gelezen en al wist dat haar latere grote liefde aan de lijn was. Zo van 'Nou nou nou, wie belt daar nu op?' en 'Kijk kijk kijk, waar is hij dan?' Ik moest dus nog een keer opnieuw beginnen. Werd ongeduldig en mocht het niet laten merken. Een ster, of iemand die denkt dat hij dat is, laat zich niet opjagen. Als je dat probeert, wordt hij nog trager. Om te demonstreren dat hij zich niets hoeft te laten vertellen.

Ik voel mijn ongeduld nu nog.

Toen Von Neusser midden in het werk kwam binnenvallen en 'Luister allemaal!' riep, dacht ik: Niet nog een mededeling alsjeblieft, we zijn toch al zo laat. Dat was het enige wat ik dacht. Ik verwachtte een bijkomstigheid, zoals die druktemaker ze graag met veel tamtam aankondigde. Nieuwe maaltijdbonnen voor de kantine of zo.

Niets anders.

'Luister allemaal,' riep hij en hij tingelde op die bespottelijke triangel. Tot hij hem behoedzaam op de grond legde en heel langzaam op een stoel klom. In slow motion klom hij op die stomme stoel en toen ...

En toen ...

'Rijksminister dr. Goebbels,' blafte Von Neusser. Zwakke lieden nemen graag een stramme houding aan. Hij stond daar op zijn stoel, op een van die nepgouden gammele stoeltjes waarmee Bühlers Ballhaus op de elegante toer ging, hij stond daar met zijn schuiten op het dunne rode kussen en ik dacht nog: Wat heeft die nu voor schoenen aan? Laarzen. Hij droeg warempel laarzen onder zijn pantalon. Alsof hij zich alvast op marcheren had ingesteld. Een goede productieleider is altijd op alles voorbereid. Zo stond hij daar in zijn goede pak. Hij droeg altijd een vest, ook in de studio, waar het door de schijnwerpers altijd te heet is. Daarmee wilde hij ernst demonstreren of gewoon zijn buik wegmoffelen. Hij had zo'n ongezond ballonbuikje gekregen van al die luxueuze maaltijden waarvoor hij zich liet uitnodigen door leveranciers. 'Voor de heel grote corruptie is hij te laf,' zei Otto Burschatz over hem, 'maar van de kleine geniet hij.'

'Rijksminister dr. Goebbels,' bulderde Von Neusser. Hij noemde Klompvoetje bij zijn beide titels. Om vooral niets verkeerd te doen. Zoals Eppstein 'Obersturmführer Rahm' zegt. Hij herhaalde ze ook telkens als hij de naam noemde en hij noemde hem vaak. Een slappeling die op het schoolplein constant 'mijn grote broer' zegt. 'Mijn grote broer is sterker dan de jouwe, mijn grote broer gaat jou een pak slaag geven, tot nog toe hebben jullie mij aangezien voor een papkindje, maar nu heb ik een grote broer en daarom ben ik sterker dan jullie allemaal.'

'Rijksminister dr. Goebbels,' zei hij, 'heeft de Duitse filmkunst een nieuwe weg gewezen.' Hij praatte zo gezwollen alsof hij een hoofdartikel uit zijn hoofd had geleerd. Zoals hij ook alle instructies van de directie uit zijn hoofd kende. Von Neusser, de Ufa-medewerker die het beste naar boven likt en naar onderen trapt.

'Een nieuwe weg van de Duitse filmkunst', blablabla, 'genialiteit van de Duitse geest', blabla, 'innerlijke grootheid van onze gezindheid'. Alsof die plechtige woorden keurig op een rijtje in een dagorder stonden. Onze eerste luitenant Backes hield zijn patriottische toespraken ook altijd op die manier. Ook met zo'n zwakke stem, die hij door persen krachtiger probeerde te maken. Die hortende Pruisische officierstaal, waarbij elk woord afzonderlijk wordt afgebeten voordat het wordt uitgespuugd.

'Gebrek aan durf, burgermoed en overtuigingsdrang.' Woef woef woef.

De collega's lieten het geleuter gelaten over zich heen gaan, zoals ze daarnet alle technische onderbrekingen over zich heen hadden laten gaan. In het leger en bij de film leer je wachten. De figuranten die al een paar keer hadden meegedaan, waren zelfs in hun sas. Ze wisten: nog een halfuur vertraging en ze hadden recht op een middagmaal. Alleen Magda Schneider keek boos. Niet om wat Von Neusser vertelde, van de inhoud nam ze niet eens notitie, maar omdat men het bestond haar, de ster van de film, te laten wachten. Terwijl juist nu haar scène aan de beurt was geweest. Boven haar neus vormde zich heel langzaam een loodrechte rimpel. Ik weet nog wat ik dacht. Die gelaatsuitdrukking moet ik onthouden, dacht ik, die is veel effectiever dan het schalkse gechoqueerd-zijn dat ze voortdurend speelt en dat eruitziet als mama's kostschoolmondje.

Schneider maakte zich dus gereed om uit haar vel te springen – ze is een echte actrice en verliest haar zelfbeheersing nooit zonder grondige voorbereiding –, maar haar tegenspeelster, die met het korte haar, van wie de naam me met geen mogelijkheid te binnen wil schieten, schudde onmerkbaar haar hoofd. Ik heb dat gebaar later nog vaak gezien, bij alle mogelijke mensen. Niet opvallen, betekent het, onopvallend blijven, niemand irriteren. Het verliezersgebaar.

Von Neusser praatte maar door. Hij begon nu van een briefje te lezen. Zelfs de ijverigste streber kan niet alles uit zijn hoofd doen. 'Rijksminister dr. Goebbels,' zei hij. 'Vanaf de wortels hervormen,' zei hij. 'Een overtuiging uitdragen. Creatieve wil. De moed voor de nieuwe tijd.' Enzovoorts enzovoorts. En toen ...

'De hoofddirectie van de Universum Film Aktiengesellschaft,' bulderde hij. Hij zei niet Ufa, zoals ieder normaal mens, maar die hele lange officiële firmanaam. Hij kroop de Ufa in haar gat, zoals hij Goebbels met zijn titels in zijn gat was gekropen. 'De hoofddirectie van de Universum Film Aktiengesellschaft heeft op haar vergadering van 31 maart het volgende besluit genomen.' Hij haalde een tweede briefje uit zijn zak. Vouwde het omstandig open. Blafte toen zijn tekst niet meer, maar zong hem bijna, een pas bekeerde die in de kerk met extra veel trillers zingt. Grote God, wij loven u. 'Een nieuwe tijd,' verkondigde Von Neusser, 'heeft nieuwe vaandeldragers nodig. Mensen die bij machte zijn de veranderde grondslag van ons staatsbestel duidelijk te herkennen. Die bij machte zijn zich tot het geestelijk niveau van de natie te verheffen. Die bereid zijn de levensbeschouwelijke vormen van een nieuwe tijd te respecteren.'

Hij maakte een effectpauze zoals derderangsacteurs graag doen, keek op zijn briefje alsof hij die ene zin, de zin waarvoor hij de hele poppenkast opvoerde, niet uit zijn hoofd kende en bedierf het hele effect, doordat hij een grijns niet kon onderdrukken. 'Alle Joden,' zei hij toen, 'verlaten op staande voet de studio.'

Verlaten de studio.

Er bestaat een stilte die niet echt geluidloos is. Als na de slotscène van een toneelstuk de hele zaal even zijn adem inhoudt voordat het applaus of het boegeroep begint, als bij een concert de dirigent na de laatste toon het dirigeerstokje niet meteen laat zakken om de muziek ongestoord te laten wegsterven, kun je zo'n stilte horen. Een pauze waarin al rommelt wat er meteen daarna zal volgen.

Von Neusser stond nog steeds op zijn stoeltje. Hij had nog steeds zijn briefje in zijn hand. In de balzaal was het stil. Niemand maakte een beweging. In de spiegels aan de wanden zou die driedubbel te zien geweest zijn. Niemand zei een woord. Er was alleen één groot inademen voelbaar, zoals de zee – zo heeft een visser in Scheveningen het me ooit verteld – inademt voor hij zich met een metershoge golf op een schip stort.

Toen barstte het tumult los.

'Schande!' riep een stem. Geen krachtige stem, geen acteur die gewend is zich verstaanbaar te maken. Een van de figuranten, allemaal burgerlijke mensen die allemaal nog een voor deze scène vereiste smoking of avondjurk bezaten. 'Schande!' riep de stem en meteen was hij niet meer alleen, maar klonken de stemmen van alle figuranten, en ook de technici van het licht en het geluid vielen in en ten slotte ook de acteurs.

Allemaal.

'Schande!' riepen ze en 'Foei!' en 'De Ufa moet zich schamen!'

Von Neusser kon zijn oren niet geloven. Hij was gewend aan de onderdanige manier waarop de leveranciers hem bejegenden in de hoop op opdrachten, hij vond het vanzelfsprekend dat hij altijd gelijk kreeg. Ook door de medewerkers was hij haast nooit tegengesproken; tenslotte had hij bij gages en salarissen een belangrijk woordje mee te spreken. Hij was een halve god geweest, de respectabele plaatsvervanger van de echte goden van de directie-etage. En nu klonk er plotseling van alle kanten protest.

Hij wilde al gesticulerend voor rust zorgen, dacht echt dat hij het protest gewoon kon wegwuiven. Hij wilde de opschudding dempen met een gebaar dat eruitzag alsof een pianist met tien gespreide vingers op een toetsenbord hamerde. Alleen was er geen toetsenbord en geen krachtige, alles overstemmende vleugel. Zijn gebaar ging verloren, een belachelijk hulpeloos gespartel.

Hij probeerde het met woorden, schreeuwde steeds weer iets wat waarschijnlijk 'Stilte!' moest betekenen, maar zijn stem was te ijl en wist niet door te dringen. Je zag alleen hoe hij zijn mond opensperde en weer dichtklapte, een vis op het droge, die buiten zijn element verloren is.

Hij stond nog steeds op zijn stoel, alleen zag hij er nu niet meer uit als een volksredenaar op zijn podium, maar – zonder dat er aan zijn lichaamshouding iets was veranderd – als de belachelijke figuur in een klucht die op de tafel is gesprongen voor een muis. In zijn broekspijpen – ik zie het nog voor me – tekenden zich onder zijn knieën de schachten van die belachelijke laarzen af. Die had hij ter ere van de dag zeker opgevist uit de voorraad toneelkostuums.

'Rijksminister dr. Goebbels,' begon hij nog een keer, maar de geluidshengelaar, dezelfde die daarnet door zijn onoplettendheid een opname had verprutst, liet zijn geluidshengel nu heel diep zakken, zwaaide hem met volle kracht van links naar rechts, raakte met de lange stang Von Neussers gelaarsde benen en mepte hem van de stoel. Haalde hem neer.

Von Neusser belandde op zijn rug en bleef liggen. Hij had zich niet bezeerd, niets gebroken en had probleemloos zelf kunnen opstaan. Maar hij wachtte tot iemand hem te hulp schoot, partij voor hem koos. Alleen was er niemand die hem steunde, helemaal niemand.

Enkel Magda Schneider ging naar hem toe, maar niet om hem te helpen. Naast hem, boven hem, bleef ze staan, keek minachtend op hem neer en wachtte – ook op dat moment wist ze effect te sorteren – tot iedereen naar haar keek en luisterde.

'Meneer Von Neusser,' zei ze, 'u wilt dat alle Joden de studio verlaten. Misschien hebt u zelfs de macht om die bepaling door te drijven. Maar één ding moet u weten: als u onze regisseur wegjaagt, dan kunt u uw snertfilms voortaan in uw eentje maken, meneer Von Neusser. Dan kunt u zelf regisseur zijn en hoofdrolspeler en cameraman erbij. Want als Kurt Gerron gaat, dat moet u goed beseffen, dan gaan wij allemaal mee. Waar of niet?'

Van alle kanten schreeuwden ze: 'Ja! Ja!' en 'Leve Gerron!' Plotseling stonden er een paar technici om me heen, sterke knapen die me op hun schouders tilden, ik zat als op een troon en voor mijn neus krabbelde Von Neusser overeind. Heel even leek het of hij voor ons knielde.

Toen draaide hij zich om, hij kon al die mensen die zich tegen hem verenigd hadden, niet meer in de ogen kijken en liep dwars door de hele spiegelzaal naar buiten. Met gebogen rug. Waar hij langsliep, maakten de mensen plaats voor hem, niet uit beleefdheid, maar zoals je uitwijkt voor een zieke door wie je niet aangestoken wilt worden.

Toen de deur achter hem was dichtgevallen, barstte er gejuich los, een fantastisch gejuich, waar maar geen eind aan wilde komen. Toen het ten slotte toch verstomde, keek de hele studio, acteurs en technici en figuranten, vol verwachting naar me op. Ze wilden een toespraak horen.

En ik vond precies de juiste woorden.

'Laten we weer aan het werk gaan,' zei ik. 'We moeten hier een film maken.'

Maar zo was het niet.

Het was zo: Von Neusser ontweek mijn blik niet. Hij stond er heel rustig bij. Wachtte op een reactie, waarop hij het antwoord al klaar had. Keek niet eens triomfantelijk, maar bijna verveeld. Ik bestond al niet meer voor hem. Ik was voor hem niet nuttig en daarom ook niet interessant meer. Hij kruiste zijn armen voor zijn borst en stak zijn kin naar voren, een Mussolini-gebaar, dacht ik nog, dat helemaal niet bij hem paste. Zijn stoel was een kansel, vanwaar hij het nieuwe evangelie verkondigde.

Alle Joden verlaten de studio.

Ik heb ooit – dat was nog in de tijd van de stomme film – samen met Lorre over een filmproject zitten denken, het verhaal van een man die gestorven is zonder het te merken, die nog steeds rondloopt en met de mensen wil praten, maar ze nemen hem niet meer waar, kijken dwars door hem heen, ze hebben hem ook heel snel vervangen, aan het bureau op zijn kantoor zit al iemand anders en ook zijn vrouw zoekt troost, hij moet toezien hoe ze zijn beste vriend kust en kan er niets tegen doen, want hij is immers dood en alle anderen weten dat. Alleen hij niet. Hij is gestorven zonder het te merken.

Die film is nooit gemaakt omdat we geen goed slot konden bedenken. Een happy end kon niet. Iemand die je begraven hebt, wordt niet meer levend. Verhalen met een treurige afloop wil niemand zien.

Precies zo was het in Bühlers Ballhaus. Precies zo. Voor de Ufa was ik gestorven. Ik moest er alleen nog aan wennen.

De acteurs en de technici stonden er roerloos bij, als versteend, zoals voor een trucage wanneer de opnameleider heeft geroepen: 'Niet meer bewegen!' Dan ruimt de rekwisiteur iets op en als de camera weer gaat lopen, is het verdwenen.

Net als ik.

Een heel simpele truc.

Alleen Magda Schneider bewoog. Het gebaar viel me op omdat het het enige was. Ze depte met haar zakdoek haar ogen, wilde laten zien hoe gevoelig ze was en hoe erg de situatie haar schokte. Een toneelmaniertje.

De anderen ...

Soms, als je in een voorstelling zit en een collega speelt tergend slecht of een zangeres treft de tonen niet, zodat je de dissonanten in je tanden voelt, wens je jezelf ver weg, zou je ergens anders willen zijn, waar dan ook, als het maar niet in die voorstelling is. Omdat je niet meer naar het podium wilt kijken en toch niet onbeleefd je hoofd kunt afwenden, staar je in de lucht, in de ruimte, of je bestudeert aandachtig de gipsen putti aan het voortoneel.

Deze keer was ik de wanklank. Daartoe aangewezen door rijksminister dr. Goebbels.

Honderd mensen, meer dan honderd mensen staarden langs me heen in de ruimte. Ze bekeken zichzelf in de spiegels aan de wanden. In mijn herinnering houdt dat stilstaande beeld lang aan. In werkelijkheid zal die scène maar een paar seconden geduurd hebben. Toen stak Von Neusser een arm uit, als een politieagent op een kruispunt. Met zijn andere hand gaf hij een teken. 'Doorlopen, u houdt de zaak op!'

Ik vertrok. Ik liet het draaiboek met zijn grappige intriges, *Ik verheug me op je komst, kind*, gewoon op de grond vallen en vertrok. Pakte mijn colbertje, dat over de leuning van de regisseursstoel hing, schoot in de ene mouw en toen in de andere en vertrok. Richtte me in mijn volle lengte op, rechtte mijn rug zoals Friedemann Knobeloch me had bijgebracht, en vertrok. Regisseerde mezelf ook op dat moment nog. Controleerde mijn houding in de spiegelwanden. Probeerde een waardigheid te behouden die ik al niet meer bezat.

En vertrok.

Je merkt niet meteen dat je dood bent.

Nu illusies geen zin meer hebben, kan ik het wel toegeven: mijn afgang was niet origineel. Ik imiteerde iemand. Albert Bassermann in *Don Carlos*.

Na de laatste zin van het stuk – 'Ik heb het mijne gedaan, doet u het uwe' – liep hij destijds als Filips II oneindig langzaam naar achteren. Helemaal van de voorkant van het podium naar het achtertoneel. Hij wendde zich van de toeschouwers af, zette in alle rust een stap en nog een, en ze waren allemaal in zijn ban, hoewel hij hun de rug toekeerde. Nog een en nog een. Niemand zou het gewaagd hebben te vroeg te gaan klappen. Zelfs toen ten slotte heel langzaam het doek viel, bleef het nog lang stil. De sterkste afgang die ik ooit op het toneel heb gezien.

Maar in Bühlers Ballhaus deed niet Max Reinhardt de regie. De eenzaamheid die Bassermann met dat effect zo overtuigend had uitgebeeld, trad niet op. Ik was immers niet de enige voor wie Von Neussers vonnis gold.

Alle Joden verlaten de studio.

Alle.

We moesten ons tussen de tafels in de spiegelzaal door wurmen en liepen elkaar in de weg. Een paar figuranten en een lichttechnicus, die Lilienfeld heette. Lilienfeld of Liliental.

En ik.

Maar ik was de regisseur. Ik was de belangrijkste man in de studio. Iemand had me moeten tegenhouden.

Wie dan ook.

Als Otto Burschatz er was geweest, weet ik zeker dat hij het had gedaan. Maar hij was in de stad. Toen hij 's avonds bij ons thuis verscheen, zei hij: 'Ze hebben me verteld dat je hebt gehuild.'

Ik heb niet gehuild.

Wel waar.

De deur van Bühlers Ballhaus viel achter me dicht. Ik stond in de Auguststraβe. De zon scheen. En ik dacht: Dat moet een andere enscenering krijgen. Bij treurige scènes is regen veel effectiever.

Een prachtige lentedag. De voorbijgangers hadden allemaal dat glimlachende de-winter-is-voorbij-gezicht. In Westerbork glimlachten ze precies zo als ze voor de barakken in de kruiwagens lagen die dienstdeden als ligstoel. Een vrouw duwde een kinderwagen voort en wildvreemde mensen knikten naar haar. 'Dit is de juiste tijd,' gaven ze haar te verstaan. 'De juiste tijd voor een nieuw begin.'

Terwijl de wereld net was vergaan.

Op de hoek van de Oranienburger Straβe zag ik het voor het eerst. Een doodgewoon sigarenwinkeltje. In Berlijn moeten er honderden van zijn. Elk winkeltje een karige broodwinning voor een oude vrouw of een oorlogsveteraan. Voor de ingang een halve cirkel mensen. Zoals ze zich verzamelen als er een ongeluk is gebeurd. Of als er iets gratis te krijgen is.

Voor de ingang van de winkel, wijdbeens, met gekruiste armen en naar voren gestoken kin, net zo Mussolini-achtig als Von Neusser op zijn gouden stoeltje had geposeerd, een SA'er. Alsof hij de reclameborden voor Manoli- en Greiling-sigaretten moest bewaken. Naast hem nog een. Met een plakkaat. DUITSERS, KOOP NIET BIJ JODEN. Allebei keken ze gewichtig, zoals koorzangers in de opera wanneer het dramatisch wordt. Terwijl ze toch gewoon – je hoefde geen deskundige te zijn om dat te zien – brave burgermannetjes waren die eindelijk eens in een groot stuk mochten spelen.

‘Hier en nu begint een nieuw tijdperk in de wereldgeschiedenis en jullie kunnen zeggen dat je erbij was.’ Een van de favoriete zinnen van rector Kramm. In zijn eindexamentoespraak aan het begin van de oorlog citeerde hij hem en streek daarbij over zijn baard. Met hetzelfde plechtige, strakke gezicht dat de SA’ers nu hadden opgezet.

Ik zou me graag herinneren dat ik verontwaardigd was. Op z’n minst geschrokken. Maar dat was niet zo. Ik liep gewoon voorbij en hield – dat gevoel heb ik achteraf – niet eens mijn pas in. Ik vond het heel vanzelfsprekend wat ik daar zag. Het was een dag waarop zulke dingen vanzelfsprekend waren.

Koop niet bij Joden.

Alle Joden verlaten de studio.

Een paar huizenblokken verder kwam ik langs de grote synagoge, waar net een dienst afgelopen was. De judden in hun feestkostuums krioelden opgewonden door elkaar en waren verontwaardigd. Maar, zo meen ik me te herinneren, ze uitten hun verontwaardiging niet luidkeels. Ze waren al stiller geworden.

Ik liep hen voorbij. Liep gewoon voorbij.

Meer winkels en meer SA’ers. Soms hadden ze de etalages beklad. Nog niet ingeslagen, dat kwam later. Eerst alleen beklad. Met wit vloeibaar krijt, als voor speciale aanbiedingen. JUDA VERREK – VANDAAG BIJZONDER GUNSTIG.

Hij dwaalt door de straten. Die zin duikt geregeld op in het ontwerp voor een draaiboek en ik heb die scène telkens geschrapt. Omdat hij niet zinvol uit te beelden valt. Omdat zoiets in het echt niet voorkomt.

Dacht ik.

Op een gegeven moment – ik weet niet meer hoe ik daar terechtgekomen ben – liep ik langs de Kupfergraben, waar geen winkels of boycotposten waren. Als ik me hier verdrink, dacht ik, dan hoef ik het niet aan Olga te vertellen. Maar bij verdrinken komt heel wat kijken. En de Kupfergraben is een te armzalig watertje om je erin van kant te maken.

Hij dwaalt door de straten. Hij ziet alles als door een waas. ‘Clichés zijn effectief,’ heeft Joe May ooit gezegd, ‘omdat er altijd een kern van waarheid in zit.’

Daarna – alle wegen leiden naar Jeruzalem – vond ik mezelf terug in de buurt waar ik als jongetje was verdwaald. Nee, ik vond mezelf niet terug. Ik verloor mezelf.

Op de Werderscher Markt zijn veel Joodse winkels. Waren. Voor Gersons Bazar des Modes stond een hele groep SA'ers. Niet zulke prachtige uniformen als die van de in de hele stad bekende deurwachter en verwelkomer van de klanten. Poepbruin.

Een van hen – ik voel nog hoe ik schrok – zag eruit als onze portier Heitzendorff. Het bleek Effeff niet te zijn. Hoewel die vast ook ergens met een plakkaat voor een winkel stond.

Koop niet bij Joden.

Breng geen kolen naar hun verdieping.

'Maar u bent geen ariër, meneer Heitzendorff,' zei papa. 'U bent portier.'

De mensen waren heel rustig. Alsof ze allemaal, de geüniformeerden en de toeschouwers, alleen hun plicht deden. Zoals je dat nu eenmaal doet in Duitsland.

Slechts één keer een opstootje. Een man met een bloedneus. Hij liep vlug weg, alsof hij zich moest schamen omdat hij was afgetuigd.

Onze firma in de Leipziger Straße was geen verkooppunt en daarom stond er ook geen wachtpost. Dat vond ik bijna een beetje teleurstellend.

Veel te laat kwam ik op het idee om een taxi aan te houden. Het was een auto van Kraftag en de chauffeur herkende me. 'Waar moet u heen, meneer Gerron?' vroeg hij.

'Naar huis,' zei ik.

Ik open de deur van ons kumbal en daar zit een vreemde vrouw. Voor het eerst in mijn leven heb ik Olga niet herkend.

Ze heeft iemand gevonden die meer talent heeft voor haarknippen dan ik. Haar schedel is nu gladgeschoren. Zonder haar hoofddoek ziet ze eruit als een gevangene.

Mijn Olga.

Voor haar ligt het opengeslagen schoolschrift. *Ben bij Eppstein*. De titel van een opstel. Een onopgeloste schoolopgave.

'Je bent teruggekomen,' zegt ze. Haar stem klinkt verrast.

Je geeft het niet toe. Je wilt het niet toegeven. Je zou de bekentenis niet kunnen verdragen. Maar toch is het zo: we hebben allemaal te vaak een afscheid zonder afscheid meegemaakt. Te vaak beleefd dat een mens gewoon kan verdwijnen. Gearresteerd. Gedeporteerd. Dat zijn bord nog op tafel staat, terwijl de overlijdensakte al is ingevuld. 'Hartfalen' of 'Op de vlucht doodgeschoten.' Wat de hakenkruis-

Alemannen zoal schrijven. We verwachten niets anders meer. Het is zelfs ongewoon als er niets ergs gebeurt.

Geen wonder dat Olga verbaasd is.

'Je bent teruggekomen,' zegt ze nog een keer en nu heeft ze de verbazing in haar stem onderdrukt. Ik mag niet merken dat ze om mij in angst heeft gezeten.

Terwijl angst toch onze dagelijkse toestand is.

'Eppstein was heel vriendelijk tegen me,' zeg ik.

'Wat wilde hij?'

'Ik moet de film maken.'

'Natuurlijk,' zegt ze.

'Ik heb geen keus, zegt Eppstein. Hij dreigde niet eens.'

'Dat hoeft hij ook niet,' zegt ze.

'Nee,' zeg ik, 'dat hoeft hij niet.'

Ze heeft zich bij de schoonmaakploeg ziek gemeld. Het kan niet moeilijk geweest zijn om de ploegleider te overtuigen. Nu ze geen haar meer heeft, zie je pas hoe dun ze geworden is. Mijn arme Olga. Ze krijgt veel te weinig te eten en dat is mijn schuld.

'Ik heb alles in mijn leven verkeerd gedaan,' zeg ik.

'Nee,' zegt ze, 'we zijn alleen in het verkeerde leven terechtgekomen.'

Ze staat op en slaat haar armen om me heen. We zijn een belachelijk paar, een vrouw zonder haar en een veel grotere man, die zijn buik is kwijtgeraakt. De verkeerde bezetting voor een romantische scène. Maar het doet me goed haar dicht bij me te voelen. Het doet me heel goed.

Haar hoofd ligt op mijn borst. Ik kus haar kale schedel. 'Mijn egeltje,' zeg ik.

Ze kruipt tegen me aan. Begint te neuriën. Heel zachtjes. Eigenlijk moet dat lied gebruld worden, na de tweede of derde fles wijn. Meerstemmig. Samen met Otto Burschatz. 'Als de egels in het avonduur stil op jacht naar muizen gaan.' Vandaag klinkt het als een hymne.

Ik wil Olga nooit hoeven loslaten.

Ze neuriet en ik val in. Op het juiste moment beginnen we te zingen. Luidkeels. Alsof we iets te vieren hebben. 'Anna-Luise,' zingen we. 'Anna-Luise.'

En we lachen. Ooit zullen we ons herinneren dat we hebben gelachen.

'Je hebt niets verkeerd gedaan,' zegt Olga. 'We zijn alleen niet ver genoeg gevlucht.'

Otto bracht de treinkaartjes bij ons thuis. 'Ik heb gehoord dat er arrestaties op komst zijn,' zei hij. 'Je staat waarschijnlijk niet helemaal boven aan de lijst, maar je hoeft niet te wachten tot je bent opgeschoven.' Otto kent altijd iemand die iemand kent die iets weet.

Hij legde de envelop met de kaartjes op de eettafel, een nonchalant gebaar, alsof het om iets alledaags ging, een kleine attentie, niet echt belangrijk.

Ik zie de envelop nog liggen. Op het witte tafellaken met de geborduurde blauwe bloemetjes. 'Je moet iets eten,' had Olga gezegd. De tafel was gedekt alsof we bezoek verwachtten. Maar mij, de veelvraat Kurt Gerron, was de eetlust vergaan. Het servies stond er nog, de kopjes, de broodplank, de onaangeroerde schaal met beleg. Daartussen de envelop. Met het firmalogo van de Ufa linksonder in de hoek. De drie letters gevangen in hun vierkantje. Een dienstenvelop.

Met treinkaartjes.

Ik had de hele middag lopen piekeren, maar niet aan vluchten gedacht. Ik ben absoluut niet op het idee gekomen. Geen seconde. Ik ben voor ons huis uit de taxi gestapt en toen de chauffeur zijn hand naar zijn pet bracht en zei: 'Ik verheug me op uw volgende film, meneer Gerron', knikte ik, glimlachte en zei: 'Ja ja, die wordt vast heel mooi.' Ik weet nog dat ik de trap nam, niet de lift, zelfs in die situatie herinnerde ik me wat dokter Drese bij het laatste consult had gezegd: 'Trappenlopen is goed voor de lijn.' Het hoofd is een eigenaardig apparaat.

Olga verwachtte me niet, natuurlijk niet. Als ik aan een nieuw project begon, zei ze altijd tegen me: 'We zien elkaar weer als je film af is.'

Ze was in ochtendjas, had een hoofddoek omgedaan en haar gezicht ingesmeerd met witte crème. Ze zag eruit als een clown. Terwijl ze nooit wilde dat ik haar zo zag. 'Je hoeft niet te weten met welke trucs ik me mooi maak voor jou,' zei ze altijd. 'Ik hou er niet van als iemand bij me achter de coulissen kijkt.'

Wilde ze nooit. Zei ze altijd. Zal ze nooit meer zeggen.

Ik zag haar in de deur van de badkamer staan en moest lachen. Mijn wereld, onze wereld, was net kapotgegaan en ik kon niet ophouden met lachen. Tot het overging in huilen.

'Ben je ziek?' vroeg Olga.

Ja, ik was ziek. En ik ben nog steeds niet beter. Ik heb de juddenziekte, waarvoor je in quarantaine wordt geplaatst. In een veewagon gestopt. Geruimd. Hoewel het geen besmettelijke ziekte is. Je hebt het of je hebt het niet. Maar dan is het ongeneeslijk.

Zelfs dat klopt niet. Camilla Spira is van haar juddendom genezen. Een wonder zoals in Lourdes nooit is vertoond. Wat is een Mariaverschijning vergeleken met de magische handkus van Gemmeker?

Ik probeerde te vertellen. Het moet voor Olga onbegrijpelijk geweest zijn. Het was ook onbegrijpelijk. 'Ze hebben me eruit gegooid,' zei ik. 'Voor de winkels staat de SA,' zei ik. 'Alle Joden verlaten de studio,' zei ik. En de hele tijd moest ik huilen.

Praktisch als ze is, veegde Olga eerst haar gezicht schoon en zette daarna koffie. Met een flinke scheut cognac. Ik rilde alsof ik naakt in de kou zat. Ik kon amper het kopje vasthouden.

Terwijl ik dronk, pleegde ze een paar telefoontjes en toen ik een beetje gekalmeerd was, wist ze alles.

Ze bleef heel rustig.

Niet echt. Maar ze liet niets merken. Dat kan ze. Daar heeft ze in haar tijd als röntgenassistente ervaring mee opgedaan. Als er op de plaat een kankergezwel verschijnt, mag dat niet aan je gezicht te zien zijn.

Ze zei ook niet van die troostende dingen die een situatie alleen maar erger maken. Daar is Olga te verstandig voor. 'Ze kunnen die film zonder jou helemaal niet afmaken,' had ze kunnen zeggen. Maar ze wist net zo goed als ik dat ze bij de Ufa al over een oplossing nagedacht hadden voor ze me de studio uit gooiden. Omdat elke film een investering is, wordt er geen enkel risico genomen. Maar dat ze het verder aan Von Neusser over zouden laten, daar was ik nooit opgekomen. Die kantoorpik, die van regie geen flauw benul heeft. Toen ik de film later in Wenen zag, stond zijn naam naast de mijne. Dat hebben ze niet goed gepland. Later hebben ze geld voor een nieuwe kopie moeten uitgeven. Waarin de judde Gerron niet meer voorkwam.

'Lang zullen de nazi's niet aan de macht blijven.' Dat zei Olga ook niet. Hoewel we dat toen allemaal dachten. Ze zei: 'Je moet voor je ouders zorgen. Ze zullen het moeilijk hebben.' Maar ik had niet de fut om naar de Klopstockstraße te bellen. Nog niet.

'Je moet iets eten,' zei Olga. Ze dekte de tafel. Waaraan we vervolgens zaten zonder iets aan te roeren.

Totdat Otto Burschatz aanbelde.

Het was de eerste keer dat ik me volkomen liet gaan. Tranen met tuiten. Zelfs in de oorlog was het me op de een of andere manier altijd gelukt me te beheersen. Maar oorlog is iets anders. De granaatscherven die aan komen vliegen, hebben niets tegen jou persoonlijk.

De nazi's wel.

Omdat ik de klap niet had verwacht, kregen ze me de eerste keer klein. Later ben ik harder geworden. Niet sterker, maar harder. Dat is de kleine troost die blijft. De kleine trots.

Zelfs toen papa en mama uit Amsterdam werden afgevoerd en ik ondanks mijn werk bij de Joodse Raad niets meer voor ze kon doen, nam ik met droge ogen afscheid van ze. Niet alleen om hun door mijn schijnbare rust hoop te geven. Dat natuurlijk ook. Uiteraard loog ik hun voor wat je elkaar zoal voorliegt: 'Het zal wel loslopen, het is maar tijdelijk, we zien elkaar terug.' Maar ik kon het afscheid ook echt aan. Het bracht me niet totaal van mijn stuk. Ik wist toen nog niet dat ze doorgestuurd zouden worden naar Sobibor, maar ook al had ik het geweten ...

Ik heb een hoop leren verdragen. Bijna altijd lukte het me mijn eigen ellende als een toneelstuk te zien. Als een film. Als iets wat mij niet echt aanging.

Toen ik in Westerbork op de lijst stond en alle anderen van het cabaret nog mochten blijven, ook toen hield ik me goed. Ik huilde en beefde niet. Ze riepen mijn naam af, onze namen, alleen die twee en alle andere niet, en ik zei tegen Olga: 'Ik heb een solorol gekregen.'

Galgenhumor heet dat. Ze hebben ons voldoende tijd gegeven om aan de galg te wennen. Aan de strop om onze hals.

Maar toen op 1 april ... Uitgerekend op 1 april! De hemelse dramaturg die die pointe heeft bedacht, houdt van smakeloze grappen. Toen was ik de klappen nog niet gewend. Daarom verloor ik mijn zelfbeheersing. Hoewel er nog niets heel ergs was gebeurd. Helemaal niets. Alleen mijn werk was ik kwijt. Alleen mijn carrière was kapot. Verder niets.

Ik had nog altijd een pak aan dat me paste. Ik had nog altijd een lichaam dat dat pak helemaal vulde. Ik zat nog altijd in mijn eigen woning, die schoon en warm was. Er stond eten op tafel. Twee deuren verder wachtte me een bed. Zonder luizen. Ik was nog altijd in het paradijs.

Een taxi had me naar huis gebracht en de chauffeur was beleefd geweest. 'Wat fijn dat ik u ook eens mag rijden, meneer Gerron,' had hij gezegd. Ik had geld op zak om hem te betalen. Echt geld waarmee je echt iets kon kopen. In een stad waar alles te koop was. Er was nog helemaal niets gebeurd.

Nog niemand had me in mijn buik getrapt. Nog niemand had me in mijn gezicht geslagen, gewoon zomaar, heel terloops, zoals je knikt naar een vreemde die je tijdens een wandeling tegenkomt. Ik had nog niemand zien verhongeren.

Ik had dus helemaal geen reden om zo te jammeren. Het ging geweldig met me. Relatief geweldig.

Alleen wist ik dat niet. Die wetenschap zou me ook niet hebben getroost. In het lazaret ging ik ook niet aan het bed van een zwaargewonde staan om te zeggen: 'Spaar je kreten voor later, kameraad. Ik kan je verzekeren dat je pijn nog veel erger wordt.' Hij zou het niet hebben geloofd. Je moet het hebben meegemaakt.

In Berlijn had ik nog niets meegemaakt. Ik was nog maagdelijk. Het verging mij net als de kleine Korbinian: ik had voor het eerst op mijn donder gekregen en wist er niet mee om te gaan. Je wordt niet als slachtoffer geboren, je wordt slachtoffer gemaakt. Je moet die rol oefenen. Grondig repeteren. Elke keer word je er iets beter in.

Je went aan alles. Aan bijna alles. Je ontwikkelt een olifantshuid omdat je de klappen dan minder voelt.

Je voelt ze natuurlijk toch. Maar op een gegeven moment zijn ze niets bijzonders meer.

In Berlijn was ik nog een amateur. Eén enkele klap en ik kon al niet meer denken. Anders was ik zelf wel op het idee gekomen om uit Duitsland weg te gaan.

Maar ik had Otto Burschatz.

'Ik heb een coupé voor jullie gereserveerd,' zei hij. 'De trein vertrekt maandagochtend, om 10 uur 21. Dan heb je daarvoor nog tijd genoeg om naar de bank te gaan. Neem zoveel op als ze je geven. Je weet niet hoe het met overschrijvingen zal gaan.'

'Denk je echt dat ik weg moet?' vroeg ik.

En Otto zei: 'Zo is het nu eenmaal.'

Ik ging er niet over in discussie. Ik accepteerde de beslissing gewoon. Ik was dankbaar dat iemand die voor mij had genomen. Die dag was ik er niet toe in staat geweest. Misschien was ik er nooit toe in staat geweest.

Als ik in Nederland Otto Burschatz bij me had gehad, als hij voor me had kunnen beslissen toen het aanbod uit Hollywood kwam – dan zat ik nu in Amerika.

Doet er niet toe.

Zo is het nu eenmaal.

'We rijden met de trein.'

'Voor hoe lang moet ik pakken?' vroeg de praktische Olga.

'Neem zoveel mee als je kunt. Als je eenmaal houtrot in de balken hebt, raak je die niet meer zo gauw kwijt. Mochten jullie nog koffers nodig hebben – het zal de rekwisiteur van de Ufa een eer zijn om jullie daaraan te helpen. Ook voor je ouders.'

Hij had vier treinkaartjes gekocht. Voor hem was het heel vanzelfsprekend dat ik papa en mama niet in Berlijn achter kon laten. 'Zeg dat je hen nodig hebt,' raadde hij me aan. 'Dat maakt het makkelijker voor ze.'

'Waarom zou iemand hen willen arresteren?' vroeg ik. 'Het zijn geen prominenten.'

'Ik geloof niet,' zei Otto Burschatz, 'dat dat op den duur nog verschil zal maken.'

Hij is altijd al een verstandig mens geweest, mijn vriend Otto.

Hij had voor ons besloten dat we naar Wenen moesten gaan. 'Zolang Reinhardt daar is,' had Kortner gezegd, 'wordt niemand van ons werkloos.' Zelfs in zijn pessimisme was hij nog te optimistisch.

Otto had aan alles gedacht. 'Als ze aan de grens vragen waar je naartoe wilt, zeg dan dat jullie een paar weken vakantie willen houden. Niemand kan daar weten dat je eigenlijk een film aan het maken bent.'

'Ik ben geen film meer aan het maken,' zei ik.

'Precies,' zei Otto. Hij keek naar het plafond, zoals zijn gewoonte is als hij iets onaangenaams moet vertellen. 'Ze zijn trouwens weer aan het werk gegaan. Vijf minuten nadat jij weg was.'

'En wie ...?'

'Von Neusser.'

'Die kan dat toch helemaal niet!'

'Daar komt het tegenwoordig niet meer op aan,' zei Otto.

'En deden ze allemaal mee?'

Weer keek Otto naar het plafond.

Niemand had gestaakt of was voor me opgekomen. Je steekt niet vrijwillig je hoofd uit het raam als het buiten regent. Alleen Magda Schneider had gevraagd eerst alleen heel eenvoudige dingen op te nemen. Voor grote scènes was ze te veel over haar toeren. Een echte ster moet geregeld bewijzen hoe gevoelig hij is.

Daarna hebben we gepakt. Olga heeft gepakt. Ik heb me door Otto naar de Klopstockstraβe laten rijden. Bij het afscheid gaf hij me een hand. Dat deed hij anders nooit. Als je alleen de linker nog hebt, leer je het af om handen te schudden.

Voor de buitendeur ontmoette ik Heitzendorff, die net thuiskwam. Hij maakte een tevreden indruk. Als iemand die een beetje heeft gesport en zichzelf daarna op een paar pilsjes heeft getrakteerd.

'Ik ben geen portier,' zei Effeff. 'Ik ben ariër.' Mensen zonder humor zijn altijd heel trots als ze een keer een geslaagde grap hebben gemaakt.

Papa protesteerde en mama trok haar beledigde spitse mondje. Maar ze lieten zich overhalen. 'Het is maar voor een paar weken,' zei ik. Ze geloofden het omdat ze het wilden geloven.

We vertrokken van het Anhalter Bahnhof. Daar waren meer mensen in uniform dan anders, maar niemand viel ons lastig. Ze waren allemaal heel beleefd. De conducteur die de deur van de gereserveerde coupé voor ons opende, vroeg me om een handtekening. Bij de Oostenrijkse grens werden we helemaal niet gecontroleerd. Alsof ze daar al wisten dat er binnenkort geen grens meer zou zijn.

Dat was het begin van ons exil, onze emigratie, onze ballingschap. We waren eruit gegooid, de deur uitgezet.

Vreemd dat je heimwee kunt hebben naar een land waar je niets meer mee te maken wilt hebben.

Ik probeerde het in Wenen.

'Het zal ons een grote eer zijn u werk te verschaffen, geachte heer Gerron. Zodra we een geschikt onderwerp hebben gevonden, laten we beslist iets van ons horen. Maar op het moment zien we tot onze spijt geen enkele mogelijkheid, helaas, helaas, helaas ...'

In Praag.

'Als het alleen aan mij lag, beste Gerron, ik voor mij kan me niets mooiers voorstellen dan dat u voor ons een film maakt. Maar de toestand in de Tsjechische filmindustrie laat het momenteel niet toe, helaas, helaas, helaas ...'

In Zürich.

'Was u maar wat eerder gekomen! Iemand als u hadden we goed kunnen gebruiken in het Schauspielhaus. Nu is het ensemble al compleet. Helaas, helaas, helaas ...'

Dus verder naar Parijs.

Van twee films had ik ook een Franse versie gemaakt, zodoende kende ik daar een paar mensen. Die zouden mijn capaciteiten weten te waarderen, dacht ik. Dat deden ze ook. In theorie. Helaas, helaas, helaas. Steeds hetzelfde verhaal: de eerste emigrant is een interessant exotisch dier, dat je met plezier zijn voer gunt. De honderdste is een lastige concurrent. Ik was bij lange na niet de eerste.

Rond de Champs-Élysées waren een paar cafés waar je af en toe het gevoel had in het Romanisches Café te zitten. Allemaal oude bekenden uit Berlijn. Friedrich Hollaender was er, Peter Lorre, Billy Wilder. En ga zo maar door. Ze logeerden allemaal in hetzelfde hotel. Ansonia in de Rue de Saigon. Dat toen in mijn ogen vreselijk armzalig was en me nu in mijn herinnering het toppunt van comfort lijkt. 'Met alle moderne compote', zoals een keer in een stuk stond. Op elke verdieping een wc. Luxe.

Wij veroorloofden ons een woning. Dat was nodig voor papa. Hij was snel oud geworden. Door het voortdurende gereis en omdat hem steeds duidelijker werd dat hij waarschijnlijk heel lang niet naar zijn innig geliefde firma terug zou keren. Mama hield het beter vol. Zij had haar uiterlijke regels om zich aan vast te klampen. Olga is hoe dan ook altijd de dapperste van allemaal.

Een woning was natuurlijk geldverspilling. Maar in 1933 kwam nog niemand op het idee dat een bankrekening gewoon geblokkeerd kon worden. Of in beslag genomen. We waren complete beginnelingen in de rol van emigrant.

Ik had geluk en vond werk. Heel onverwachts, op het terras van een café. We lazen toen elke krant die we in handen kregen, altijd in de hoop een eerste teken van politieke verandering te ontdekken. Ik probeerde juist *The Times* te ontcijferen – Ach, had ik vroeger maar Engels geleerd, dan waren veel dingen anders gelopen! – toen iemand plotseling in mijn oor zong: 'Mijn gorilla heeft een villa in de zoo.' Walter Jurmann. Met zijn Weense accent probeerde hij Hans Albers te imiteren. Voor hem had hij dat lied indertijd geschreven. Onder mijn regie.

Ik wist niet dat Jurmann ook uit Duitsland had moeten verdwijnen. Hij had op mij nooit een erg Joodse indruk gemaakt. De nazi's zijn beter van onze afstamming op de hoogte dan wijzelf.

Componisten hebben het goed. Noten zien er in alle talen hetzelfde uit. Jurmann was pas een paar weken in Parijs en had alweer meer werk dan hij aankon. Liedjes voor een nieuwe filmkomedie. Maar daar hadden ze problemen met de regie, vertelde hij, ze schoten niet op en de producent werd nerveus. 'Zou jij tijd hebben?' vroeg hij. Gewoon zomaar.

We hadden altijd goed samengewerkt, bij drie films, geloof ik, of zelfs bij vier, zodoende prees hij mij bij zijn producent in alle toonaarden aan. 'De grootste metteur en scène van Duitsland, oui, monsieur.' Ik werd inderdaad als coregisseur aangenomen. Wat betekende dat ik het werk deed en Pierre Billon zijn naam eronder zette. Doet er niet toe. Ik was blij met elke bezigheid. Billon was ook een heel aardige vent. Maar meer draaiboekschrijver dan regisseur.

Jurmann nam niet lang daarna de wijk naar Hollywood. Hollaender en Wilder en Lorre ook. Die hebben zich niet zo idioot aangesteld als ik.

Vrouw achter het stuur werd een aardig succes en vervolgens kreeg ik een eigen film. *Incognito.* Weer zo'n emigrantenproductie. Pressburger, die de draaiboeken schreef, was ook bij de Ufa geweest en daar onder het juddenverbod gevallen. Later is hij naar Engeland gegaan. Ook niet gek.

Toen was het gebeurd. Als het ware afgesneden. De schrijversbonden. De regisseursvakbond. Net als later in Nederland. Hetzelfde liedje. 'De Duitse emigranten pakken de binnenlandse kunstenaars het werk af. We hebben weliswaar begrip voor hun situatie, maar als patriot moeten we erop staan ...' Als het om de portemonnee gaat, wordt iedereen patriottisch. 'Allons, enfants de la patrie.'

Opnieuw Wenen, waar ze me uiteindelijk toch nog een film lieten maken. Eén. Voor de tweede had ik al wel een toezegging, maar toezeggingen in de filmbranche zijn net zo betrouwbaar als een bewijs dat je je hebt ingekocht in het bejaardentehuis van Theresienstadt. Films van Joodse regisseurs mochten in Duitsland niet meer gedistribueerd worden, 'en u zult er toch begrip voor hebben, beste, geachte heer Gerron, dat we onder deze omstandigheden ...' Helaas, helaas, helaas.

Dus terug naar Parijs, waar ik, idioot die ik ben, bijna al mijn resterende geld in die Music-Hall-filmpjes heb gestoken. Zelf geproduceerd en er zelf mee de mist ingegaan. Geen hond moest er iets van hebben. Net zomin als van mij. Ik was als regisseur niet gewild en als acteur onmogelijk. Ik zou me alleen maar belachelijk hebben gemaakt met mijn Frans. *Miroir, miroir.*

Brecht had gelijk met wat hij toen in Parijs zei. Hij gaf een exacte diagnose van mijn situatie. Een reusachtige hoop stront.

Waarom bestaat er geen handboek voor vluchtelingen? Dat zou als warme broodjes over de toonbank moeten gaan. Nu we in alle richtingen zijn uitgezwermd. Duitsland is een exportland. Het heeft zijn judden naar alle delen van de wereld gestuurd. Tot er geen afnemers meer waren en ze het overschot tot schroot zijn gaan verwerken.

In de bibliotheek van Theresienstadt staan de werken van Goethe in twintig verschillende uitgaven. Maar nergens een praktische leidraad voor emigranten. In de eerste jaren hadden we zoiets goed kunnen gebruiken. Met een draaiboek speel je beter. We wisten de simpelste dingen niet. De grondregels.

Dat je in Nederland niet moet proberen een ambtenaar om te kopen. Omdat hij dan beledigd is. In Frankrijk beledig je hem als je het niet probeert.

De omgang met instanties is trouwens toch een heel belangrijk hoofdstuk. Tegenover de politie nooit te onderdanig doen. Dan maak je je verdacht. Politieagenten zijn gewend dat de mensen zich verzetten. Behalve in Duitsland natuurlijk.

Daar staat tegenover dat je je op bevolkingsbureaus, in welk land dan ook, net zo onderdanig moet gedragen als op een audiëntie aan het koninklijk hof. Wie over de stempels gaat, gaat over de mensen. En laat ze dat ook voelen. Wie de wet naar de letter opvat, kan geen rekening houden met levende wezens. De emigrant is altijd een smekeling en mag dat nooit vergeten. Ik zou cursussen kunnen geven over hoe ver je precies je ruggengraat moet buigen.

Duizend dingen en niemand brengt ze je bij. Dat je officiële formulieren altijd met potlood moet invullen en nooit met vulpen. Zodat je de fouten kunt uitgummen en niet telkens overnieuw hoeft te beginnen. Fouten maak je altijd. Daar zijn formulieren nu eenmaal voor. Bij de vreemdelingendienst in Amsterdam waren twee ambtenaren met de bureaus naast elkaar. Bij de een moest ik de vraag 'aantal kinderen' met 'nul' beantwoorden, anders accepteerde hij het papier niet. De ander hield vol dat het 'geen' moest zijn. Ook zo leer je Nederlands. Aantal kinderen: geen.

Als er naar de reden van de kinderloosheid was gevraagd, wat had ik dan moeten invullen? Bij de een en bij de ander?

Vreemde talen leer je niet uit een woordenboek. Daar staat het onuitgesprokene niet in. Het Franse gebaar dat nee betekent, ook al zegt de mond ja. In Nederland die blik langs je heen als iemand je niet de waarheid vertelt. Ze zijn daar niet bedreven in liegen. De Oostenrijkse charme. Zolang je dat allemaal niet kunt vertalen, blijf je een vreemdeling. Wat in alle talen van de wereld betekent: een hufter.

Ja, zo'n handboek zou moeten bestaan. Met alle zinnen die je als vluchteling steeds weer nodig hebt. 'Ik zou u met plezier mijn paspoort laten zien, maar ik ben stateloos.' 'Nee, ik ken hier niemand die borg voor mij kan staan.' 'Vroeger was ik acteur, nu ben ik helemaal niets meer.'

Bovendien de heel praktische dingen. Geen kamer huren waar je geen kookplaat mag aansluiten. Tenzij je het zonder warm eten wilt doen. Belangrijker dan welk mooi uitzicht ook is een plek waar de was snel droogt. Hoe minder kleren je hebt, hoe vaker je ze moet wassen.

Bij dat onderwerp zou een voetnoot moeten staan, speciaal voor Theresienstadt: *Wie een vergunning voor de wasserij wil hebben, moet op goede voet staan met de Raad van Oudsten.*

Ik zou een instructiefilm moeten maken. Waar ben ik anders regisseur voor? Typische situaties in vrolijke speelscènes. Tussendoor geregeld een leuk liedje. 'Ik trek graag van land naar land, want ik ben een emigrant.'

Stop.

Ik ga al weer op de loop. Emigreer in fantasieën. Vertel mezelf verhalen.

Maar daar zal Rahm niet om kunnen lachen. Hij wil een film van me hebben. Een concept voor een film. Uiterlijk morgen.

'Als wij tweeën geluk hebben,' zei hij, 'komt er iets goeds uit de bus.'

Bij de Ufa kwam het weleens voor dat de opdracht voor een film er al was en het budget ook, dat de draaidagen al waren afgesproken en de bioscoop voor de première geboekt, zonder dat iemand een idee had wat er in de film eigenlijk moest gebeuren. We gingen dan bij elkaar zitten – producent, regisseur, auteurs – en schreven eerst alles op wat al vaststond. De acteurs die de directie erin wilde hebben. De plaatsen van handeling die vastlagen omdat de decors al waren gebouwd en nog niet terugverdiend.

Daarna namen we een tweede briefje en noteerden alle dingen die per se in de film moesten voorkomen. Het eerste wat op die lijst stond, was altijd: *Liefde. Muziek*, natuurlijk. *Mooie landschappen, dieren, bloemen.* En telkens, dik onderstreept: *Happy end.* Wat de mensen zoal willen zien als ze naar de bioscoop gaan. De handeling volgde dan meestal vanzelf. Die is ook niet belangrijk. Zolang de rest maar klopt.

Dus, meneer Gerron, aan het werk!

Situatieschets: Theresienstadt is een gevangenis. Ik moet de tralies aan het zicht onttrekken door bloemetjesgordijnen. Kunstig geplooid en in model gebracht met Hoffmann's zilverglansstijfsel.

Theresienstadt is grauw. Ik moet het opfleuren. Geen schijnwerper zonder roze filter.

In Theresienstadt wordt hongergeleden. Ze kunnen de doodskisten er smaller maken dan ergens anders omdat de lijken allemaal zo mager zijn. Ik moet weldoorvoede mensen laten zien die aan mooi gedekte tafels van delicatessen smullen en dan tevreden over hun buik wrijven. 'Ik ben zo zat, ik wil geen blad. Mè, mè.'

In Theresienstadt ontbreekt het aan alles. In mijn film moet alles aanwezig zijn. Winkels met echte artikelen. Een bank met echt geld. Een koffiehuis met echte koffie. 'Het modernste getto dat de wereld ooit bezat.'

Theresienstadt is overvol. In de loopgraven hadden we meer plaats. Op het witte doek moet alles ruim zijn. Parken. Tuinen. Sportvelden. In de film is alles mogelijk. Die judden hebben het goed, moeten de mensen denken.

Theresienstadt is een plaats vol slaven. Ik moet gelukkige arbeiders van hen maken. Die met een vrolijk gezicht een machine bedienen. Met opgestroopte mouwen de akkers bebouwen. 'Wij zijn de zeven dwergen en werken in de bergen.'

'Hé ho, hé ho.'

Vergeleken daarmee was *Sneeuwwitje* rauw naturalisme.

Ik moet een Theresienstadt verzinnen waar alle mensen gelukkig zijn. Tevreden. Dankbaar. Gezond. Waar niemand doodgaat en iedereen het goed heeft. Zoals ze de oude mensen beloven, zodat die een bewijs tekenen dat ze zich hebben ingekocht in het bejaardentehuis. Zodat ze dankbaar zijn als ze hun spaargeld mogen afgeven.

Misschien willen ze daar met de film reclame voor maken. Hoewel: er kunnen in Duitsland niet meer zoveel Joden over zijn dat dat de moeite loont.

Het zal wel weer net zoiets zijn als de stadsverfraaiing. Toen was die vertoning bedoeld voor het Rode Kruis. Deze keer voor een groter publiek.

Ik kan die film niet maken.

Ik ga naar Eppstein en zeg het tegen hem. Nu meteen. Zonder nog een keer met Olga te praten. Anders heb ik er de kracht niet meer voor. Dan zou ik alleen nog aan haar denken en dat ik haar niet in gevaar mag brengen. Dan zou ik niet meer weten wat ik moet doen.

Moet.

'Vergeet me niet,' zei mama tegen me, voordat ze met de anderen naar buiten ging. Ze wilde niet omhelsd worden, maar dat zei ze nog.

Als ik die film maak, ben ik haar vergeten.

Ik ga naar Eppstein.

'Ik weiger het bevel,' zal ik tegen hem zeggen. Nee, liever: 'Zegt u maar tegen Rahm dat hij zijn film in zijn je-weet-wel kan steken.' De laatste keer dat je het toneel verlaat, moet je het met bravoure doen.

Hij zal proberen me tot andere gedachten te brengen. Natuurlijk. Hij is bang voor Rahm. Ik ben ook bang voor zijn woede en wat die voor mij zal betekenen. Als hij schreeuwt en slaat, zeggen ze, is hij nog niet echt woedend. Pas als hij alleen nog heel zachtjes praat. 'Ik ben ontevreden over die Gerron,' zal Rahm zeggen. Heel zachtjes. En dan ...

Ik ga naar Eppstein. Nu. Ik moet naar Eppstein gaan.

Hij zal me waarschuwen voor de gevolgen. Zoals hij altijd doet. In zijn oproepen waarschuwt hij telkens voor de gevolgen. 'In het belang van de gemeenschap,' zegt hij dan. 'Doen wat er gedaan moet worden.' Wat je zoal zegt als je bang bent.

Ze zeggen dat hij zijn baantje helemaal niet wilde. Dat hij eigenlijk een onderdanig type is. Een tweede man van wie ze tegen zijn zin de eerste hebben gemaakt. Omdat ze iemand nodig hadden die hun zonder tegenspreken gehoorzaamt. Als dank hebben ze hem een paar brokken macht toegeworpen. Zoals je een hond die braaf op commando blaft, het afval van het middageten voor zijn neus gooit. Eet of sterf.

Eppstein kan iedereen op de volgende transportlijst zetten en – wat nog veel belangrijker is – hij kan hem er ook weer af halen. Soms doet hij dat. Als je hem weet te overtuigen met goede argumenten. Die hij zich, zo wil het gerucht, het liefst door mooie vrouwen uiteen laat zetten. Tijdens een privéonderhoud.

Hij heeft macht, maar die is hem alleen geleend. Die mag hij alleen houden zolang hij door elke hoepel springt die ze hem voorhouden. Zolang de treinen naar Auschwitz vol zijn en op tijd vertrekken. Zolang hij alles levert wat Rahm bij hem bestelt.

De regisseur Kurt Gerron is met ingang van heden niet meer leverbaar.

Hij zal dreigen. Uit angst voor zijn baantje. 'Als u weigert, gaat u op transport,' zal hij zeggen. 'U weet wat dat betekent.'

Nee, meneer Eppstein, dat weet ik niet. Niet echt. Natuurlijk gaan er in het kamp geruchten, heel veel geruchten. Maar wat er echt gebeurt met de mensen die naar Auschwitz worden gestuurd, dat kunnen we alleen maar vermoeden. Er is nog nooit iemand teruggekomen om het te vertellen.

Misschien is Eppstein op de hoogte. Misschien zal hij het me vertellen. Om me tot andere gedachten te brengen.

Maar ik laat me niet tot andere gedachten brengen. Laten ze me maar van kant maken. Met een gebroken ruggengraat wil ik niet verder leven.

Zo zal ik het tegen hem zeggen. Precies zo. Met die woorden.

Nu ben ik toch voor het bureau van de commandant beland. Anders loop ik er altijd met een boogje omheen. Een met krullen versierd overheidsgebouw met twee rijen zolderramen. Ooit het raadhuis.

Ik zou me de omweg via Eppstein kunnen besparen en rechtstreeks naar Rahm kunnen gaan. Er staat geen bewaker voor de deur. Ze weten dat niemand dit gebouw vrijwillig binnengaat. Niemand met een gele ster. Hier word je naartoe gestuurd. Of gesleept.

Rahms kantoor is op de eerste verdieping. Zover zou ik waarschijnlijk niet komen. Ik zou in de kelder belanden, waar ze hun verhoorcellen hebben. Soms hoor je de kreten tot in het koffiehuis, en dan moet je doen alsof je niets hebt gemerkt.

Ik ben geen dapper mens. Ik ben bang voor de dood. Maar ik ga nu naar Eppstein en vertel hem dat ik de film niet zal maken. Niet uit moed, maar uit angst. Uit angst om er elke dag mee te moeten leven.

Vanaf het marktplein de geur van rozen. Geplant in het kader van de stadsverfraaiing. Als ze konden, zouden ze ons nog verbieden de geur ervan op te snuiven. Op diefstal van bloemen hebben ze tenminste de doodstraf gezet.

Ze dreigen altijd meteen met de dood. Alsof je met een hamer een klok wilt repareren.

Op een keer liep Olga erlangs, en toen wenkte een SS'er haar. Iemand die ze nog nooit had gezien. Een hoge piet. Hij moest uit Praag gekomen zijn. De officier had een roos afgesneden om eraan te ruiken. Hij drukte hem Olga in de hand en zei: 'Voor jou.' Toen liep hij door. Van schrik hield ze de steel zo stijf vast dat een doorn haar hand tot bloedens toe prikte. Hij draaide zich niet meer om.

De roos is allang verdord, maar hij is niet één bloemblaadje kwijtgeraakt.

Ik geloof niet in voortekenen.

Ik ga nu naar Eppstein.

Het is allemaal anders. Ik ga de film maken. Ik kan me niet de luxe permitteren een martelaar te zijn.

Ik was ertoe bereid. Als ik mezelf later ooit verwijten maak, kan ik daaraan terugdenken. Ik was al in Eppsteins wachtkamer.

Waar dezelfde mensen zaten als de vorige keer. Er zitten altijd dezelfde mensen. Ik wilde hen passeren, wilde niet wachten tot ik werd opgeroepen, wilde Eppsteins secretarissen, die daar gewichtig zitten te doen, gewoon opzijduwen. Iemand pakte me bij mijn mouw en hield me tegen.

Dokter Springer. Mijn buurman in het bordeel. In een witte jas vol bloedspetters. 'Ik moet u spreken, Gerron,' zei hij.

Het was weer net als in de Joodsche Schouwburg, waar je ook niet door de zaal kon lopen of duizend handen grepen naar je, trokken aan je en wilden allemaal hetzelfde. 'U moet me helpen, u moet iets voor me doen, u kunt dat toch.'

Ik kon het nooit.

'Later,' zei ik. 'Een andere keer.' Wetend dat die andere keer niet meer zou komen.

'Nu,' zei Springer. Het was een bevel. 'U was niet thuis, daarom nam ik aan dat u hiernaartoe zou komen.' Hij fluisterde, wat niemand opviel. In de wachtkamer van Eppstein worden alle gesprekken op samenzweerderige toon gevoerd. Men wil niet dat iemand die toevallig meeluistert, daar voordeel bij heeft. Wie van een lijst heeft gehoord die niet zo gauw geannuleerd zal worden, van een arbeidsplaats die je onmisbaar maakt, moet oppassen dat niemand anders ervan hoort. De plaatsen in de reddingsboot zijn schaars. Wie de zijne weggeeft, verdrinkt zelf.

'Drie minuten,' zei Springer. 'Daar zal het niet op aankomen.'

Voor mij kwam het daar wel op aan, op elke seconde. Omdat ik namelijk geen held ben. Ook niet goed een held kan spelen. Omdat ik bang was besluiteloos te worden, om welke reden dan ook, uit lafheid, uit zwakheid, uit domheid. Omdat ik niet wist of ik over drie of vijf minuten nog wel de wilskracht zou hebben om te doen wat ik moest doen. Dokter Springer liet me niet los. Hij trok me achter zich aan zoals je een onhandelbaar kind achter je aan trekt. Hij is een kop kleiner dan ik, maar hij heeft de autoriteit van iemand die gewend is dat hij zijn hand maar hoeft uit te steken of het goede instrument wordt er al in gelegd.

Op straat ging hij voor me staan. Hij legde zijn handen op mijn schouders. Daarvoor moest hij zijn armen omhoogsteken. Een gebaar dat ik vaak bij artsen heb gezien. Altijd als ze slechte prognoses bekend moesten maken. U moet nu dapper zijn, betekent dat gebaar. Ik dacht: Er is iets met Olga gebeurd.

En hij zei: 'U moet die film maken.'

Hij kon er niets van weten. Dat bestond niet. De hele zaak was strikt geheim. Dat had Rahm zo bepaald. Maar dokter Springer was op de hoogte.

Hij beantwoordde mijn vraag voordat ik hem kon stellen. 'Eppstein,' zei hij. 'Hij komt af en toe bij mij in het ziekenhuis. Als hij een spuitje nodig heeft om te kunnen doen wat hij moet doen.'

Hij zei 'ziekenhuis' en niet, zoals alle anderen, 'ziekenboeg'. Dat is hij uit zijn vroegere leven gewend.

'U hoeft zich daar geen zorgen om te maken,' zei hij. 'Behalve ik weet niemand het. Hoewel binnenkort natuurlijk heel Theresienstadt het weet. Zodra u met de opnamen begint.'

'Ik maak die film niet,' zei ik. Hij schudde zijn hoofd. Een kleine, meewarige beweging. Zoals hij waarschijnlijk ook maakt als hij de familie van een patiënt de laatste hoop moet ontnemen. Het spijt me, aan de diagnose valt niet te tornen. Uw zoon, uw broer, uw man zal sterven.

U zult die film maken.

'Voor geen goud ...'

Hij onderbrak me voordat mijn tegenwerpingen konden ontaarden in een monoloog. Weer zo'n typisch doktersgebaar. Het spijt me, de situatie is uitzichtloos. Nee, het heeft geen zin nog een tweede specialist te raadplegen. Er bestaat geen andere therapie.

'Ik zal het u uitleggen,' zei hij. 'Het is vanwege Hertha Ungar.'

Ik had die naam nog nooit gehoord.

'Mijn operatiezuster. Negenentwintig jaar. Ze staat op de nieuwe transportlijst.'

'Er staan zoveel mensen op lijsten.'

'Dat weet ik,' zei hij. Hij knikte alsof ik iets verstandigs had gezegd. 'Doorgaans leg je je daarbij neer. Zoals je je er tijdens een epidemie bij neerlegt dat je niet iedereen kunt genezen. Maar als het kan, als je zoals u de mogelijkheid hebt om een mens te redden ...'

'Moet ik me in haar plaats aanmelden? Zelfs dat zou niets uithalen. Als ik niet doe wat Rahm wil, zit ik hoe dan ook in de volgende trein naar Auschwitz.'

'Nee,' zei dokter Springer. 'U niet en Hertha Ungar ook niet. Heel veel namen zullen geschrapt worden. Als u nu verstandig bent.'

'Ik ben verstandig.' Dat moet ik heel hard gezegd hebben, want een paar mensen op straat draaiden zich naar ons om. En keken meteen weer de andere kant op. Dat iemand over zijn toeren raakt, is hier niets bijzonders.

'Luister,' zei dokter Springer. 'Ik zal het u uitleggen.'

Het heeft inderdaad gewerkt. Het was heel eenvoudig. Alsof ik plotseling een toverstaf bezat.

Dokter Springer heeft me over Hertha Ungar verteld. Zijn beste operatiezuster, opgeleid in Berlijn. Die had hij natuurlijk onmisbaar verklaard, veilig voor elk transport. Op grond van zijn functie kan hij hoogstens vier namen blokkeren. En toen stond ze toch op de lijst. Springer dacht eerst aan een vergissing, een bureaucratische misser die makkelijk rechtgezet kon worden. Het transport zou de volgende dag al vertrekken en bij zulke aangelegenheden kan elke minuut beslissend zijn. Hij rende dus meteen naar de Raad van Oudsten, trok niet eens zijn operatiejas uit. Ging naar Eppstein en eiste dat de lijst onmiddellijk werd veranderd, ter plekke. Maar het hoofd van de Raad haalde alleen zijn schouders op. Hij zei dat de aantekening niet van hem was gekomen, maar rechtstreeks van het bureau van de commandant. Hij zou zich om de zaak bekommeren, maar het zou moeilijk worden. 'Hij is een politicus geworden,' zei dokter Springer. 'Hij kan niet meer direct nee zeggen.'

Als het geen fout was, moest het een intrige zijn. Springer vermoedde dat een zekere Reinisch erachter zat, een man die gestopt was met zijn studie medicijnen en zich toch een dokterstitel aanmatigde. Op de een of andere manier heeft die valse dokter het vertrouwen van een paar SS'ers weten te winnen. Ze laten zich door hem behandelen en luisteren naar hem. Hij heeft veel invloed op het bureau van de commandant. 'Mij mag hij niet,' zei dokter Springer. 'Ik heb een keer geweigerd hem in het ziekenhuis aan te stellen. Als het even kan, zit hij tegen me te konkelen. Het liefst zou hij mij zelf op de lijst laten zetten.'

Een idiote geschiedenis. Maar in Theresienstadt is het idiote normaal. 'Weet u het zeker?' vroeg ik.

Hij antwoordde met gespreide handen, met dat eeuwenoude gebaar dat zegt: 'Wat is er zeker op deze wereld?'

'Eppstein zal in deze zaak niets ondernemen,' zei hij. 'Achteraf zal hij beweren dat hij zijn uiterste best heeft gedaan. Zodra iets van boven komt, krabbelt hij terug. Hij is een bangerik. Je kunt alleen invloed op hem uitoefenen door hem nog banger te maken. En dat gaat u nu doen, Gerron.'

Ik heb me laten overhalen omdat het er niet meer toe doet. Als iemand heeft besloten vergif in te nemen – waarom zou hij dan niet ook nog uit het raam springen? En er was nog iets. Zijn verzoek bood me de gelegenheid voor een optreden. Voor mijn laatste grote optreden. Ik ben nu eenmaal een podiumbeest.

Ik stormde dus het kantoor binnen, langs alle mensen heen. Ik duwde de figuranten waarmee Eppstein zijn eigen gewichtigheid demonstreert, gewoon opzij. Stuurde de vrouw met wie hij net onderhandelde en van wie hij waarschijnlijk meer had verwacht dan alleen argumenten, naar buiten. Sloeg de deur achter me dicht en draaide de sleutel om. Ging voor Eppsteins bureau staan. Haalde diep adem en zei met vaste stem: 'Het spijt me, meneer Eppstein. Ik kan die film niet maken.'

Hij reageerde precies zoals ik had verwacht. Hij kromp in elkaar alsof iemand hem in zijn buik had getrapt. Ik heb dat soort trappen meer dan eens gezien. Niet alleen in Ellecom. Op de gezichten verschijnt altijd eerst die uitdrukking van verbazing, voordat de pijn begint en ze in elkaar krimpen.

'Maar Rahm ...' In zijn opwinding vergat hij voor één keer de correcte titel, maar dat maakte hij meteen weer goed. 'Wat moet ik dan tegen Obersturmführer Rahm zeggen?'

'Dat een regisseur onder deze omstandigheden niet kan werken. Niet als het hoofd van de Raad van Oudsten hem in de wielen rijdt.'

Ik argumenteerde zoals ik het met dokter Springer had besproken. Meneer Rahm wenste dat in de film de goede medische verzorging in Theresienstadt werd getoond en uiteraard kwam ik aan de wensen van de Obersturmführer tegemoet. Dus had ik in mijn draaiboek – ik praatte erover alsof het al bestond – een scène opgenomen waarin de geneesheer-directeur van onze ziekenboeg een chirurgische ingreep verricht. Bijgestaan door zijn persoonlijke operatiezuster. Om aan de richtlijnen van hogerhand te voldoen kon die scène alleen worden opgenomen met het echte, goed ingespeelde team, niet met allerlei tweederangsfiguranten. Maar als mijn spelers me de eerste keer al werden afgepakt, als ze gewoon op transport werden gesteld zonder rekening te houden met mijn artistieke intenties en de wensen van de Obersturmführer, dan – 'het spijt me, meneer Eppstein, maar onder zulke omstandigheden kan ik niet werken. Dan geef ik er de voorkeur aan meteen uit het project te stappen. Daar draagt u de verantwoordelijkheid voor.'

Ik ben helemaal niet zo'n slechte acteur als Brecht altijd beweert. Eppstein trapte er inderdaad in.

'Een misverstand,' zei hij. 'Natuurlijk blijft mevrouw Ungar hier. Zolang u haar nodig hebt. Ik zal het regelen met het bureau van de commandant.'

'Dat mag ik hopen,' zei ik.

Ik heb nu een kantoor en een secretaresse. Mevrouw Olitzki komt uit Troppau. Ze heeft jarenlang bij een advocaat gewerkt. 'Een slechte voorbereiding voor Theresienstadt,' zegt ze. 'Je raakt er te veel aan gewend dat er wetten zijn en dat die ook gelden.' Haar ogen lachen niet als ze zoiets zegt. Ze maakt zich zorgen om haar man. Ik heb hem nog niet leren kennen, maar ze praat veel over hem. Hij is ambtenaar. Wás ambtenaar. We zijn hier allemaal geneigd ons verleden door te laten lopen in het onverkwikkelijke heden. Hij heeft het aan zijn rug en is daarom niet geschikt om te werken, maar wel voor transport. Wat doorgaans Auschwitz betekent. Voor hen beiden. De nazi's hebben familiezin. Ze scheiden echtparen zelden. Maar nu is mevrouw Olitzki onmisbaar. De film heeft de hoogste prioriteit. Weer twee namen van de lijst geschrapt. Ik ga de hele ploeg volgens dat criterium samenstellen.

Ik heb mijn kantoor niet laten inrichten bij de Raad van Oudsten in de Maagdenburger kazerne, maar in de oude bioscoop Orel, waar ook de bibliotheek is ondergebracht. 'Als ik creatief moet zijn, heb ik rust nodig,' zei ik tegen Eppstein. Hij gaf me meteen gelijk, alsof niets hem ooit zo duidelijk was. Sinds ik gedreigd heb Rahm tegen te spreken, denkt hij dat ik gek ben, en daarom wil hij me niet irriteren. Gekken zijn onberekenbaar.

Toen het Rode Kruis kwam, hebben ze van de verwaarloosde bioscoopzaal een prachtig theater gemaakt. Met een kroonluchter en de hele mikmak. De zaal staat nu leeg. Ik zal hem met mijn film tot leven wekken.

Met míjn film, ja. Als hij mensen van transport redt, zal ik er trots op kunnen zijn.

Trots ... Hoewel Otto Burschatz toch echt geen Jood is, heeft hij me de beste Joodse mop verteld die ik ooit heb gehoord. 'Ik ben een Jood en daar ben ik trots op.' 'Waarom?' 'Als ik niet trots ben, ben ik toch een Jood – dan ben ik liever trots.'

Ik zal trots zijn op mijn film.

Ik heb mevrouw Olitzki een eerste concept gedicteerd. Ik heb het uit mijn mouw geschud, zonder er lang over na te denken. Het eerste ontwerp wordt toch nog veranderd, dat heb ik bij de Ufa geleerd. Het hoeft niet zinnig te zijn, er moeten alleen zo veel mogelijk mooie termen in staan. 'Geschikt voor megatheater' is zo'n term. Rahm moet zich voorstellen hoe hij in het Gloria Palast door het publiek wordt toegejuicht. Hij helemaal alleen. Zonder lastige sterren die voor hem in de schijnwerpers staan. Het wordt een film met louter figuranten.

Als het Gloria Palast tenminste nog bestaat. Er wordt hier gefluisterd over bomaanvallen op Berlijn. Hopelijk klopt dat ook, denk ik bij mezelf, en tegelijk: Hopelijk niet. 'Wat is een gespleten persoonlijkheid? Een Duitse Jood.' In de psychiatersketch is dat altijd een groot lachsucces.

'Ons kwaliteitscriterium moet het Duitse bioscoopjournaal zijn,' dicteerde ik mevrouw Olitzki, 'dat zoals bekend het beste ter wereld is.' Alles wat Duits is, is het beste ter wereld. De beste pogroms, de beste wereldoorlogen, de allerbeste kampen. 'Theresienstadt, Theresienstadt, het perfectste getto dat de wereld ooit bezat.'

'We moeten onze eisen opschroeven,' dicteerde ik, 'zodat onze film niet alleen de gewenste inhoud toont, maar tegelijk als autonoom kunstwerk kan worden gezien.' Wat je zoal in concepten schrijft als de problemen nog niet zijn opgelost. De mensen op de pluche-etage verwachten dat er regelmatig gebakken lucht in hun gat wordt geblazen. Bij de Ufa was dat niet anders.

Ik heb om precieze instructies gevraagd. 'Hoe exacter de richtlijnen gedefinieerd zijn, hoe efficiënter de productie van de documentaire kan verlopen.' In soep hoort zout en in een concept horen vreemde woorden. Ik heb Rahms instructies niet echt nodig. Wat hij wil, is duidelijk, en liegen met beelden heb ik bij de Ufa geleerd. Maar met navraag doen gaat tijd heen. Elke dag dat we nog niet filmen, rukt het Russische leger verder op. Ik heb in de bibliotheek in een atlas gekeken. Vitebsk ligt helemaal niet zo ver weg.

Eppstein stond erop dat die paar velletjes niet zomaar in een envelop werden gestopt, maar werden ingebonden voordat ze op Rahms bureau belandden. Mijn concept is een hoogst officieel document. Hij heeft Jo Spier speciaal een frontispice laten tekenen. De leeuw uit het wapen van Theresienstadt, draaiend aan een filmcamera. Eppstein beheerst de formaliteiten van de onderdanigheid. Als hij Rahms achterwerk moest afvegen, zou hij het met geschept papier doen.

Er staat nog iets in het papier. Eppstein wilde het schrappen, maar ik heb voet bij stuk gehouden. Sinds ik bereid was voor mijn principes op transport te gaan, ben ik moediger geworden. Moed is een spier. Hij wordt sterker als je hem gebruikt. 'Om bij de voorbereiding van de film geen tijd te verliezen,' staat er in het papier, 'is het van belang dat de regisseur de mogelijkheid krijgt om het vestingterrein te verlaten teneinde buiten de muren aantrekkelijke locaties te verkennen.'

Ik verlang naar de vrije natuur.

Rahm heeft nog niet gereageerd. Hij heeft niet eens bevestigd dat hij het concept heeft ontvangen.

Ik heb mevrouw Olitzki opdracht gegeven om in de bibliotheek informatie over de geschiedenis van Theresienstadt te zoeken. Niet omdat ik die nodig zal hebben, maar om te zorgen dat het lijkt of ze bezig is.

Nu kan ik alleen nog maar wachten.

Wachten. Dat heb ik geoefend. Dat kan ik.

In de loopgraaf, als we wisten dat vroeg of laat het bevel tot een stormaanval zou worden gegeven, als het trommelvuur, dat altijd de ouverture vormde tot de onbekommerde moordpartij, al het door ons te veroveren terrein omploegde, waar ook weer mensen in hun loopgraven wachtten, als, terwijl we baden of zopen of in onze broek scheten van angst, het vijandelijke geschut inzette, als het het doel voor zijn projectielen zocht en de inslagen al dichterbij kwamen, steeds dichterbij, als het kanongebulder ons niet meer interesseerde, maar we alleen nog luisterden of eerste luitenant Backes zijn keel al begon te schrapen – hij was niet zeker van zijn stem en moest voor belangrijke bevelen altijd eerst kuchen –, als de minuten steeds langzamer verstreken en nog langzamer en toch veel te snel – toen heb ik leren wachten.

In het lazaret, toen ik na mijn verwonding bijkwam en me niet kon bewegen omdat ze me met repen gaas hadden vastgebonden om te zorgen dat ik in de roes van de narcose de pas gehechte wond niet opentrok, toen niemand me wilde vertellen wat er met me was gebeurd, wat er nog aan me zat en wat nog heel was, toen ik probeerde de nog altijd onderdrukte pijn op het spoor te komen – waar deed het zeer en wat had dat te betekenen –, toen ik de rij britsen zag, die me op dat moment oneindig leek en dat ook was omdat er steeds weer een nieuwe voorraad uiteengereten, kapotgeschoten, uitgeputte soldaten werd aangevoerd, toen helemaal achterin, schijnbaar oneindig ver weg, de officier van gezondheid met zijn gevolg van ziekendragers en Rode Kruiszusters opdook, toen hij bij elk bed onderzoekend bleef staan, als een klant in een warenhuis die maar geen keuze kan maken uit het te grote aanbod, toen het uren, jaren duurde voor de stoet in mijn buurt kwam, toen hij dan eindelijk bij mijn brits stond, met de vergulde koppelgesp vlak voor mijn ogen – die was pas gepoetst, als pupil van Friedemann Knobeloch zag ik dat meteen, hij had ondanks al die gewonden nog de tijd gevonden om die verdomde koppelgesp te poetsen –, toen hij nog steeds niets zei, maar zich door een zuster eerst de status liet geven en die doodgemoedereerd bestudeerde – toen heb ik het wachten geoefend.

Toen Brecht Carola Neher bij *De driestuiversopera* die persoonlijke behandeling gaf, toen ze naast elkaar op het podium zaten, niet in een kantoor, nee, het moest op het podium – als Brecht demonstreerde hoe weinig het hem kon schelen of iemand naar hem keek, dan wilde hij daarbij ook gezien worden –, toen hij een paar dagen voor de première een heleboel nieuwe teksten voor haar schreef, omdat ze had gedreigd uit de productie te stappen als haar rol niet groter werd, en omdat hij verliefd op haar was, op de mooie weduwe van Klabund, toen wij, de andere acteurs, in de zaal bleven zitten omdat we dachten dat de repetitie zo verder zou gaan, toen het steeds later werd, of vroeger, want het was al morgen – dat is het vreemde van het theater met zijn kunstlicht, dat het zijn eigen tijd heeft –, toen we al dachten dat die twee het bij de première nog niet eens zouden zijn over de tekst – toen was ik er al heel goed in.

En bij de film ... Wie in dat eigenaardige beroep iets wil bereiken, moet het wachten van meet af aan hebben geleerd. 'Talent is goed, maar zitvlees is beter,' zegt Otto Burschatz. Wie zijn ongeduld niet weet uit te schakelen tot het eindelijk zover is, tot die ene scène van hem wordt verlangd, die paar zinnen waarvoor hij 's morgens om zes uur bij de grimeur moest komen, en intussen is het al halftwaalf, wie niet de kunst verstaat zijn hoofd leeg te maken, aan iets anders te denken, zodat zijn energie niet opraakt, zodat hij op het juiste moment, in de juiste seconde present is, wakker, die heeft in die branche niets te zoeken.

Ik kan goed wachten. Ik heb het geoefend. Ik kan er rustig bij blijven, althans uiterlijk. Zelfs als de dingen waar ik naartoe leef, niet aangenaam zijn. Toen ik hoorde dat ik vanuit Westerbork hierheen zou worden gestuurd, heb ik nog grappen gemaakt. Hij is dapper, zullen de mensen hebben gedacht, maar met dapperheid had het niets te maken. Alleen met het feit dat ik de tijd had gehad om me voor te bereiden. Het lied had zijn refrein – 'We rijden met de trein' – en je wist dat je het vroeg of laat zou moeten zingen.

Veel erger is het als je niet weet wat er komt. Óf er nog wel iets komt. Of dat het stuk al afgelopen is, maar dat je het nog niet hebt gemerkt. Dat is het ondraaglijkste gevoel. Als je nog altijd op een volgend trefwoord wacht en tegelijk bang bent dat het doek allang is gevallen, de toeschouwers naar huis zijn gegaan, de acteurslijst van het mededelingenbord is gehaald. Dat je in het theater opgesloten zit, als laatste. Dat niemand je heeft verteld wat er in de vitrine naast de ingang van het theater allang op het plakkaat staat: GEEN VOORSTELLINGEN MEER.

Zo ging het met mij in Parijs. Wekenlang wachtte ik in het luchtledige. Het was bijna niet uit te houden.

Tot het telegram kwam.

Zonder Otto's hulp zou het niet aangekomen zijn. Het was geadresseerd aan: KURT GERRON, UFA BERLIJN, en bij de Ufa hadden ze besloten mij niet meer te kennen. Kurt Gerron? Wie moet dat zijn? Een Jood soms?

Maar in de postkamer zat een vrouw die door Otto een keer aan een baan voor haar zoon was geholpen. Ze wist dat we bevriend waren en stopte hem het bericht toe. 'Iemand een dienst bewijzen is de beste investering,' zegt Otto altijd.

HEB MONDSCHEINSONATE GEKOCHT STOP HEB REGISSEUR NODIG STOP HEBT U TIJD VRAAGTEKEN LOET C BARNSTIJN STOP BARNSTIJN FILMSTAD WASSENAAR STOP ANTWOORD BETAALD

Ik had geen idee wie Loet C. Barnstijn was en wat die Mondscheinsonate te betekenen had. Maar één ding was duidelijk: er werd me werk aangeboden. In mijn situatie kon ik het me niet veroorloven een reddingsboei voorbij te laten drijven. Ook al zag hij er niet erg solide uit. Dus verstuurde ik het betaalde antwoord met de in onze branche gebruikelijke frasen: TOEVALLIG NET TIJD STOP IN PRINCIPE ZEKER GEÏNTERESSEERD IN INTERESSANTE OPDRACHT. Er kwam een volgend telegram terug en een paar dagen later zaten we in de trein naar Nederland. Toen verbaasde het ons nog hoe snel je een woning kunt ontruimen. Al je spullen kunt inpakken. Later werd dat volkomen vanzelfsprekend. Exil maakt mobiel.

En dom. Ik was helemaal vergeten over het honorarium te onderhandelen. De trein reed al door België toen het me te binnen schoot. Maar het kwam er niet op aan. Zolang ik maar werk had.

In Den Haag stond Loet Barnstijn ons op het station op te wachten. Hij zag er heel serieus uit, een zakenman van middelbare leeftijd, overdreven chic gekleed. Maar hij was gek. Stapelgek. Op de sympathiekste manier die je je kunt voorstellen. Mij omhelsde hij als een lang verloren broer, Olga kuste hij de hand, mama maakte hij complimentjes en voor mijn vader ging hij in de houding staan en salueerde. 'Ik weet zeker dat u officier bent geweest,' zei hij. Waarmee hij papa al voor zich had gewonnen.

En dat allemaal in de eerste drie minuten.

Loet kan vlugger praten dan Otto Wallburg. Als hij een taal niet beheerst, praat hij gewoon door. Waarschijnlijk dacht hij dat het koeterwaals dat hij op ons losliet, Duits was. Ik heb hem nooit meegemaakt bij een onderhandeling met de mensen van Disney, waarvan hij ook de films distribueerde, maar mevrouw Muysken, zijn oneindig geduldige secretaresse, heeft bevestigd dat het niet veel anders klinkt als hij Engels spreekt. Of denkt dat hij Engels spreekt.

Hij is een van die mesjogge enthousiastelingen zonder wie de filmbranche nooit verder gekomen zou zijn dan de bewegende beelden in de Wintergarten. Een dromer, maar een die kan rekenen. Meestal. Met een eigen systeem voor de geluidsfilm moet hij op de rand van een faillissement hebben gestaan.

Toen ik hem leerde kennen, had hij de wind mee. 'Ik ben de belangrijkste filmproducent van heel Nederland,' stelde hij zich voor. Waarschijnlijk was dat niet eens overdreven.

L.C.B. – hij heeft altijd zo'n haast dat hij zich met zijn initialen laat aanspreken – heeft altijd vijf projecten tegelijk lopen en van elk project is hij overtuigd. 'Dat wordt iets heel bijzonders,' zegt hij telkens. Soms wordt het dat inderdaad.

Nu zit hij in Amerika, waar het niemand stoort dat de C in zijn naam voor Cohen staat. Waarschijnlijk legt hij de mensen in Hollywood uit hoe je een film moet maken. Dat zou echt iets voor hem zijn.

De Mondscheinsonate uit zijn telegram bleek een detective te zijn. *Het mysterie van de Mondscheinsonate*. Het boek was in Nederland een topper, zodoende had hij resoluut de rechten gekocht en was ook meteen gaan filmen. Maar na de eerste opnamen had hij gemerkt dat zijn regisseur geen benul had van geluidsfilmtechniek. De dialoog leek van onder een deken te komen. Het hardste geluid werd gemaakt door de motor van de camera. Dat spul kon je weggooien.

'Maar nu heb ik u, meneer Gerron,' zei L.C.B. stralend, 'en we gaan er een groot succes van maken. Dat wordt iets heel bijzonders.'

Hij was echt teleurgesteld dat ik niet rechtstreeks van het station naar de studio wilde om meteen aan het werk te gaan. Loet leeft in quick motion en verwacht dat ook van alle anderen. Maar toen zag hij toch in dat het misschien nuttig was als ik eerst het draaiboek las. Hij had het voor me meegebracht. Helaas alleen in het Nederlands, dat ik toen nog niet kende. 'De Duitse vertaling is in de maak,' verzekerde hij me. Die was pas klaar toen de film al was opgenomen. Het was de eerste keer dat ik dialogen regisseerde zonder echt te begrijpen waar de mensen het over hadden. Op de een of andere manier ging het.

De studio, door L.C.B. opschepperig Filmstad genoemd, was nou niet direct Babelsberg, maar er viel te werken. Omdat ik de enige in het team was die al eens een geluidsfilm had gemaakt, zagen ze me allemaal aan voor een genie.

Het was onbeleefd geweest om hen tegen te spreken.

De film werd geen meesterwerk, mijn hemel, nee. Niet het grote succes dat L.C.B. zich had voorgesteld. Maar hij verdiende er wat geld mee en dus was ik in zijn ogen een begenadigd regisseur. Terwijl iedereen die thuis was in de nieuwe techniek precies hetzelfde resultaat zou hebben bereikt. Omdat het nu eenmaal een geluidsfilm was. Film is ook altijd hocus pocus.

Loet had alweer een volgend project. De kleine jongen die in *Het mysterie van de Mondscheinsonate* op het eind de misdaad opheldert, was erg bij hem in de smaak gevallen en nu wilde hij een verhaal waarin een jongen de hoofdrol speelde. 'Het publiek houdt van kinderen,' zei hij. 'En jij kunt goed met ze overweg, dat merk je. Waarom heb je er eigenlijk zelf geen?'

Tja.

Ik weet nog dat we toen bij ons in de woonkamer zaten. Loet – hij moest altijd overdrijven – had maar liefst drie flessen jenever meegebracht. Een oude, een jonge en een speciale, 'waar je alleen via relaties aan komt'. 'Die moet je blind herkennen,' zei hij, 'nu je praktisch al een Nederlander bent.' Maar ik proefde geen verschil en werd alleen vreselijk dronken.

Een goed begin. Ik dacht echt dat ik in Nederland een nieuw vaderland had gevonden. Een plek waar ik werd gewaardeerd. Waar ik weer tot rust kon komen na al dat gereis. Duitsland leek toen ver weg. Alsof het op de maan lag. Of alsof ik op de maan was beland en al die Hitlers en Goebbelsen en Von Neussers alleen nog door een telescoop gadesloeg. Aardbewoners met hun beuzelarijen. Die mij niets meer aangingen.

Mis poes!

Soms houdt de wereldgeschiedenis een pauze. Ze haalt adem voor de volgende rotstreek. Verwisselt de spoelen in de projector. Ik ben dan altijd zo stom om te denken dat dat het happy end is. Zo zit ik nu eenmaal in elkaar. Hoe vaak ik ook mijn neus stoot, ik denk altijd weer dat de dingen beter worden. Dat je iets kunt veranderen. Het is idioot, maar ik zou het niet anders willen. Dan zou ik het niet uithouden.

We hadden een woning in Scheveningen genomen. In de Bosschestraat. Vandaar kon je naar Filmstad zonder je door het verkeer in de binnenstad te hoeven wurmen. Ik was er pas twee of drie dagen toen ik op de boulevard een man tegenkwam die ik overal had verwacht, alleen niet hier: Rudolf Nelson! Hij was ook in Nederland terechtgekomen. In Amsterdam bracht hij de ene revue na de andere op de planken en in de warme maanden trok hij de zomergasten achterna en trad met zijn groep als gast op in het Kurhaus van Scheveningen. Natuurlijk zaten Olga en ik 's avonds in de voorstelling. Hij haalde me zelfs op het toneel. Ik moest – wat anders? – het Mack-the-Knife-lied zingen. De toeschouwers juichten.

Als je er achteraf over nadenkt, was het een perverse situatie. De meeste badgasten die om Nelsons grappen lachten en bij zijn liederen in de maat meeklapten, kwamen uit Duitsland. Niet als vluchteling, anders hadden ze zich waarschijnlijk geen kamers in het Kurhaus kunnen permitteren. Waar je door de kelners scheef werd aangekeken als je geen champagne bestelde. Dezelfde vetzakken die ook in Berlijn altijd de voorste tafels hadden laten reserveren. Tijdens de inflatie hadden ze zwarte handel gedreven in levensmiddelen, nu deden ze zaken met de nazi's. Ze hingen hun huik naar de wind en het kon hun geen zak schelen wat voor huik dat was. Zolang hij maar wapperde.

Voor hun amusement hadden ze de judden die uit Duitsland waren verdreven. Overdag bouwden ze met hun kinderen zandkastelen en 's avonds haalden ze hun rokkostuum uit de koffer en zetten ze de bloemetjes buiten. Ik kan me voorstellen wat ze tegen elkaar fluisterden – nee, zulke mensen fluisteren niet, die praten altijd hardop –, wat ze tegen elkaar brulden toen ik plotseling op het toneel stond. 'Kijk eens, Gerron! Die schijnt het goed te hebben hier in Nederland – zijn pens is nog dikker geworden.'

Het ensemble van Nelson was niet het enige. Er was een avond dat zij in het Kurhaus optraden, terwijl in Den Haag, maar een paar tramhaltes verder, Willy Rosen als gast optrad met zijn Theater der Prominenten. Ook zo'n Duitse vluchtelingengroep. Na afloop zaten we met z'n allen bij mij in de keuken Loets jenever te drinken. Ik had het gevoel of ik in Berlijn was. Nelson, Rosen, Max Ehrlich en ook mijn oude makkers Wallburg en Siegi Arno. En noem maar op.

Een paar jaar later ontmoetten we elkaar opnieuw. In Westerbork. Waar ook weer Duitse toeschouwers klapten. Geüniformeerde zomergasten die in plaats van met tennisrackets met stuka's naar Nederland waren gekomen. En weer stonden al hun Joodse narren op het toneel. Slechts twee ontbraken er: Siegi had naar Amerika weten te ontkomen en Nelson was op een dag spoorloos verdwenen. Hopelijk leeft hij nog.

In Scheveningen hadden we het goed. Het was geen Berlijn – ook Berlijn zelf zal nu wel geen Berlijn meer zijn –, maar daar stond tegenover dat er ook geen nazi's waren. Bijna geen. De paar aanhangers van de Nationaal-Socialistische Beweging gingen toen nog door voor ongevaarlijke gekken. Het Kurhaus hing de hakenkruisvlag alleen uit om te zorgen dat de Duitse gasten zich er thuis voelden. Alle hotelhouders zijn Zwitsers: zo neutraal dat ze van iedereen geld aannemen.

Het was uit te houden. Meer dan dat. Vergeleken met wat daarna kwam, was het een paradijs.

Tot de dag dat papa verdween. Er gewoon niet meer was.

Mama had weer eens last van haar maag en Olga ging met haar naar de apotheek. Ze namen er de tijd voor. Gingen ook nog koffiedrinken. De dagen waren lang en met de paar dingen die je te doen had, moest je zuinig omgaan. Toen ze thuiskwamen, lag die envelop op tafel. *Aan mijn familie.* Daarin een keurig opgevouwen vel papier, zakelijk correct met plaats en datum. In papa's nette handschrift. Maar één enkele zin.

Ik hou het niet meer uit.

Zonder handtekening. De rest van het papier leeg.

Papa was al een tijdje niet meer de oude. Hij had in Nederland nooit kunnen aarden. Wat niet aan de Nederlanders lag, die ons echt gastvrij hadden opgenomen. Maar aan het feit dat hij hier niets te doen had. Hij was niet gewend aan lege dagen. Als hij ouder gewoonte weer veel te vroeg was opgestaan, als hij zorgvuldig zijn snor had geborsteld en zich had aangekleed, correct als altijd, als hij die ene kop koffie had gedronken – hij ontbeet niet, dat had hij in Berlijn nooit gedaan, waarom zou hij het zich hier dan aanwennen? –, dan liep hij met zijn ziel onder zijn arm. Hij miste de vertrouwde routine, de gang naar de firma, de dagelijkse post, de stamtafel van de confectionairs, waar transacties werden afgesloten en over de slechte tijden werd geklaagd. Papa, die zichzelf altijd als een revolutiemaker had gezien, als een liefhebber van verandering, kon niet aan de nieuwe levensomstandigheden wennen. Hij was niet geschikt voor ballingschap, de doezel.

Mama was anders. Niet actiever dan hij, integendeel. Maar zij had die talloze uiterlijke regels die haar in Bad Dürkheim waren ingeprent. Daar kon ze zich aan vastklampen. Zolang de heren opstonden als zij een kamer binnenkwam, zolang niemand zijn vork naar zijn mond bracht voor hij zijn mes had neergelegd – zolang was haar wereld in orde.

Jaren later, toen ze in de Joodsche Schouwburg op haar transport wachtte, toen we voor het laatst naast elkaar zaten en magere soep oplepelden, zei ze tegen me: 'Maar Kurt, je zet je ellebogen toch niet op tafel!' Terwijl er helemaal geen tafel was, alleen de rugleuning van de volgende klapstoel.

Mijn hypercorrecte moeder wilde niet dat we vanwege papa's verdwijning de politie waarschuwden. Dat kon een slechte indruk maken. 'En hij zou het niet prettig vinden,' zei ze. Ze kende hem goed. Toen ik destijds was verdwaald en die vreemde vrouw, die nogaprinses, me thuisbracht, was hij niet kwaad geweest omdat ik was weggelopen. Maar wel omdat hij nu de politie moest meedelen dat ik weer terecht was en dat de waarschuwing ingetrokken kon worden. Hij maakte zich niet graag belachelijk.

Ik ging er natuurlijk toch heen. De politieagent was heel beleefd. Hij knikte de hele tijd, zoals je doet als iemand je iets vertelt wat je al weet. Alsof er elke dag een stuk of vijf zoons bij hem langskwamen om de verdwijning van hun vader te melden. 'Zoiets doen oude mensen,' zei hij. Ik had papa nooit oud gevonden. Hoewel hij intussen al tegen de zeventig liep. 'Meestal duiken ze vanzelf weer op,' zei de aardige agent. 'We zullen het natuurlijk in de gaten houden. We kennen de stromingen.' Ik dacht eerst dat ik het woord verkeerd had verstaan, zo goed was mijn Nederlands toen nog niet. Maar hij had echt stromingen gezegd. Stromingen. 'Drenkelingen spoelen altijd op dezelfde plek aan,' legde hij vriendelijk uit. En hij bleef maar knikken.

Ik lachte, hoewel ik me echt zorgen maakte. Papa als drenkeling, dat kon ik me gewoon niet voorstellen. Al die tijd dat we in Scheveningen waren, had hij niet één keer een voet in zee gezet. 'Zout water is slecht voor je huid,' had hij gezegd. Dat had hij ergens gelezen en hij was er niet van af te brengen. Hij was beslist niet het water in gelopen.

Hij had alleen strandwandelingen gemaakt. Op de tijden dat de badgasten ook op de been waren om in de zeelucht eetlust voor het middageten op te doen. Het leek hem te troosten dat hij niet de enige ledigganger was. Als het heel mooi weer was, huurde hij een strandstoel en speelde hij voor zomergast. Met strohoed. Die rol, zo leek hij dat voor zichzelf uitgelegd te hebben, paste beter bij een Berlijnse confectionair dan de rol van vluchteling.

En nu was hij verdwenen. *Ik hou het niet meer uit*, had hij geschreven.

Olga, praktisch als altijd, wilde niet alleen op de politie vertrouwen. 'We moeten rondvragen,' zei ze. 'Misschien komen we erachter wie hem het laatst heeft gezien.' Waarop mama haar zelfbeheersing verloor en begon te huilen. In haar angst had ze verstaan: '... wie hem het laatst lévend heeft gezien.'

We waren nog aan het overleggen wat we het beste konden doen, toen er werd aangebeld. Een zware man die moeite had met ademhalen. Na de drie trappen naar onze woning snakte hij naar lucht. Het was die dag niet warm, maar hij zweette alsof hij de hele weg had gerend. 'Hebt u misschien een glas water voor me,' was alles wat hij kon uitbrengen.

Mama stond erop dat we in de salon gingen zitten. Die we helemaal niet hadden. Ze deed elke dag moeite om het bed in haar slaapkamer weer in een bank te veranderen. Een salon moest.

De man, zo rond de zestig of misschien iets ouder, had een tijdje nodig om weer op adem te komen. Telkens als hij zijn voorhoofd afveegde, en dat deed hij vaak, haalde hij de zakdoek uit een andere zak. Hij scheen een heel assortiment bij zich te hebben.

Toen hij weer kon praten, stelde hij zich voor. Tigges. Wolf-Dietrich Tigges uit Grevenbroich. Momenteel te gast in het Kurhaus. Hij verontschuldigde zich dat hij ons hier zomaar overviel, dat was anders niet zijn gewoonte, maar als iets je zorgen baarde, had je geen andere keus, wat moest, dat moest. Hij had die wijdlopige Rijnse manier van praten die je altijd het gevoel geeft dat iemand zijn hele levensgeschiedenis wil vertellen. 'De portier van het Kurhaus heeft me uw adres gegeven. Ik zeg altijd: Je moet met de mensen praten. Wie niets vraagt, krijgt niets gedaan. Hij wist het ook meteen. Hij hoefde het niet eens op te zoeken. U bent een beroemd man. Ik ben blij dat ik u nu ook eens persoonlijk leer kennen. Nadat ik al zoveel over u heb gehoord. Uw vader heeft het voortdurend over u.'

'U kent hem?'

'Daarom ben ik toch hier,' zei meneer Tigges.

Van praatgrage mensen kom je vaak minder te weten dan van zwijgzame, en als hij niet net naar lucht hapte, was meneer Tigges bijzonder praatgraag. Het duurde een hele poos voor hij ons eindelijk de reden van zijn bezoek uitlegde.

Papa had zich niet van kant gemaakt.

'We zijn bevriend geraakt,' zei meneer Tigges. 'We zijn op het strand heel toevallig in gesprek gekomen. Zo'n kuur is vreselijk saai, niet? Maar wat wil je als ome dokter erop staat? Zeelucht, zei hij tegen me, zeelucht zal uw bronchiën goeddoen. Als u het mij vraagt, zijn het de bronchiën helemaal niet. Het is dat vervloekte Keulse witbier. Dat spul smaakt gewoon te goed, je denkt dat het geen kwaad kan omdat je er niet dronken van wordt. Een doorlopende post, als u begrijpt wat ik bedoel. Maar je wordt er dik van. Strikte onthouding, dat houdt de dokter me al jaren voor, maar hij heeft makkelijk praten. Als ik niet naar de kroeg ga, weet ik niet wat mijn klanten denken. En dan kan ik wel sluiten.'

Meneer Tigges had een warenhuis – 'niet direct Wertheim, zoals u begrijpt, maar voor Grevenbroich niet slecht' – en met papa had hij over mode gepraat. 'Niet de heel grote mode, dat is iets voor Keulen of Berlijn, maar wat de mensen kopen. Chic, maar niet duur. Ik zeg altijd: Het prijskaartje kun je eraf halen.' Hij had een kappers- of kelnerslach, bestemd voor de klanten en zonder echte vrolijkheid.

'En mijn vader ...' probeerde ik hem weer op het spoor te zetten.

'Die heeft verstand van zaken. Verbazingwekkend, echt verbazingwekkend. Een absolute vakman wat de confectie betreft. Hij heeft me een paar inkoopbronnen genoemd – ik heb mijn mensen meteen een telegram gestuurd dat ze daar achteraan moeten gaan. Het is altijd goed als ze merken dat de baas dan wel niet op kantoor is, maar zijn zaakjes toch bijhoudt.'

Ze hadden met elkaar over het vak gepraat, over leveranciers en klanten, over de firma van de een en het warenhuis van de ander. Het moet voor papa bijna net zo geweest zijn als in de Leipziger Straβe. Tijdens de gesprekken in het strandpaviljoen had hij weer even confectionair mogen zijn.

Tot het gesprek op een ander onderwerp kwam.

'Een man, zo goed in vorm als uw vader – zo iemand kom je niet elke dag tegen. Hij is een paar jaartjes ouder dan ik, hebben we vastgesteld, maar nog altijd jong, als u begrijpt wat ik bedoel. Innerlijk. Daarom kon ik ook niet begrijpen dat hij al met pensioen was gegaan. Ik bedoel: Scheveningen, dat is mooi en aardig, maar een man – neemt u me niet kwalijk, mevrouw, ik wil de dames niet uitsluiten, maar voor u is het toch iets anders, nietwaar –, een man moet wat omhanden hebben.'

Papa had het hem eerst helemaal niet willen vertellen. Hij had iets gezegd over maagklachten, hij had mama's symptomen, die hij al honderd keer had gehoord, gewoon overgenomen en uitgegeven voor zijn eigen klachten. Die hadden hem gedwongen tot een rustpauze, tot een kuur in Scheveningen. Maar nu ging het weer beter. Nog maar een paar weken, dan zou hij teruggaan naar Berlijn. De zaak weer zelf in handen nemen.

Het moet hem goedgedaan hebben zich dat voor te stellen.

Ten slotte was hij met de waarheid op de proppen gekomen. Zijn nieuwe vriend had het niet willen geloven. 'Ik dacht, ben ik nou gek?' zei meneer Tigges. 'Ik bedoel, hij ziet er immers niet zo uit, neemt u me niet kwalijk, mevrouw, niet zoals Levi bij ons in Grevenbroich, die altijd dat keppeltje ophad, ook in de winkel, zoiets is toch onbeleefd tegenover de klanten, vindt u ook niet?'

Meneer Tigges was nu helemaal op adem gekomen en zijn woordenstroom was niet meer te stuiten. Levi, zei hij, was ook naar het buitenland gegaan, maar bij hem was dat iets anders, hij werd door niemand gemist, hij had zich nooit willen aanpassen en de spullen die hij verkocht – je mag de concurrentie niet zwartmaken, maar wat die in zijn winkel 'met kleine foutjes' verkocht, daar zouden ze in zijn warenhuis nog niet de vloer mee hebben gedweild; zelfs bij Levi's afbraakprijzen betaalde je voor een dergelijke kwaliteit nog te veel. 'Maar uw vader,' zei meneer Tigges, 'uw vader is van een heel ander kaliber, een solide zakenman, en zo iemand heeft geen reden om uit Duitsland weg te lopen.'

Natuurlijk hadden er overvallen plaatsgevonden, maar toch alleen in het begin, waar gehakt wordt, vallen spaanders, maar nu had de zaak zich gestabiliseerd, men voer een rechte koers en van een dictatuur kon geen sprake zijn. Tijdens het laatste carnaval – meneer Tigges zat zelf in het bestuur van de Närrischer Sprötz-Trupp Gustorf – waren er een paar grove moppen gelanceerd, behoorlijk zwaar geschut, en Böckeler, het hoofd van de plaatselijke partijafdeling, had in uniform in het publiek gezeten en gelachen en geklapt als alle anderen. 'En meegedeind,' zei meneer Tigges, alsof er geen sterker argument bestond. Het hoofd van de plaatselijke partijafdeling had meegedeind. 'Dus, als u het mij vraagt, een dictatuur ziet er anders uit.'

'Voor de Olympische Spelen, dat heb ik ook tegen uw vader gezegd, hebben ze zelfs die schermster in de ploeg opgenomen, de blonde He, en dat is een Jodin. Dan kun je toch niet van onderdrukking spreken. Nee, heb ik tegen hem gezegd, er was een hoop propaganda bij, aan beide kanten als u het mij vraagt, maar nu zijn er duidelijke regels en wetten en iedereen weet waar hij aan toe is. Hij moet zelf maar eens komen kijken, heb ik gezegd, ik nodig hem met plezier uit in Grevenbroich, we hebben daar twee heel fatsoenlijke hotels, die hebben nog nooit een betalende gast geweigerd. Vanuit Den Haag ben je in vier uur in Keulen, en vanaf het stationsplein gaat er een bus.'

Ik kon me hun gesprekken voorstellen. Papa was in de regel niet naïef. Een theoreticus, dat wel, maar als het om zaken ging, had hij altijd met beide benen op de grond gestaan. Behalve toen die oorlogsleningen hem bijna de das omdeden. Ongebreideld patriottisme is geen goede raadgever. Hij las ook genoeg kranten om te weten wat er werkelijk aan de hand was – de Rijksburgerwet was een duidelijke zaak geweest en dat mijn films verboden waren ook –, maar hier werd hem verteld wat hij graag wilde horen. Uit puur verlangen naar zijn oude leven was hij bereid geweest het te geloven.

Ik weet zeker dat meneer Tigges uit Grevenbroich niet tegen hem heeft gelogen. Niet bewust. Net als zoveel anderen kon hij alleen goed de andere kant op kijken.

Wat hij ons te vertellen had, vond hij een beetje pijnlijk en daarom veegde hij eerst nog eens omstandig zijn voorhoofd af, voordat hij zei: 'Nou ja, en toen heeft hij een besluit genomen.'

Mama was anders altijd beheerst, zeker als er gasten waren, maar nu sloeg haar stem van spanning over, zodat het bijna gekrijs was. 'Wat voor besluit?'

'Om naar Berlijn te gaan. Ik wil het zelf zien, zei hij. Ze zullen me heus niet opeten.'

Hij had van meneer Tigges geld geleend. Mij kon hij daar niet om vragen. Hij had de tram naar Den Haag genomen en was op de trein gestapt. Een man die meer heimwee had dan verstand.

'Zoiets doen oude mensen,' had de agent gezegd.

Tigges was duidelijk opgelucht dat het eruit was. 'Misschien heb ik een fout gemaakt,' zei hij. 'Met de beste bedoelingen, dat moet u van me aannemen, mevrouw, maar toch een fout. Omdat ik uw man zo sympathiek vond.'

Olga had zich het eerst hersteld. 'We zijn u dankbaar dat u ons op de hoogte hebt gebracht,' zei ze. 'Maar het is waarschijnlijk beter als u ons nu alleen laat.'

De dikke Tigges bleef zitten. 'Ik ben niet alleen daarom gekomen,' zei hij, terwijl hij mij zijn beste verkopersglimlach schonk. 'Het geld dat ik uw vader heb geleend – kan ik dat misschien terugkrijgen?'

Vier dagen later kwam papa terug.

Ik was niet thuis toen hij kwam. Ik was in de studio. Het werk ging door. Ik weet dus alleen uit Olga's verhaal dat papa binnenkwam, gewoon binnenkwam. Zonder verklaring. Alsof hij alleen even naar de post was geweest.

De twee vrouwen, Olga en mama, hadden de tafel gedekt voor het avondeten, hoewel ze geen van beiden honger hadden. Mama had die nauwgezette rituelen nodig om haar dag vorm te geven. Ze hoorden voetstappen in de gang en dachten dat ik eerder thuis was gekomen dan gepland. Maar het was papa. Een beetje gebogen, merkte Olga op. Toen ze hem wilden omhelzen en met vragen overstelpen, maakte hij een afwijzend gebaar, hij schrok bijna een beetje terug, leek het wel, en zei heel zachtjes: 'Ik heb geen honger.' Hij liep de kamer weer uit en ging naar bed.

De reis zal hem uitgeput hebben, dachten ze. Maar het kan niet gewoon uitputting geweest zijn.

We zijn nooit te weten gekomen wat hij in Berlijn heeft meegemaakt. Hij weigerde erover te praten. We hoorden maar één ding van hem, eigenlijk maar één zin, en dan met zo'n vragende stem alsof hij zijn eigen woorden niet kon geloven. 'Heitzendorff woont nu in onze woning.' Nog jaren later schudde hij soms zonder aanleiding zijn hoofd en zei verbaasd: 'Heitzendorff.'

Na het bezoek van meneer Tigges had ik telegrammen naar Berlijn gestuurd en daarbij vastgesteld hoe weinig namen me te binnen schoten. Zo weinig mensen op wie ik kon vertrouwen. Otto Burschatz natuurlijk en nog deze of gene met wie ik het op het werk goed had kunnen vinden. Maar – en dat was bedroevend na zoveel jaren in een stad – er was niet één naam bij van buiten mijn werk. Ik schijn niet veel talent te hebben voor vriendschap.

Otto deed zijn best. Hij ging zelfs naar de Klopstockstraße om met Heitzendorff te praten. Nee, zei Heitzendorff, meneer Gerson had hij al jaren niet gezien. Bij zijn weten was die naar het buitenland verhuisd. 'Ik wist dat hij loog,' zei Otto, 'en ook dat hij zijn eigen leugen al over een paar weken zou geloven.'

Dat was jaren later, toen Otto ons kwam opzoeken in Amsterdam. Voor die tijd wist ik niets van die details. Evenmin dat Otto ook in de Leipziger Straße was geweest, met de smoes dat hij voor een film een kledingwinkel moest inrichten en een grote aankoop van afgedankte modellen overwoog. De firma heette nog altijd Max Gerson & Cie., maar nu bestond de compagnie echt. Er zat een vreemde man in het kantoor van de baas. Hij had papa nooit gekend of beweerde dat althans. De naam van de firma zou binnenkort worden veranderd, tegenwoordig Gerson heten was nogal pijnlijk.

Zo heeft Otto het me in Amsterdam verteld. Destijds stuurde hij me alleen een telegram: GEWENST ARTIKEL HELAAS NIET LEVERBAAR. Hij had eerder dan ik begrepen dat ook het briefgeheim geariseerd was.

Ik weet niet wat papa in Berlijn is overkomen. Ik denk niet eens dat het iets spectaculairs was. Maar toen hij terugkwam, was er iets in hem kapot. Gebroken. Een gebroken man.

Ik stel me voor dat hij in Berlijn zijn oude kennissen heeft gezocht en dat er niemand meer was. Alle juddencabaretiers hadden de wijk genomen naar Nederland – waarom zou het bij de confectionairs anders zijn? Of hij heeft deze of gene aangetroffen en die heeft hem verteld hoe het er werkelijk voor stond. Als je geen Tigges heette, maar Bernheim of Wormser. Ik denk dat hem in die paar dagen duidelijk is geworden dat de wereld waar hij zo naar terugverlangde, helemaal niet meer bestond. Dat hij in Berlijn geen plaats en geen betekenis meer had. Dat in de drie jaar dat hij weg was geweest, alles was veranderd.

Zoals wanneer je na een gastrol in een andere plaats terugkomt in het theater waar je jarenlang hebt gespeeld, waar je ooit deel hebt uitgemaakt van het ensemble, en nu heeft een nieuwe directie niet alleen het repertoire veranderd, maar ook verder alles verbouwd, alleen al de voorgevel ziet er anders uit, door het raampje van de kassa kijkt een nieuw gezicht je afwijzend aan en bij de ingang van het theater zit niet de vertrouwde portier, maar een man die jou niet kent. Als je je aan hem voorstelt, schudt hij zijn hoofd en zegt: ‘U mag hier niet naar binnen. U is de toegang ontzegd.’

Misschien was het ook iets veel ergers. Papa heeft het ons nooit verteld.

Zijn haar is niet in één klap wit geworden. Hoewel dat voorkomt. Ik heb het in Amsterdam gezien bij een vrouw van wie de zoon bij een razzia probeerde weg te lopen en in de rug werd geschoten. Maar sinds die dag, sinds die reis naar Berlijn, was hij een oude man.

Nog steeds geen reactie van Rahm. Het bureau van de commandant hult zich in stilzwijgen.

Ik speel intussen Ufa. Omdat Eppstein dat van me verwacht en omdat het me goeddoet. Het is prettig om je oude gewoonten weer op te nemen. Weer eens in je element te zijn. Te merken dat je niets bent vergeten. Lorre hield soms een paar dagen op met zijn gespuit om er daarna weer mee te kunnen beginnen. Nu begrijp ik dat. Ik ben verslaafd aan het filmen.

Ik speel Kurt Gerron. Stop bij het dicteren een potlood in mijn mond en kauw erop. 'Waarom doet u dat,' vraagt mevrouw Olitzki. 'Omdat ik zonder sigaar niet kan denken,' zeg ik. Ze kijkt me heel sceptisch aan.

Samen met haar stel ik lijsten op. Onderwerpen die in de film moeten voorkomen. Mogelijke locaties. Problemen. Papier is in Theresienstadt schaars, maar Eppstein heeft een heel pak voor ons laten neerleggen.

'Maaltijden,' dicteer ik. 'Tot aan de rand gevulde borden. Tafellakens. Bestek. Meerdere gangen. Witte handschoenen voor het personeel van de voedseluitgifte.'

De schrijfmachine houdt op met ratelen. Mevrouw Olitzki kijkt me aan. 'Ik ken u nog niet zo goed,' zegt ze. 'Dat van die handschoenen – was dat een grap of moet ik dat echt opschrijven?'

De hele film is een grap, mevrouw Olitzki.

'Schrijf het op,' zeg ik.

Witte handschoenen voor het personeel van de voedseluitgifte. Smullende kinderen.

Bij de stadsverfraaiing, toen het Rode Kruis toekeek, kregen de kinderen brood met sardientjes, en er was hun verteld dat ze moesten zeggen: 'Niet alweer sardientjes, oom Rahm!'

Er moest hun eerst uitgelegd worden wat sardientjes zijn.

'Kokende vrouwen,' dicteer ik. 'Een dikke kokkin die in een enorme ketel roert. Ze zegt iets en de andere vrouwen lachen.'

'Ik denk niet dat u hier in Theresienstadt een dikke vrouw vindt,' zegt mevrouw Olitzki.

'Dan maakt u een aantekening in de rubriek PROBLEMEN.'

In de keuken werken alleen mannen. Behalve bij het aardappelen schillen.

'Jonge, knappe aardappelschilsters zitten in een kring,' dicteer ik. 'Ze zingen een lied.'

Als iemand rode wangen heeft of verder zichtbaar gezond is, zeggen ze hier in Theresienstadt: 'Hij werkt in de keuken.' Bij de bron lijd je geen dorst.

Eén keer is er een onderzoek geweest. Het werd uitgevoerd door Loewenstein van de gettobewaking. Hij stelde vast dat de mensen van de keuken en de proviand bijna evenveel eten stalen als uitdeelden. Maar omdat de kopstukken van de Raad van Oudsten ook hun extra porties kregen, is de zaak in de doofpot gestopt en werd hij weggewerkt naar een ander baantje.

'Voor de keuken, dubbele punt,' dicteer ik. 'Uit een wagen wordt een half rund geladen.'

'Waar halen we dat vandaan?' vraagt mevrouw Olitzki.

'We filmen als de wacht zijn voorraden geleverd krijgt.'

'Wanneer hebt u voor het laatst vlees gegeten?'

'Twee weken geleden,' zeg ik. 'Toen zat er iets in de soep wat vlees geweest zou kunnen zijn.'

'Zou kunnen,' zegt ze.

'Een stuk gebraden vlees,' dicteer ik. 'Groot in beeld een mes dat er dikke plakken af snijdt. Het sap loopt eruit. Een vrouw steekt er keurend haar vinger in en likt hem af.'

Een sprookjesfilm. Tafeltje dek je, ezeltje strek je.

Knuppel uit de zak.

Elke film is een sprookjesfilm. Wie in de bioscoop gaat zitten, wil dromen. Wil prinsen en prinsessen zien en voordat het licht weer aangaat, moeten ze elkaar krijgen. Het werkelijke leven rolt hij op als zijn regenjas en stopt het onder zijn stoel. Als de film goed was, schiet hem pas veel later weer te binnen dat hij het daar heeft laten liggen.

En als ze niet gestorven zijn, dan leven ze nu nog.

De grootste dromers zitten niet in de zaal. Die vind je in de studio. In het productiebureau. In het bureau van de commandant. Mensen die er rotsvast van overtuigd zijn dat met vierentwintig beelden per seconde de wereld te veranderen valt. Dat je met een film geld als water kunt verdienen. Of een compliment van Heinrich Himmler. Allemaal mesjogge lui. Karl Rahm is net zo gek als Loet Barnstijn.

Ik ben geen haar beter. Ik voel het pistool in mijn nek – daar is een plek, heeft de kleine Korbinian me uitgelegd, als je daar de loop op zet, vallen ze om en zijn ze weg – en mijn hoofd gaat niet in staking, maar heeft ideeën. Het denkt zelfs: Dat kan een geweldige film worden.

Gek. Ik ben een *cvok*, zoals de oudgedienden in Theresienstadt zeggen. Ik hoor in het *cvok*-huis. In de *cvokarna*.

Een aanstekelijke waanzin. Mevrouw Olitzki vroeg me of we van het koffiehuis niet een bierhal konden maken. Omdat we tenslotte in Tsjechië zijn. Een groot vat pils, stelt ze zich voor. De gasten heffen hun pul voor de camera en zingen een lied. Dat moet er toch goed uitzien, zei ze.

Bacillus cinematographicus.

Niemand, maar dan ook niemand is er immuun voor. Toen we de roman van De Jong verfilmden, wilde die er niets mee te maken hebben. We konden het gerust doen als we wilden, maar het was niets voor hem. En vervolgens was hij niet meer bij de opnamen weg te slaan. Hij heeft zelfs de pastoor gespeeld. Niet eens slecht.

Een aardige vent. Had verstand van mensen en van sigaren. Een betere combinatie bestaat er niet. Een SS-commando heeft hem doodgeschoten, als vergelding voor een aanslag. Dat heb ik in Westerbork gehoord.

Je zou een tijdmachine moeten hebben. De Jong nog een keer ontmoeten. Nog een keer een boom met hem opzetten over sigaren. Hij verbouwde zelf tabak – in Nederland! – en probeerde me constant uit te leggen waarom zijn kanaster van een heel bijzondere kwaliteit was. Ik heb al zo lang geen sigaren meer geroken dat zelfs een van zijn stinkstokken een grenzeloos genot zou zijn.

Als ik een tijdmachine had, zou ik niet in Theresienstadt zitten. Dan zou ik de dingen anders doen, anders gedaan hebben, en zat ik nu bij een zwembad in Hollywood, links Lorre, rechts Marlene en voor me een butler die op een zilveren dienblad echte havanna's aanbiedt.

Ah, havanna's.

Mijn Merijntje zou ik ook nog een keer willen ontmoeten. Marcel Krols met zijn witblonde haar en zijn verbaasde ogen. Dat gezicht dat zich als het ware vanzelf fotografeerde. Een hoogbegaafde jongen. Speelde alle professionals onder de tafel. Toen was hij elf, dan moet hij nu negentien zijn. Waarschijnlijk soldaat. Misschien al doodgeschoten.

Als je da capo kon leven – ik geloof dat ik dan alleen steeds weer die film zou maken. Wat een mooi werk! Ook al heb ik het nooit klaargespeeld om de titel goed uit te spreken. *Merijntje Gijzens jeugd.* De Jong zei: 'Jij zegt dat op z'n Brabants zoals ik Berlijns spreek.'

Doodgeschoten. Ze belden bij hem aan en toen hij opendeed ...

Je hoeft geen Jood te zijn om vermoord te worden. Meneer Tigges zou zeggen: 'Ziet u, bij ons wordt iedereen gelijk behandeld.'

Merijntje was ook zo'n sprookjesfilm. Je kon in de bioscoop gaan zitten en anderhalf uur lang weer kind zijn.

Tijdmachine.

We hadden veel succes. 'Een enorme stap voorwaarts in de Hollandse filmindustrie', stond er in *Het Volk*. We beweerden allemaal dat we geen kritieken lazen en kenden ze toch uit ons hoofd. Maar dat is niet de reden waarom ik daar zo graag aan terugdenk. Ik heb zo van de opnametijd genoten. Van elke afzonderlijke dag. De cameraman kwam uit Hongarije, de geluidstechnicus uit Duitsland en toch waren we meer dan alleen een team. We waren een familie.

'Pappie' noemden ze me toen in Wassenaar. Mij, de kinderloze dikke Gerron. *Bonus ac diligens pater familias* stond er in ons Latijnse boek. De goede en gewetensvolle vader.

Geen rol heb ik met zoveel plezier gespeeld.

Soms denk ik dat er helemaal geen karakter bestaat. Alleen rollen die je hebt uitgekozen of toegewezen gekregen. Die je speelt zo goed en zo kwaad als het gaat. Zoals Eppstein de grote beslisser van Theresienstadt uithangt, de heer over leven en dood, die het op de een of andere manier klaarspeelt zijn marionettendraden niet te zien. Of zoals papa, die zichzelf de rol van revolutiemaker had gegeven en in elkaar klapte toen dat niet meer vol te houden viel. Mama was consequenter. Het doek was allang gevallen en zij speelde nog steeds de dochter van goeden huize.

Alleen bij Olga heb ik het gevoel dat ze niet speelt, maar gewoon bestaat. Daarom hou ik zoveel van haar.

Tijdens de opnamen van *Merijntje* heb ik de joviale papa gespeeld. De vader Kurt Gerron. Terwijl de oorlog mij voor dat genre net zo ongeschikt heeft gemaakt als Gerstenberg voor de heldenrollen. Het is de enige keer in mijn leven dat ik die rol heb mogen spelen.

Bijna de enige keer. In de Joodsche Schouwburg was er de kleine Louis. Maar dat heeft maar een paar dagen geduurd.

Ik heb sterk overdreven als pappie. Als je voor het echte leven kritieken kreeg, had er in de mijne gestaan: 'Gerron schmiert.'

Ik heb van die jongens, van Marcel en Kees, werk gemaakt als een minnaar van zijn geliefde. De productieleider wilde een begeleidster voor hen aanstellen, maar dat heb ik van de hand gewezen. 'Ik zorg zelf wel voor ze,' zei ik. 'Dan hebben ze straks minder moeite om mijn regieaanwijzingen op te volgen.'

Daar zat een heel klein beetje waarheid in. Dat ze me aardig vonden en niet uit ontzag voor mijnheer de regisseur verstijfden, maakte het werk wel eenvoudiger. Sternberg zette Marlene ook beter neer omdat hij verkikkerd op haar was. Ook daarom is de film zo goed geworden.

Maar mij ging het om iets anders. Ik wilde één keer in mijn leven vader zijn.

Ik was goed in die rol. Streng, maar rechtvaardig. Soms ook genereus. Zoals ik geweest zou zijn als Olga en ik ...

Doet er niet toe.

Eén keer heb ik voor hen de opnamen onderbroken. Ze hadden honger en plunderden in de studio de resten van de grote eetscène. Ik ben met ze naar de kantine gegaan. Heb de hele ploeg laten wachten tot die twee hun buikje rond hadden gegeten. Dat was voor die jongens het hoogtepunt van het hele filmwerk.

Ik keek toe hoe ze zaten te smullen en was gelukkig. Eetlust is zoveel mooier dan honger.

Op een keer was er die boer die geld wilde voor het filmen op zijn land. 'In orde,' zei ik. 'Honderd gulden per dag.' Loets boekhouder, die op de kleintjes lette, viel haast in katzwijm van schrik. Ik beloofde de boer het geld de volgende draaidag contant mee te brengen. Dat was niet direct gelogen. Alleen was er op die locatie geen volgende draaidag meer. De jongens wisten ervan en lachten zich slap. 'Wat is er met die twee aan de hand?' vroeg de boer en ik zei: 'Ze oefenen voor de volgende scène.' Waarop ze helemaal niet meer bijkwamen.

Ik heb ze aan het lachen gemaakt zoveel ik kon. Niet altijd op het hoogste niveau. In Colmar, op de bonte avonden in het invalidenhuis, amuseerden de mensen zich ook altijd het best als het schunnig werd. Bij kinderen werkt dat altijd. Ik kondigde niet gewoon een pauze aan, maar riep door de studio: 'De regisseur gaat nu zijn blaas binnenstebuiten keren!' De kleine Marcel vond dat zo grappig dat hij prompt de volgende scène verprutste. Hij schoot steeds weer in de lach.

Je kunt ook uit liefde voor kinderen een potsenmaker zijn.

Als we aan het eind van de dag klaar waren met draaien, hadden ze eigenlijk doodmoe moeten zijn. Maar ze wilden niet naar huis. Omdat ze daar niet half zoveel plezier hadden. Daar was ik erg trots op. Op een keer zijn we samen uitgegaan, alleen wij drieën, zoals opa dat toen met mij heeft gedaan. Naar een restaurant waar een zigeunerviolist van tafel naar tafel ging en de mensen onder het eten op zijn gefiedel trakteerde. Dat vonden die twee ongelooflijk chic. Ik had de kelners omgekocht om naar ons tafeltje te komen en de jongens om een handtekening te vragen. Kees vatte dat luchtig op, maar bij Marcel viel het helemaal verkeerd. 'Als je niet eens rustig kunt eten,' zei hij, 'dan wil ik geen filmster zijn.'

Het was een mooie tijd. Ook vanwege de film. Maar vooral vanwege de jongens.

'Pappie,' zeiden ze tegen me.

Pappie.

'Nieuwe rubriek: KINDEREN,' dicteer ik. 'Een speelplaats met verschillende toestellen. Een schommel. Een glijbaan. Een wip. Enzovoorts. Luid, vrolijk kindergeschreeuw. Stralende gezichten. Een kind valt en huilt. Wordt getroost. Een kleine hand, die vol vertouwen de grotere pakt.'

'Mooi,' zegt mevrouw Olitzki.

'Twee jongens naast elkaar in het schoollokaal.'

Marcel en Kees.

'Aan de muren zelfgemaakte tekeningen. Landschappen. Dieren. Een zon met een lachende mond. De meester wijst op een landkaart aan waar Theresienstadt ligt. De jongens letten niet op. Fluisteren iets tegen elkaar. Een opgevouwen briefje wordt doorgegeven. Een meisje opent het en bloost. Speelt verlegen met haar lange blonde vlechten.'

'Blond?' vraagt mevrouw Olitzki.

'Streep blond maar door.' Er zijn geen blonde Joden. Niet in een film voor Karl Rahm.

Ze haalt me uit mijn concentratie met haar tegenwerpingen. Ze herinnert me eraan dat ik het draaiboek niet voor de Ufa bedenk. Waar alle meisjes met vlechten automatisch blond waren. Je moest oppassen dat de achtergrond niet te licht was. Vanwege het contrast. Ik wil dat niet. Als iemand me constant met mijn neus op de werkelijkheid duwt, schiet me niets te binnen.

Ik erger me aan de onderbreking en erger me eraan dat ik me erger.

'Wat is er verder nog?' zeg ik. 'Kinderen die tikkertje spelen. Een jongen die op zijn handen loopt. Een aantal kinderen naast elkaar, op een rij staand als orgelpijpen. Gaten tussen hun tanden. Schiet u ook nog iets te binnen?'

'Ik heb nooit kinderen gehad,' zegt mevrouw Olitzki.

'Dat spijt me,' zeg ik.

'Nu ben ik er blij om,' zegt ze.

Ik vertel Olga over dat gesprek. Dat mevrouw Olitzki geen kinderen heeft en hoe ze daarmee omgaat. 'Ze is een verstandige vrouw,' zeg ik. En Olga, mijn altijd beheerste Olga, begint tegen me te schreeuwen.

We zitten thee te drinken, een of ander groen spul in heet water, en ineens gooit ze haar glas op de grond. 'Dat mag je niet zeggen!' schreeuwt ze. 'Al het andere voor mijn part. Maar dat niet!'

Eerst begrijp ik niet wat ze bedoelt.

'Je kunt die film maken,' zegt ze en haar stem kan elk moment overslaan. 'Je kunt hun propagandafilm maken en dat mag niemand je verwijten. Je kunt kruipen en buigen en Rahms voeten kussen als hij dat eist. Van mij zul je geen kritiek horen. Je hebt geen andere keus en daarom heb je ook geen reden om je ervoor te schamen.

Maar je mag nooit – nooit, hoor je, Kurt! –, je mag nooit zeggen of zelfs maar denken dat wat er met ons gebeurt, dat ook maar iets daarvan verstandig of logisch of vanzelfsprekend is. Want dat is het niet. Het is niet verstandig als iemand blij is dat hij geen kinderen heeft. Dat weet jij beter dan wie ook. Het is niet logisch als je zegt: Ik ben dankbaar dat hij niet geboren is. Als je blij bent dat iemand nog net op tijd gestorven is voor ze hem konden vermoorden. Dat is niet normaal en dat mag je nooit vergeten. Geen seconde. Nooit.'

Mijn Olga. Ze stampt op de grond en gooit haar hoofd opzij om het haar dat ze niet meer heeft, van haar voorhoofd te slingeren. Ik hou van dat gebaar.

Ik hou van de hele Olga.

Dan veegt ze haar handen af aan haar jurk, alsof ze iets vuils heeft vastgepakt, en is weer heel rustig. Raapt het glas op, dat gelukkig niet gebroken is. Glimlacht tegen me.

Ze heeft gelijk. Maar wat ze vraagt, is niet makkelijk.

Ik weet nog toen we de Nederlandse vertaling van *Sneeuwwitje* opnamen, het allerlaatste werk dat L.C.B. voor me had, toen we de hele dag in de geluidsstudio zaten en op het witte doek die bonte Disney-figuurtjes rondhuppelden, Stoetel en Giechel en Niezel en Grumpie, toen de acteurs in de huid van die grappige mannetjes kropen en voor ze praatten – toen waren we telkens verbaasd als iemand in de pauze zijn eigen stem weer had.

Niet iedereen kreeg dat voor elkaar. Sommigen bleven piepen of neuzelen. Zonder het te merken. Je verwart jezelf makkelijk met de rol die je speelt. 'Wij zijn de zeven dwergen en werken in de bergen.' Je vergeet gauw dat het ook anders kan zijn. Dat het eigenlijk anders is.

Dat mag je niet vergeten.

Nooit.

Sneeuwwitje. De laatste keer dat ik in een studio stond. Omdat L.C.B. me uit pure menslievendheid nog een keer een opdracht toespeelde. Wat ik moest doen, had iedere goede productieleider gekund. En iedere slechte. Een paar dwergen op het juiste moment het startsein geven, dat was alles. Maar het was in elk geval werk.

Loet had geen zin meer om films te maken. *Merijntje* had goede kritieken gekregen, maar geen geld opgeleverd. 'Voor aardige woorden in de krant koop ik niets,' zei hij. Hij vroeg zich al af of je van Filmstad geen fabriek kon maken. Hij had nieuwe projecten. Wilde zich helemaal toeleggen op de distributie. Was daarom meer in Amerika dan in Nederland. En is daar gewoon gebleven, de geluksvogel, toen in Europa de val dichtklapte.

Eén enkele film had ik daarvoor nog voor hem mogen maken. Omdat de contracten al waren getekend. De Nederlandse versie van een Italiaanse productie. De sprookjes van Grimm in een modern jasje. Zo'n theoretisch project dat er op papier overtuigend uitziet en op het witte doek belabberd. Misschien had het publiek met een hoop reclame nog wel lekker gemaakt kunnen worden voor het verhaal, maar L.C.B. wilde er geen geld meer in steken. 'Jammer dat er in de studio geen brand is uitgebroken,' was zijn commentaar. 'Dan had ik tenminste nog iets van de verzekering getrokken.'

Ik kan me van dat broddelwerk niet eens meer de handeling voor de geest halen. Maar omdat we in Rome produceerden, weet ik nu in elk geval hoe je netjes spaghetti om je vork draait. Wat me hier in Theresienstadt natuurlijk geweldig goed van pas komt.

En dan zou er natuurlijk nog die opdracht van de KLM geweest zijn. Geweest zijn. Een reclamefilm waar ze per se mij voor wilden hebben. Goedbetaald. 'We zijn zo blij dat we u daarvoor konden krijgen.' Tot alles opeens heel anders liep. Ze wilden de film niet meer. Niet van mij. Omdat ik een mof was, een Duitser, en de vliegtuigen van de KLM alleen Nederlands spreken. Als je mocht geloven wat er in de kranten stond, was het bijna landverraad geweest om die opdracht aan een buitenlander te gunnen.

Het gedoe werd aangezwengeld door dezelfde figuren die me zojuist nog als redder van de Nederlandse filmindustrie de hemel in hadden geprezen. De witte ridder was veranderd in de boze vreemdeling. Die de binnenlandse bevolking het werk afpakte. Precies hetzelfde verhaal als in Parijs. Broodnijd in een patriottisch jasje. In een vlag verpakte jaloezie.

Terwijl natuurlijk niemand schreef: 'Ik heb mijn laatste drie films verprutst en daarom hou ik niet van mensen die het vak verstaan.' Dat zou eerlijk geweest zijn. Men argumenteerde met de verheven waarden van het vaderland. Schold op de melodie van het volkslied op de emigranten. Veinsde een ereronde lang begrip voor de arme, uit hun vaderland verdreven vluchtelingen, 'enerzijds', werd er dan gezegd, 'hebben we met ze te doen' – voordat men vol vuur aan het grote ANDERZIJDS begon. De moeilijke tijden. De economische problemen. De vaderlandse cultuur. Wat ze werkelijk bedoelden, staat bij Büchner. *Dantons dood.* Lorre zei het als Saint-Just met de vriendelijke glimlach van een kindermoordenaar: 'U moet weg, tot elke prijs, al moeten we u eigenhandig wurgen.'

Dat is hun dan ook gelukt.

'Je bent unfair,' zou Olga zeggen, 'over het geheel genomen zijn de Nederlanders aardig voor ons geweest.'

Natuurlijk ben ik unfair. Je moet toch iets als je in Theresienstadt opgesloten zit. Niemand kan nog van me verwachten dat ik fair ben.

L.C.B. wilde toen nog een filmschool openen, die ik dan moest leiden. Maar hij had niet echt hart voor het project en er is nooit iets van terechtgekomen. Ik moest de haaiensong weer van stal halen en ermee door de provincie trekken. Met Nelson en Rosen. Theater der Prominenten, mooie naam toch? De Voormalige Prominenten zou toepasselijker geweest zijn. Theater der Uitgerangeerden. Gelukkig was mijn Nederlands intussen goed genoeg om in beide talen toneel te kunnen spelen. Oninteressante rollen in oninteressante stukken. Elk engagement dat me werd aangeboden, moest ik aannemen. Al was het op een postzegelpodium. Ik moest weer de tingeltangelman worden, zoals ik twintig jaar eerder begonnen was. Alles draait in een kringetje rond.

Plezierig was die tijd niet. Maar ik had nog werk. Ik had nog te eten. De oorlog was nog niet begonnen.

Ik heb blaren op mijn voeten. Als die er niet waren, zou ik niet geloven wat er is gebeurd. Het was geen droom. Zelfs ik heb niet genoeg fantasie om zoiets te dromen.

Het begin, ja. Met nachtmerries heb ik ervaring. Maar de rest? Ik kan er nog steeds niet bij. Ik ben niet meer bedacht op geluk.

Ik heb een haas gezien. Hij had geen haast, hij deed alleen alsof hij weghupte, zoals dansers soms bij de eerste repetitie doen, als ze hun krachten willen sparen en hun passen alleen vluchtig aangeven. Hij was niet bang voor me. Waarschijnlijk had hij in het spergebied nog nooit een mens gezien. Zelfs de boeren hebben een speciale vergunning nodig om er te komen.

Voor me vloog een patrijs op. Het kan ook een fazant geweest zijn. Ik kan vogels niet uit elkaar houden.

En er waren vlinders. Er ging er een op mijn arm zitten. Bruine vleugels. De kleurvlakken waren door witte strepen en cirkels van elkaar gescheiden. Zoals op de glazen lampenkap die ik toen voor mama heb gekocht. Heitzendorff heeft hem vast als on-Duits uit de woning verbannen. Accuraat getekende vormen. Met een vage, roze vlek eroverheen. Alsof iemand een verfpotje had omgegooid. Alsof de vleugel bloedde. Kunnen vlinders bloeden?

Weilanden, pas gemaaid. Een bedwelmende geur na de alom aanwezige stank van Theresienstadt. Ik heb vandaag in het hooi gelegen. Tegen de zon in geknipperd. Ik kan het nog steeds niet geloven.

Een wijde, zacht golvende vlakte, verdeeld door heggen en veldwegen. Een zo keurig toevallig patroon dat het door een decorateur ontworpen leek. In de verte één enkele bergtop. Zo'n echte ronde bergtop voor de zondagse wandeling.

Natuur.

Ik heb mijn schoenen uitgetrokken om de grond onder mijn voeten te voelen. En ben prompt op een scherpe steen getrapt. Een gelukkige pijn.

Het lopen had me geen moeite moeten kosten, nu ik zoveel kilo's ben kwijtgeraakt. Maar met mijn buik is ook mijn kracht geslonken. Ik bewoog me als een oude man.

Ik zou ook gekropen hebben om nog wat langer te kunnen blijven.

Het was zo mooi.

En het begon met een vreselijke schrik. Olga en ik sliepen nog toen de deur van ons kumbal werd opengerukt. Je kunt hem afsluiten, de grendel zit er nog op, maar dat is streng verboden. Op straffe des doods of vijftig stokslagen of iets anders krankzinnigs. Er stond een SS'er in de kamer. Een heel jonge met een puisterig gymnasiastengezicht. 'Meekomen!' blafte hij. Je kon horen dat hij de baard nog in de keel had.

Dokter Springer, die zich met statistieken tegen feiten verweert, zei laatst dat die kersverse SS'ertjes hem optimistisch stemmen. 'Als ze zulke mensen aannemen, kan dat alleen betekenen dat ze de pan al tot op de bodem moeten leegschrapen.'

Mij maken die nieuwelingen bang. Wie zich nog moet bewijzen, is extra streng.

Hij beantwoordde geen vragen. Gaf geen uitleg. Zei alleen wat ze altijd zeggen: 'Vooruit, vooruit!' en 'Vlugger, vlugger!' Ik mocht me nog wel aankleden. Als ze je in je hemd afvoeren, kom je niet meer terug.

Op de trap waarschuwde ik hem voor de ontbrekende tree. Als antwoord liet hij een merkwaardig geluid horen. Het zou een automatisch 'Dank je' geweest kunnen zijn. Heel gauw weer ingeslikt.

Ik heb Theresienstadt nog nooit zo zonder mensen meegemaakt. Het was nog spertijd en behalve wij tweeën was er niemand onderweg. Hoewel het al licht was op straat. De zon komt nu in de zomer vroeg op.

Hij bleef de hele tijd drie passen achter me. Zoals ze dat in de opleiding leren. De oude, ervaren SS'ers lopen voorop, zonder om te kijken. Die weten dat niemand weg zal lopen.

We hoefden niet ver. Slechts tot het bureau van de commandant.

Ik was daar pas één keer eerder geweest. Toen ik bij Rahm moest komen. Maar ik ken de plattegrond uit mijn hoofd. Zoals iedereen in het kamp hem kent. Als je door de ingang komt, zijn er twee mogelijkheden: links gaat er een trap naar de bovenste verdiepingen, naar Rahms kantoor en de andere vertrekken. Rechts gaat het naar de kelder, naar de verhoorcellen. Waaruit iedereen weleens kreten heeft gehoord.

Wij gingen naar links. Maar niet naar Rahm. Nog een trap hoger.

'Halt!' Hij stak zijn arm langs me heen. Een beetje angstig, leek me. Hoewel ik toch degene was die reden had om bang te zijn. Hij opende een deur. 'Naar binnen!' Hij deed het licht aan.

Een grote verlaten ruimte. Tafels en stoelen.

'Vooruit, vooruit,' zei hij. 'Je hebt tien minuten de tijd. Dan wordt hier de ontbijttafel gedekt.'

De kantine van de SS'ers. Waarom had hij me hiernaartoe gebracht? Waarom om deze tijd?

Er wordt in Theresienstadt gefluisterd over wilde feesten die hier worden gehouden. De vrouwelijke gevangenen die ze halen om te bedienen, moeten hun Jodenster afdoen. Ik kan me in zo'n omgeving geen orgiën voorstellen. Hoogstens een ritueel drinkgelag van de schutterij.

Geen slechte benaming voor de SS: schutterij.

Een prozaïsche ruimte. Twee lange en een korte tafel, U-vormig opgesteld. De stoelen militair stram in het gelid. Een kast waarin achter glas borden en kopjes te zien waren. Zoals in een goedkoop pension. De kantine van de Ufa ziet er uitnodigender uit.

Gezien vanaf de deur waar ik nog steeds stond, was links een muur met ramen die uitkeken op het marktplein. Marktplein. Ook zo'n sprookjesnaam. Alsof hier een markt is waar je iets kunt kopen. De muur rechts vol wimpels en wapenschilden. Een paar ervan heel knap geschilderd. In Theresienstadt redt iedereen zich op zijn manier. Wie films kan maken, maakt films. Wie kan schilderen, bekwaamt zich in fantasievolle heraldiek. De heren moordenaars zien zichzelf graag als heldhaftige ridders.

In de hoeken standers met vlaggen. En recht voor me, achter de tafel ...

De foto's natuurlijk. De obligate heiligenbeelden. Links Hitler, rechts Himmler. De portretten even groot, wat niet gebruikelijk is. Hier schoot iemand tekort in de nodige onderdanigheid. De bekende foto's waarmee ze naar een plaats in de geschiedenisboeken solliciteren. Hitler dreigend. Dat woord moet voor hem bedacht zijn. Himmler met zijn ronde brillenglazen en zijn lerarenblik. Waarom laat hij zijn slapen toch zo bespottelijk hoog scheren? Dat zou een behoorlijke grimeur hem eens uit het hoofd moeten praten. Als hij het zou durven.

De twee wereldbeheersers hangen niet vlak naast elkaar. Mijn hoofd gunt zich de ongevaarlijke triomf van een grap en denkt: Als er op deze wereld gerechtigheid bestond, hadden ze allang naast elkaar moeten hangen.

De ereplaats in het midden wordt ingenomen door een schilderij. Het zorgvuldig geschilderde panorama van een romantisch stadje in een groen landschap. Meer dan twee meter breed.

Zonder de banderol met de naam had ik het motief niet herkend.

Theresienstadt.

De SS'er wees naar het schilderij. 'Dat moet je bekijken. Ik weet niet waarom, maar zo luidt het bevel.'

Eerst begreep ik er geen snars van. Waarom moest ik een schilderij bekijken? Tot ik de logica doorhad. De absurde, belachelijke logica. In mijn concept voor de film had gestaan: '... is het van belang dat de regisseur de mogelijkheid krijgt om buiten de muren aantrekkelijke locaties te verkennen.' Rahm moet dat gelezen hebben, hij heeft het gesnapt en een bevel gegeven. Zonder verdere uitleg. Een kampcommandant hoeft niets uit te leggen. Het bevel is doorgegeven, van het ene kantoor naar het andere, iedereen heeft iets anders begrepen en tot slot is dit eruit gekomen. 'Die Jood moet Theresienstadt van buiten bekijken? Er is toch dat schilderij dat we door die gevangene hebben laten maken. Daar moet hij het maar mee doen.' Zoals Otto destijds in Colmar zei: 'De officiële weg is altijd de verkeerde weg.'

Op dat schilderij in de kantine moest ik dus locaties zien te vinden. En op sigarettenplaatjes kun je het leven van andere volkeren bestuderen.

Sommige mensen vallen flauw als hun zenuwen overspannen raken. Anderen beginnen te huilen. In mij borrelde, alsof ik plotseling misselijk werd, een onverwacht gelach op. Het was er al uit voor ik het kon inslikken. Hoe meer ik me ertegen verzette, hoe heviger het werd. Het was allemaal zo mesjogge. Daarvoor had hij me 's nachts uit bed gehaald. Daarvoor had hij Olga en mij de stuipen op het lijf gejaagd. Voor een schilderij in een ontbijtzaal.

Je lacht niet als er een zwart uniform voor je staat. Daarmee geef je een levensgevaarlijk teken. 'Je lacht?' zou zijn volgende tekst geweest zijn. 'Dan zal ik je iets geven om te lachen.' Oorvijgen, klappen, schoppen.

Maar hij was nog jong en kende de regels niet. Hij had een bevel gekregen dat hij niet begreep. Hij wilde in geen geval iets verkeerd doen. Een hulpeloos hinnikende gevangene kwam in zijn draaiboek niet voor. Een judde die naar lucht hapte, dooreengeschud door een hysterisch gelach. Gevangenen lachen niet. Je lacht hen uit als ze in hun broek schijten van angst.

Een man die in Vught had gezeten voor hij naar Westerbork werd gebracht, heeft me verteld dat de SS daar het 'Zomernachtbal' heeft bedacht. Ze geven gevangenen wonderolie te drinken en dwingen hen te dansen. Duitse humor.

De puisterige SS'er was nog niet zo bedreven in sadisme. Hij had de introductiecursus bij de kleine Korbinian zeker gemist. Hij vroeg me echt wat ik zo grappig vond. Liet zich het probleem echt uitleggen.

Dat ik helemaal niets had aan dat schilderij. Dat iemand meneer de Obersturmführer verkeerd begrepen moest hebben. Dat meneer de Obersturmführer niet blij zou zijn met de manier waarop zijn bevelen werden uitgevoerd. Dat het misschien raadzaam was om nog eens navraag te doen bij meneer de Obersturmführer.

Hij was werkelijk een beginneling. 'Je verzet geen voet,' beval hij. En hij ging naar buiten. Liet me alleen. Ik kon horen hoe de sleutel in het slot werd omgedraaid.

Mijn broer zorgt bij de film voor de geluiden.

Zoals ik net nog was overvallen door een lachbui, zo werd ik nu gegrepen door paniek. De belangrijkste regel die je in een kamp leert is: niet opvallen! Altijd in de tweede rij staan, nooit in de eerste. In de massa opgaan. Het is al erg genoeg dat ik met mijn gezicht op plakkaten heb gestaan, met een naam die zelfs Rahm kent. Nu was ik opgevallen. Meer dan dat. Ik had me gedragen op een manier die als verzet kon worden opgevat. Als insubordinatie. Het was zonder opzet gebeurd, natuurlijk, maar dat was geen excuus. Hier niet. We zijn ook allemaal zonder opzet als judde geboren.

Ik kon amper nog op mijn benen staan, maar ik durfde niet te gaan zitten. Een juddenkont op een SS-stoel – dat zou een nog onvergeeflijker vergrijp geweest zijn dan mijn gelach. Ik hurkte op de grond. Probeerde weer op adem te komen. Mijn hart tot bedaren te brengen. Acteursoefeningen tegen plankenkoorts. Het moet eruitgezien hebben alsof ik devoot knielde voor het schilderij van Theresienstadt. Of voor de foto van Heinrich Himmler.

Geen idee hoe lang dat duurde. Korter dan het leek.

Toen opeens de geur van koffie. Niet het eikelbrouwsel dat ze hier zo noemen. Echte koffie, vers gemalen en gezet. Een geur als een oude vriend.

Iemand rammelde aan de klink. Geroezemoes van vrouwenstemmen. Hier moest de ontbijttafel worden gedekt en mijn SS'er had de deur op slot gedaan. Mijn SS'er. Een misplaatster bezittelijk voornaamwoord kan niemand ooit hebben gedacht. Hij was weggegaan om instructies te halen en kon elk moment terugkomen.

Ik krabbelde overeind. Ging uit voorzorg in de houding staan. Stram rechtop, zoals Friedemann Knobeloch het me had geleerd. Ik richtte me eerst naar de deur en maakte toen een kleine correctie naar links. Nooit recht in de ogen kijken! Ook zo'n kampregel.

Toen hij kwam, bewoog hij zich heel anders dan toen hij wegging. Zelfverzekerder. Hij had nieuwe bevelen gekregen, daardoor voelde hij zich gesterkt. Hij wenkte me zwijgend. Greep me bij mijn schouder. Duwde me voor zich uit naar buiten. Door een haag van vrouwen met koffiekannen en broodmanden.

De geur van vers bood.

De trap af. Naar Rahm? Nee. De tweede trap, naar de benedengang. De derde.

Naar de kelder. Waar de kreten vandaan komen.

Een cel zonder brits of stoel. Zonder raam. Muren en verder niets. Niet groter dan een wc.

Hij duwde me naar binnen. Deed de deur op slot. Twee sloten en een grendel.

Een smal streepje licht onder de deur.

Ik kon tegen de muur leunen of op de grond hurken. Met opgetrokken benen. Plaats om ze te strekken was er niet.

Ik wil me niet de angst herinneren die ik voelde. Die zal ik wel nooit meer helemaal kwijtraken. Ik voel hem in mijn maag en in mijn hoofd. De angst en de herinnering aan de loopgraaf waarin ik bedolven was.

Ik heb maar één iemand gekend die uit de kelder in het bureau van de commandant is teruggekomen. De anderen zijn naar de Kleine Vesting gebracht en verdwenen. Soms kwam er een proclamatie. *Terechtgesteld wegens sabotage.* Sabotage kan alles zijn. Ook onbehoorlijk gelach?

De man die ze naar het kamp hebben teruggestuurd, heette Prokop. Een pianist. Ze hebben zijn vingers gebroken, een voor een. Tussen een deur geklemd en die toen dichtgeslagen. Tien keer. Hem vermoorden zou onvoldoende straf geweest zijn. Waarvoor dan ook.

Ik heb niet gebeden, omdat ik dat niet kan. Ik heb geprobeerd aan Olga te denken. Maar angst maakt egoïstisch. Mijn hoofd vroeg zich de hele tijd alleen maar af wat ze met me zouden doen.

Fantasie is waardeloos.

Soms kon ik voetstappen horen. Rammelende sleutels. Bevelen. Ze kwamen nog niet naar mij toe.

Rahms film hoef ik dus niet te maken, dacht ik. Ik merkte tot mijn schrik dat ik het met een gevoel van teleurstelling dacht. Dat ik me stiekem op het werk had verheugd. Omdat het mijn werk was.

Mijn werk geweest zou zijn.

En toen – na minuten? na uren? – voetstappen die bleven staan. Een grendel die werd weggeschoven. Het eerste slot. Het tweede. De deur.

Ik kan niet lang in die cel hebben gezeten. Het licht verblindde me niet.

Voor me een blauw uniform. Geen SS'er. Een četnik. Die iets in het Tsjechisch zei, waarvan ik maar één woord verstond. '*Prosím*,' zei hij. 'Alsjeblieft.' Je zegt geen alsjeblieft als je opdracht hebt om iemand te vermoorden.

Hij deed een stap opzij. Met een uitnodigend gebaar. Niet alsof hij me wilde bewaken, maar alsof hij me voor wilde laten gaan. Beleefd.

Een man van rond de veertig. Het geweer over zijn schouder had niets bedreigends.

Vanuit mijn ooghoek zag ik de SS-leerling staan. Met een bos sleutels in zijn hand.

De trap op. Naar de ingang. De straat op. De zon scheen nu. De gendarme gaf met een gebaar de richting aan. De L 3 door. Langs de geniekazerne, waar Olga zich zorgen om me maakte. Rechtdoor tot aan de D 9. Naar links. Bij de Leitmeritzer Poort liet hij papieren zien. De bewakers keken verbaasd, maar lieten ons door. De weg op. De vrije natuur in.

'Het is van belang dat de regisseur de mogelijkheid krijgt om buiten de muren aantrekkelijke locaties te verkennen.'

Bij de Tsjechische gendarmes weet je nooit wat je te wachten staat. Niet zoals bij de SS, waar je altijd op het ergste moet rekenen. Sommigen willen Duitser zijn dan de Duitsers. Ze gedragen zich als heersers. Houden zich overdreven strikt aan de onzinnigste voorschriften. Hoewel ze weten dat elke aangifte die ze doen, de betrokkene op transport kan komen te staan. Omdát ze dat weten.

Maar de meeste četniks zijn vreedzame mensen. Ze willen hun baantje niet kwijt omdat het hen vrijstelt van militaire dienst, maar tegenover de gevangenen zijn ze heel vriendelijk. Er schijnen er zelfs te zijn die brieven het kamp uit smokkelen.

Ik wist nog niet tot welke soort mijn bewaker behoorde.

Hij bleef op de voorgeschreven afstand achter me, vlot marcherend. Het geweer niet over zijn schouder, maar schietklaar in zijn handen. Zoals wij het in Jüterbog voor de wachtdienst hebben geleerd. Toen ik me een keer te langzaam bewoog, duwde hij me met de kolf vooruit.

Dus toch een imitator van de SS? Hij had 'Prosím' gezegd. Wat geen van die stijfkoppen in zijn hoofd gehaald zou hebben.

Zodra we uit het zicht van de vesting waren, veranderde zijn gedrag. Hij bleef staan en veegde met een grote groene zakdoek het zweet van zijn voorhoofd. Hij deed me denken aan meneer Tigges uit Grevenbroich. Hij glimlachte naar me, knikte en tikte met zijn wijsvinger op zijn borst. 'Jiři,' zei hij. En ik zei: 'Kurt.'

We konden niet met elkaar praten. Hij sprak, wat je hier zelden tegenkomt, geen woord Duits. 'Of hij mag de Duitsers niet,' zei Olga later, 'en heeft daarom besloten hun taal niet te verstaan.' Dat geloof ik niet. Hij zal ver van Praag opgegroeid zijn, in een dorp waar geen sprake is van cultuurvermenging. Hij was geen stadsmens. Hij had iets landelijks. Niet direct een boer, leek me, eerder een dorpse handwerker, een timmerman of gereedschapsmaker. Maar misschien vergis ik me ook. Mijn mensenkennis, waar ik ooit zo trots op was, laat veel te wensen over.

Doet er niet toe. Een fatsoenlijk mens.

Jiři.

Hij vouwde zijn zakdoek zorgvuldig weer op. Maakte vervolgens een gebaar dat ik ook zonder Tsjechisch woordenboek verstond. Strekte met een lichte buiging zijn rechterarm uit. Een veldheer die een veroverde provincie aan de voeten van zijn koning legt. Waar gaan we heen? betekende dat gebaar.

Ik had geen idee. Ik wees op goed geluk de kant op waar het landschap me het bekoorlijkst leek. Jiři knikte, hing zijn geweer over zijn schouder en bleef naast me lopen. Niet als bewaker en bewaakte, maar als twee vrienden tijdens een uitstapje op het platteland.

Veldwegen. Weilanden. Heggen. En die haas dus. Natuur. Ik was al helemaal vergeten hoe dat is.

En nog iets: ik wist nu definitief dat mijn film belangrijk was. Zo belangrijk dat niet alleen Eppstein mijn wensen vervulde, maar ook Rahm. Alleen de kampcommandant zelf kon bepaald hebben dat ik Theresienstadt mocht verlaten. Gewoon zomaar, alleen om rond te kijken. Na al die tijd van in de houding staan en gehoorzamen had ik weer een stukje zelfbeschikking teruggekregen. Een heel klein pietsje macht. Het deed me goed.

'We gaan naar links,' kondigde ik aan, en we gingen naar links.

Jiři is een vriendelijk, behulpzaam mens. Hij heeft het me niet eens kwalijk genomen dat ik zijn twaalfuurtje heb uitgekotst. Hij had een pakje boterhammen bij zich, zwaar, donker brood, dik besmeerd met boter en belegd met plakken spek. Hij moet een voorraadje uit zijn boerendorp hebben meegebracht. In de winkels – dat weten wij – zijn zulke heerlijkheden ook hier niet meer te krijgen. Hij verdeelde zijn boterhammen heel vanzelfsprekend, de helft voor mij, de helft voor hem. Het leek hem niet te storen dat ik mijn deel bijna zonder kauwen naar binnen werkte.

'Eet niet zo gulzig, Kurt,' zei mama altijd wanneer iets me al te goed smaakte.

Brood. Boter. Spek.

Ambrosia.

Mijn maag is geen vet meer gewend. Een kwartier later waren de onverteerde brokken weer uitgebraakt. Jiři had een veldfles vol water bij zich en liet me mijn mond spoelen. Later plukte hij een groene, nog niet helemaal rijpe zomerappel voor me. Toen hij zag hoe ik van de zo lang gemiste frisse smaak genoot, stopte hij nog twee appels in mijn zak. Ik heb ze meegenomen voor Olga. Om haar te bewijzen dat de ongelooflijke gebeurtenis van deze dag geen sprookje is.

Ze heeft zich minder zorgen om me gemaakt dan ik had gevreesd. Eppstein heeft haar verteld waar ik was.

Nu ben ik weer regisseur. Een man die iets in beweging brengt. Ik ben weer Kurt Gerron.

Morgen gaan we naar de Eger.

'Mensen rennen over een trap naar het water,' dicteer ik. 'Springen erin. Vrolijk gepoedel. Twee meisjes duwen een jongen in de rivier en lopen giechelend weg.'

'Echt in de Eger?' vraagt mevrouw Olitzki.

'Ik heb de locatie bekeken. Een mooi zwembad. Met springplank.'

'Daar zou ik graag bij zijn,' zegt ze verlangend. 'Ik heb al zo lang niet meer gezwommen. Dat we niet meer naar het zwembad mochten, was voor mij ongeveer het ergste.' Ze is gestopt met typen. 'Krijg ik een rol?' vraagt ze.

'Schrijf op: nieuwe scène. Een secretaresse werkt de regisseur met haar vragen op zijn zenuwen. Close-up van de regisseur. Hij rukt zijn haren uit zijn hoofd.'

'U bent in een goede bui,' zegt mevrouw Olitzki.

Ze heeft gelijk. Sinds ik Theresienstadt heb mogen verlaten, ben ik optimistisch over ons project.

Ons project. Wanneer ben ik er zo over gaan denken?

Bij elke film die ik heb gemaakt was er tijdens de voorbereiding op een gegeven moment een punt dat ik wist: dit kan wat worden. Ik heb de slag te pakken. Dit kan niemand meer kapotmaken. Het werd dan nooit zo magnifiek als ik het me op dat ogenblik voorstelde, natuurlijk niet. Maar zonder dat moment van grootheidswaan had ik me nooit aan het moeilijkere werk gewaagd.

'Grootheidswaan is het halve werk,' zei Resi Langer.

Ja, mevrouw Olitzki, ik ben in een goede bui. En daarom wil ik nu werken.

'Zwemmende vrouwen,' dicteer ik. 'Opgenomen vanuit de boot.'

'Moet er een gele ster op de badpakken zitten?'

Daar heb ik nog niet over nagedacht. Hier is sprake van twee onverenigbare verboden. Joden mogen niet zonder ster de deur uit en Joden mogen niet gaan zwemmen. Het is een beslissing die ik niet in m'n eentje kan nemen. 'Noteert u dat bij PROBLEMEN.'

Van de zwemscène verwacht ik veel. Water levert mooie plaatjes op. Je kunt mensen van alle leeftijden laten zien. Kinderen in het pierenbadje. Jonge mensen tijdens het zonnebaden. Oude heren die aan de oever zitten te schaken. Maar vooral de sportieve kant. Veel beweging.

'Verzoek aan de afdeling Vrijetijdsbesteding,' dicteer ik. 'Geachte heer Henschel. Ik zou graag willen weten of er in Theresienstadt watersporters zijn. Wedstrijdzwemmers, schoonspringers en dergelijke. Ik verzoek u deze aanvraag met spoed te behandelen, aangezien voor de voorgeschreven film ... Enzovoorts enzovoorts. U weet wel.'

Morgen moet ik het draaiboek inleveren.

'Hebt u het?'

Mevrouw Olitzki knikt. 'Mag ik u iets vragen?' zegt ze.

'Ik zal u voordragen voor de zwemscène. Dat beloof ik.'

'Dat bedoel ik niet,' zegt mevrouw Olitzki. 'Iets persoonlijks. Iets wat ik me al afvraag sinds we elkaar hebben leren kennen.'

Ze zwijgt even. Ze weet niet hoe ze het moet formuleren. Dan neemt ze een besluit. 'Na het Verdrag van München heb ik mijn betrekking verloren. We hadden geen geld meer. We zaten vast in Troppau, mijn man en ik. De enige mogelijkheid om weg te komen zou te voet over de grens naar Polen geweest zijn. Met in elke hand een koffer. Maar mijn man met zijn rug ... Daar viel niet aan te denken. We konden alleen maar hopen dat het zo'n vaart niet zou lopen.'

Dat hoopten we allemaal.

'Wij waren eenvoudige mensen,' zegt mevrouw Olitzki. 'Zonder relaties. Maar u ... Een beroemd man met internationale betrekkingen. U had toch wel mogelijkheden gehad. U zat in Nederland, hebt u me een keer verteld. Waarom bent u daar gebleven?'

Omdat ik een idioot was, mevrouw Olitzki. Omdat ik stom ben. Omdat ik zo geweldig slim wilde zijn.

'Het is nu eenmaal zo gelopen,' zeg ik.

Ik heb het geprobeerd. Natuurlijk. Op een gegeven moment begreep zelfs ik dat je in Nederland op den duur niet veilig was. Amerika, dacht ik. Dat was ver genoeg weg. Waar ze zoveel films maakten, moest voor mij ook wel iets te doen zijn.

Ik heb dus Engels zitten stampen. Bij de vrouw die de Disneymensen ons voor *Sneeuwwitje* hadden gestuurd. Vijf keer per week brak ik mijn tong over *how now brown cow*. Ik heb best talent voor talen. Van *De blauwe engel* heb ik ook de Engelse versie gespeeld.

Ik heb Kohner geschreven, van wie gezegd werd dat hij Duitse acteurs naar Hollywood haalde. Hij antwoordde me heel vriendelijk. Zonder me hoop te geven. *Geen goed moment voor Europese karakterspelers.* In 1933 zou ik in Amerika nog een noviteit geweest zijn. Vijf jaar later zaten ze er allemaal al. Mijn genre was bezet. Alle genres waren bezet. *Maar ik zal uiteraard mijn best doen.* Een beleefde manier om nee te zeggen.

Toen kwam de brief van Peter Lorre. Als ik eraan denk, zou ik urenlang met mijn hoofd tegen de muur kunnen bonken. Wat was ik toch een idioot!

Lorre. Van alle collega's alleen hij. Marlene had in Hollywood iets voor me moeten doen. Sternberg. Zij gaven geen kik. Maar Lorre zette zich voor me in. Uit zichzelf.

Hij schijnt behoorlijk veel succes te hebben in Amerika. Hij is alweer iemand naar wie wordt geluisterd. Als ik zijn hulp nodig had, moest ik het maar zeggen, schreef hij. Dan zou hij met de bazen van Columbia Pictures praten. Ik had nog iets van hem te goed, schreef hij. Vanwege dat snoep, toen in Parijs.

Snoep. Hij dacht zeker dat ze in Nederland ook al briefcensuur hadden.

Morfine was het.

Hij had het spul regelmatig nodig. Volgens hem vanwege de pijn van een verprutste operatie. In Berlijn had hij zijn verslaving heel goed onder controle, maar in Parijs, zonder geld en in een stad waar hij niet bekend was, kon hij het gif niet meer te pakken krijgen. Niet in de mate waarin zijn lichaam het intussen nodig had. Soms lukte het hem dagenlang niet om een dosis op de kop te tikken. Als hij dan toch iets in handen kreeg, spoot hij te veel. Hij was er beroerd aan toe.

Ik heb hem opgezocht, in zijn kamertje in het Ansonia. De gordijnen waren dicht. 'Niet opendoen,' zei hij. 'Het licht is te fel.' Hij lag te rillen in bed. Zijn buik was opgezet, doordat zijn spijsvertering niet goed meer werkte. Zijn schelvisogen vielen bijna uit zijn hoofd. Voor één enkele spuit zou hij zijn ziel aan de duivel hebben verkocht.

Dat uitgerekend Lorre afhankelijk was van verdovende middelen ... In *De witte demon* had hij er nog in gehandeld. Hij speelde dat geweldig, zonder dat ik veel hoefde te regisseren. Een cynische schoft, wie het geen zak kan schelen als de mensen kapotgaan aan zijn spul. En nu lag hij zelf op apegapen. Ook zo'n idiote grap van de hemelse dramaturg. Die bedenkt alleen mensen om er zich vrolijk over te maken.

In het Ansonia had Lorre dringend voldoende morfine nodig om de volgende dagen door te komen. Zijn dokter, die hem eerst alles had voorgeschreven, had afgehaakt. Hij was bang geworden voor zijn reputatie. Als zijn patiënt onder zijn handen was gestorven, zou dat in alle kranten hebben gestaan. *M* was ook in Parijs een enorm succes. De mensen liepen Lorre op straat achterna. De heel moedigen vroegen hem zelfs om een handtekening. De meesten durfden dat niet, want hij was tenslotte een kindermoordenaar.

Gek hoe één enkele rol een carrière kan bepalen. Een heel leven. Lorre had evengoed een onschuldige, zingende karakterkomiek kunnen worden. Maar toevallig maakte hij eerst *M – Een stad zoekt een moordenaar* en pas daarna *Wat vrouwen dromen*. En bleef voor altijd op griezelige booswichten geabonneerd. Bij mij ging het ongeveer net zo. Alles is te wijten aan één enkele filmrol. Zonder *De blauwe engel* was ik nooit zo beroemd geworden dat zelfs Rahm me kent.

Lorre was een echte kameraad. Ik zou voor hem door het vuur gegaan zijn. Alleen al vanwege zijn telegram aan Hugenberg. Die wilde hem toen absoluut terughalen naar Berlijn, ook al was hij een judde. Hij bood hem een hele hoop geld. Want ze waren aan die film over Kaspar Hauser begonnen. Als ze die niet konden afmaken, waren ze hun hele investering kwijt. Lorre telegrafeerde terug: VOOR TWEE MOORDENAARS ALS HITLER EN IK IS IN DUITSLAND GEEN PLAATS.

Misschien heeft hij dat telegram ook maar verzonnen. Hij vertelde het verhaal niet altijd op dezelfde manier. De ene keer was het geadresseerd aan Hugenberg, de andere keer aan Goebbels. Doet er niet toe. Alleen al om het feit dat hij zoiets kon bedenken, moest je van hem houden.

Ik heb hem toen geholpen. Heb hem zijn gif bezorgd. Daarom was hij me dankbaar. Daarom heeft hij bij Columbia Pictures zijn best voor me gedaan.

Omdat ik voor hem zo overtuigend toneel heb gespeeld.

In Berlijn was het eenvoudig geweest. Na de oorlog was daar op elke hoek van de straat morfine te koop. De voorraden uit het lazaret in Colmar waren niet de enige waarmee iemand zakendeed. Ongetwijfeld was er ook in Parijs een zwarte markt te vinden. Maar dat was een wereld die ik niet kende. En ook niet wilde kennen. Ik moest een recept voor Lorre op de kop zien te tikken. Zonder te verraden voor wie het spul bestemd was.

Eerst wilde ik zelf voor patiënt spelen. Medici zijn goede simulanten. Ze kennen de precieze klachten. In dit geval: chronische pijn. Ondraaglijk. De naweeën van de oude oorlogsverwonding. U ziet het zelf, dokter. Maar misschien was hij dan op het idee gekomen me het middel ter plekke in te spuiten.

Plan B was geraffineerder.

Ik zocht in het telefoonboek een internist op met een Joodse naam. Een zekere dokter Jacques Strassburger. Zijn praktijk zat in de Marais, waar alle judden woonden.

Eerst stuurde ik papa naar hem toe. Hij moest zich laten onderzoeken in verband met steken in zijn borst. Een algemeen symptoom, dat alles of niets kan zijn. Van een dramatische angina pectoris tot en met onschuldig maagzuur. In die tijd was papa nog vol energie en hij speelde het spel onmiddellijk mee. Met zoveel enthousiasme dat ik bang was dat hij het er te dik op zou leggen. De zaak paste bij zijn rol als burgerlijke revolutiemaker. Hij hoefde niets illegaals te doen en kon zich toch enorm gewetenloos voelen. Hij hoefde alleen een beetje voor detective te spelen.

De dokter vond natuurlijk niets bij hem. Hij vroeg alleen of hij vanwege zijn platvoeten niet eens naar de orthopeed wilde. Waar papa diep beledigd door was. Maar hij had ontdekt wat ik wilde weten. Dokter Strassburger was inderdaad een judde. Als vluchteling kon ik bij hem dus op medeleven rekenen.

Ik stelde me voor als collega. Verdreven uit Duitsland, waar je als Jood geen arts meer mocht zijn, maar alleen nog behandelaar. Ik speelde mijn rol heel terughoudend. Een beetje schuchter. Alsof ik mijn situatie pijnlijk vond. Voor de zekerheid had ik zelfs de oorkonde van mijn eerste artsexamen meegenomen. Dat waardeloze, maar van imposante Latijnse krulletters voorziene document. *Alma Mater Berolinensis. Facultas Medicinae.* Op het eerste gezicht kon je denken dat het een doctorsbul was.

Bij ons vertrek uit Berlijn had Olga alle mogelijke papieren ingepakt. De geboorteakten. Mijn lidmaatschapsbewijs van het toneelgenootschap. Haar spaarbankboekje. Waarvan het geld later werd gestolen.

Die oorkonde heb ik niet nodig gehad. Dokter Strassburger geloofde me ook zo. Vluchtelingen uit Duitsland waren toen in Parijs de normaalste zaak van de wereld. En het medisch jargon beheerste ik. Ik behandelde hier af en toe lotgenoten, legde ik hem uit. Mensen die zich geen dokter meer konden veroorloven. Gratis uiteraard. Ik wilde de Franse collega's geen concurrentie aandoen. En ook dat alleen tot mijn visum voor Amerika eindelijk was goedgekeurd. Het affidavit had ik al.

Dokter Strassburger wenste me succes. Het spijt me nu nog dat ik tegen hem moest liegen dat ik zwart zag.

Ik had een patiënt, vertelde ik hem, die het niet lang meer zou maken. *Carcinoma bronchialis. Incurabilis.* Ik beschreef gedetailleerd de symptomen. Mijn grootvader zoals hij op het eind van zijn leven was. Ik weet zeker dat opa het me zou hebben vergeven. Er zelfs plezier in zou hebben gehad. Hij hield van verhalen. De man was niet meer te helpen, zei ik. Ik kon alleen nog proberen zijn pijn te verzachten. Morfine in een hoge dosis. Maar ik was in Frankrijk niet officieel erkend en mocht daarom geen recepten uitschrijven.

Ik hoefde het verzoek niet eens uit te spreken. Dokter Strassburger bood het zelf aan. Hij had zijn receptenboekje al in zijn hand. Hoe de patiënt heette, vroeg hij. Ik zei: 'Hans Beckert.' Zonder erbij na te denken. Pas achteraf schoot me te binnen dat het de naam was van Lorres rol. De kindermoordenaar.

Ik heb toen echt een beetje als arts gefunctioneerd. Als behandelaar. Ik zag erop toe dat Lorre geen overdosis nam. Na een paar dagen ging het al een stuk beter met hem. Er was niets meer aan hem te merken. Hij wist Harry Cohn, die hem naar Amerika wilde halen, overtuigend wijs te maken dat hij van de verdovende middelen af was. Je zou dus kunnen zeggen dat hij zijn carrière in Hollywood aan mij te danken heeft.

Daarom heeft hij zich voor me ingezet. Ervoor gezorgd dat ik dat aanbod kreeg. Een contract voor twee jaar als regisseur bij Columbia Pictures. Met dat contract in de hand zouden de visa niet meer dan een formaliteit geweest zijn. Zelfs de overtocht wilden ze betalen. Voor ons alle vier. Twee derdeklashutten.

Ik was een idioot. Een stommeling. Een ezel blijft een ezel, daar helpen geen pillen tegen.

Een beetje was het ook Lorres schuld. Onbedoeld. Omdat hij me in zijn brief de eerste maanden in Hollywood zo nauwkeurig beschreef. Hij had weliswaar een contract bij Columbia Pictures, maar kreeg alleen rollen in onbelangrijke films aangeboden. B-films, zoals ze dat in Amerika noemen. Producties die alleen worden gemaakt omdat er ergens nog een decor staat. Omdat een paar acteurs niet genoeg te doen hebben en toch betaald moeten worden. Lorre weigerde. 'Goede rollen of helemaal niets,' zei hij. Op het gevaar af eruit gegooid te worden. *In Amerika moet je je gedragen als een ster,* schreef hij. *Anders geloven ze niet dat je er een bent. Je wordt alleen serieus genomen als je eisen stelt.*

Wat was ik toch een idioot. Het ging om mijn leven en ik wilde gele rozen in de kleedkamer.

In principe kon ik me wel in hun aanbod vinden, schreef ik aan Columbia Pictures. Maar ze verwachtten toch niet serieus dat ik, als gevestigd kunstenaar, derdeklas de oceaan over dobberde. Ik was anders gewend en moest er dan ook op staan behandeld te worden zoals een man met mijn successen verdiende. Was getekend: Kurt Gerron.

De stommeling.

Olga wilde alleen maar weg, voor haar part in een hangmat op het tussendek. Maar ik hield voet bij stuk. 'Het eerste aanbod mag je nooit aannemen,' doceerde ik. 'Anders heb je naderhand niets meer in te brengen.' Ik wilde zo geweldig slim zijn.

Toen ik nog klein was, gaf mama me om opvoedkundige redenen een keer een prentenboek. *Het verhaal van Haasje Eigenwijs.* Een kleine haas die zichzelf vreselijk pienter vindt en van niemand iets aanneemt. Ook niet als zijn moeder hem voor de jager waarschuwt.

Als de jachthoorns weerklinken, lopen alle andere dieren weg en verstoppen zich. Alleen Haasje Eigenwijs blijft zitten en knabbelt vrolijk verder aan zijn wortel. De laatste versregel van het boek luidde: 'Het geweer deed knal en bom – Eigenwijs is oliedom.'

Bom.

De oorlog was al uitgebroken en ik was nog aan het onderhandelen. Het was immers geen echte oorlog, zo leek me. Tenminste niet in het westen. En bovendien: Nederland was neutraal. Kurt Gerron, de grote politieke expert. De dikke Haas Eigenwijs. Ik geloofde echt dat de wereldgeschiedenis mijn regieaanwijzingen zou opvolgen.

En wat was ik trots toen Columbia Pictures toegaf! Twee eersteklashutten. Op de *Veendam*, Holland-Amerika Lijn. Rotterdam-Southampton-New York. Plus privéslaapcoupés voor de treinreis naar Los Angeles. 'Zie je,' zei ik tegen Olga. 'Het is de moeite waard geweest. Als we uit de trein stappen, rollen ze de rode loper voor ons uit.'

Ze rolden een bommentapijt voor me uit.

We pakten onze spullen en ontruimden onze woning. Namen afscheid van de collega's. Van de vrienden. Ik rookte met De Jong nog een keer een sigaar. Dronk met Otto Wallburg nog een glas wijn. We waren ervan overtuigd dat we elkaar een hele tijd niet zouden zien. Misschien wel nooit meer.

'Ja, maak maar een plan,' zongen we in *De driestuiversopera*. En ik was het grote licht.

De inscheping in Rotterdam stond gepland voor 18 mei. Een week na mijn verjaardag. Ik heb iets tegen die datum. In 1915 werd ik de dag ervoor getroffen door de granaatscherf. En exact vijfentwintig jaar later door de Duitse aanval op Nederland.

Er voeren geen schepen naar Amerika meer. Er was geen Rotterdam meer. De *Veendam* – dat heb ik later in de krant gelezen – werd in de haven getroffen door een bom.

De val was dichtgeklapt. Haasje Eigenwijs zat vast.

Bom.

Ik ben soldaat geweest. Heb stormaanvallen meegemaakt. Het ijzeren kruis gekregen. Ik dacht dat ik wist wat oorlog betekende. Maar deze keer was alles anders. Een oorlog in quick motion. De ene dag nog drôle de guerre en de volgende al Duitse overwinningsparades. Heel Europa vol soldatenlaarzen en hakenkruisvlaggen. Als absurde pointe een gelukstelegram van keizer Wilhelm aan Adolf Hitler. De bedenkers van het lot daarboven op hun wolk moeten dronken geweest zijn.

Als ik niet zo slim was geweest, als ik niet zo idioot slim had willen zijn, zou ik nu in Amerika zitten. In een ligstoel sinaasappels eten. Ik zou vrolijke Hollywoodkomedies ensceneren in plaats van voor Rahm een film over Theresienstadt te maken. Maar ik wilde niet derdeklas reizen. Meneer Gerron moest zo nodig een rode loper hebben. Alleen wie zich als een ster gedraagt, wordt ook als een ster behandeld. Ik heb het voor elkaar. In Theresienstadt ben ik een ster. Een A-prominent. Met een eigen kamer in het bordeel. Vlak naast de latrine. Met een kantoor en een secretaresse.

Ze vraagt waarom ik in Nederland gebleven ben. En ik antwoord: 'Het is nu eenmaal zo gelopen.'

Het liep zo dat onze pensionhouder zelfmoord pleegde. Omdat we onze woning al hadden ontruimd, hadden we voor een paar nachten onze intrek genomen in een pension in Amsterdam. Vandaar wilden we rechtstreeks doorreizen naar Rotterdam. Het pension was van een Duitse emigrant; zijn naam ben ik vergeten. Ik weet alleen nog dat hij voor de machtsovername een hotel in Wiesbaden had gehad, dat hij voor een belachelijk lage prijs had moeten verkopen. Na de capitulatie van Nederland nam hij veronal in. Papa heeft hem gevonden. Hij wilde zijn beklag bij hem doen omdat het ontbijt niet op tijd op tafel stond, en ontdekte het lijk. De man had voor zijn zelfmoord een ouderwetse geklede jas aangetrokken. Dat was waarschijnlijk zijn hotelhoudersuniform geweest. Het was de eerste suïcide in mijn omgeving en de zaak greep me aan. Hoewel ik de man niet goed had gekend. Later raakte je aan zulke gebeurtenissen gewend.

Het liep ook zo dat we in Amsterdam bleven. In hetzelfde huis waar Wallburg en Nelson woonden. Daar waren twee kamers vrij en dus verhuisden we naar de Frans van Mierisstraat. Tijdelijk, dachten we. Alleen tot het weer mogelijk zou zijn om naar Amerika te reizen. In het begin koesterde je nog hoop.

Nelson had in zijn ensemble werk voor me. Later is hij spoorloos verdwenen, ondergedoken waarschijnlijk, maar in die tijd schreef hij nog de ene revue na de andere. Vrolijkheid tegen stukloon. Hoe beroerder onze situatie, hoe vrolijker zijn liedjes. Jammer dat de wereld niet was zoals we hem in onze kartonnen decors uitbeeldden.

We zaten al in de gevangenis en hadden het alleen nog niet gemerkt.

Omdat we voorlopig de zon nog konden zien. De muren om ons heen waren nog maar in aanbouw. Telkens nog een steen. Nog een wet. Nog een verbod. In het begin allemaal dingen die voor ons niet echt iets veranderden. Geen ritueel slachten meer? Ik had er geen behoefte aan. Hengelen voor Joden verboden? Belachelijk. Geen Joden in overheidsdienst? Wij waren buitenlanders, voor ons gold dat niet.

Eerst alleen pesterijen. De grote gemeenheden spaarden ze op voor later.

Het eerste wat mij persoonlijk trof, was het bioscoopverbod. Ik heb daarna nog maar één film gezien. Stiekem. De Nederlandse bioscopen moesten *De eeuwige Jood* draaien en ik had gehoord dat ik in die propagandafilm ook voorkwam. Daar moest ik heen. Uit pure acteursijdelheid.

De bioscoop binnenkomen was niet moeilijk. Dat je een judde bent, staat tenslotte niet op je gezicht geschreven. En de gele ster, die orde *pour le sémite*, hadden ze toen nog niet uitgevonden. Ik hoefde niet met opgeslagen kraag de zaal in te sluipen. Ik kocht bij de kassa een kaartje en zocht in alle rust een plaats uit. De zaal was bijna leeg. Bij de première had hij natuurlijk vol gezeten. De leden van de NSB hadden plichtmatig gejuicht. Maar buiten hen wilde bijna niemand dat broddelwerk zien.

Geen goed gemaakte film. Alles te dik aangezet. Helemaal Göring. Dat was toen ons bijvoeglijk naamwoord voor alles wat die valse nazischetterklank had. Te hard. Te vet. Te bont. Maar de mensen zijn er toch ingestonken. Ik heb vaak gedacht dat de nazi's ook aan de macht zijn gekomen, omdat ze konden rekenen op de slechte smaak van het publiek.

De eeuwige Jood moet bewijzen dat judden aan niets anders denken dan hoe ze de verheven muren van de Germaanse cultuur kunnen ondergraven en ten val brengen. De arische kunst kunnen bezoedelen. Over mij zeiden ze: 'Hij bereikt zijn effecten het liefst met het uitbeelden van het obscure en onsmakelijke.' Ze moeten nodig wat zeggen, die graalridders! Die geven een pornografisch pulpblad als *Der Stürmer* uit en mij vinden ze niet fijnzinnig genoeg. Ze hadden een scène uit *De vlucht voor de liefde* uitgekozen, waar ik bezweet en in mijn hemd iets sta te koken. Toegegeven, niet een van mijn grootste acteerprestaties. Maar in die rol werd ook niet meer van mij verwacht. Ik moest er alleen uitzien zoals een spullenbaas er in de stomme film hoort uit te zien.

De mens is geen verstandig wezen. De acteur al helemaal niet. Ik weet nog dat ik in die lege bioscoopzaal zat en me er warempel aan ergerde dat Bois en Kortner en Lorre langere fragmenten hadden dan ik. We werden getoond als voorbeelden van kwalijk Joods dilettantendom en ik benijdde hen om de seconden die zij meer hadden dan ik. Een idiote reflex, maar hij was er wel.

Zoals in de grap die Max Ehrlich in Westerbork vertelde. Niet op het toneel. Hij wist heel goed waar de grens lag waar hij niet overheen mocht. Een acteur bezoekt zijn zwaargewonde Joodse collega in het ziekenhuis. 'Ik heb gezien hoe de SA je in elkaar heeft geslagen,' zegt hij. 'En?' vraagt de man in het gips. 'Hoe was ik?'

Ik ben zo'n acteur. Altijd al geweest. Niet alleen van beroep, maar ook van karakter. Ik heb het leven vanaf het begin beschouwd als een toneelstuk. Waarin je weliswaar je in het tekstboekje vastgelegde rol hebt, maar wat je daarvan maakt, hoe je die interpreteert, dat is aan jou. Of je met volle inzet speelt of voornaam en terughoudend. Stanislavski of nieuwe zakelijkheid.

Dat is misschien een volkomen verkeerde visie. Maar ik heb er altijd steun aan gehad. Wie de wereld ziet als een toneel, weet dat hem niets kan overkomen. Niet echt. Het mes waarmee iemand op je afstormt, is een toneelmes. Als hij het in je borst ramt, verdwijnt de kling in het heft. Het geweer waarmee op je wordt geschoten, is niet geladen. Achter het decor vuurt de rekwisiteur alleen een losse flodder af.

En het mooiste van het theater: als het doek valt, staan de doden weer op. Ze gaan onder de douche en spoelen het toneelbloed af. Hun moordenaars wrijven het demonische met afschminkcrème van hun gezicht en tappen moppen. Daarna gaan ze samen naar Aenne Maenz of naar Schwanneke en bespreken wat acteurs eindeloos kunnen bespreken: hoe ze geweest zijn en wat ze in de volgende voorstelling nog beter willen doen.

Natuurlijk, de werkelijkheid is anders. Dat heb ik altijd geweten. Maar voor mij voelde het zo aan. Alsof je al het gebeurde ook kon herroepen. Alsof ik omgeven was door louter Kalles en elk moment kon zeggen: 'Laten we die scène nog een keer overdoen. Nu weet ik hoe je hem vorm moet geven.'

Ik heb in het werkelijke leven altijd alleen een gastrol vervuld.

Als me toch een keer iets ergs overkwam, en dat was waarachtig vaak genoeg, kon ik mezelf telkens wijsmaken dat het maar een incident was. Iets wat eigenlijk niet mocht gebeuren. Wat in het tekstboekje niet voorkwam. Iemand had het decor niet goed vastgezet of het verkeerde tegengewicht aan de katrol gemonteerd. Met excuses voor de kleine storing.

Ik probeerde de fout dan altijd te verbloemen. De situatie door mijn spel te verdoezelen. Zoals je dat als acteur nu eenmaal doet. De voorstelling moet doorgaan. De toeschouwer mag niets merken. Vanuit de griezelfilm van de oorlog kwam ik op verlof en speelde voor mijn ouders een militaire klucht. Na mijn granaatscherf hing ik de grote minnaar uit. Het lukte me steeds weer mezelf te overtuigen.

Dus toch Stanislavski.

Heel diep in mij zit altijd het idee: ik ben de solist en alle anderen zijn de figuranten. Ik ben het unieke, met de hand gesneden exemplaar en alle anderen komen van de lopende band. Wat natuurlijk onzin is, dat weet ik, en toch ... Als ik dat niet kon denken, als mijn hoofd anders in elkaar zat, dan hield ik de beroerde rol die mijn hemelse dramaturg voor me in het draaiboek heeft geschreven, niet vol. Dan had ik er allang de brui aan gegeven. Maar ik heb hem volgehouden en ik zal hem blíjven volhouden. Wat er ook gebeurt. Omdat ik weet, omdat ik er vast van overtuigd ben, omdat ik mezelf wijsmaak: de echt nare dingen overkomen altijd alleen de anderen. Mij niet. Ik ben nu zevenenveertig. Bijna vijftig jaar heb ik geleefd in de ellendigste eeuw die er ooit is geweest, en altijd ben ik aan de fatale ramp ontsnapt. In de oorlog ben ik bedolven, ja, maar ik heb het overleefd. Ik had geen schrammetje. De granaatscherf heeft me geraakt, ja, maar links en rechts van me waren ze dood. Aan mij is niet eens iets te zien. Ook in de zwartste tijd had ik altijd die speciale rol. Ik kwam er altijd iets beter van af dan de anderen. Toen de deportaties begonnen, had ik mijn persoonsbewijs van de Joodse Raad. *Is tot nader order vrijgesteld van tewerkstelling.* Zelfs in de Joodsche Schouwburg had ik een luizenbaantje. Met een titel die ze speciaal voor mij hadden bedacht. Leider bagagedienst. Ik heb er nog grappen over gemaakt door 'leider' op z'n Duits uit te spreken, waar het 'helaas' betekent. Aan Westerbork ontkwam ik niet. Maar ook daar was ik niet zomaar een van de velen. Gemmeker kende me. Hij had me nodig. Met de Mack-the-Knife-song krijg je altijd een solo-optreden. En hier in Theresienstadt ben ik een A-prominent. De anderen wonen in massaverblijven. Ik heb een kumbal. En een speciale opdracht van

Rahm. Ik kan mensen van de transportlijst laten schrappen. Ik kan levens redden.

Je kunt dat een geluk bij een ongeluk noemen, maar ik zie het anders. Ik wíl het anders zien. De hoofdrolspeler sterft niet voor het laatste bedrijf. De oorlog zal eindigen, de nazi's zullen verdreven worden en ik zal er nog altijd zijn. Hitler zal berecht worden en ik zal met Olga op de bank zitten en in de krant het verslag van zijn proces lezen. Bij koffie met gebak.

Zo zal het niet gaan. Natuurlijk niet. Maar het doet me goed om het te bedenken. Het is al zo lang geleden dat ik echt hoop koesterde.

Dat was in 1941. In Amsterdam. In de Frans van Mierisstraat. Toen opeens de deur openging en Otto Burschatz binnenkwam. Onaangekondigd en zonder kloppen. Hij kende Wallburg nog van de Ufa en had met hem samengezworen om ons te verrassen. Plotseling stond hij in de kamer. Totaal niet veranderd. Alleen had hij nu op de plek waar zijn rechterhand had gezeten een prothese met een zwarte handschoen. We staarden hem aan als was hij een verschijning. Otto. Met een bos worsten onder zijn arm. Bij elkaar gehouden door een zwart-wit-rode strik. 'Excuus voor de kleuren,' zei hij. 'Iets anders is tegenwoordig niet meer te krijgen. Zo is het nu eenmaal.'

Voor mij had hij sigaren meegebracht, voor mama parfum en voor papa een fles Danziger Goldwasser. Ik moet hem ooit verteld hebben dat dat zijn favoriete likeur was. Otto onthoudt zulke dingen. 'Voor kerst is het een beetje vroeg,' zei hij, 'maar zoals de *Völkischer Beobachter* zo treffend zegt: Men moet de vestingen nemen zoals ze vallen.'

Het leek wel een wonder om hem zo onverwachts terug te zien. Nadat we ons er al bijna bij hadden neergelegd elk contact met oude vrienden te verliezen. 'Wij zijn hier de leprakolonie,' zei Nelson altijd. Otto had nog wel af en toe brieven gestuurd, maar die waren altijd opvallend nietszeggend geweest. Een beetje Ufa-roddel, *met mij gaat het goed, met Hilde ook, ik hoop dat het bij jou net zo is* en vriendelijke groeten. 'Je weet nooit wie er meeleest,' legde hij nu uit. 'Daarom heb je bij ons ook geen Pruis meer, geen Beier en geen Saks. We heten nu allemaal De Bruine en De Zwijger.' Otto maakte grappen zoals vroeger. Maar hij leek er geen schik meer in te hebben.

Wat waren we blij hem te zien! De eerste positieve verrassing na zoveel negatieve. Het Duitse staatsburgerschap was ons ontnomen. We hoorden over willekeurige arrestaties. De eerste gijzelaars waren naar het concentratiekamp gedeporteerd en de eerste overlijdensberichten waren teruggekomen. Het hagelde verboden. Bijna elke week bedachten de bezetters iets nieuws. Judden mochten niet meer naar het zwembad. Naar het koffiehuis. Naar het park. Ze mochten geen radio meer bezitten. Ook toneelspelen was verboden. Alleen in de Hollandsche Schouwburg mocht ik nog optreden. Die nu Joodsche Schouwburg heette. *Toegang uitsluitend voor Joods publiek*. Joodse toeschouwers. Joodse acteurs. Joodse schrijvers. 'Nog een geluk dat Shakespeare eigenlijk Cohen heette,' zei Otto.

Van hem hoorden we veel over de stemming in Duitsland. Onder de emigranten gingen steeds weer hoopvolle geruchten over ontevredenheid en verzet. Toen we hem ernaar vroegen, schudde Otto zijn hoofd. 'Allemaal wensdromen,' zei hij. 'Ze juichen nog steeds. In de vaste overtuiging dat we in het voorjaar Moskou binnen zullen trekken. Maar dat is zelfs Napoleon niet gelukt.'

Otto was in Amsterdam omdat Steinhoff hier zijn film over Rembrandt opnam. Ook van die ideologische rotzooi. Ewald Balser als een soort Arno Breker van de zeventiende eeuw. Hertha Feiler als Saskia. 'Die vrouw heeft iets met prominenten,' zei Otto. 'Eerst is ze met Rühmann getrouwd en nu met Rembrandt.' Voor hem als rekwisiteur was het werk aantrekkelijk omdat hij eindelijk eens echt mocht uitpakken. Het moest allemaal het fijnste van het fijnste zijn. Historisch correct. Geld speelde geen rol. De onderneming was, zoals ze zeiden, van strategisch belang voor de oorlog. De beslissende slag op het witte doek. Een reusachtige investering. Alleen al de kostuums kostten een vermogen. Ze hadden een hele oud-Amsterdamse straat nagebouwd en talloze figuranten geëngageerd. Mensen krijgen was geen probleem. De halve stad meldde zich vrijwillig aan. Niet uit enthousiasme voor de film, maar in de kantine van de Cinetone Studio's kon je zonder bonnen eten. Hoewel de studio's nu anders heetten. Ufa-Filmstadt Amsterdam heette dat nu. De nazi's zijn altijd al goed geweest in het omdopen van gestolen goed. Wij zitten hier ook niet opgesloten in Tsjechië, maar in het protectoraat.

Door zijn goede connecties had Otto een kamer in het luxueuze Amstel Hotel weten te versieren. Waar anders alleen de regisseur en de sterren logeerden. Daar had hij gehoord – Otto hoort altijd alles – dat de productie voor volgende week een extra suite had gereserveerd. In het diepste geheim. 'Niemand mag weten voor wie die bestemd is. Maar ze zwijgen zo hard dat het je niet kan ontgaan. Het draaiplan is omgegooid, zodat Hertha Feiler drie dagen vrij heeft. Duidelijk?'

Ik vond het helemaal niet duidelijk. 'Voor een intelligent mens ben je soms behoorlijk onnozel, Gerson,' zei Otto. 'Feiler krijgt natuurlijk bezoek van haar man. En die wil niet meteen na aankomst bij de pers over de tong gaan.'

'Je bedoelt ...?'

'Ja,' zei Otto, 'ik bedoel dat Heinz Rühmann naar Amsterdam komt. Ik dacht dat dat jullie wel zou interesseren.'

Hij zei het heel terloops. Maar hij wist natuurlijk dat dit bezoek onze kans was. Misschien wel de laatste. Heinz Rühmann was een kameraad. Van Wallburg en van mij. Ik had samen met hem in een paar films gespeeld en twee keer bij hem de regie gedaan. Met veel succes. We hadden het steeds uitstekend met elkaar kunnen vinden. Hij is geen moeilijke acteur. Zolang je hem zijn gangetje laat gaan.

Voor Wallburg was hij nog meer dan een collega. Een intieme vriend. Als je in Berlijn bij de Wallburgs op bezoek kwam, was Rühmann er ook altijd. Hij hoorde bij de familie. De laatste tijd had hij niets meer van zich laten horen, maar Otto had ons al uitgelegd hoe voorzichtig je met brieven moest zijn.

Nu kwam hij dus naar Amsterdam. Voor zijn vrouw. Maar vast ook voor Wallburg. Hij zou bij ons langskomen, dat stond buiten kijf. Wij konden tenslotte niet naar hem toe. We konden niet eens in een restaurant afspreken. *Verboden voor Joden om hotels en restaurants te bezoeken.* 'Dan koken we gewoon hier iets,' zei Wallburg. Door zijn suikerziekte was hij niet meer de oude, maar nu bloeide hij op. Hij wilde per se gestoofd vlees met moutbiersaus maken, omdat dat Rühmanns lievelingsgerecht was. Nou ja. Met boterhammen kwam je ook een heel eind.

We stelden ons voor dat we eerst wat zouden babbelen. Zoals je dat doet onder collega-acteurs. We zouden ons de nieuwste verhalen over de Ufa laten vertellen. Rühmann niet meteen met onze zorgen overvallen. Maar hem dan toch vragen om zich voor ons in te zetten. Wat hij beslist ook zou doen, dat wist Wallburg heel zeker. 'Heinz,' zei hij steeds weer heel opgewekt, 'die haalt ons hieruit.'

Voor Rühmann zou dat een koud kunstje zijn. Hij was intussen niet alleen een van de bestbetaalde acteurs, maar ook een van de populairste. Een publiekstrekker. Zelfs Hitler dweepte met hem, dat kon je overal lezen. En met Goebbels was hij bevriend. Hij had net, vertelde Otto ons, de jaarlijkse verjaardagsfilm voor hem gemaakt. Met alle kinderen van Goebbels. Hedda en Holde en Heide en Giechel en Niezel en Grumpie. Otto had de film gezien. 'Om te kotsen zo schattig,' zei hij.

Rühmann kon van Goebbels alles gedaan krijgen. Hij hoefde alleen naar hem toe te gaan en het hem te vragen. 'Ik heb daar die twee oudcollega's,' hoefde hij maar te zeggen. 'Die zou ik graag helpen. Heel discreet. Niemand hoeft het te weten te komen.' Goebbels zou misschien zijn hoofd schudden. 'Die kunstenaars altijd met hun speciale wensen,' zou hij zeggen. Maar hij zou hem het plezier doen. Hij heeft Rühmann tenslotte ook een keer laten regisseren omdat hij dat zo graag wilde. Hij zou zijn secretaris binnenroepen en hem een paar regels dicteren. 'Otto Wallburg en Kurt Gerron. Met familie. Uitreisvergunning uit Nederland verlenen.'

Meer hadden we niet nodig.

Spanje, hadden we gedacht. Een neutraal land. Want Zwitserland kwam je niet in. En dan van Spanje verder naar Amerika. Het aanbod van Columbia Pictures was vervallen, maar er zou wel iets anders te vinden zijn. Wallburg had in Hollywood net zoveel vrienden als ik. Meer. Ik ben nog nooit iemand tegengekomen die hem niet mag.

We waren er zo zeker van dat we zelfs al een filmidee uitdokterden dat we Columbia Pictures wilden voorstellen. Of Paramount. We zagen onszelf als een vast filmduo, zoals ik dat ooit met Siegi Arno heb geprobeerd. Alleen deze keer niet als de dikke en de dunne, maar als de dikke en de dikke. Toen woog Wallburg nog ruim honderdtwintig kilo.

Ik weet nog hoe het verhaal ging. Twee dikke mannen worden verliefd op dezelfde vrouw. Die natuurlijk zo slank is als een den en beeldschoon. Ze zegt: 'Ik geef mijn jawoord aan degene die het meest afvalt.' En wij laten een film lang zien hoe die twee dat dapper proberen, maar steeds weer falen. Ons leek dat reuzegrappig. We hadden een scène bedacht waarin ze langs een etalage vol taarten komen en er maar niet in slagen door te lopen. Ze worden op magische wijze aangetrokken door de zoetigheden. Op het eind trouwt de vrouw met een slanke jongeman en de twee dikzakken vinden dat best. Omdat liefde weliswaar fijn is, maar varkenspootjes met zuurkool nog veel fijner. We hadden ook al een titel voor de film. We wisten alleen nog niet hoe je die in het Engels kon vertalen. *Reuzekerels* moest hij heten.

Toen hadden we het niet door, maar nu besef ik dat we dat verhaal hebben bedacht omdat we al zo lang niet meer genoeg te eten hadden gehad.

Otto hield ons doorlopend op de hoogte. Rühmann arriveerde in Amsterdam. Rühmann ging bij de opnamen kijken. De Luftwaffe nodigde hem uit voor een vlucht boven Nederland. Overal rolden ze de rode loper voor hem uit.

Bij ons meldde hij zich niet. Hoewel Wallburg hem het adres meer dan eens had geschreven.

Otto stelde ons gerust. 'Hij heeft voortdurend allerlei mensen om zich heen. Dan kan hij niet doen wat hij wil. Maar geen nood. Ik regel wel een ontmoeting. Misschien liever niet hier in huis. Wat is een discrete plaats in Amsterdam?'

Naar Schiller, dat ons stamcafé was toen we nog een stamcafé mochten hebben, konden we niet meer. Daar had de Wehrmacht zich geïnstalleerd. In De Kroon aan de overkant mochten we ook niet meer komen, maar Frida Geerdink, de waardin, had een ruim hart, waarin ook plaats was voor judden. 's Ochtends en 's avonds dreef ze de zaak in haar eentje, was kok en kelner in één persoon. 's Morgens om halfzes, als de marktlui wilden ontbijten, ging ze open en 's avonds om tien uur sloot ze de tent pas weer. Soms ook later, als er goede klanten waren die nog dorst hadden. Interessant hoe waardinnen op elkaar lijken. Aenne Maenz en Otto's Hilde hadden precies dezelfde omgangstoon als Frida. Ruw, maar hartelijk. 'Ik kan jullie mijn café niet ter beschikking stellen,' zei ze. 'Anders slaat de NSB net als in februari de ramen in omdat ik Joodse klanten heb. Sinds die dag hou ik me aan de voorschriften, alleen al vanwege de Duitse wachtpost op het plein. Jullie zouden dus stiekem naar binnen moeten sluipen. Hoewel dat natuurlijk niet kan. Ik sluit alle deuren altijd heel zorgvuldig af. Alleen de dienstingang naar de keuken, hiernaast in de Balk in 't Oogsteeg, wil ik in mijn verstrooidheid weleens vergeten.'

Rühmann had ons laten weten dat het laat kon worden. Het was zijn laatste avond in Amsterdam en een paar hoge officieren van de Luftwaffe, die ook in het Amstel logeerden, hadden hem uitgenodigd voor een afscheidsdiner. Dat had hij natuurlijk niet kunnen weigeren. Maar zodra de laatste toost op de vliegerij was uitgebracht, zou hij komen.

We zaten dus achter neergelaten rolluiken in de zaal te wachten. Als we dorst kregen, moesten we bij het buffet onder het balkon maar wat pakken, had Frida gezegd. Onze glazen bleven leeg. Drinken wilden we met z'n drieën.

Het was een eigenaardig gevoel, zo helemaal alleen. De Kroon was net als Schiller altijd een café geweest waar je voor de gezelligheid kwam. Waar je luidkeels praatte. Discussies voerde. Wallburg en ik zwegen. Alsof we al onze woorden wilden opsparen voor Rühmann.

In de zaal van De Kroon hangt zo'n ouderwetse klok aan het balkon, met een wijzerplaat waarop in het ritme van de slinger een boot heen en weer beweegt. Die avond hoorde ik voor het eerst dat hij daarbij een geluid maakt. Een metaalachtig geklik bij elke beweging. Ik moest veel moeite doen om niet om de paar minuten naar die wijzerplaat te kijken. De tijd verstreek heel langzaam.

Maar op een gegeven moment was het na middernacht en zelfs na enen. Hoeveel flessen wijn ze daar ook lieten aanrukken – het diner in het Amstel moest allang afgelopen zijn. Misschien komt hij helemaal niet, dacht ik bij mezelf. Ik probeerde die gedachte te onderdrukken. Die kon geen geluk brengen. Rühmann zou komen. Als er iemand was die begrip moest hebben voor onze situatie, dan was hij het wel. Zijn eerste vrouw was een judde geweest. Natuurlijk, hij was van haar gescheiden toen dat van hem werd geëist. Maar alleen omdat hij anders te veel risico liep. En ook bij Hertha Feiler werd gefluisterd over een grootvader die niet helemaal koosjer was. Of juist wel koosjer. Nee, Heinz Rühmann zou ons niet in de steek laten.

Wallburg was nog geen tien jaar ouder dan ik. Maar zoals hij daar zat, met zijn hoofd in zijn handen, was hij een heel oude man.

Halfdrie.

Toen ging de keukendeur open, heel hard in de stille nacht. We hoorden voetstappen. Een pan die op de grond viel omdat Rühmann het licht niet had aangedaan. Toen kwam hij binnen en die karakteristieke stem zei: 'Het spijt me dat het zo laat is geworden. Als ze eenmaal beginnen te zuipen, weten ze van geen ophouden.' Een zin als een pointe in een filmkomedie.

Wallburg begon te huilen. Rühmann kan niet met gevoelens omgaan en klopte hem onhandig op zijn rug. Hij zei steeds weer: 'Het is al goed. Het is al goed.' Als tegen een kind.

We trokken toen een fles champagne open. Hoewel het brouwsel dat Frida onder die naam verkoopt, afschuwelijk smaakt. Rühmann zat een hele tijd alleen maar te luisteren. Hij wilde heel precies weten hoe onze situatie was en hoe hij ons kon helpen. Onder het luisteren bewoog hij zijn lippen, alsof hij alles wat wij zeiden ook uitsprak. Dat is een tic van hem als hij zich concentreert. Hij doet het ook als hij zijn tekst leert.

'Je bent als een zoon voor me,' zei Wallburg tegen hem. 'Als een zoon.' Na al dat wachten was hij zo opgelucht dat zijn tranen niet meer te stuiten waren. Hij vond zijn emoties pijnlijk en probeerde ze met een grapje weg te wuiven. Hij lachte en huilde tegelijk.

Ik heb dat later in Westerbork nog eens meegemaakt. Bij een man die ze op het laatste moment van de transportlijst hadden geschrapt. Hij zat al in de wagon toen ze hem er weer uit haalden. Niemand wist waarom. Hij stond naast de wegrijdende trein en huilde tranen met tuiten. Lachte en huilde precies zoals Wallburg. Maar de man in Westerbork kon niet meer ophouden. Hij is in de krankzinnigenbarak beland en een paar weken later met het gekkentransport alsnog naar Auschwitz afgevoerd.

We somden voor Rühmann de verboden op. De pesterijen. Vertelden hem wat we over Mauthausen hadden gehoord.

'Dat wist ik allemaal niet,' zei hij. 'Natuurlijk, tot de Rijksfilmkamer word je zonder ariërverklaring niet toegelaten. Maar dat het zo erg was ...'

'Het is zo erg,' zei Wallburg, die alweer begon te huilen.

'Morgen ben ik in Berlijn,' zei Rühmann. 'Dan zal ik zien wat ik kan doen.'

Het gebeurde vijf dagen later. Ik was op de fiets onderweg naar de repetitie in de Joodsche Schouwburg. Op de brug over de Nieuwe Keizersgracht reed een auto me klem. Zo'n grote zwarte auto zonder kenteken. Met getinte ramen achterin.

Twee mannen stapten uit. Kwamen op me af. Niet in uniform, maar met zo'n manier van bewegen dat hun burgerkleding een vermomming leek. Geen jas, hoewel het die dag koud was. De een maakte een klein gebaar naar de auto. Ik stapte af en volgde hen. Mijn fiets liet ik gewoon op de weg liggen.

In de auto zaten ze links en rechts van me. Ze roken naar sigaretten. Ik vroeg of ik gearresteerd was. Ze gaven geen antwoord.

Ik probeerde na te gaan hoe we reden. Het lukte me niet. Ik had het gevoel dat we lang onderweg waren. Langer dan nodig was geweest om naar de gevangenis van de veiligheidsdienst in de Euterpestraat te rijden.

Op een gegeven moment stopten we.

Een spoorlijn. Een wagon. Geen hele trein. Alleen die ene wagon in het open veld. De ramen dichtgeschilderd met zwarte verf.

Ze lieten me instappen en vergrendelden de deur achter me. Zonder een woord te zeggen.

Olga zat in de wagon en mijn ouders waren er. Otto Wallburg en zijn Ilse.

Ze waren thuis opgehaald. Door vier mannen in burger. Niet grof, zoals te verwachten was, maar uitgesproken beleefd. Een van hen had zelfs mama's rugzak naar de auto gedragen. Ook de mijne hadden ze meegebracht. Die stonden bij ons altijd klaar. Met de papieren en de noodzakelijkste kleren. Als ze kwamen, kreeg je niet de tijd om te pakken.

'Dat moet Heinz allemaal hebben geregeld,' zei Wallburg. 'Ik wist dat hij ons hieruit zou halen.'

Olga probeerde elk raam uit, maar ze waren bij het beschilderen grondig te werk gegaan. Nergens een spleetje waardoor je naar buiten kon kijken.

De wagon bewoog. Werd gerangeerd. Aangekoppeld. Reed weg.

We hadden geen idee waarheen.

Wallburg was ervan overtuigd dat het Zweden was. Papa deelde zijn optimisme niet. 'Als ze ons echt willen laten lopen – waarom mogen we dan niet uit het raam kijken? Ze spelen een spelletje met ons. Goebbels heeft Rühmann beloofd dat hij ons op een trein zal zetten en nu houdt hij op zijn manier woord. Als we aankomen, staat er Mauthausen op het stationsbord. Of Theresienstadt.'

Ach, papa. Theresienstadt heb je niet gehaald.

Een lange rit. Meer dan twee dagen. Toen reed de trein niet verder. Of toch wel: hij reed verder, maar onze wagon hadden ze afgekoppeld. We pakten onze rugzakken. Wachtten.

Wachten kun je net zo leren als een ambacht.

Ze kwamen midden in de nacht. Openden de deuren en gaven ons een teken om uit te stappen. Weer mannen in burger. Ze lijken allemaal op elkaar, ook al zien ze er heel verschillend uit.

Waar onze wagon stond, was geen perron. Alleen steenslag. Een paar lampen, maar op grote afstand van elkaar.

Ze staken met ons het spoor over. Verscheidene sporen. Er moest een belangrijk station in de buurt zijn.

Een schutting met een openstaande poort, die ze achter ons zorgvuldig vergrendelden.

Een weg.

De lichten van een stad.

'Dat is Irún,' zei een van de mannen. 'Hier hebt u de papieren voor de grensovergang. De minister van Propaganda laat u weten dat u zich in Duitsland nooit meer mag laten zien.'

We stapten op de lichten af. Toonden de grenswachten onze papieren. Ze lieten ons door zonder ernaar te kijken.

Toen liepen we over de brug naar Spanje.

Maar zo was het niet.

Het was zo: we zaten in De Kroon te wachten. De klok met de schommelende boot tikte en klikte. Het werd twaalf uur. Het werd een uur. Het werd twee uur.

Rühmann kwam niet.

Om halfdrie ging de deur van de dienstingang open. We hoorden voetstappen. In de keuken viel een pan op de grond. Maar niet onhandig van het fornuis geduwd. Iemand had er zijn woede op gekoeld.

Otto Burschatz.

Hij kwam binnen, heel bleek, en zei alleen: 'Hij heeft zich bedacht.'

Wallburg was door zijn ziekte verzwakt en niet meer opgewassen tegen teleurstellingen. Daarom huilde hij.

'Ik kan het risico niet nemen,' had Rühmann gezegd. 'Ik zou de grootste moeilijkheden kunnen krijgen.' Toen was hij naar bed gegaan. Hij moest vroeg op omdat hij terugging naar Berlijn.

'Zo is het nu eenmaal,' zei Otto.

'En dat was alles?' vroeg Wallburg. 'Verder heeft hij niets gezegd?'

'Jawel,' zei Otto. 'Maar dat willen jullie niet horen.'

Als we geld nodig hadden, had Rühmann nog gezegd, dan moesten we het maar laten weten. Dan zou hij ons graag helpen.

Met geld.

Ik maak hem geen verwijt. Jawel, ik maak hem een hele hoop verwijten. Hij was toch Wallburgs grote vriend. Maar ik weet ook dat je moed niet kunt invorderen als een openstaand tegoed. Ook niet van een kersverse 'staatsacteur'.

Vlak voor de intocht van de nazitroepen zongen we in een van Nelsons revues het lied van de drie apen. Horen, zien en zwijgen. Met de slotregels: 'En dan merk je diep getroffen: dat zijn geen apen, dat zijn moffen.' Dat was altijd een groot lachsucces.

Mof is geen aardig woord voor Duitsers. Maar toepasselijk voor Rühmann. Het was nog te begrijpen geweest als hij zich niet voor ons wilde inzetten. Maar dat hij niet eens langskwam ...

Hij is dus toch maar een armzalig konijntje.

Hij kwam niet en er reed geen trein naar Spanje. We kwamen Nederland niet meer uit. We zaten vast. Achter het traliewerk van paragrafen waarin vroeg of laat iedereen bleef hangen. Geen reizen meer zonder officiële toestemming. We mochten zelfs Amsterdam niet verlaten. En ik had me al in Hollywood zien zitten. Met een ster op de deur van de kleedkamer. Zoals je die daar krijgt als je een ster bent. Nou ja, mijn ster heb ik toch nog gekregen. Niet op de deur van de kleedkamer. Veel en veel beter. Ik mocht hem op mijn borst bevestigen. In stralend geel. Zodat iedereen wist dat ik iets bijzonders ben. Meer dan een ster. Een Jood.

Degelijk als ze zijn, maakten ze een uitzondering voor toneelvoorstellingen. Op het toneel van de Joodsche Schouwburg mocht ik spelen zonder ster. Mits het uitgebeelde personage volgens de verordening van 3 mei 1942 niet tot het dragen van de ster verplicht was. Ze dachten aan alles.

Papa kwam haast de deur niet meer uit, zo'n hekel had hij aan dat teken. Hij had de judden altijd veracht en wilde zich nu niet openlijk als een van hen te kijk laten zetten. Mama, typisch, klaagde er meer over dat de sterren met een stevige draad moesten worden vastgenaaid. 'Dan gaat de stof kapot,' zei ze.

Ik weet niet wie de grap heeft bedacht die toen de ronde deed. 'Dat op die ster tussen de j en de d, dat zijn helemaal geen o's. Dat zijn de nullen op de deur van nummer honderd. Zodat iedereen weet dat we in de stront zitten.'

De een dieper, de ander minder diep. Ik kreeg weer eens een voorkeursbehandeling. Als acteur van de Joodsche Schouwburg werd ik werknemer van de Joodse Raad en in die hoedanigheid vrijgesteld van deportatie. Tot nader order.

We speelden inderdaad nog altijd toneel. Studeerden onschuldige komedies in. Alsof er niets belangrijkers bestond. Alsof ze ons niet allang rollen hadden toebedeeld in een heel ander stuk. Dat absoluut geen komedie was.

De voorstellingen vonden nu 's middags plaats, omdat voor judden vanaf 20.00 uur de avondklok gold. Het doek moest op tijd vallen. Veel van onze toeschouwers hadden daarna nog een lange voettocht voor de boeg. Trams: *voor Joden verboden*. Fietsen: *voor Joden verboden*. De Hofmeyrstraat, waar we toen naartoe moesten verhuizen, was dichterbij. Tegen het eind stuurden ze steeds meer Joden naar de Transvaalbuurt. Ze wilden ons op een kluitje hebben.

We waren altijd uitverkocht. Hoewel iedereen die naar het theater ging, op die dag geen levensmiddelen kon kopen. Judden mochten alleen nog boodschappen doen tussen drie en vijf.

Terwijl de voorstelling nog bezig was, vond er in de foyer soms tegelijkertijd een bruiloft plaats. Op het stadhuis mochten Joden niet meer trouwen. Dat hebben ze op 1 april bekendgemaakt. Een bijzonder originele grap.

Ons laatste stuk heette *Wiegelied*. Ik speelde daarin een verbitterde, kinderloze man, die voor zijn buitendeur een vondeling vindt. En weer gelukkig wordt omdat hij nu een kind heeft. Heel toepasselijk voor mij. Mijn hemelse dramaturg is vast een mof.

Eppsteins wachtkamer was leeg. Geen mensen die iets van hem wilden. Ook geen van de deur- en drempelwachters die daar anders gewichtig staan te doen. Alsof ze allemaal waren gevlucht. Zo plotseling dat ze niet eens hun spullen hadden meegenomen. Papieren die ze Eppstein hadden willen voorleggen. Een kampkaart. Op een tafel een open blikje met drie sigaretten. Een verboden schat, gewoon achtergelaten.

Zonder al die mensen leek het vertrek kleiner. Gekrompen. In de tempel van Jeruzalem, zo vertelt de valse rabbi, maakten de muren afhankelijk van het aantal gelovigen meer of minder plaats.

De deur naar Eppsteins kantoor stond op een kier. Ik had in de wachtkamer maar even staan aarzelen, of hij riep al: 'Bent u het, Gerron? We wachten op u.' We? Zijn stem klonk angstig.

Eppstein achter zijn veel te grote bureau. Achter hem, leunend tegen de muur, Rahm. Leunend tegen de muur. Karl Rahm in het kantoor van het hoofd van de Raad van Oudsten. Iets wat helemaal niet kon. En Eppstein stond niet in de houding voor hem, maar was blijven zitten. Hij had zeker bevel gekregen om te blijven zitten.

Rahm glimlachte toen ik binnenkwam, maar die glimlach was niet voor mij bestemd. Alsof hem een geliefde oude grap te binnen schoot.

'Gaat u toch zitten, mijn beste Gerron.' Het hoofd van de Raad van

Oudsten zei echt: 'Mijn beste Gerron.' Hij probeerde een joviale indruk te maken. En toch had hij zijn hoofd ver ingetrokken. Als iemand die bang is voor klappen. In mijn beroep leer je zulke signalen herkennen.

Ik ging zitten. Rahm leek het niet te merken. Hij speelde een spelletje waarvan ik de regels niet begreep.

Eppstein had een papier in zijn hand, maar hij las er niet van voor. Hij klampte zich er alleen aan vast. Nerveuze acteurs hebben rekwisieten nodig. 'Op 16 augustus,' zei hij. 'Dat is nu besloten. Een woensdag. Niet dat dat een rol speelt. Dus, zoals gezegd: begin van de opnamen op 16 augustus. Tegen die tijd hebt u toch alles voorbereid?'

Rahm wreef zijn nagels op aan de revers van zijn jasje.

'Wat het draaiboek betreft geen probleem,' zei ik. 'Maar de technische kant, camera, geluid enzovoorts, daar is nog niet eens over gepraat.'

'Alles zal er zijn,' zei Eppstein. 'Daar hoeft u zich niet het hoofd over te breken. Alles zal er op tijd zijn. Nietwaar?'

Hij stelde de vraag in het luchtledige. Gericht tot niemand. Hij kreeg ook geen antwoord. Rahm zocht iets in de zak van zijn uniform.

'Er zijn wel enkele kanttekeningen bij uw voorstellen gemaakt,' vervolgde Eppstein. 'Punten die u nog dient te verwerken.' Hij las nu wel van zijn papier voor. 'Ten eerste: als u uw draaiplan opstelt – het heet toch draaiplan, hè? – moet de tomatenoogst heel vroeg worden ingepland.'

Ook bij de Ufa hadden de hogere heren altijd een arendsoog voor bijzaken. Maar je kunt ook overdrijven.

'We zullen ons moeten schikken naar het weer,' zei ik.

'Het wordt zonnig. Vast en zeker.' Eppstein zei het zo ijverig alsof Rahm zelf mooi weer had besteld.

'Maar waarom?'

'De heren van de SS,' zei Eppstein terwijl hij zittend knipmeste, 'hebben zich in alle vriendelijkheid bereid verklaard het tot aan de draaidag zonder verse tomaten te doen. Zodat de oogst er in de film heel overvloedig uitziet. Maar ze willen natuurlijk niet te lang wachten.'

Rahm had een nagelvijltje gezocht, maar niet gevonden. Hij wreef nu met een nagel langs de muur en bekeek hem steeds weer keurend.

'Ten tweede,' zei Eppstein. 'Bij de voetbalwedstrijd mag niemand winnen. Het wordt niet gewenst dat er juichende mensen te zien zijn.'

'Het zou wel een effectvol slot zijn.'
'Het wordt niet gewenst,' herhaalde Eppstein. Zijn stem trilde. 'Ten vierde ...' begon hij.
'Ten derde,' corrigeerde Rahm hem. Hij luisterde dus toch.
Eppstein kromp in elkaar alsof hij werd geslagen. 'Natuurlijk. Ten derde. Neemt u me niet kwalijk. Ten derde. De zijdeteelt komt in het concept van het draaiboek nog niet voor. Die dient te worden toegevoegd.'
Rahm was nu tevreden over zijn nagels.
'Ten vierde,' zei Eppstein. 'Bij het amusementsprogramma in het openluchttheater moet u zelf optreden, Gerron. Met het lied van de haai.'
'Moet dat echt? Het regisseren wordt zo al moeilijk genoeg. Met een niet ingespeelde cameraploeg. Als ik dan ook nog als speler moet meewerken ...'
'Het wordt zo gewenst,' zei Eppstein.

Ik wil dat lied niet zingen. Nooit meer.
Ik ben er beroemd mee geworden. Succesvol. Welgesteld.
Ik haat het.
Olga en ik waren bijna de laatsten die vanuit de Joodsche Schouwburg in Westerbork kwamen. Als leider bagagedienst was ik onmisbaar geweest. Gevrijwaard voor elk transport. Ha, ha, ha. In de Hofmeyrstraat hadden we op het eind vier kamers voor ons alleen. Omdat alle anderen uit de woning al waren gedeporteerd. Nu had ik de onderste helft van een stapelbed. In elk geval de onderste. Olga moest het in een andere barak met de bovenste doen.
Het verraste me niet dat ik bij Gemmeker moest komen. Ik had het verwacht. Tenslotte was ik Kurt Gerron. Ik wist dat de Obersturmführer een zwak had voor sterren. Ik wist veel voordat ik daar kwam. Westerbork was niet zo'n hermetisch afgesloten kamp als Theresienstadt. Er werden vandaar geregeld mensen met een opdracht naar Amsterdam gestuurd. Op een keer moesten ze bij ons in de schouwburg schijnwerpers ophalen. Voor het kamptheater. Gemmeker was een groot liefhebber van cabaret, vertelden ze. Alleen verzamelde hij geen handtekeningen, maar acteurs. Alle Berlijnse sterren die naar Nederland waren gevlucht, traden in zijn kamp op. 'Hij zal beslist willen dat u ook in de revue meespeelt,' zei de man uit Westerbork. 'Als u ook bij ons bent.' In mijn nutteloze Engelse lessen had ik ge-

noeg grammatica gestampt om te weten dat hij *when* bedoelde en niet *if*. De vraag was niet of je naar Westerbork werd gestuurd, de vraag was alleen wanneer.

Gemmeker was me zo vaak beschreven dat ik een duidelijk beeld van hem had. Hij was begripvol, werd er beweerd, hij deed weliswaar zijn plicht, maar zonder enig sadisme. 'Het is zo'n beschaafde man,' had iemand gezegd, 'als ze hem ooit ophangen, moeten ze een zijden strop gebruiken.' Zijn opvallend smalle lippen waren me beschreven, maar hoe die lippen glimlachten, daar was ik niet op voorbereid. Die permanente glimlach. Alsof hij hem samen met zijn uniform had aangetrokken.

'Het verheugt me dat u nu ook bij ons bent,' zei Gemmeker. Hij begroette me als een hoteldirecteur. 'U zult uw collega's al wel hebben ontmoet. En vast ook al een aardig optreden met de heer Rosen hebben besproken. Ik verheug me erop.'

Hij deed me denken aan de kassier in mijn bankfiliaal in Wilmersdorf. Dezelfde glimlach. Ik vroeg me af wat Gemmeker vroeger was geweest.

Later ben ik het te weten gekomen. Hij was politieagent.

'Ik heb u niet vanwege de revue verzocht bij me te komen,' zei hij. Verzocht! 'Daar bemoei ik me niet mee. Ik laat me bij de voorstellingen graag verrassen. Het gaat om iets anders. Om een plezier dat u me zou kunnen doen.' Een plezier! Gemmeker.

Hij had een vriend, zei hij en hij leek bijna een beetje verlegen, een kameraad die net als hij een kamp leidde, 'maar dan een opleidingskamp', in Ellecom, en hem wilde hij mij voor zijn verjaardag cadeau doen. Precies zo zei hij het: mij voor zijn verjaardag cadeau doen. Die Hauptsturmführer Brendel was sinds *De driestuiversopera* een groot bewonderaar van mij en hij had al meer dan eens gevraagd of ik nog altijd niet in Westerbork was. Dan zou hij graag een keer naar een revue komen kijken. 'Nu wil ik hem met zijn verjaardag verrassen,' zei Gemmeker. 'Zijn veertigste, op 9 oktober. Die wordt uitgebreid gevierd, en toen dacht ik: Dat zou toch een mooie gelegenheid zijn. U treedt op en zingt de Mack-the-Knife-song. Ze hebben daar een orkest. Niet zo goed als het onze natuurlijk, maar heel behoorlijk.'

Gek. Maar ik heb wel gekkere dingen meegemaakt.

'En, wat denkt u? Wilt u me dat plezier doen?'

Het is een beleefde man, kampcommandant Gemmeker. Hij vroeg

het alsof ik een keus had. Alsof er niet elke week een deportatietrein gevuld moest worden.

Ja, zei ik, als hij het wenste, zou ik hem dat plezier graag doen.

'Heel aardig van u,' zei hij. 'U kunt er helemaal alleen naartoe. Ik geef u de benodigde papieren en laat u zaterdag in Beilen op de trein zetten. Zondagavond bent u dan weer terug. Precies op tijd, graag. Uw vrouw blijft zolang hier.' Hij glimlachte nog steeds, maar wat hij bedoelde was duidelijk. Olga was het onderpand voor mijn terugkeer. Zijn gijzelaar. Als ik hem het plezier niet deed of als ik niet op tijd weer in Westerbork was, zou zij het moeten bekopen. En hier was maar één betaalmiddel: een plaats in de volgende trein.

'Ik heb nog niet het genoegen gehad uw echtgenote te leren kennen,' zei Gemmeker. 'Doet u haar desondanks de hartelijke groeten van mij.'

Ik kreeg een koffer mee. Met rokhemd, rokkostuum en lakschoenen. Wat de rekwisieten betrof was Westerbork beter uitgerust dan de Joodsche Schouwburg. Ik kende de costumier. Ook iemand uit Berlijn. 'U moet ons in Ellecom eer aandoen,' zei hij tijdens het passen. Zonder enige ironie. Als ik niet trots ben, ben ik toch in Westerbork. Dan ben ik liever trots.

De treinreis was onaangenaam. In Amsterdam waren de mensen gewend aan de gele ster. Hier in de provincie gaapten ze me aan als een vreemd dier. Maar ze wendden hun hoofd meteen weer af. Alsof ze me onzichtbaar konden maken door de andere kant op te kijken.

Naar mijn reisvergunning werd niet één keer gevraagd, ook niet door de Groene Politie. Ze namen zeker aan dat geen enkele judde het zou wagen zonder de benodigde goedkeuring op pad te gaan.

In Meppel moest ik overstappen. Op het perron, waar ik op de trein naar Arnhem wachtte, gingen drie mannen met een NSB-speldje voor me staan. Wijdbeens. Met de armen over elkaar. Ik zette uit voorzorg mijn koffer neer. Klappen kun je beter ontwijken als je je handen vrij hebt. Maar ze waren niet uit op een vechtpartij. Ze keken me alleen onderzoekend aan. Misschien, dacht ik, zijn ze nog nooit een Jood tegengekomen. Zijn ze verbaasd dat ik geen hoorns en geen bokkenpoten heb. Een hele tijd zei geen van hen een woord. Toen schraapte de middelste, een man van rond de zestig, zijn keel. 'Het spijt me u in deze toestand te zien,' zei hij.

'Werkelijk?'

'In levende toestand, bedoel ik.' De twee anderen knikten, ernstig en zonder te lachen, en toen wendden ze zich alle drie af. Liepen weg. Lieten me staan. Mensen die hun plicht hadden gedaan.

Hoe had Otto dat ook weer genoemd? Bruine smurrie in je kop.

Mijn halte heette Dieren-Doesburg. Daar zou ik opgehaald worden, was me verteld. Toen ik het stationnetje uitkwam, stond er een reusachtige man in uniform te wachten. 'Meneer Gerron!' riep hij. 'Dat is een verrassing, niet?'

De kleine Korbinian.

Hij was ongelooflijk blij. Hij had me bijna omarmd. 'Dat had u niet gedacht, hè, dat u mij hier zou aantreffen? Toen ik hoorde wie er afgehaald moest worden, heb ik tegen mijn kameraden gezegd: "Laat mij dat doen. Ik ken meneer nog uit Berlijn". Hoe gaat het ermee, meneer Gerron? Hoe gaat het?'

Aan zijn stralende gezicht was te zien dat zijn vraag oprecht gemeend was. Alsof het met iemand die in Westerbork opgesloten zat, anders kon gaan dan beroerd.

'Niet zo denderend,' zei ik.

'Dat spijt me,' zei Korbinian. 'Dat spijt me echt.'

Hij was altijd al aanhankelijk geweest. Ik had nooit meegedaan als de anderen hem uitlachten. Daar was hij me dankbaar voor. Nu had zijn vertrouwelijkheid iets bedreigends. Een hond die je als onbeholpen pup hebt meegemaakt en die als volgroeid mormel nog steeds tegen je wil opspringen.

'Ik mag u niet te vroeg naar het kamp brengen,' zei hij. 'Brendel heeft geen idee wat hem allemaal te wachten staat. Alleen dat we hem om acht uur in zijn kwartier ophalen en naar de kantine brengen. Met fakkels. Maar vanmiddag moet hij in Arnhem bij het opperbevel zijn. Dan kan ik u binnensmokkelen. Zodat de mooie verrassing niet in het water valt.'

'Zoals je wilt, Korbinian.' Ik had hem ouder gewoonte met jij aangesproken en wachtte geschrokken op een woedende reactie. De verhoudingen waren veranderd. Toen was ik een ster geweest en hij een mislukte bokser. Nu was ik een armzalige judde en hij ... Twee sterretjes op zijn kraagspiegel. Hij had het tot *Oberscharführer* gebracht. Tot sergeant. De kleine Korbinian had carrière gemaakt.

Klein? Het bijvoeglijk naamwoord was niet meer van toepassing. Hij was in zijn bokserslichaam gegroeid. Had de oude gedienstigheid afgelegd.

Hij leek het jij niet gehoord te hebben. 'Daarginds is een heel behoorlijk café,' zei hij. 'Daar drinken we eerst samen een pilsje. Op de goede oude tijd.'

'Is dat wel verstandig?'

Korbinian keek me aan. Niet geërgerd, maar je kon toch merken dat hij geen tegenspraak meer gewend was.

'Ik bedoel alleen ... Ik wil niet dat u door mij in de problemen komt.' Een man met een Jodenster en een in SS-uniform. Samen gezellig bij een pilsje. Ik kon het me gewoon niet voorstellen.

Korbinian lachte. Een sympathieke, open boerenjongenslach. 'Dat moet ik nog zien, dat iemand mij in de problemen brengt,' zei hij. 'Vooruit, mars! Hebt u de laatste tijd nog iets van Schmeling gehoord?'

Hij bestelde de drankjes in heel behoorlijk Nederlands. Hij was al een paar jaar in het land, legde hij me uit. Ellecom was een trainingskamp voor Nederlandse SS'ers en hij was daar instructeur. 'Belangrijk werk,' zei hij. Je kon merken dat hij trots was. 'De mensen hebben geen idee wat er allemaal bij komt kijken om zo'n kamp goed op te zetten. Op uw gezondheid, meneer Gerron. Op uw gezondheid.'

Het geblaf van de honden begon volkomen onverwachts. Alsof het ingeschakeld werd. Precies op het moment, zo leek het, dat we onder het bord OPLEIDINGSSCHOOL AVEGOOR door reden.

Korbinian lachte. 'Dat doen ze telkens als er een auto komt,' zei hij. 'Dan denken ze dat de mensen voor hun oefeningen worden gebracht. Maar dat zijn wij gelukkig niet.'

Die vervloekte nieuwsgierigheid! Als ik de vraag niet had gesteld, was die hele verschrikking me misschien bespaard gebleven. Als ik niet had gezegd: 'Wat voor oefeningen?' Misschien ook niet. Korbinian was zo trots op zijn werk. Waarschijnlijk had hij het me hoe dan ook willen laten zien.

Doet er niet toe. Het was zoals het was.

Een schoolterrein als voor een internaat. Alles tiptop. De heggen in model geknipt en het gazon gemaaid. Het hoofdgebouw een imposant wit bouwwerk. Een groot sportveld met een springtoren, zoals anders in een zwembad. Alleen was er nergens een bassin te bekennen. 'Dat is voor de dapperheidstraining,' legde Korbinian uit. 'De groep spant een vangnet en de een na de ander laat zich erin vallen. Dat is bevorderlijk voor de gemeenschapszin.'

Eén keer draafde er een groep aankomende SS'ers op een trainingsloop langs. Ze groetten Korbinian met gestrekte arm. Mij keken ze hoogst verbaasd aan.

'Ik breng hun bij,' zei Korbinian, 'hoe je mensen met zo min mogelijk moeite onder controle houdt. U zult het nog wel zien.'

Ik heb het gezien. Ik zie het steeds weer. Als ik ervan droom, probeert Olga me te kalmeren. Het lukt haar niet altijd.

Om de rechterpijp van zijn uniformbroek bond Korbinian een kniebeschermer. Zoals je die bij sommige sporten gebruikt. 'Wees maar niet bang,' zei hij. 'Ik zal niet vallen. Ik heb hem nodig voor iets anders. U zult het nog wel zien.'

U zult het nog wel zien.

Hij behandelde me de hele tijd als een gewaardeerde gast. Hij was mijn gele ster helemaal vergeten. Hij gedroeg zich alsof hij Max Schmeling was en ik een prominente bezoeker van zijn trainingskamp. Alleen gekomen om door de pers met hem te worden gefotografeerd. Hij stelde me ook voor aan zijn leerlingen. 'Dit is een vriend van me. Kurt Gerron. De beroemde acteur uit Berlijn. Die uit *De driestuiversopera*. Uit *De blauwe engel*.' Hij was heel teleurgesteld dat het een noch het ander hun iets zei. 'Ze zijn niet echt gecultiveerd, hier in Nederland,' fluisterde hij me toe. 'Maar daar gaan we iets aan doen.'

Een vijftal jongelui in werkuniform. En een hoopje angstige mensen. In burger, maar ook zonder de twee bewakers had je meteen gezien dat het gevangenen waren. Korbinian wees een van hen aan. 'Jij,' zei hij.

De man kwam naar voren. Hij stond met de pink op de broeksnaad. Vijfentwintig jaar, schatte ik. Misschien ook jonger. In het kamp worden sommige mensen snel oud. Zijn ogen schoten heen en weer. Alsof hij iets zocht wat hem geen schrik aanjoeg.

'Laten we aannemen dat deze man opstandig is geworden.' Als hij doceerde, hield Korbinian zijn handen op zijn rug. Net als Emil Jannings in de schoolscène in *De blauwe engel*. 'Hij moet tot de orde worden geroepen. Waar zouden jullie hem slaan?' Hij wenkte een van zijn leerlingen, met hetzelfde gebaar waarmee hij eerst de gevangene had uitgekozen. 'Jij.'

De jonge Nederlander wees nogal verlegen naar het hoofd van de gevangene. 'Daar?'

'Probeer het maar,' zei Korbinian.

De man kreeg een draai om zijn oren. Zo hard dat hij wankelde. Maar hij bleef staan.

'Zwak,' zei Korbinian. 'Let op! Een mogelijkheid is de plexus solaris. Hier.' Hij raakte de trillende man met zijn vingertop aan. 'Maar nog beter zijn de nieren.' De klap kwam zo snel dat ik pas begreep wat er was gebeurd toen de man al op de grond lag.

Ik moet een kreet hebben geslaakt. Misschien heb ik ook iets gezegd. Ik weet het niet meer. Ik weet alleen nog dat Korbinian zijn hoofd schudde. 'Niet nu, meneer Gerron,' zei hij. 'Nu moet ik lesgeven. De volgende!'

De ene gevangene na de andere kwam naar voren, zodat de leerlingen op hem konden oefenen. Een van hen probeerde zich te laten vallen voordat de klap hem had geraakt. Dat stond Korbinian niet toe. Hij beval hem op te staan en ramde zijn knie tussen de benen van de man. Die sloeg voorover en de knie raakte hem voor de tweede keer. Midden in zijn gezicht.

'Dat is ook een mogelijkheid,' zei Korbinian tegen zijn leerlingen. En tegen mij: 'Vandaar die kniebeschermer. Soms breken ze hun neus en dan bloedt het vreselijk. Je krijgt die vlekken haast niet meer uit je broek.'

De honden begonnen alweer te blaffen. Korbinian keek op zijn horloge. 'Nu hebben ze de goede auto gehoord,' zei hij. 'Om deze tijd krijgen de hondengeleiders les.'

Later heb ik in Westerbork mensen ontmoet op wie de hondengeleiders hadden geoefend. Ze waren vreselijk toegetakeld.

Op de avond van die dag in Ellecom heb ik mijn rokkostuum aangetrokken en de Mack-the-Knife-song gezongen. Hauptsturmführer Brendel was enthousiast en de grote Korbinian schreeuwde heel hard: 'Bravo!'

Bravo, Kurt Gerron.

Ik heb tegen Olga gezegd dat ik zal weigeren het in de film te zingen. Ze keek me alleen maar aan. Ze weet dat ik niet kan weigeren. Ik weet het ook.

Maar misschien kan ik Rahm ervan overtuigen dat een andere titel beter is. De Mack-the-Knife-song voldoet niet aan zijn richtlijnen: *Alleen werken van Joodse kunstenaars*. Dat heeft hij zelf bepaald. Ze hebben het me zelfs zwart op wit gegeven. Waarbij ze het woord 'kunstenaars' tussen aanhalingstekens hadden gezet. Ze zijn gek op zulke subtiele details. De voorzangerszoon Weill past in het profiel. Maar Brecht? Of hebben ze die tot erejudde benoemd?

Ik zou iets uit Karussell kunnen voorstellen. Er wordt algemeen gezegd dat ons cabaret het beste programma in het kamp is. 'Een lied dat hier in het kamp is ontstaan,' zou ik als argument kunnen aanvoeren, 'dat zou toch veel passender zijn.'

Er worden hier in het kamp hopen liederen gecomponeerd. Gedichten geschreven. Theresienstadt is een oord van cultuur. Een tweede Weimar. Waar ze ook een concentratiekamp hebben. 'Theresienstadt, Theresienstadt, het cultureelste getto dat de wereld ooit bezat.'

Elke dag wordt hier iets aangeboden. Cabaret. Toneel. Concert. Opera zelfs. Ik heb *Carmen* geënsceneerd. Zonder orkest natuurlijk. Het was niet eens zo eenvoudig om de piano naar de zolder te hijsen. We spelen vaak op zolders. We hebben het hoog in de bol.

Ik zou het lied *Alsof* kunnen voorstellen. Nog een topper uit Karussell. 'Ik ken een heel klein stadje, een stadje o zo tof, ik noem er niet de naam van, ik noem 't de stad Alsof.' Dat zou ook een goede titel voor de film zijn. *De stad Alsof.*

Alsof ook maar iets van wat wij hier doen, echt is. Alsof we ons hier echt zelf besturen. Echt te eten krijgen. Echt een toekomst hebben. Echt leven.

Maar de titel staat al vast. *Een documentaire uit het Joodse vestigingsgebied.*

Otto Burschatz heeft ooit gezegd: 'Wat de nazi's beter beheersen dan alle anderen, dat is de grote leugen. Bij kleine oplichterijen word je betrapt. Maar als je hondsbrutaal verklaart dat zwart wit is of een nederlaag een overwinning, dan trappen de mensen erin. Omdat ze zich niet kunnen voorstellen dat iemand zoiets zou beweren als er niets van waar was. En als ze het maar vaak genoeg herhalen, wordt het inderdaad waar. In de hoofden van de mensen. Zo is het nu eenmaal.'

Theresienstadt is een Joods vestigingsgebied.

Alsof.

Het alsofste is de zijdeteelt. Die hun zo na aan het hart ligt. Op de vestingwallen hebben ze moerbeibomen geplant om de diertjes te voeren. Ze zouden ze de bladeren op een zilveren dienblad serveren als ze er een hadden. Ik ben ernaartoe geweest om te vragen of ik de cocons mocht zien. Om alvast na te kunnen denken hoe je die dingen het beste fotografeert. Eerst wilden ze er niet mee voor de draad komen, maar toen moesten ze het toch toegeven. Er zijn helemaal geen cocons! Of in elk geval bijna geen. Ze krijgen die beesten gewoon niet zo ver dat ze zich verpoppen. Ze zijn er nog niet achter waar het aan ligt. Van alle zijden draden die tot nu toe in Theresienstadt zijn geproduceerd, valt nog geen zakdoek te weven. Maar in de film moet het eruitzien als massaproductie.

Alsof.

Wat te denken van het Karussell-lied? Mijn persoonlijke hymne? 'Wij draaien in een mallemolen op houten paarden in het rond.' Helemaal passend is de tekst niet. 'Het is een merkwaardige reis, het is een tocht zonder doel.' Dat klopt niet. We kennen het doel heel goed. De trein rijdt altijd naar dezelfde plaats.

Ik zal toch het haaienlied maar zingen. Het wordt gewenst.

Je zou in de Raad van Oudsten moeten zitten.

Natuurlijk, het is geen begerenswaardig baantje. Ze zitten daar tussen hamer en aambeeld. Moeten Rahms bevelen uitvoeren, ook de ergste dingen, en zichzelf de hele tijd wijsmaken dat ze daarmee nog ergere dingen voorkomen.

Maar zoals de heren leven!

In mijn draaiboek spelen twee scènes zich af in een woning. *Totaalshot: een gezin zit aan de eettafel en gebruikt een uitgebreide maaltijd. Medium: in een woonkamer wordt een levensmiddelenpakket uitgepakt.* Zoals dat gaat in een sprookjesfilm. De toeschouwer moet geloven dat iedereen in Theresienstadt zijn eigen suite heeft. Inclusief Perzisch tapijt en zijden behang.

Die twee kamers – op een andere manier kon ik het me niet voorstellen – wilde ik laten bouwen. In het hele kamp de beste meubels bij elkaar zoeken en die opstellen tegen een passende achtergrond. 'Dat is niet zo moeilijk,' zei ik tegen Eppstein. 'Als we maar niet over de as gaan.'

'Dat hoeft niet,' zei hij. We hebben geen decor nodig. Er zijn hier echt mensen die zo wonen als ik het heb bedacht. We filmen in de Maagdenburger kazerne, bij twee leden van de Raad van Oudsten. Murmelstein en Zucker. Het kumbal van Eppstein mocht ik niet bekijken. Hij heeft waarschijnlijk een Bechstein-vleugel. Een butler die elke dag de toetsen poetst. Al bij die anderen voelde ik me zoals in Babelsberg, wanneer je naar een andere studio ging om te kijken wat de collega's aan het doen waren en dan versteld stond van hun rekwisietenbudget.

Tapijten. Schilderijen aan de muur. Een bank met gehaakte kleedjes. Porselein.

De vrouw van ingenieur Zucker was helemaal niet blij dat er vreemde mensen in haar huis toneel zouden spelen. Ze had het steeds maar over haar huis. Heel geaffecteerd. Gewoon een woning had zeker niet deftig genoeg geklonken. 'Als er dan per se gegeten moet worden,' zei ze, 'kan ik wel een paar vriendinnen uitnodigen voor het dinner.' *Dinner*. In Theresienstadt. De Raad van Oudsten leeft echt in een andere wereld.

Ik heb haar voorstel afgewezen. Om te zorgen dat de idylle goed overkomt, moet ik een gezin hebben. Een bezetting die eruitziet als een gezin. We nemen de Kozowers, die twee schattige kinderen hebben. Hij staat toch al op de lijst van degenen die in close-up moeten worden getoond. Twee vliegen in één klap.

Kozower was vroeger iets belangrijks in de Joodse gemeenschap in Berlijn. Hier in Theresienstadt heeft hij de leiding over de post. Hij zal me aan het pakket helpen dat in de andere scène voorkomt. Een Deens pakket natuurlijk. Zodat er ook iets bruikbaars in zit. Met erwtenmeel en surrogaatkoffie kan ik niet voor de dag komen.

We krijgen het pakket tegen een kwitantie en moeten de inhoud na de opnamen weer afgeven. Behoorlijk zuur voor de mensen die in die scène de gelukkige ontvangers spelen. Zo dicht bij goede spullen zitten en er dan niets van krijgen. Maar zo is de hele film. De tomaten aan de planten worden geteld en als er achteraf één ontbreekt, komt de hele oogstploeg in de Kleine Vesting. Ze hebben zelfs overwogen de boterhammen van de kinderen na de opname weer in te zamelen. Tot ik uitlegde dat het voor de film absoluut noodzakelijk is dat ze erin happen. In elk geval een kleine overwinning.

Rahm hecht eraan dat er in de film een hoop cultuur voorkomt. Tsjechisch-Weimar, en hij is hertog Karl August. Daarom heb ik fragmenten uit drie theatervoorstellingen in het draaiboek opgenomen. *Hoffmanns vertellingen*, *Brundibár* en uit dat Jiddisje stuk de scène met de dans en de dood van de rabbi. De enige plaats waar die opnamen gemaakt kunnen worden, is het toneel van het gemeenschapshuis. Het jaloerse gekissebis begint nu al. Allemaal zijn ze bang dat de anderen in de film een beter figuur slaan dan zij. Ze bakkeleien over een halfuur repetitietijd. Dienen verzoekschriften in. Alsof we niets anders hebben om ons druk over te maken.

De lijst van prominenten die in het publiek moeten worden getoond, wordt steeds langer. Technisch is dat geen probleem. Maar zoveel hoofden achter elkaar, dat ziet er niet uit. Daar zal ik nog iets op moeten verzinnen.

En ze moeten enthousiast kijken. In elk geval geïnteresseerd. Zodat je in de film niet ziet dat de zaal helemaal geen zaal is. Maar een gevangeniscel met een podium.

Alles herhaalt zich. De dramaturg van het lot heeft geen inspiratie meer. Een theater als gevangenis? Déjà vu.

De schouwburg in Amsterdam. De Joodsche Schouwburg. Een toepasselijke naam. Het theater van het Joodse drama.

Het gebouw imposant, met een soort Griekse façade. Een pseudo-Parthenon, zoals ze in de gründerzeit ook in Berlijn werden gebouwd. Reliëfs en beelden tot boven het dak. De foyer van wit marmer. Een heel redelijke akoestiek en de lichtinstallatie pas vernieuwd. Een deel van de schijnwerpers hebben ze later naar Westerbork afgevoerd. Waren zeker judden, die schijnwerpers. Pal ernaast een gezellig café. Niet onbelangrijk voor een veelvraat als ik. Zolang ik nog in cafés mocht komen. Al met al: een heel prettig theater. Alleen met te weinig wc's. Bij de bouw is er niet aan gedacht dat daar nog eens mensen opgesloten zouden zitten.

In een tijd als de onze zou je daar altijd rekening mee moeten houden.

Als we geweten hadden dat *Wiegelied* onze laatste uitvoering zou zijn, hadden we wel een stuk met meer diepgang gekozen. Niet zo'n onbenullige klucht over een vondeling. Maar zoals zo vaak hadden we geen flauw idee. Zelfs niet toen we de allerlaatste voorstelling speelden.

Het gebeurde in het eerste bedrijf, als ik die zuigeling op mijn arm heb en tegen hem praat. 'Een sigaret?' vraag ik, en ik pauzeer voor de lacher die op dat punt steevast komt. Dan hoor ik voetstappen in de coulissen. Meedogenloos hard. Als ik kijk, komt er een hele troep SS'ers binnengemarcheerd. De aanvoerder merkt dat de voorstelling nog bezig is, kijkt zijn mannen verwijtend aan en legt een vinger op zijn lippen. Naar mij maakt hij een gebaar van het-spijt-me. Ze lopen op hun tenen verder. Verdwijnen uit mijn gezichtsveld. In de zaal heeft niemand iets gemerkt. Ik zeg heel automatisch mijn volgende zin. 'O, je rookt niet?' vraag ik aan de pop die de zuigeling speelt. Het publiek lacht. De voorstelling gaat door. Alsof er niets aan de hand is.

Het was Aus der Fünten, de man van het Centraal Bureau voor Joodse Emigratie. Ook zo'n verdoezelende naziterm. Centraal Bureau voor Deportaties was eerlijker geweest. Op dat moment was hij nog niet de angstaanjagende figuur die hij later is geworden. Toen hij de mannen met een gemengd huwelijk dwong zich te laten castreren. Voor ons was hij gewoon een SS'er onder de SS'ers. Die een voorstelling niet wilde verstoren. Een echte Duitser heeft respect voor de cultuur. Hij wachtte zelfs het slotapplaus af. Pas daarna verklaarde hij het theater voor gesloten.

De schouwburg, zei hij, zou met onmiddellijke ingang dienstdoen als verzamelplaats. Voor alle Joden die zich vrijwillig hadden aangemeld voor tewerkstelling in Duitsland. Drie leugens in één zin. Geen wonder dat hij het tot Hauptsturmführer had geschopt. Er was geen sprake van vrijwilligheid, maar alleen van dwang. Ze werden niet tewerkgesteld, maar kwamen in een kamp. Ze gingen niet naar Duitsland, maar naar Westerbork. En vandaar verder naar het oosten. Als ze geluk hadden niet verder dan Theresienstadt.

Voor mij betekende de sluiting dat ik van de ene dag op de andere een acteur zonder optredens was. Een regisseur zonder regie. Iemand kreeg toen gedaan dat wij theatermensen allemaal in de schouwburg aan het werk konden blijven. Als werknemer van de Joodse Raad. Mij maakten ze leider bagagedienst. Eerst was dat maar een voorwendsel om me elke week een paar gulden te kunnen geven. Later, toen ze steeds meer mensen in het theater propten, werd het een belangrijke taak.

De mensen werden in de foyer geregistreerd. Aan lange tafels waar medewerkers van de Joodse Raad de personalia noteerden, de papieren controleerden en de huissleutels inzamelden. 'Ze willen je woning pulsen,' luidde het gemene gezegde. Omdat het altijd de firma Puls was die de meubels ophaalde en naar Duitsland vervoerde. In het begin werden de mensen nog dezelfde dag naar het station gebracht. Met de tram. Daardoor zag het er onschuldig uit. Een hel waar je met de tram naartoe gaat, kun je je niet voorstellen. En toch was dat precies wat ze daar aan het inrichten waren. Een hel. De vuren waren alleen niet meteen op temperatuur gebracht.

Gaandeweg kwamen er steeds meer mensen. Werden er steeds meer mensen heen gesleept. Wie zich had kunnen voorbereiden, bracht bagage mee. Zoveel als hij had kunnen dragen of als hem was toegestaan. Ze moesten nu soms dagen- of wekenlang wachten tot er over hun lot werd beslist. Hun spullen stapelden we zolang op het toneel op. De enige plek waar plaats was. We bouwden rekken van podiumonderdelen en probeerden de boel een beetje op orde te houden. Elke koffer beschreven met de naam van de eigenaar. In het begin deed Jo Spier dat. Een van de beste tekenaars van Nederland was mijn assistent. De wereld gaat stijlvol ten onder.

Op een keer kwam ik bij het sorteren van de bagage een koffer tegen die me bekend voorkwam. Vol plakkertjes van hotels uit heel Europa. Maar zonder de naam van de eigenaar. Ik maakte hem open en trof alle rekwisieten uit *Wiegelied* erin aan. Ook de levensgrote pop die de zuigeling had gespeeld. Toen herkende ik de koffer. In het derde bedrijf had ik hem in mijn hand gehad. Op het moment dat ik wil vertrekken en het me toch niet lukt. Ik heb hem zorgvuldig weer tussen de andere gezet. Bij de letter G. De G van Gerron. Als talisman. Als gelukaanbrenger.

De kleine Louis heeft hij inderdaad geluk gebracht.

Hoop ik.

Als de kampen de hel zijn – wat was de schouwburg dan? Het voorgeborchte? Het trainingskamp? De repetitieruimte? En wat was ik als ik daar werkte? Een duivelsknecht? Een gedienstige Korbinian? Of gewoon weer een acteur die van een belabberde rol het beste probeerde te maken?

Het werd allemaal zo verschrikkelijk gewoon. Zo angstaanjagend vanzelfsprekend. Elke morgen ging ik klokslag tien uur naar het theater. Zoals ik al die jaren naar de repetitie was gegaan. 's Avonds om elf uur kwam ik pas weer naar buiten. Als de voorstelling afgelopen was. Het plakkaat naast de ingang kondigde nog altijd *Wiegelied* aan. Maar we speelden allang iets anders. Geen goed stuk. Veel te veel trieste scènes. Er stond niets anders meer op het repertoire. Elke dag dezelfde tragedie. Met wisselende spelers.

De handeling stond vast, maar de voorstelling verliep niet altijd op dezelfde manier. Op sommige dagen waren de wanhoopsscènes luidruchtig en heftig, op andere stil en berustend. Het slot was altijd hetzelfde. Vier keer per week, altijd tegen tien uur 's avonds, werd de straat voor het theater afgezet, er reed een tram voor en de SS vormde een erehaag voor de uitverkorenen van die dag. Als ze ingestapt waren, ieder met zijn koffer – goed gedaan, Gerron! –, als de tram vertrokken was en de verse lading judden op weg was naar Westerbork, zat mijn werk erop. Ik ging naar huis zoals je van je werk naar huis gaat. Terwijl ze in de zaal de stoelen tegen de muur schoven en op matrassen en strozakken probeerden te slapen.

's Nachts was ik er niet bij. Ik had weer eens een speciale rol. Ik hoorde niet bij het ensemble, maar trad alleen als gast op. Ik droeg de witte mouwband van de Joodse Raad, waarmee ik de schouwburg op elk moment mocht verlaten. Een speciaal persoonsbewijs dat me vrijstelde van de avondklok. Ik sliep in mijn eigen bed. Omdat ik geen gewone judde was, maar de leider bagagedienst. Die niet gedeporteerd mocht worden.

Tot ze de Joodse Raad ophieven en ook wij allemaal in de tram stapten.

Wat me het sterkst is bijgebleven, is de lucht. De stank. Honderden mensen opgesloten in een zaal, en er waren maar twee wc's. Een voor mannen en een voor vrouwen. Twee wastafels. In de foyer boven, voor de balkons, waren er nog twee. Maar die had de SS voor zichzelf gereserveerd. *Voor Joden verboden.*

De stank, en natuurlijk de handen. Altijd weer die handen. Die je van alle kanten vastpakten en probeerden tegen te houden als je door de zaal liep. Al die mensen die je kenden of beweerden te kennen omdat ze hoopten dat je hen kon helpen. 'U moet iets voor me doen! Iets regelen, zodat ik hieruit kom! Mijn oude moeder is helemaal alleen, mijn kinderen zijn ziek, het moet een vergissing zijn dat ik op de lijst sta, ik ben onmisbaar, onvervangbaar, onschuldig.' Allemaal, allemaal hadden ze goede redenen waarom juist zij niet naar Westerbork zouden moeten, en ze hadden ook allemaal, allemaal gelijk. Er was geen reden, en al helemaal geen verstandige reden waarom ze hierheen waren gebracht. Of alleen die ene. De ster. Tegen zinloosheid helpen geen argumenten. Ik kon niets voor hen doen. Maar als ik de volgende keer langsliep, hielden ze me weer tegen. Smeekten ze weer. 'Alstublieft, meneer Gerron, probeert u het tenminste. Wees een mens.'

Dat was hun denkfout. Wij waren geen mensen meer. Dat was ons ontnomen. Wij waren getallen in een statistiek. Af te vinken punten op een lijst.

Boven de deur waar je van de marmeren foyer in de zaal komt, was een bord met een Oudhollandse spreuk aangebracht. *Beneyt niemans proffyt / Laat elleck op hoopen bouwe / Want of gy het schoon benyt / Het fertuyn sal syn loop houwe.* Ik kan me niet voorstellen dat iemand daar troost in heeft gevonden.

Het fertuyn, het lot had een naam. Aus der Fünten. Hij bepaalde wie de schriftelijke oproep kreeg om zich te melden voor tewerkstelling. Wie 's nachts onaangekondigd van zijn bed werd gelicht. Of gewoon van de straat geplukt. Er was een groep Jodenjagers, de colonne Henneicke, die vijf gulden kreeg voor iedere Jood die ze aanbrachten. Later, toen judden in Amsterdam schaars werden, is de prijs zelfs nog gestegen.

Als het lot het bij wijze van uitzondering goed met iemand voorhad, als de hemelse dramaturgen zich verveelden en aan een verzetje toe waren, kon het gebeuren dat zo iemand bij de registratie met opzet toevallig werd vergeten. De SS'ers lieten het bijhouden van de lijsten over aan de Joodse Raad en als ze dronken waren, namen ze het met de controle niet zo nauw. Ze waren vaak dronken. Er werd gezorgd dat hun flessen nooit leeg raakten.

Wie op geen enkele lijst voorkwam, kon het gebouw uit gesmokkeld worden. Door de ruimte onder het toneel. In de eerste weken, toen we daar nog mochten komen, ook over de muur van de binnenplaats. Maar dat was een grote uitzondering. En een van de best bewaarde geheimen. Niet eens alle leden van de Joodse Raad wisten ervan. Ik was ingewijd omdat met de ontsnapten ook hun bagage moest verdwijnen. Walter Süskind organiseerde dat. En Jo Spier had er iets mee te maken. Jo zit ook in Theresienstadt. Ik moet een taak voor hem zien te vinden in mijn film.

Menigeen die had weten te ontsnappen, viel een paar dagen later voor de tweede keer in handen van de Jodenjagers. Passeerde voor de tweede keer de spreuk over het lot dat zijn loop zal nemen. Eigenlijk had er moeten staan: 'Gij die hier binnentreedt, laat alle hoop varen.'

Zoveel mensen in die onteerde zaal. Waar de voorstelling plaatsvond in het parket en de SS aan de rand van het podium stond toe te kijken. Als ik op iedereen daarbeneden had moeten letten, met iedereen had moeten meeleven – het gewicht van al die lotgevallen zou me hebben bedolven. Ik kon het alleen uithouden zolang bij geen van die angstige, woedende, wanhopige gezichten een naam hoorde. Zolang ik ernaar kon kijken zoals je in de bioscoop naar een massascène kijkt. Alsof het allemaal figuranten waren. Mensen die geen rol spelen. Die in het programmaboekje niet afzonderlijk worden genoemd. *Soldaten, kooplieden, volk.* Net als in het invalidenhuis trok ik een innerlijke muur op waarachter ik dekking zocht. De gezichten wisselden ook veel te snel om er vertrouwd mee te kunnen raken. Ik zag alleen nog types. De zorgzame die zijn eigen angst verborg achter de zorg voor anderen. De egoïst die zich voor 's nachts verzekerde van twee matrassen, ook al moest er naast hem iemand op de blote grond slapen. De correcte die wanhopig naar regels zocht waaraan hij zich kon vastklampen. In een wereld die geen regels meer had. Als er al regels werden bedacht, dan alleen om het niet-naleven ervan te kunnen bestraffen.

Een reusachtige wachtkamer. Geen enkele patiënt met een positieve prognose. In zo'n situatie had je een hoop zelfmoorden kunnen verwachten, maar er is me er maar één bekend. Waarschijnlijk was het de schijn van orde, waren het al die lijsten en formulieren die de mensen ervan weerhielden. Bovendien: om in alle rust zelfmoord te kunnen plegen moet je alleen zijn. In de schouwburg was je dat nooit. Zelfs op de wc bonkte al na een minuut de volgende ongeduldige op de deur.

De enige gezichten die je uit elkaar leerde houden, waren die van de bewakers. We hadden al die tijd dezelfde SS'ers. Ze genoten van het luizenbaantje dat ze in de wacht hadden gesleept. Van de macht over anderen. Ik zie ze allemaal nog voor me. De slechte bezetting van een belabberde film. Je had Grünberg, die door de anderen werd gepest omdat zijn naam Joods klonk. De constant dronken Weber, die 's morgens altijd eerst een grote slok uit de jeneverfles moest nemen voordat zijn handen ophielden met trillen. Sukale, die zijn schoenen graag liet poetsen door oude mensen. Ik heb nooit begrepen waarom hij er zo van genoot dat ze dan voor hem op de knieën moesten. Klingebiel met zijn vertrokken gezicht. Een volslagen gek, die sloeg en schopte. Als hij een aanval had, ranselde hij iedereen die in zijn buurt kwam af. En Zündler natuurlijk. Die beloofde jonge vrouwen vrij te laten als ze hem ter wille waren. Daarvoor is hij tot tien jaar veroordeeld en naar Dachau afgevoerd. Wegens rassenschennis. Dat was onvergeeflijk. Als hij de vrouwen had doodgeslagen in plaats van zich met hen te vermaken, hadden ze een oogje dichtgeknepen.

Een verschrikkelijke tijd. Maar ook de verschrikking wordt gewoon. Een mens kan aan alles wennen. Ik weet niet of dat een geluk is of een ongeluk.

Maar aan één ding wende ik nooit: als er tussen al die vreemden plotseling een bekend gezicht opdook. Een vriend. Een collega. Dat trof me telkens als een stomp in mijn maag.

Ik weet hoe zo'n stomp voelt. Toen we in Theresienstadt kwamen, keek een van de bewakers me in de sluis vragend aan. Met die jouken-ik-toch-blik, waaraan je als prominent gewend raakt. Ik reageerde volkomen automatisch. Zoals ik altijd deed als iemand op straat me had herkend en te verlegen was om me aan te spreken. Ik knikte en glimlachte naar hem. Hij kwam op me af en gaf me een stomp. Ik weet hoe het voelt.

Vroeg of laat kwamen ze allemaal in de schouwburg. Wallburg. Ehrlich. Rosen. Camilla. Ze werden allemaal naar Westerbork afgevoerd. Waar ze langer mochten blijven dan anderen. Omdat Gemmeker graag naar het cabaret ging.

Zoveel collega's.

En mijn ouders.

Toen ik twee dagen voor het zover was, hoorde dat zij ook opgeroepen zouden worden, heb ik geprobeerd ze voor te bereiden. Papa wilde mijn geruststellende leugens niet geloven. Hij was drieënzeventig en van zijn oude persoonlijkheid was alleen zijn betweterig pessimisme nog over. Dat wilde hij zich niet ook nog laten afpakken. 'Ze zullen ons vermoorden,' zei hij. 'Je zult het zien.' Of het een troost voor hem was dat hij nog één keer gelijk heeft gekregen?

Mama weigerde zoals gewoonlijk notitie te nemen van wat er met haar gebeurde. Ze klampte zich vast aan uiterlijkheden. Veegde verwijtend met haar zakdoek haar klapstoel af voor ze ging zitten. 'Je zet je ellebogen niet op tafel,' zei ze tegen mij. Toen ik haar wilde kussen, duwde ze me weg.

Papa liet zich omhelzen. Met een gezicht alsof dat er ook nog wel bij kon.

Mijn ouders bleven niet lang in de schouwburg. 's Morgens waren ze gekomen en dezelfde avond werden ze al naar Westerbork overgebracht. Ik mocht niet met ze naar de tram lopen. Tijdens de transporten was de foyer ook voor de Joodse Raad afgesloten.

'Vergeet me niet,' was het laatste wat mama tegen me zei. Ze zou hetzelfde gezegd hebben als ze een week op zomervakantie was gegaan. Haar leven bestond uit platitudes.

Pas in Westerbork heb ik gehoord dat ze naar Sobibor zijn afgevoerd. Vandaar is niemand teruggekomen.

In de eerste weken, toen ze nog de illusie verspreidden dat het om tewerkstelling ging, haalden ze vooral jonge mensen naar de schouwburg. Enkelingen. Maar algauw deden ze geen moeite meer om de schijn op te houden. Wie een stok heeft, heeft geen wortel nodig. Nu haalden ze ook oude mensen op. Hele gezinnen.

Kinderen.

Ik heb me vaak afgevraagd waarom de SS'ers dat woord vermeden. Alsof ze er bang voor waren. Ze hadden het altijd alleen over gebroed. 'Jullie gebroed krijgt zo een draai om zijn oren' of 'Jullie gebroed moet ophouden met die herrie'.

Het was het lawaai waar ze zich aan stoorden. Gewend als ze waren om te commanderen, wilden ze niet inzien dat je kinderen niet gewoon kunt bevelen stil te zijn als ze krijsend tikkertje spelen of luidkeels protesteren tegen een onrechtvaardigheid. Ze schreeuwden tegen ze en bereikten daarmee natuurlijk het tegendeel. Vooral de allerkleinsten waren vaak niet meer tot bedaren te brengen.

Zodoende werd er een nieuwe regel ingevoerd. Pal tegenover de schouwburg, aan de overkant van de Plantage Middenlaan, was een Joodse crèche. Daar moesten, gescheiden van hun ouders, voortaan alle kinderen worden verzorgd. Hoewel verzorging het verkeerde woord was. Althans wat de SS betrof. Ze moesten worden bewaard. Opgeborgen zoals mijn koffers, die ook pas weer nodig waren als hun eigenaren doorgestuurd werden naar Westerbork. 'Regel dat!' zei de SS, en de Joodse Raad regelde het.

De ouders verzetten zich vaak hevig als hun kinderen werden afgepakt. Er zou goed voor ze worden gezorgd? Wat je van Duitse beloften moest denken, wisten ze intussen wel. Steeds weer moest een dochtertje of zoontje uit iemands armen worden gerukt. Maar volwassenen zijn makkelijker stil te krijgen dan kinderen. Je dreigt met geweld en als dat niet helpt, sla je erop.

De ouders bleven dus in de schouwburg en de kinderen kwamen in de crèche. Soms maar twee dagen, soms een paar weken. Tot ze opgeroepen werden voor het transport naar Westerbork. Dan werden ze weer naar de overkant gebracht, een klein uur voordat 's avonds de tram vertrok. Zodat ook dat gezin compleet en correct in Westerbork kon worden afgeleverd. Orde moet er zijn.

De belevenis met de kleine Louis begon ermee dat iemand me in de zaal weer eens tegenhield. Ik weet niet waarom ik juist naar die vrouw luisterde. Ik was er intussen handig in om me los te maken. Mensen die iets vroegen met een paar loze woorden af te schepen. Helpen kon ik toch niet.

Misschien omdat ze me aan Olga deed denken. Hoewel ze een heel ander type was. Een beetje mollig en met opvallend lichte blonde haren. Zoals Goebbels zich een arische vrouw voorstelt.

Ik mag niet vergeten mevrouw Olitzki er nog een keer aan te herinneren dat op alle voordrachten voor filmspelers moet staan: *Geen blond haar.*

In haar directheid leek ze op Olga. Ze maakte zichzelf niets wijs en draaide niet om de dingen heen. 'U moet iets voor me doen,' zei ze. Het was geen vraag en geen verzoek. Ze deelde het mee.

'Ik kan u hier niet uit halen.'

Ze keek me aan zoals Olga me soms aankijkt als ik haar niet meteen begrijp. Meewarig.

'Dat is me duidelijk,' zei ze. 'Daar heb ik me bij neergelegd. Ze zullen ons naar Westerbork brengen. Daarna naar een ander kamp. En daar zullen ze ons vermoorden.' Er waren veel mensen die zo dachten. Na wat we over de gijzelaars in Mauthausen hadden gehoord, viel er niets uit te sluiten. Maar ik had het nog nooit iemand met zoveel vanzelfsprekendheid horen zeggen.

Ik wilde haar tegenspreken, haar geruststellen, maar ze wuifde mijn tegenwerpingen weg. Met een gebaar dat me weer aan Olga deed denken. 'We hebben geen tijd om onszelf iets wijs te maken,' zei ze. 'U hebt een persoonsbewijs waarmee u de schouwburg kunt verlaten. Ik wil dat u naar de crèche gaat en dit aan mijn zoontje geeft. Hij heet Louis. Louis Hijmans.' Ze stak me iets van bruine stof toe, waarin ik pas bij nader toezien een onhandig genaaid beest herkende. Een beer misschien of een aap. 'Hij is gewend dat het naast hem in bed ligt,' zei ze. 'Ze wilden het niet meenemen toen ze hem ophaalden. Ik wil niet dat hij bang is, zo helemaal alleen.'

'Er wordt goed voor ze gezorgd in de crèche,' zei ik.

Ze schudde haar hoofd. Een lerares die een langzame leerling zijn traagheid niet kwalijk neemt. Weer zo'n Olga-gebaar.

'Daar gaat het niet om,' zei ze.

Ik had me voorgenomen me met niemand in te laten. Altijd in dekking te blijven. Ook andermans leed kan je treffen als een granaatscherf. Maar bij haar knikte ik. Ik pakte het stoffen beest aan en zei: 'Ik zal het aan hem geven en u vertellen wat hij heeft gezegd.'

'Hij kan nog niet praten,' zei de vrouw. 'Hij is vijf maanden oud.'

Ik was nog nooit in de crèche geweest en vond niet meteen de weg. In de eerste kamer die ik binnenging, zaten een stuk of tien kinderen in twee keurige rijen naast elkaar. Als in een klas waaruit iemand de banken heeft gestolen. Ze speelden schooltje om de kinderen – sommigen waren acht, anderen tien of elf – door het vertrouwde van de situatie een beetje gerust te stellen. Waar een lesrooster is, is de wereld niet helemaal uit zijn voegen. Zolang je moet leren, moet er een toekomst zijn.

Op de witgeverfde muur had iemand de landkaart van Europa getekend. Niet erg nauwkeurig, maar je kon de contouren herkennen. Een lerares – nu pas bedenk ik dat ze veel te jong was om echt lerares te zijn – wees met een bamboestok de afzonderlijke landen aan en noemde de namen. Nederland, België, Luxemburg, Frankrijk. Ze had ook kunnen zeggen: 'Veroverd. Verslagen. Bezet. Verloren.'

Ik verontschuldigde me dat ik stoorde en vroeg naar de kleine kinderen. Toen een meisje hoorde dat ik uit de schouwburg kwam, stak ze haar vinger op, zoals je dat op school doet. 'Neemt u me niet kwalijk,' zei ze. 'Zijn mijn ouders er nog?' Ze vroeg het zoals je naar een verloren kledingstuk informeert. Ik kende haar ouders niet, maar ik verzekerde haar dat ze nog in de schouwburg waren. Ze voerden niemand af zonder zijn kinderen. Dat zou slordig staan in de papieren.

Het meisje bedankte me beleefd. Ze zag er niet uit alsof ze mijn bezweringen echt had geloofd.

Toen ik naar buiten ging, hoorde ik hoe de les weer begon. 'Noorwegen,' zei de lerares. 'Denemarken.'

De kamer voor de allerkleinsten was een trap hoger. De bedjes dicht op elkaar. Niet allemaal eender. Bijeengeraapt, net als de mensen die aan de overkant van de straat wachtten tot er over hun lot werd beslist. Sommige bedjes waren van witgelakt metaal en kwamen waarschijnlijk uit een ziekenhuis. Andere, liefdevol met krullen versierd en beschilderd, moesten in een kinderkamer hebben gestaan en stiekem naar buiten zijn gesmokkeld. Het was streng verboden om meubels uit Joodse woningen te verwijderen. De vrachtwagens van de firma Puls mochten niet halfleeg naar Duitsland rijden.

Voor al die kleine kinderen – het waren er minstens twintig – was maar één verzorgster. Ook heel jong. Ze stelde zich voor als Mellie. Op haar verpleegstersuniform zat als een sieraad de gele ster. Toen ik naar Louis Hijmans vroeg, wist ze niet meteen welk kind dat was. 'Ik vind het pijnlijk,' zei ze, 'maar ik kan niet alle namen onthouden. Ze wisselen gewoon te snel.' Uit een ladekast die dienstdeed als baby-commode, haalde ze een schrift met een kaft van wasdoek. Ze schreef altijd alles precies op, legde ze me uit. De namen en de geboortedata. Wanneer de kinderen werden gebracht en weer opgehaald. 'Zodat ze later weten wie hier allemaal geweest zijn.'

Zo'n klein schrift en zoveel namen.

Ik boog me over de kleine Louis heen en legde zijn stoffen beest naast hem. Hij glimlachte naar me. Heel even, maar het was duidelijk een glimlach. 'U moet niet vergeten dat tegen zijn moeder te zeggen,' zei Mellie. 'Het is de eerste keer dat hij dat doet.'

'En tegen zijn vader.'

Ze schudde haar hoofd en wees naar een aantekening in haar schrift. 'Ze hebben een radio in zijn woning gevonden.' Meer hoefde ze niet te zeggen. Er zijn veel dingen waar de doodstraf op staat, maar niets is zo streng verboden als het bezit van berichten die in de officiële propaganda niet voorkomen. Voor een staat die alles wil controleren, bestaat er geen dodelijker zonde dan een vluchtpoging in iemands hoofd.

En toch sijpelt er informatie door de kieren. In Theresienstadt wordt sinds vandaag rondverteld dat de Russen voor Warschau staan. Misschien rukken ze toch sneller op dan ik mijn film kan draaien. Als ik in een God geloofde, zou ik erom bidden.

Toen ik mevrouw Hijmans over de glimlach van haar zoontje vertelde, zei ze iets vreemds: 'Ooit zal iemand daar blij om zijn.' Ik heb pas later begrepen wat ze daarmee bedoelde. Ze leek echt heel veel op Olga.

Ik bedacht toen steeds nieuwe smoezen waarom ik dringend naar de crèche moest. Ik maakte mezelf wijs dat ik mevrouw Hijmans wilde geruststellen dat het goed ging met haar zoontje. Maar dat was niet de reden. Ik wilde hem nog een keer zien glimlachen.

Het is niet nog een keer gebeurd. Op zijn leeftijd was het onmogelijk dat hij me herkende of zelfs blij was me te zien. En toch had ik het gevoel dat hij op de een of andere manier bij me hoorde.

Een fijn gevoel.

Mevrouw Hijmans bleef langer in de schouwburg dan anderen. In het labyrint van de Duitse autoriteiten was ruzie over haar uitgebroken. Viel ze vanwege de radio in haar woning onder de Gestapo? Of mocht ze door het Centraal Bureau naar Westerbork worden getransporteerd?

Aus der Fünten moet zijn zin hebben doorgedreven. Op een dag stond haar naam op de lijst: *Margreet Hijmans en zoon Louis (0)*. De nul was de officiële afkorting voor zuigelingen van nog geen jaar. De SS is gek op zulke bureaucratische details.

In de schouwburg werd altijd pas tegen de avond bekendgemaakt wie er die dag naar Westerbork werd afgevoerd. Wanhoop en radeloosheid kunnen zeer luid klinken en de SS wilde zo lang mogelijk rust. Voor mij begon dan altijd het drukste uur van de dag. Iedereen was bang dat hij zijn laatste bezittingen kwijtraakte als hij niet op tijd zijn koffer terugkreeg.

In de crèche wisten ze de namen al eerder. Het zou het ordelijke verloop van het transport hebben verstoord als de betrokken kinderen niet op tijd waren afgeleverd. Mellie liet me de lijst zien en vroeg me mevrouw Hijmans te vertellen dat Louis tegen negenen bij haar zou worden gebracht.

Ik weet niet meer welke reactie ik op dat bericht verwachtte. Vast een andere dan er kwam. Margreet bleef op haar klapstoel zitten, schijnbaar zonder emotie. Toen knikte ze, zoals je doet als iets onaangenaams wat je verwacht, werkelijkheid is geworden, en ze zei: 'Ik wil het kind niet. U moet het laten verdwijnen.'

Ze had goed over alles nagedacht. Overtuigd als ze was dat je niet levend uit de kampen kwam, zag ze voor zichzelf geen redding. Maar ze had besloten dat haar zoon een andere weg moest gaan. 'Ze moeten hem de crèche uit smokkelen,' zei ze. 'Een gezin vinden dat hem in huis neemt. Ik weet dat dat mogelijk is.'

Het was inderdaad mogelijk. Zeer sporadisch. Overdag was de Plantage Middenlaan een gewone straat, met voetgangers en fietsers en auto's. Telkens als er een tram voor de schouwburg stopte, was de overkant aan het oog van de bewakers onttrokken. Ze konden niet zien of een schijnbaar toevallige voorbijganger met een kind aan de hand of op de arm wegliep. Er was een organisatie, voornamelijk van studenten, die zo veel mogelijk kinderen van deportatie probeerde te redden. Maar dat was allemaal streng geheim. Hoe was mevrouw Hijmans daarachter gekomen?

Ze beantwoordde mijn vraag voordat ik hem kon stellen. 'Ik heb ogen,' zei ze. 'Ik heb oren. En ik heb hier lang genoeg opgesloten gezeten om me een beeld te kunnen vormen. Gisteren heb ik het aan meneer Süskind gevraagd en hij heeft het niet ontkend.'

Allemaal heel zakelijk. Zoals Olga het ook gezegd zou hebben. Maar één ding had ze over het hoofd gezien.

'Heeft Süskind niet gezegd ...?'

'Wat?'

'Dat het alleen mogelijk is als die kinderen niet op de lijst staan?'

Het zat zo: alleen als de dronken Weber toezicht in de foyer hield of als Sukale weer eens een slachtoffer voor zijn sadistische spelletjes had ontdekt, was het mogelijk om bij het noteren van de personalia te sjoemelen. Iemand met opzet te vergeten. Bij een gezin een kind weg te laten. Die personen, alleen die, konden naar buiten worden gesmokkeld. Maar als iemand was vastgelegd, letterlijk vastgelegd, als de grijparmen van de nazibureaucratie hem eenmaal te pakken hadden, was het niet meer mogelijk. Een kind waar de SS weet van had, kon niet gewoon uit de crèche verdwijnen. Dat had voor Mellie en alle anderen die daar werkten het concentratiekamp betekend. Of erger.

Het was onmogelijk.

Margreet Hijmans was een sterke vrouw. Maar toen haar duidelijk werd dat haar plan onuitvoerbaar was, stortte ze in. Ze begon niet hard te huilen, maar haar gezicht was als het ware gebroken. 'Niet Louis,' zei ze steeds weer. 'Niet mijn Louis, daarvoor heb ik hem niet ter wereld gebracht.'

Ik probeerde te troosten waar geen troost mogelijk was. Ik hield haar in mijn armen en wiegde haar heen en weer als een klein kind. En plotseling schoot de rekwisietenkoffer uit *Wiegelied* me te binnen.

Die avond vinkte Grünberg de lijst van de voor Westerbork bestemde mensen af. Toen hij 'Margreet Hijmans met zoon Louis' riep, stond ze klaar. Met haar koffer in de hand en haar kind op de arm. De zuigeling was in een doek gewikkeld tegen de nachtelijke kou en ze drukte hem teder tegen zich aan. Kuste hem. Grünberg riep de volgende naam af. Als de toeschouwers in elke voorstelling hadden geloofd dat de pop in mijn armen een kind was, waarom zou een ongeduldige SS'er dan achterdochtig worden?

Ik heb Louis nog een paar keer in de crèche opgezocht. Tot hij er op een dag niet meer was. Zijn bedje leeg. Ik heb Mellie niet gevraagd waar hij naartoe was gebracht. Ze zou het me niet hebben verteld. Ze zei alleen: 'We hebben een goede plek voor hem gevonden.'

Louis.

Nee, niet Louis. 'Hij moet een andere naam krijgen,' had Margreet beslist. 'Dat is veiliger voor hem.' Ze had overal over nagedacht. Ook de nieuwe naam van haar zoon had ze al bepaald.

Ergens in Nederland, bij een of andere familie, woont een kleine jongen die Koert heet. Ik heb nooit een eigen kind gehad, maar in hem zal ik voortleven.

Ik hoop dat het goed met hem gaat.

Morgen is de eerste draaidag.

Ik heb voorbereid wat ik kon voorbereiden. Ik weet niet of het voldoende is.

Om negen uur wordt er een opnameploeg uit Praag verwacht. Hopelijk spreekt de cameraman goed genoeg Duits om mijn artistieke intenties te begrijpen.

Artistieke intenties! U maakt zich belachelijk, meneer Gerron.

We hebben voor morgen tweeënveertig instellingen gepland. Veel te veel voor één dag. Maar zo wordt het gewenst en zo wordt het gedaan. Die mensen uit Praag zijn van het bioscoopjournaal. Dat is mijn hoop. Die zullen wel gewend zijn om snel te werken.

Ik heb tegen Olga zitten klagen hoe moeilijk het werk is en dat ik niet weet of ik het wel red. Ze lachte en gooide haar hoofd in haar nek. Die beweging ken ik van haar, maar sinds er dan geen haren meer om haar gezicht vliegen, ontbreekt er iets. Zoals wanneer iemand met lege handen jongleert.

De oude Tsjechische jongleur heb ik al een tijd niet meer gezien. Hij zal wel op transport gegaan zijn.

Olga lachte me uit. Ze zei: 'Je klaagt zoals je bij al je films hebt geklaagd. Het werk doet je goed.'

Heb ik altijd geklaagd? Als je zou weten hoeveel erger het nog kan worden, zou je nooit meer iets zeggen.

Nee, dat klopt niet. Als je had geweten wat er allemaal nog zou komen, had je jezelf van kant gemaakt.

We beginnen morgenochtend meteen met een van de moeilijkste scènes. Bij de Ufa liet ik op de eerste draaidag altijd alleen passages en overgangen in het werkplan zetten. Eenvoudige dingen, zodat iedereen op elkaar ingespeeld kan raken. Maar het wordt anders gewenst.

Ik heb de sequentie vandaag gerepeteerd. *Theresienstadt gaat naar het werk* heet het in het draaiboek. Een soort feestelijke optocht. Jonge meisjes met landbouwwerktuigen. Stratenmakers met een spade op hun schouder. Een transportploeg. Het span ossen moesten we simuleren, maar er is me beloofd dat het morgen precies op tijd aanwezig zal zijn. Mevrouw Olitzki heb ik opdracht gegeven om voor de kinderen uit het weeshuis een plaats te regelen vanwaar ze het span kunnen zien. De meesten van hen kennen dieren alleen uit een prentenboek.

Behalve ratten.

Met de jonge meisjes was het het moeilijkst. Allemaal vreselijk opgewonden omdat ze voor de oogstscènes een paar uur de vesting uit mogen. Ze konden gewoon niet meer ophouden met kwebbelen en giechelen. Als regisseur ergerde ik me aan hun gebrek aan discipline. Maar het was mooi om iemand onbezorgd te horen lachen.

Over wat er daarna bij de repetitie met de Ghetto-Swingers gebeurde, heb ik Olga niets verteld. Ik wil haar niet bang maken.

Eigenlijk wilde ik alleen weten hoe het zit met de zichtlijnen bij het muziekpaviljoen. Om in die instelling zo veel mogelijk toehoorders in beeld te krijgen. Want we zullen geen tijd hebben om van camerastandpunt te wisselen. Ik wilde al doorlopen om met de brandweer ook nog de alarmscène te bespreken, toen Rahm plotseling opdook. Alleen. Hij was er gewoon, zonder dat ik hem had zien aankomen. 'Laat ze doorspelen,' zei hij.

En zo speelden ze, veertien man sterk, alleen voor hem. *Bei mir bistu sjein*, speelden ze. De richtlijn voor de film luidt: *Alleen melodieën van Joodse componisten*. Ik moest een lijst met muziek inleveren en achter elke naam moest (J) vermeld staan.

Ik bleef staan, met de pink op de broeksnaad. Hij wipte op de maat van de muziek met zijn voet. Hoe houdt hij zijn laarzen zo schoon in de modder van Theresienstadt?

De Ghetto-Swingers speelden en hij neuriede de melodie mee. Toen ging hij weg en zij bleven spelen.

Bei mir bistu sjein.

Ik ben bang voor hem.

Ik had alles perfect voorbereid. De vertraging lag niet aan mij. De ploeg uit Praag was niet op tijd. En natuurlijk viel er nog van alles te bespreken. Ze hadden geen setfotograaf bij zich. De opgenomen scènes laat ik nu door Jo Spier in tekeningen vastleggen.

Toen we eindelijk konden beginnen, stond de marscolonne al twee uur op het marktplein klaar. Wat niet zo erg was. We hebben allemaal geleerd geduld te hebben. Maar ook Rahm had moeten wachten. En met hem zijn geüniformeerde Alemannen.

Je laat een kampcommandant niet wachten. We stelden de camera dus in allerijl op. Daarna gaf ik met mijn fluitje het teken om af te marcheren.

Een grote fout.

Eerst begreep ik niet waarom Rahm zo woedend was. Beledigd als een kleine jongen van wie je zijn speelgoed hebt afgepakt. Hij wilde zelf het bevel geven om met de opnamen te beginnen. Zijn speelgoedtrein mocht niet wegrijden voordat hij zelf 'Vertrekken' had geroepen. Dus moest alles weer terug naar de uitgangspositie. Wat met de ossenkar niet meeviel. Toen alles weer klaarstond, liep hij naar de camera, keek door de zoeker – alsof hij ook maar enig benul had waar hij op moest letten! – en gaf toen een teken. Schijnbaar ongeïnteresseerd en met maar twee vingers. Zoals Max Reinhardt soms onbelangrijke figuranten aanwijzingen gaf. Ik blies dus voor de tweede keer op mijn fluitje en nu mochten ze echt vertrekken.

We hebben drieënzestig instellingen opgenomen. Drieënzestig. Op één dag. Bij de Ufa had ik daar een salaristoeslag voor gekregen.

De mensen uit Praag zijn heel bekwaam. De eerste cameraman – hij heet Fric – heeft een goed oog. De tweede camera wordt bediend door een jonge knaap. Nog heel onervaren, lijkt me. Fric begrijpt meteen wat ik van hem wil. Hoewel ik hem geen directe aanwijzingen mag geven. Dat staat de SS niet toe. Een judde hoort een ariër geen bevelen te geven. We hebben een bruikbare modus gevonden, die al even absurd is als de hele film: ik doe de baas van Aktualita voorstellen, heel onderdanige voorstellen, en hij geeft ze door aan de cameraman.

Ondanks die omslachtige werkwijze: drieënzestig instellingen! De helft meer dan gepland. Alleen de sequentie *Toeschouwers stromen naar de voetbalwedstrijd* paste er niet meer in. Die moeten we er op een gegeven moment tussen voegen.

Bij de Ufa ging ik altijd samen met de technische ploeg naar de kantine. Daar kun je een hoop bespreken. Maar toen de collega's uit Praag de soep van linzenextract roken, hebben ze toch de uitnodiging van de SS maar aangenomen.

Ook zonder bespreking is het allemaal gelukt. Een goede voorbereiding is het halve werk. Dat was bij de Ufa al mijn sterke punt.

Er was één moment, één fantastisch moment, dat ik graag nog een keer zou meemaken. Het liefst elke dag. We waren net de aankomst van de brandweerauto aan het voorbereiden, toen de sirenes begonnen te loeien. Niet het brandalarm dat ik had besteld, maar de grote sirenes. Luchtalarm.

Voor judden zijn er natuurlijk geen schuilkelders. En de SS'ers wisten niet of ze banger moesten zijn voor Rahm of voor de vliegtuigen. Het was een genot om te zien hoe ze steeds weer angstig naar de lucht keken. De heren der schepping deden het in hun broek.

Er trok een heel eskadron vliegtuigen over ons heen. Heet dat eskadron? In mijn diensttijd waren het er altijd maar een paar. Je kon het nationaliteitsteken op de vleugels niet herkennen, maar het waren geen Duitse.

We gingen door met filmen. Wat hadden we anders moeten doen? De vliegtuigen vlogen naar het oosten.

Er zijn hier in Theresienstadt twee namen voor de nieuwste geruchten. JNA en JSA. JNA betekent Joods Nieuws Agentschap. Dat agentschap meent het doel van de vliegtuigen precies te kennen. 'Ze willen de spoorlijn naar Auschwitz bombarderen,' wordt er gezegd. 'Geen transporten naar het oosten meer. Geen deportaties.'

Ik vrees dat JSA een toepasselijker naam is. Joods Sprookjes Agentschap.

Maar het was een mooi moment.

Na de opnamen hebben we nog gekeken naar de voorgestelde nummers voor de cabaretscènes. Stretter is als Chaplin heel grappig. Zelfs Rahm moest lachen. Hij was alweer gunstig gestemd. Hij heeft lol in zijn speelgoedtrein.

Regen. De godganse ochtend. We moesten de opnamen onderbreken. Eppstein was razend, want vandaag zou de tomatenoogst gefilmd worden. Alsof ze hem ter verantwoording kunnen roepen omdat het weer zich niet aan het draaiplan houdt.

Eppstein kent de SS. Als ze een zondebok nodig hebben, is de kans groot dat hij die rol krijgt. Wij zijn judden en daarom automatisch overal de schuld van. Wij hebben immers ook de oorlog op touw gezet. Ik en Olga. Samen met de oude Turkavka van de wc-wacht. De aanjager was de kleine jongen die we gisteren op zijn hobbelpaard hebben opgenomen. Hij hobbelde net zo enthousiast als ik destijds op mijn izabel. Alsof hij een andere wereld binnen kon rijden. Maar er is geen andere wereld. Alleen deze ene. Waar vierjarigen al worden opgesloten en tot misdadiger verklaard. Omdat ze de verkeerde ouders hebben.

Als papa niet Gerson had geheten, maar misschien Gerhard, als onze stamboom in een ander bos was gegroeid, 'vijf generaties domineesdochters', zoals Otto het altijd noemde, dan hoefde ik er nu niet over na te denken of je tomaten ook in de stromende regen mag plukken. Dat mag natuurlijk niet. In de gave wereld die Rahm heeft besteld, schijnt altijd de zon. In plaats daarvan zou ik in Babelsberg met een sigaar in mijn mond een tranentrekker met een happy end maken. En Von Neusser om koffie sturen.

Ik heb in de afstammingsloterij een niet getrokken. In de verloting van het lot, waarin het geen rol speelt wat voor mens je bent of hoe je je in het leven gedraagt. Toen de ooievaar mij afleverde, was alles al beslist. Niet Gerhard, maar Gerson. De valse rabbi, die zulke dingen weet, heeft me uitgelegd wat die naam betekent. 'Hij komt uit het Hebreeuws,' zei hij. '*Ger sjom*. Dat betekent: een vreemdeling daar.' Een buitenstaander. Iemand die er niet bij hoort. Als de nazi's hun zin kregen, zouden we allemaal zo heten.

De nazi's krijgen hun zin.

Het gekke is dat ze die rassenidiotie niet alleen hebben bedacht om er politiek mee te bedrijven. Dat zou ik nog kunnen begrijpen. Nee, ze geloven er echt in. Zo vast en zonder enige twijfel als je alleen in totale onzin kunt geloven. Zo iemand kun je drie keer achterelkaar uit een brandend huis redden en dan nog zal hij ervan overtuigd zijn dat er een jodenstreek achter zit.

Slecht weer? De schuld van de Jood. Van dezelfde persoon voor wie ze beleefd hun hoed zouden lichten als er geen J in zijn persoonsbewijs stond.

Zoals bij Camilla Spira. Die ze in één klap hebben ontjoodst. Plotseling was ze geen stuk vuil meer, maar een mevrouw. Gemmeker moet haar zelfs de hand hebben gekust.

Toen ik in Westerbork aankwam, droeg ze nog de gele ster. Ze hoorde bij het ensemble van de Berlijnse collega's die daar in de revue mochten spelen. Moesten spelen. Ik heb haar zelf zien optreden. Camilla droeg een kort rokje en zwaaide haar benen minstens zo hoog de lucht in als de meisjes van het ballet. Het publiek klapte in de maat mee. Een heel aardig liedje. 'Als er een pakketje komt, is groot en klein zo blij.' Dan zouden wij in Theresienstadt ook klappen. Bij ons komen er allang geen pakketten meer. Zelfs geen pakketjes.

Toen zou niemand op het idee gekomen zijn dat Camilla in één klap een arische kon worden. Zij zelf nog het minst. Niet met zo'n vader. Ik ken Fritz Spira goed. We hebben samen een paar films gemaakt. Ik kende hem, moet ik waarschijnlijk zeggen. Ik heb hem gekend. Hij moet in Oostenrijk zijn opgepakt en naar het oosten gedeporteerd. Doet er niet toe.

Camilla was zonder enige twijfel een halve Jodin. Een kind uit een gemengd huwelijk. Tot ze op een dag bij Gemmeker moest komen.

Ik ben er niet bij geweest en Max Ehrlich, die het me heeft verteld, ook niet. Maar het verhaal is zo ongelooflijk dat het waar moet zijn.

'Mevrouw,' moet Gemmeker gezegd hebben, 'het verheugt me u te kunnen meedelen dat u niet de dochter van uw vader bent.' Waarna hij haar een schaar aanreikte.

Haar moeder was in Berlijn naar de notaris gegaan en had plechtig verklaard dat Camilla het product was van een slippertje met een Duitse volksgenoot. Waarop haar dochter nog sneller werd geariseerd dan papa's firma. Met de schaar mocht ze ter plekke de ster lostornen. Rits rats en ze was geen rotjodin meer, maar een hooggeëerde Germaanse kunstenares. Gemmeker nam met een handkus afscheid van haar en liet haar met de dienstauto naar het station brengen. Hoewel er niets was veranderd. Helemaal niets. Behalve zijn idee van haar.

Olga zei destijds: 'Als ze ooit in de hemel komt, zal ze niet weten voor welke deur ze in de rij moet gaan staan.'

Het is allemaal zo volkomen zinloos. Als de treinen naar Auschwitz er niet waren, zou je erom kunnen lachen.

Tegen de middag liet de zon zich weer zien. De tomatenoogst staat erop. Stevige, sappige tomaten. Ik zou tien jaar van mijn leven geven als ik er nog eens in mocht bijten.

Ik weet alleen niet of ik nog zoveel te goed heb.

Mevrouw Olitzki moet het logboek typen, maar ze zit alleen maar te huilen. Het is haar niet goed bevallen in het Egerbad. Ze heeft zich door het draaiboek laten misleiden.

'Zwemvertier,' had ik gedicteerd. Ze heeft het opgeschreven en bij het opschrijven heeft ze het zich voorgesteld. Het in gedachten gezien. Familie-uitstapje naar de Wannsee. Nee, niet de Wannsee. Ze is nooit van haar leven in Berlijn geweest. Ze zal aan een meer of een vijver in Troppau hebben gedacht. Daarom heeft ze zitten zeuren dat ik haar voorstelde voor die sequentie. Ze is te vaak naar de bioscoop geweest. Heeft te veel happy ends gezien. Daarom geloofde ze erin. Hoewel ze vanaf het begin bij de voorbereiding aanwezig was. Ze begreep het verschil tussen film en werkelijkheid niet. Tot dusver. Nu begrijpt ze het.

Het begon er al mee dat we het belangrijkste voor die sequentie waren vergeten. Niet alleen ik, maar iedereen. We hadden er gewoon niet aan gedacht. Dan zit je al zo lang in het kamp en je hoofd is er nog steeds niet aangekomen. Nog steeds beschouw je dingen als vanzelfsprekend die het allang niet meer zijn.

Zwemvertier? Als regisseur weet je hoe dat gaat. Je roept de mensen bij elkaar die je nodig hebt en stuurt ze het water in. Zet de camera erop. Heel eenvoudig.

Alleen – en daar hadden we geen van allen bij stilgestaan –, in heel Theresienstadt is geen badpak aanwezig. Waarvoor ook? We zitten opgesloten in een vesting. Bij de rivier kunnen we niet komen. Op toestemming om een douche te nemen moet je weken wachten, en daar ga je naakt onder. Ook in het kledingmagazijn was niets te vinden. Wie de enige koffer die hij mee mag nemen volstopt met het hoogstnodige, denkt wel als laatste aan strandvermaak.

Maar als het moet, lukt alles. De ploeg van het bioscoopjournaal heeft de badpakken vanmorgen uit Praag meegebracht. Waarmee het probleem of er in mijn film met of zonder Jodenster wordt gezwommen, vanzelf was opgelost. Er zou geen tijd meer geweest zijn om ze erop te naaien. Badpakken en badmutsen. Niemand heeft me verteld waar die spullen vandaan komen. Opgehaald in een magazijn, neem ik aan. Goed georganiseerd als ze nu eenmaal zijn, zullen ze de buit uit de geplunderde Joodse woningen keurig hebben gesorteerd. Hier schoenen, daar jassen. Een rek vol kinderkleren en een vol badpakken. Orde is het halve leven.

Meer dan een half leven is het allang niet meer.

De bestelde figuranten waren precies op tijd. De afdeling Vrijetijdsbesteding functioneert. Ook zo'n mop dat de film uitgerekend onder de vrijetijdsbesteding valt. Alsof in Theresienstadt niet elk woord waarin de lettergreep 'vrij' voorkomt, een slechte grap is. Mijn spelers waren er, maar we konden niet op tijd beginnen met draaien. Eerst brak er chaos uit.

Bijna honderd mensen, een stapel gebruikte zwemspullen, geen kleedhokjes. En dat allemaal onder het oog van de ongeduldige SS.

'Het was walgelijk,' zegt mevrouw Olitzki, terwijl ze boven haar schrijfmachine zit te huilen. 'De badpakken waren niet eens gewassen.' Ze roken nog naar mensen die allang op transport naar het oosten zijn gegaan.

En ik moest er iets van maken wat op levensvreugde leek. 'Ik heb juffrouw Heleen in bad gezien, ze telt voor tien.'

Filmen betekent liegen. Wat de camera niet registreert, bestaat niet.

De grote totaalshot die ik me als eerste instelling had voorgesteld, moest ik laten schieten. Anders waren de boten links en rechts van de zwemmers in beeld gekomen. SS-bewakers met geweren zijn niet de ideale decorstukken voor een zwemidylle. Ik gaf met twee handen de kadrering aan en Fric knikte. We communiceren nu met tekens. Dat gaat sneller.

Ik mag niet vergeten de afdeling Vrijetijdsbesteding te bedanken. Ze hebben de juiste mensen uitgekozen. Nog niet zo uitgehongerd als de meesten in Theresienstadt. In badpak zou dat opgevallen zijn. Ze hebben me veel nieuwkomers gestuurd, nog niet getekend door het gedwongen dieet. 'Er zitten kuiten aan, die rond en mooi in 't water staan.'

Onze schoonspringer was ooit Tsjechisch kampioen. Hij kwam zich bij mij verontschuldigen omdat de salto niet goed was gelukt. Hij vond het pijnlijk. 'Anders spring ik zoiets twintig keer achterelkaar,' zei hij. 'Maar de honger tast mijn evenwicht aan.'

Mevrouw Olitzki zwom een paar slagen onder water, misschien omdat dat een gevoel van vrijheid gaf. Ze raakte uit de koers en kwam vlak naast een van de boten weer boven. Een SS'er blafte haar af. Ik kon niet verstaan wat hij tegen haar zei, maar sindsdien huilt ze. Ik moest haar een teken geven om uit beeld te gaan. Haar gezicht zou de instelling hebben bedorven.

Naderhand had het bewakingscommando haast. Ze wilden op tijd terug zijn voor het eten. Misschien krijgen ze vandaag de zo filmisch geoogste tomaten. Ze smeten alle kleren op een wagen en de mensen moesten in die vreemde zwemspullen teruglopen naar de vesting. Op blote voeten.

Maar de opnamen zijn goed geworden. Heel goed zelfs, geloof ik. Eén instelling bepaald kunstzinnig. Vier mannen onder een parasol en aan de onderkant van het beeld verschijnt een klein meisje op een wip en verdwijnt weer. Ik doe mijn uiterste best op de vormgeving. Niet voor Rahm, maar voor mezelf. Ik wil bewijzen – alleen mezelf, verder interesseert het geen hond – dat ik nog steeds ik ben. Niet XXIV/4-247, maar Kurt Gerron. Regisseur.

Als het logboek getypt is, kan ik naar huis. Olga wacht op me. Maar mevrouw Olitzki zit nog steeds te huilen.

Ik ben goed. Ik ben echt goed. Een door alle muzen gekuste komiek. Als ik eraan denk, moet ik bijna huilen. Het was het ergste optreden van mijn leven. Nog erger dan de Mack-the-Knife-song in Ellecom. Maar een succes. Als de film klaar is, zal exact te zien zijn wat er bij mij is besteld: hoe goed we ons in Theresienstadt amuseren. 'Hé ho, hé ho, de stemming is weer zo.'

Tweehonderd toeschouwers, onder begeleiding van bewakers aangerukt. Naar de wei die ze het keteldal noemen. En die mensen dan eerst laten wachten. Twee uur lang. In het natte gras. Het heeft de afgelopen nacht hevig geonweerd en ze stonden tot aan hun enkels in het water. De perfecte voorwaarde voor een goedgehumeurd cabaretpubliek.

Ik had het podium gisteren al laten opbouwen. Om vandaag tijd te besparen. Dat bleek een vergissing te zijn. Het doek was aan twee berkenstammen bevestigd, die omver zijn gewaaid. Maar ik had het doek nodig. Een podium in het open veld moet een optische afsluiting hebben.

Dus eerst alles opnieuw opbouwen. En toen nog het probleem met de vleugel. Bij het opladen hadden ze hem op zijn kant gezet en nu kregen ze hem haast niet van de vrachtwagen. Toen hij eindelijk op de goede plek stond, was hij natuurlijk ontstemd. Het duurde allemaal veel te lang. De mensen hadden niet alleen natte voeten, ze hadden ook honger. Ze waren zonder middageten vertrokken. En er had zich ook niemand vrijwillig als toeschouwer aangemeld. Het keteldal heeft een slechte naam. Vorig jaar, nog voor mijn tijd, heeft daar dat eindeloze appèl plaatsgevonden, waar nog altijd de vreselijkste dingen over worden verteld.

'Hé ho, hé ho.'

Een publiek dat niet slechter gehumeurd kon zijn. Terwijl ik enthousiasme nodig had. Stralende gezichten. Het lachende gezicht van Theresienstadt.

Eerst liet ik Stretter optreden. Zijn *Chaplin als schaatser* leek me het veiligste nummer. Acrobatisch en komisch. Het zou het zelfs in de Wintergarten goed doen. Maar er kwamen geen reacties. De instellingen die ik vanaf de andere kant van de as heb laten opnemen, dwars over het podium, kan ik allemaal weggooien. Zodra er toeschouwers in beeld zijn, is het materiaal onbruikbaar. De gezichten als verstard. Alsof ze niet voor een cabaretpodium staan, maar voor een executiepeloton.

Olga zei heel serieus: 'In Theresienstadt is het verschil niet zo groot.'

Ik heb toen resoluut besloten de geplande lijst met instellingen weg te gooien en eerst alleen het publiek op te nemen. Zodat de mensen terug konden naar de stad. En naderhand de kunstenaars. In alle rust. In de montagekamer kan ik alles dan weer aan elkaar plakken.

Ik weet nog steeds niet waar de film wordt gemonteerd. Ze zullen wel geen montagetafel naar Theresienstadt halen. De studio van het bioscoopjournaal zou het meest praktisch zijn. Maar of ze me naar Praag laten gaan? Doet er niet toe. Voor de montage hebben ze me hoe dan ook nodig. Ik ben de enige die het overzicht heeft. Als alles goed gaat, ben ik daar langer mee bezig dan de oorlog nog duurt. Het Sprookjes Agentschap meldt dat de Amerikanen al oprukken naar Parijs.

Om de stemming er een beetje in te brengen heb ik de Swingers laten spelen. Ik had ze uit voorzorg laten opdraven, hoewel we ze ergens anders filmen. 'Speel de lekkerste deuntjes die jullie kennen,' zei ik. De mensen luisterden alsof het een treurmars was. Over het 'lachende gezicht' gesproken. Totale verlamming van de *musculus risorius*.

Terwijl er juist vandaag een paar belangrijke prominenten op de lijst stonden die Rahm in close-up wil hebben. Enthousiast applaudisserend voor het variétéprogramma. Niet met een doodgraversgezicht.

Ten slotte ben ik er zelf maar gaan staan. Ik ben op het podium geklommen en heb voor conferencier gespeeld. Voor conferenser, zoals mama gezegd zou hebben. Ik heb de oudste grappen verkocht. Dingen die het in het invalidenhuis al goed deden. 'De leerling Jacques Manas.' Ik heb moppen getapt. Geen reactie. Niets. Zoals Wallburg ooit zei toen een sketch volkomen de mist inging: 'Ik heb al vrolijker begrafenissen meegemaakt.'

Ik raakte compleet in paniek. Wat Rahm heeft besteld, wil hij ook krijgen. Wat moet hij met een regisseur die niet eens zijn acteurs aan het lachen weet te maken? Zo iemand deugt hoogstens om de lijst voor een transport naar het oosten vol te maken.

Ik ben voor de mensen op mijn knieën gevallen. Heb ze gesmeekt. Echt in doodsangst. 'Lach!' riep ik. 'Ik smeek jullie: lach! Lach voor je leven!' Dat was het eerste wat ze komisch vonden. Ze wisten: dat is de grappige Gerron en als hij zoiets doet, moet het een nummer zijn.

Ha, ha, ha.

Ik ben een geniale komiek.

We hebben toen een paar heel behoorlijke opnamen van het publiek weten te maken en daarna snel alle cabaretnummers gefilmd. Ik heb het 'Karussell-lied' gezongen. En het lied van de haai. Zoals het werd gewenst.

Gelukkig waren de toeschouwers toen al weg.

We filmen niet meer. 'Voorlopig geen verdere opnamen,' heeft Eppstein me laten weten. Ben ik paranoïde – redenen genoeg om het te zijn – of klopt mijn indruk dat hij niet meer zo vriendelijk tegen me is als de afgelopen weken? Weet hij iets wat hij me niet wil vertellen? Sta ik op de nominatie om gedeporteerd te worden? 'U dient zich in uw kwartier beschikbaar te houden voor de kampcommandant,' zei hij. Kwartier! Niet: kamer. Het is een slecht teken als de mensen officiële taal gaan bezigen.

Onlangs heb ik een nieuwe uitdrukking geleerd: er wordt dichter belegd. Wat niets met broodbeleg te maken heeft, maar betekent: met ingang van heden worden er nog meer mensen op één slaapzaal gelegd.

Alle werkzaamheden afgelast. Zonder uitleg. Terwijl het draaiplan voor de hele week al was goedgekeurd. Is Rahm niet tevreden over mijn werk? Heeft hij opnamen bekeken die hem niet aanstonden? Als er zo'n vertoning is geweest – waarom hebben ze mij daar dan niet voor uitgenodigd? Want een leek ziet geen verband tussen al die snippers en afzonderlijke instellingen. Er moet iemand zijn die een toelichting geeft. Die de samenhang in zijn hoofd heeft. Ze hebben me toch nodig.

Ze hebben me toch nodig.

Loopt nerveus heen en weer. Dat staat zowat in elk draaiboek. In ons kumbalek is er geen ruimte voor. Je kunt alleen gaan zitten of op bed gaan liggen.

Ik heb de bedden al twee keer opgemaakt. Geprobeerd dat net zo precies te doen als het ons in Jüterbog is ingeprent. Hoek op hoek. Urenlang hebben we dat geoefend. Terwijl we op het slagveld niet één keer een bed hebben gehad.

Waarom vertelt niemand me wat er aan de hand is? Onzekerheid is een kwelling.

Ik weet niet wat ik verkeerd gedaan kan hebben. De kwaliteit van het beeldmateriaal is goed. Dat kan ik beoordelen zonder het gezien te hebben. En vlugger kan geen mens ter wereld werken. Gisteren hebben we op één dag alle toneelscènes opgenomen. *Hoffmanns vertellingen. Midden op de weg. Brundibár.* Alleen al de organisatie was een topprestatie. Meneer Pečený van Aktualita stond versteld. Hij was ervan overtuigd dat het draaiplan niet realistisch was. Maar we hebben het gehaald. Drie verschillende toneelstukken op hetzelfde podium. Allemaal met een eigen decor. Op een en dezelfde dag. Plus al die opnamen van prominenten in het publiek. Bovendien nog het swingorkest op het marktplein. Het oratorium in de terraszaal. En de lezing van professor Utitz. Bij de Ufa hadden we voor zo'n programma drie dagen nodig gehad. Wat zeg ik? Een week!

Aan het werktempo kan het niet liggen. Bovendien: als het om de snelheid ging, zouden ze de opnamen niet onderbreken.

Zijn ze echt alleen onderbroken? Of helemaal afgelast? Is Rahm van gedachten veranderd? Is iemand in Praag het niet eens met het project? Is er een instructie uit Berlijn gekomen? Ik word gek als iemand me niet gauw iets vertelt.

Olga is met haar schoonmaakploeg op pad. Schoonmaken bij de Denen. Waarom is ze niet bij mij? Ik heb haar nodig.

Het is beter zo. Ze zou vragen stellen en ik zou geen antwoord weten. Zelfs als ze zou zwijgen en haar vragen alleen zou denken, zou ik ze horen. We kennen elkaar te goed.

Als het project is afgelast, als iemand hoger in de piramide het niet meer wil hebben, zal Rahm niet blij zijn. Dan ben ik voor hem onderdeel van een mislukking. Het is al zijn tweede aanzet tot deze film. De eerste hebben ze nooit afgemaakt. 'De mensen die dat verprutst hebben, zijn hier niet meer,' zei hij.

Ze hebben de spoorlijn naar Auschwitz toch niet gebombardeerd.

Ik heb het werk aan de film nodig om in het kamp te kunnen blijven. Om nuttig te zijn voor Rahm. Als de koe geen melk meer geeft, wordt ze geslacht.

Loopt nerveus heen en weer. Ik ben de eerste die dat zittend speelt. Ha, ha, ha.

Zo'n onderbreking kan duizend redenen hebben. Onschuldige redenen. Bijvoorbeeld ... Bijvoorbeeld ...

Waarom wil me niets te binnen schieten?

Misschien is de ploeg van Aktualita niet beschikbaar. Is hij ergens anders nodig. Een grote betoging in Praag die in het journaal moet. Een partijbijeenkomst.

Nee, dat zou gisteren geweest zijn. In het weekend. Vandaag is het maandag.

Het weer is slechter geworden. Misschien willen ze wachten tot ...

Het heeft geen zin om erover na te denken. Ik bouw alleen een labyrint, waarin ik dan zelf verdwaal. Ik weet niet wat er is gebeurd en ik zal er niet achter komen ook. Ik moet wachten tot iemand me iets vertelt.

Als iemand me überhaupt nog iets vertelt. Misschien ben ik daar al niet belangrijk genoeg meer voor.

Ik haat dit gevoel. Ik kan er steeds minder goed tegen. Ik word er nog gek van. In Westerbork hebben ze me behandeld tegen amoebedysenterie, maar ik weet dat het door de onzekerheid kwam.

'Schoonmaken graag,' roept Turkavka.

Ik zou allang naar de latrine moeten. Maar ik moet me hier beschikbaar houden. In mijn kwartier. Als Rahm me laat roepen en ik zit net op de zitbalk ...

'Je overdrijft,' zei Olga. 'Natuurlijk maken ze de film af.'

Of niet.

Angst is een ziekte die steeds opnieuw uitbreekt. De malaria van de ziel. In Westerbork werden de mensen er om de week door overvallen. Na elke doorstane aanval een korte fase van geruststelling, van schijnbaar welzijn. Dan de volgende fase van stijgende koorts. De volgende paniek. Altijd op maandag.

Op dinsdag tegen de middag vertrok het transport naar het oosten. Naar Auschwitz of Theresienstadt. Soms naar Bergen-Belsen. Als de veewagons definitief waren gesloten en vergrendeld, als niemand meer een krijtje pakte om de getallen op de deuren te veranderen, zestig, zeventig, tachtig personen – 8 PAARDEN OF 40 MAN, wat is dat lang geleden –, als de trein zich eindelijk in beweging had gezet, als de stoom uit de locomotief alleen nog een herinnering was, dan zakte de koorts. Dan was je bevrijd. Verlost. Overmoedig. Zoals wij ons als soldaat voelden als we uit de voorste loopgraaf terugkwamen en het er levend hadden afgebracht. Natuurlijk hadden we medelijden met degenen die het loodje hadden gelegd. Maar alleen in ons hoofd.

Niet in onze buik. Niet waar de gevoelens zitten.

Er werden nooit zoveel schunnige moppen getapt als wanneer we dan terugkeerden in ons kwartier. Als het leven tegen alle verwachting in toch nog doorgaat, is voortplanting het eerste waar je aan denkt.

In Westerbork speelden ze cabaret. Altijd op dinsdagavond.

Woensdag was een gewone kampdag. Donderdag ook nog. Op vrijdag was de illusie dat deze week in tegenstelling tot alle andere eeuwig zou duren, niet meer vol te houden. Uiterlijk op zaterdag brak de koorts weer uit. De volgende aanval. Malaria westerborkiana.

Op maandagavond, dat wisten we, zouden in de barakken weer de namen worden voorgelezen. Het vonnis: dient zich gereed te houden voor transport.

In Theresienstadt delen ze die bekendmaking uit op smalle strookjes papier. 'Noedels' worden ze genoemd.

Elke week duizend man. Westerbork is een betrouwbaar bedrijf. Berlijn beveelt, Amsterdam bestelt en Westerbork levert. De ene wagonlading na de andere. Betrouwbaar en precies. Mensen van goede kwaliteit. Sterk en gezond. Met gegarandeerd niet meer dan veertig graden koorts. De leveringen zijn tenslotte voor de tewerkstelling bestemd.

Zeggen ze.

Maar zelfs ziekte vrijwaart iemand niet altijd voor transport. Als het mensenmateriaal niet toereikend is – en het is nooit toereikend –, vullen ze de wagons op met alles wat er is. Met invaliden. Oude mensen. Kinderen. De SS maakt het niet uit. Voor de statistiek is een judde een judde. De getallen moeten kloppen. Iedereen kan de dupe zijn. En omdat dat zo is, stijgt elk weekend de koorts. Breekt de ziekte opnieuw uit. De onzekerheid. De angst.

Het eerste symptoom zijn altijd de geruchten. Het Sprookjes Agentschap denkt elke week heel precies te weten wie deze keer de dupe zal zijn. 'Hij is erbij,' wordt er gefluisterd. 'En zij ook.' Iedereen beweert zijn informatie uit betrouwbare bron te hebben. Rechtstreeks uit de eerste dienstafdeling. Hij beweert de namen gehoord te hebben van Kurt Schlesinger zelf, het almachtige diensthoofd dat het op zich genomen heeft om voor de SS zijn handen vuil te maken. Hij besluit wie mag blijven en wie mee moet. Zoals hier Eppstein.

'Wie zal leven en wie zal sterven,' bidt de valse rabbi. 'Wie op zijn tijd en wie vóór zijn tijd, wie door vuur en wie door water, wie door honger en wie door dorst, wie door storm en wie door ziekte, wie rust zal hebben en wie onrust.'

Opa formuleerde het eenvoudiger: 'We rijden met de trein, wie rijdt er mee?'

Iedereen probeert goede maatjes met Schlesinger te worden. Op een van de lijsten te komen die vrijwaren voor deportatie. Zouden moeten vrijwaren. Er zijn steeds weer nieuwe lijsten en allemaal, allemaal zijn ze geannuleerd. De diamantslijperslijst. De Portugezenlijst van de Sefardische Joden. De Barneveldlijst van de rijken en prominenten, waarop je voor veel geld een plaats kon kopen. De lijst van de arbeiders in de wapenindustrie, die voor de eindoverwinning allemaal onmisbaar waren en daarna toch werden afgedankt. De lijst van de mensen met een gemengd huwelijk. Die voelden zich het veiligst. Tot Aus der Fünten hen op een dag voor de keus stelde: sterilisatie of deportatie. Hij was zo vriendelijk hun een halfuur bedenktijd te geven. De lijst van de pioniers met het Palestinacertificaat, die niet gedeporteerd mochten worden omdat ze bestemd waren voor uitwisseling tegen in Palestina geïnterneerde Duitsers. Toen ook die lijst werd geannuleerd, werd er in Westerbork gezegd dat die hele uitwisseling, die *Austausch*, maar een grap was geweest, een *Austauschwitz*. Ha, ha, ha.

Ik stond zelfs op twee lijsten. De ene, die van de onderscheiden frontstrijders, heeft me in elk geval voor Auschwitz behoed. Het ijzeren kruis is de sleutel tot het paradijs Theresienstadt. De andere was Gemmekers privélijst. De mensen die hem moesten amuseren in het cabaret. Zonder mijn ziekte had die lijst me waarschijnlijk nog langer verzekerd van een brits in Westerbork. Maar ik heb mijn optreden gemist en daardoor lag ik er bij Gemmeker uit.

Doet er niet toe. Intussen zijn de collega's ook allemaal in Theresienstadt.

Week in week uit hetzelfde. De wetenschap dat elke zekerheid niet meer dan een illusie was. Dat elke reddingsboot vroeg of laat lek zou slaan. Elke week die angst. Dat was het ergste.

Tot dan toe.

In de oorlog verwachtten we bescherming van de kuilen waarin we ons verschansten. In het kamp zoek je dekking achter een functie. Verberg je je achter je eigen nuttigheid. 'Elke *parch* een monarch.' zeggen ze hier. Wie deportatielijsten invult, staat er zelf niet op. Wie anderen onmisbaar verklaart, is zelf onmisbaar. Wie voor de SS een film maakt, gaat niet op transport.

Ik heb nog steeds niets gehoord. Niet van Rahm en niet van Eppstein.

Westerbork was oorspronkelijk – nog voor de oorlog – een interneringskamp voor emigranten uit Duitsland. Het was hun gelukt Nederland in te komen, maar de Nederlanders wilden hen niet echt hebben. Dus zetten ze een paar gebouwen voor hen in het zand en stuurden de rekening naar de Joodse gemeenschappen. Er zijn mensen die daar al sinds de eerste dag vastzitten. Ze worden de 'ouden' genoemd en benijd om de privileges die ze in de loop der jaren hebben verworven. Ze wonen nog altijd in de huisjes waarmee het kamp ooit is begonnen en leven daar maar met z'n vijven of zessen in één kamer, terwijl nieuwkomers blij mogen zijn als ze een plekje vinden in een van de grote barakken. Samen met een paar honderd anderen. Zelfs dat lukt niet iedereen. Na de opheffing van de Joodse Raad kwamen er zoveel mensen tegelijk in Westerbork aan dat de registratiebarak het werk niet aankon. Toen moesten een hoop mensen buiten overnachten. Een paar dagen maar. Op dinsdag reed er weer een trein naar Auschwitz.

De 'ouden' zijn allemaal Duitsers. Wat de Nederlandse gevangenen het gevoel geeft dat ze zelfs in het kamp door moffen worden geregeerd. Ze mogen elkaar niet. Er is niets wat hen verbindt, behalve dat ze met dezelfde trein zijn ontspoord. Een gezamenlijk lot maakt niet automatisch solidair. Alleen de kinderen kunnen goed met elkaar overweg en spelen vrolijk *Transport*. 'Zwarte katte, weiβe katze, heeft de maus schon in zijn tatze.' Een ander lievelingsspelletje van hen heet *Vliegende Colonne*. Twee kinderen zijn de zieken en worden in kruiwagens gelegd. Dan begint de race, steeds de Boulevard des Misères op en neer. Alleen op dinsdag mag er geen *Vliegende Colonne* worden gespeeld. Dan is de echte colonne onderweg. Ze hebben van die speciale karren met grote wielen waarin ze bedlegerigen samen met hun bagage naar de deportatietrein vervoeren.

De beige overalls met de VC-mouwbanden zijn gewild. Wie andermans koffers sjouwt, hoeft niet zijn eigen koffers naar de trein te brengen. Ook in de Vliegende Colonne zijn de baantjes allemaal stevig in Duitse handen. Net als de hele Joodse Ordedienst. De commandant ervan paradeert graag met glimmende laarzen door het kamp en doet Germaanser dan de hele SS. Je kunt de Joden uit Duitsland verdrijven, maar Duitsland niet uit de Joden.

Ik maak niemand een verwijt. Oorlog is net film: de beste plaatsen zijn achterin. Ze hebben een granaattrechter gevonden en duiken erin weg. Trekken hun hoofd in als het trommelvuur begint. Wij schaamden ons toen ook niet als er in de loopgraaf voor anderen geen plaats meer was. 'Zo staat het al in de Talmoed,' zegt de valse rabbi. 'Als ík niet voor mij ben, wie is er dan voor mij?'

Niemand. In Westerbork niet.

In Theresienstadt niet.

Bij de leden van het kamptoneel was het niet anders. Hun scherfvrije plek was het schijnwerperlicht. Elke dinsdagavond traden ze op. Niet omdat ze het zo leuk vonden om de SS met vrolijke grappen aan het lachen te maken. Maar zolang Gemmeker zich op de eerste rij goed amuseerde, waren ze veilig. Van de medewerkers van de revues was er tot nog toe niet één op transport naar het oosten gegaan. Dus zongen ze opgewekte liedjes en ensceneerden ze grappige donkerslagen.

Ha, ha, ha.

'Speel voor je leven,' zei Fehling altijd voor een première. In Westerbork deden ze dat.

Nee, dat klopt niet. Niet helemaal. Er was nog iets. Het plezier dat je iets teweeg kunt brengen. 'Iemand móét lachen,' wordt er gezegd. Móét. Als Max Ehrlich een grap lanceerde, moest ook de SS, moest ook Gemmeker lachen. Zolang ze nog dat laatste pietsje macht hadden, waren ze niet zomaar hulpeloze gevangenen. Waren ze nog steeds zichzelf. Acteurs. Musici. Dansers. Zoals ik nog steeds regisseur ben. Zolang ik die film maak.

Als die film tenminste nog bestaat.

Het kamptoneel was tegelijk hun reddingsboot. Iedereen die er ook in wilde om de krappe plaats met hen te delen, iedereen die een van hen dreigde te verdringen, was een gevaar. Een concurrent. Het was daar niet meer Amsterdam, waar we gewoon collega's waren. Het was daar niet meer Berlijn.

Ah, Berlijn! Zo ver weg. Een andere tijd. Een andere planeet.

Als ze hadden gekund, hadden ze me met de roeispanen op mijn vingers geslagen. Tot ik had losgelaten. Door de golven was weggevoerd. Aan de horizon was verdwenen. 'Jammer,' hadden ze dan gezegd, 'nu hebben de haaien hem toch nog opgevreten. Maar wat hadden we moeten doen? Ieder is zichzelf het naast.'

'Als ík niet voor mij ben, wie dan wel?'

Maar ze konden niet gewoon doen alsof ik niet bestond. Gemmeker wilde me op het toneel zien. Ze hadden geen keus.

'We bedenken wel iets voor je,' zeiden ze. 'Bekijk eerst ons programma maar eens.'

Op dinsdagmiddag wordt in Westerbork altijd het toneel opgebouwd. Nog altijd? Ik weet het niet. Alle sterren zijn nu hier. In mijn tijd was het zo: het moest vlug gaan, want eigenlijk had de grote barak een heel andere functie. Daar werden de nieuwelingen geregistreerd. Op dagen dat we voorstelling hadden, kon het gebeuren dat wij de ruimte al in bezit namen, terwijl er nog een rij nieuwkomers uit Amsterdam op kamp- en levensmiddelenkaarten stond te wachten. Dat het orkest de instrumenten al stemde, terwijl de typemachines nog ratelden. Tot we de lange tafels voor de neus van de mensen weghaalden. De bakken met de systeemkaarten ergens anders neerzetten. De wachtenden beloofden dat ze de volgende dag aan de beurt kwamen. Het spijt ons, maar de stoelen voor de toeschouwers zijn nu belangrijker. De voorstelling gaat voor. Die moet op tijd beginnen. Op het moment dat Gemmeker gaat zitten, moet het doek opgaan.

Het doek. Echt fluweel. Hier wordt nergens op bezuinigd.

Ook toneelknecht is een baantje dat vrijwaart voor deportatie.

Het toneel is niet zomaar van podiumonderdelen in elkaar geflanst, maar met veel zorg geconstrueerd. Max Ehrlich, die daar voor theaterdirecteur speelt – speelde –, heeft me de constructie vol trots uitgelegd. Een zwevende vloer, zoals dansers die graag hebben. Hoewel de Westerbork-Girls die daar met de beentjes zwaaien, geen professionals zijn. Maar wel mooie meisjes. De rokjes zo kort dat een verkeerde pas niet storend is.

Max maakte me attent op een plek rechts vooraan op de podiumvloer. 'Hier moet je oppassen,' zei hij, 'anders struikel je.' In een van de planken zat een gat waarin je makkelijk met de punt van je voet kon blijven hangen. 'Ziet eruit als een sleutelgat,' zei ik. 'Slimmerik,' antwoordde Max. 'Dat is het ook.'

Voor het podium hebben ze hout uit een verwoeste synagoge gebruikt. Ook de deur van de Thorakast.

Planken die de wereld betekenen.

Max was zo trots op zijn theater. Hij deed me aan Aufricht denken, toen bij *De driestuiversopera*. Die had ook het liefst in de toneelkelder overnacht omdat alles nu van hem was. Alleen was het bij Aufricht het begin van een carrière en bij Max ...

Toen ze hem naar Theresienstadt hadden gestuurd, kwam hij bij me. De lichaamshouding van een bedelaar. Een wrak. Een geslagen hond. Hij vroeg of hij alsjeblieft, alsjeblieft bij mij in Karussell mocht optreden. 'Ik kan nog steeds heel grappig zijn,' zei hij. En hij begon te huilen. Oudemannentranen. Hij is maar vijf jaar ouder dan ik.

Het is allemaal zo triest.

In Westerbork was hij iemand. Hoofd van het kamptoneel. Intendant. Hij heeft me heel trots de vooruitgang beschreven die ze sinds hun eerste programma hadden geboekt. Van een ontstemde piano naar twee eersteklas concertvleugels. Bezorgd door de firma Puls. Ze konden krijgen wat ze wilden. Als ze bij de kampwerkplaatsen decors of kostuums bestelden, bleven de andere opdrachten liggen. Wat ze niet zelf konden maken, werd in Amsterdam gehaald. 'Commandant Ludwig maakt het mogelijk,' zei Max. Ik begreep niet meteen wat hij daarmee bedoelde. Gemmeker heet Konrad. Maar de leden van het kamptoneel noemden hem stiekem Ludwig. Naar de gekke Beierse koning, die voor zijn privévoorstellingen ook niets te duur vond. Ze zeiden dat Gemmeker die bijnaam kende en er trots op was. Hij dacht zeker alleen aan de koning en niet aan zijn gekte.

Podium, decor, verlichting, alles als in een echt theater. Er was zelfs een programmaboekje, vermenigvuldigd met de hectograaf. Alleen de aantekening *Men wordt verzocht de programmaboekjes na afloop van de voorstelling weer af te geven* herinnerde eraan dat je je niet in een Berlijns cabaret bevond.

Maar verder ging het er echt op z'n Berlijns aan toe. Twee lievelingen van het publiek, Johnny en Jones, kwamen niet in het vaste ensemble omdat ze hun liedjes alleen in het Nederlands zongen. Daar hield Gemmeker niet van.

'We zijn telkens uitverkocht,' zei Max en daar wilde hij echt om bewonderd worden. Ook op dat punt leek hij op Aufricht, die net zo opdringerig met de afrekeningen van de kassa rondging als een jonge vader met de foto's van zijn spruit. 'We zouden veel meer voorstellingen kunnen geven,' zei hij.

Maar dat wilde Gemmeker niet. Alleen op dinsdag, had hij bepaald. Alleen na het vertrek van de deportatietrein. Als het kamp na alle angst en wanhoop, na al het losscheuren en afscheid nemen, afleiding nodig had. Revue als kalmeringsmiddel. Gelach en applaus om de verschrikking te doen vergeten. Zoals je een graf dichtgooit. Om de dode niet meer te hoeven zien.

Waarschijnlijk heeft Gemmeker niet zo ver doorgedacht. Waarschijnlijk lieten de kampbewoners hem koud en was hij alleen geïnteresseerd in zichzelf. Als het werk er weer voor een week op zit, zal hij gedacht hebben, als je alles netjes en zorgvuldig hebt afgehandeld, als je de bestelde mensen op tijd op de trein hebt gezet en afgevoerd – dan mag je jezelf best belonen met een gezellige avond in het cabaret.

'Zure weken, blijde feesten.' Dat wist Goethe al.

De mensen verdrongen zich voor de voorstellingen. Al een uur voor ze binnen mochten, stonden ze in de rij. Op sommige dinsdagen kon je 's avonds om zeven uur voor de deur van de registratiebarak twee rijen naast elkaar zien staan: de eerste theaterbezoekers en de laatste nieuwkomers. Die dan de dinsdag daarop ook naar de revue stroomden. Als ze niet al waren doorgestuurd.

Er werd gevochten om de goede plaatsen. Die begonnen in de vierde rij. De derde bleef leeg, ook als het erg druk was. Daar wilde niemand zitten. Want in de eerste twee zat de SS. Gemmeker op de ereplaats. In burger. Als hij de zaal binnenkwam, stonden de toeschouwers op en wachtten ze tot hij met een minzaam gebaar toestemming gaf om te gaan zitten. Ludwig II. Voor wie natuurlijk geen gewone stoel klaarstond, maar een fauteuil. Een tafeltje voor zijn wijnglas en zijn asbak. Hij rookte goede sigaren. Ik heb ze geroken. Naast hem zat zijn secretaresse, juffrouw Hassel. Het hele kamp wist dat ze ook zijn minnares was. Maar daar maakte zelfs Max Ehrlich geen grappen over.

Verder liet hij zijn grappen los op beide helften van het publiek. Een woordkunstenaar op het slappe koord. Altijd met het risico omlaag te storten. In de uitvoering die ik heb gezien – ik was alleen, Olga had geweigerd mee te gaan –, zei hij meteen in zijn openingsconference: 'Wij stammen toch allemaal van Abraham af.' En toen, alsof hij zich had versproken: 'Neem me niet kwalijk – natuurlijk pas vanaf de derde rij.' Net als in het circus: als het niet levensgevaarlijk is, vindt het publiek het niet leuk. Ik zat in rij vier en kon de SS'ers gadeslaan. Bij de Abraham-grap keken ze allemaal geschrokken naar Gemmeker. Pas toen hij lachte, grinnikten ze ook.

Heel grappig. Typisch Joodse humor. Ha, ha, ha.

Als meneer de kampcommandant zijn duim omlaag had gestoken, hadden ze Ehrlich net zo gedienstig doodgeslagen. En zich daarbij even goed geamuseerd. Of ze hadden hem op de volgende trein naar Auschwitz gezet.

Het moet toen de laatste voorstelling van die revue geweest zijn. Daarna konden ze het programma niet meer spelen, doordat hun ster in één klap arisch was geworden. Camilla had drie grote nummers en ze was in alle drie grandioos. 'Je hebt iets gemist,' zei ik na afloop tegen Olga en ze antwoordde: 'Sommige dingen moet je missen.'

Natuurlijk was niet alles topklasse. Omdat Gemmeker van zoiets hield, waren er ook een paar saaie oer-Duitse kostuumnummers. Met zorg gemaakt. Ook de teksten. Ik herinner me een nostalgische wals en een biedermeieridylle, waarbij een complete postkoets op het toneel stond. 'We hebben nog alle tijd,' zongen ze en: 'Het is nog geen afscheid.' Bij die zin werd er niet gelachen, hoewel het toch een briljante, zij het vreselijk wrange grap was. 'We hebben nog alle tijd.'

Tot de volgende dinsdag.

Misschien was het helemaal geen grap. Misschien was het een gebed. 'Het is nog geen afscheid.' Laat het alsjeblieft nog geen afscheid zijn.

Ook het gewone kampleven kwam een paar keer aan bod, liefdevol verdraaid tot een idylle. Als het publiek werd aangespoord om mee te zingen, deinde de hele barak. Er waren er maar een paar die te midden van al die vrolijkheid met een begrafenisgezicht bleven zitten en de handen niet op elkaar kregen. Ze waren gekomen om te vergeten, maar het was hun niet gelukt.

Max Ehrlich schitterde met zijn imitaties van grammofoonplaten. Dat was een nummer dat het altijd al goed had gedaan. Ik bewonderde hem zeer in die tijd. Omdat alles bij hem zo luchtig was. Alleen even aangestipt, of hij nu deed of hij blank stond of voor conferenser speelde. Ach, mama. Een hele avond vrolijke onzin produceren, dat moet enorm vermoeiend voor hem geweest zijn. Maar het was niet aan hem te merken. Een groot kunstenaar.

Tegen mij zei hij toen: 'Als Jood heb je tegenwoordig twee mogelijkheden: je ophangen of moppen tappen. Voorlopig geef ik nog de voorkeur aan moppen.'

Intussen vertelt hij die niet meer. De last van zijn ervaringen heeft zijn stem afgeknepen. Ze hebben hem de humor afgeleerd, de barbaren.

Humor en melodie heette het programma. Voor de melodie tekende Willy Rosen. Maar dat werkte niet. Hij had toen al niet meer de kracht om luchtig te doen. Weliswaar juichte de barak nog steeds als hij voor een lied met zijn beroemde aankondiging kwam: 'Tekst en muziek van mij!' Maar als hij dan zong, had je het gevoel dat hij zichzelf nadeed. Zoals Max Ehrlich in zijn grammofoonplatennummer al die bekende zangers had nagedaan. Alsof een tweederangs pianokomiek de beroemde Willy Rosen probeerde te imiteren.

Hij was niet opgewassen tegen de werkelijkheid. De werkelijkheid dat wij in een barak in een deportatiekamp zaten, dat een paar uur daarvoor de trein naar Auschwitz was vertrokken, dat buiten de wind gierde en zand door de kieren blies. Dat alles moest hij ons met zijn liedjes doen vergeten. Max Ehrlich speelde dat klaar. Bij Rosen merkte je dat hij zelf niet meer in zijn vrolijkheid geloofde. *Mevrouw Meier danst de tango* zong hij en *Je vergeet je zorgen bij de charleston.* Maar je vergat ze niet. De mensen klapten weliswaar in de maat, maar ze waren alleen enthousiast om niet wanhopig te hoeven zijn.

Bij de laatste sketch van die avond was voor mij de cirkel rond. Een parodie op de school. Een van de acteurs in korte broek zei: 'Ik weet al hoe je kinderen krijgt.' Waarop de ander: 'Jeetje, wat ben jij stom! Ik weet al hoe je ze niet krijgt.' Die grap had het ook in het invalidenhuis al goed gedaan.

Alleen was ik nu een van de bewoners.

Ook de volgende kamprevue had weer zo'n onuitstaanbaar opgewekte naam. *Bravo! Da capo!* Ehrlich en Rosen hadden mij daarin met tegenzin een lied gegeven. Eén heel lied. Voor een ster als ik. Die een publiekstrekker was geweest. Voor hij de carrièrestap naar gevangene zette. Eén rottig lied.

Vreemd: ik kan me mijn ergernis van toen nog wel herinneren, maar niet meer voelen. Alsof mijn emoties zijn gestorven. Verkommerd. Verschrompeld. Alleen het verdriet is er nog. De angst. Maar alles waar kracht voor nodig is, ergernis, woede of hoop, dat breng ik niet meer op. Lege notendoppen. Ik weet zeker dat dokter Springer er een verklaring voor zou hebben. Misschien heeft het met de honger te maken.

Eén lied hebben ze me minzaam gegund. *Jaloezie.* Een nummer dat al in Berlijn de mist in was gegaan. Ik als Othello. Met een zwart geschminkt gezicht. Ik geloof dat ze het alleen hebben uitgekozen omdat ik een halfuur nodig zou hebben om mijn gezicht weer schoon te krijgen. Zodat ze konden zeggen: 'Het spijt ons. We hadden je graag nog vaker in het programma opgenomen. Maar voor jij afgeschminkt bent, is de voorstelling al afgelopen. Jammer, jammer.' In het slotnummer mocht ik nog wel meezingen. Tweede rij, derde van rechts. Ik. Kurt Gerron.

Terwijl ze in het tweede deel van het programma *Strijkkwartet* speelden. Een klucht met een rol die geknipt voor mij was. Maar hij werd me niet gegund.

'Zie het als een compliment,' zei Olga. 'Het is gewoon angst dat je ze onder de tafel zult spelen.'

Angst kan ik begrijpen.

Al twee dagen zit ik hier in de kamer te wachten tot iemand iets van me wil. Tot iemand me iets vertelt. Als de film niet wordt gemaakt, denk ik de hele tijd bij mezelf, dan heeft Rahm me niet meer nodig. En als hij me niet nodig heeft ...

Angst kan ik heel goed begrijpen. Hij slaat alweer op mijn maag.

Net als toen.

Ik heb hun een plezier gedaan en ben ziek geworden. De grote schijterij. Amoebedysenterie luidde de diagnose. Maar het was angst.

In de ziekenboeg van Westerbork waren artsen genoeg. Alle dokters uit Amsterdam en Den Haag waren in het kamp terechtgekomen. Vol angst dat ze er niet konden blijven. De beste specialisten. Een halve medische faculteit. Ze liepen elkaar voor de voeten. De een probeerde nog onmisbaarder te zijn dan de ander. Omdat alleen degenen die heel onmisbaar waren, niet vroeg of laat op transport gingen. Soms stonden ze met z'n vieren aan mijn brits. Maar ze hadden ook niet meer te bieden dan Latijnse vaktermen en geruststellende woorden. Als het echt amoebiasis was, zouden er effectieve medicijnen tegen geweest zijn. Alleen waren die in Westerbork niet te krijgen. Maar met wat ze wel hadden, konden ze in elk geval voorkomen dat je eraan kapotging, zoals onze primus Hanselmann. 'Hij zal kenbaar gemaakt worden.'

De eerste twee weken kwam ik niet meer van de ondersteek. Ik weet nog hoe trots ik was toen ik voor het eerst weer op tijd de latrine haalde.

Trots. Ook zo'n gevoel dat alleen nog een herinnering is.

Als zorgzame collega's brachten Ehrlich en Rosen het programmaboekje aan mijn bed. Ze lieten me mijn naam zien. *Jaloezie ... Kurt Gerron*. Zodat ik tenminste wist dat ik inderdaad zou hebben opgetreden. Als ik had kunnen optreden. Ze vertelden me over een groot succes. Gemmeker had een fles cognac achter het toneel laten brengen. 'Echte Franse,' zei Max. Met een gezicht alsof hij applaus verwachtte.

Hetzelfde gezicht dat ik ook zou zetten als Rahm mijn film prees. Het dankbare slavengezicht.

Ik heb het programmaboekje niet bewaard. Bij de volgende aanval heb ik er mijn kont mee afgeveegd.

Bij de première was ik er dus niet bij. En bij de tweede voorstelling niet en bij de derde niet. Ook niet op de dinsdag dat Hauptsturmführer Brendel in Westerbork op bezoek was. De man uit Ellecom. Die mij voor zijn verjaardag cadeau had gekregen omdat hij zo enthousiast over me was. Gemmeker liet informeren of ik niet ten minste die ene keer kon optreden. De man die hij naar me toe stuurde, ontdekte me op de latrine. Ik had krampen en bloed in mijn ontlasting en kon alleen mijn hoofd schudden.

Je moet een kampcommandant niet teleurstellen. Zeker niet als hij gasten heeft op wie hij indruk wil maken. Wie op het verkeerde moment op de pot moet, kan de pot op.

Daarna kon ik mezelf niet meer wijsmaken dat ik toch nog met de revue mee zou doen. Ik moest toegeven dat ik die reddingsboot eens en voor altijd had gemist. De ark was weggevaren.

'U gaat vooruit,' zeiden de vele artsen op een gegeven moment. 'Binnenkort kunnen we u ontslaan.' In Westerbork was dat geen belofte, maar een dreigement. Ontslagen uit de ziekenboeg betekende ook: geschikt voor transport.

'Je moet alles niet zo somber inzien,' zei Olga. 'Ik maak me geen zorgen om ons.' Ze is een fantastische vrouw. Maar ze heeft niet leren liegen.

Toen ik weer gezond werd verklaard, was ik het nog lang niet. Ik ben het ook nooit meer geworden. Niet echt. Ik hoefde alleen niet meer alle dagen op de latrine door te brengen.

Ik was twaalf kilo afgevallen. Ik stond zo zwak op mijn benen dat de Boulevard des Misères me bij mijn eerste passen eindeloos lang leek. Wie verzint er zulke namen? Het was de hoofdstraat van het kamp, verder niets. Het perron voor de treinen naar het oosten. Misères, ja. Maar Boulevard? Ik moest op Olga steunen en voelde me een stokoude man.

Nu weeg ik nog eens twintig kilo minder. Misschien wel dertig. Ik heb geen weegschaal en mis hem ook niet. Ik heb geen behoefte aan een statistiek van mijn aftakeling.

Op de dag dat ik weer gezond werd verklaard, was het koud. Ondanks mijn dikke jas liep ik te rillen. De wind blies zandkorreltjes in mijn gezicht. Het leken wel scherpe naalden. Ze deden me denken aan de voettocht die ik als kind met papa had gemaakt. Van Kriescht naar Nesselkappe. Toen kon ik het onaangename van die belevenis nog wegfantaseren. Ik was een dappere soldaat of een onverschrokken poolonderzoeker. Nu ging dat niet meer. Er waren niet genoeg dromen meer om me in te verstoppen.

In de lucht de geur van verbrand hout. Van rook. Van de vele kacheltjes die in de barakken vergeefs de strijd aanbonden met de kou. De lucht egaal grijs. Niet alsof er wolken waren, maar alsof de zon het voorgoed had opgegeven om de aarde nog te verlichten. Alle kleuren verbleekt. In die lichtsfeer had ik de film moeten opnemen waarover ik met Lorre zo lang heb zitten mijmeren: een man is gestorven en heeft het alleen nog niet gemerkt. Zo voelde ik me.

'Je wordt weer helemaal beter,' zei Olga en ik dacht: Waarvoor?

Mijn gevoelens waren gestorven.

We bleven staan. Ik duwde mijn gezicht in haar haar en snoof de geur ervan op.

Ach, Olga, je haar.

Het begon te miezeren. Een fijne, koude regen. Alsof hij eigenlijk sneeuw had willen worden, maar de poging had opgegeven. Waarom je inspannen? Je eindigt toch in de modder van Westerbork.

Mijn benen wilden niet meer. Nergens een zitplaats. Ik hurkte op de natte grond en was dankbaar dat de regendruppels op mijn gezicht de tranen verdoezelden.

Ik zie het nog voor me als op een foto.

Bij een film is de keuze van de setfoto's altijd cruciaal. Als ze later voor de bioscopen hangen, moeten ze het hele verhaal samenvatten. Er worden dan altijd lange discussies gevoerd of die foto belangrijker is of die.

Het leven maakt die keuze toevallig. Wij hebben geen invloed op wat er wel en niet in onze hersenen wordt gegrift. Onze herinnering heeft geen reclameafdeling die zich met zulke dingen bezighoudt.

Er is in mijn leven nooit een belangrijker moment geweest dan mijn eerste ontmoeting met Olga, maar ik weet niet meer hoe ze er toen uitzag. De setfotograaf heeft zitten pitten. Maar die stomme vloer in Thalmanns praktijk in Hamburg, het onbelangrijkste van het onbelangrijke, die heeft hij opgenomen. Die zou ik nu nog kunnen beschrijven. De trui van de grote jongen in Kriescht is er nog. Maar wie er naast mij over de rand van de loopgraaf kroop op de dag dat ik door de granaatscherf werd getroffen, dat ben ik kwijt. Het hoofd spaart zijn close-ups graag op voor bijkomstigheden. Het urinoir in het Künstler-Café. De idiote laarzen van Von Neusser. De zeilboot op de wijzerplaat in De Kroon. En dus het moment dat ik op de Boulevard des Misères in de regen op de grond zit en voor het eerst niet meer alleen in theorie weet dat ook mijn leven niet oneindig is.

Niet oneindig. Wat een subtiele formulering. Zelfs in je eentje kun je het liegen niet laten.

Natuurlijk – je hoeft geen medicijnen gestudeerd te hebben om dat te begrijpen –, natuurlijk had dat voorgevoel van de naderende dood ook iets te maken met mijn verzwakte toestand. Met het feit dat ik was vermagerd. De ziekte was niet alleen een zware dieetkuur geweest, bij mijn eindeloze bezoeken aan de latrine had ik ook een deel van mezelf uitgescheten. Onherroepelijk. Een stuk van mijn innerlijke pantser. Waarachter zich nog altijd het tengere, onhandige ventje verborg dat ik ooit was geweest.

Dat ik nog altijd ben.

Dat zo vreselijk bang is voor de dood.

Niet voor het sterven. Dat heeft voor mij tegenwoordig niets angstaanjagends meer. Ik ben niet bang voor het moment waarop je uit het leven wordt weggerukt. Aan het front, ja, toen deed die angst ons elke dag sidderen. Maar dat is voorbij. Sinds die verregende wandeling langs de spoorlijn ben ik alleen nog bang om er niet meer te zijn. Om niet meer te bestaan. Om volkomen vergeten te worden.

Ze zijn me niet vergeten. Bij het volgende transport hebben ze me op de lijst gezet. *Gerson, Kurt, genoemd Gerron. Gerson, Olga.*

Het ging er allemaal zo geciviliseerd aan toe. Zo beschaafd. Zo persoonlijk. Ik had het beter verdragen – nee, niet beter verdragen: beter begrepen – als ze ons uit een gevangeniscel hadden gehaald. Geboeid naar de trein hadden gesleurd. In gevangeniskleren. Maar zo was het niet. Westerbork, dat was *Hamlet* bij Jessner: tragedie in het verkeerde kostuum. Bij Jessner liepen ze allemaal in rokkostuum, en of iemand koning was of geest, dat moest je je maar voorstellen.

Wij hadden geen rokkostuum. Onze plunje was armzaliger. Meegebracht uit Amsterdam of gekregen in het kledingmagazijn. Op de broek zat een lap van een andere stof. De revers van het jasje rafelden. En de hemden ... 'Izabelkleurig,' zou papa gezegd hebben. Ongestreken en meestal ongewassen. Maar ze hielden de schijn op. Tijdens de economische crisis boden de werklozen zich zo op straat aan. Niets meer in de maag, maar toch nog een stropdas om de hals: 'Ik accepteer elk werk.' Onze tekst zou een andere geweest zijn: 'Ik accepteer elk asiel.' Maar er was geen asiel. Er was alleen elke dinsdag de trein.

Je kende de regels voor de maandagavond en hield je eraan. Je ging braaf in de barak op je brits zitten wachten tot de namen bekend werden gemaakt. Je ordende nog een keer je spullen. Waarvoor je geen andere plaats had dan je eigen matras. Als mama nerveus was, ruimde ze haar linnenkast opnieuw in. Waar mijn armzalige bezittingen in Westerbork vijf keer in hadden gepast. Je gaf niet toe dat je bang was. Je maakte zelfs een praatje. Wisselde met de man op de brits naast je de nieuwste geruchten over de oorlog uit. Liet je voor de tiende keer vertellen wat voor een vooraanstaand man hij voor de intocht van de Duitsers was geweest. Maar over wat je echt bezighield, praatte je niet.

Daar waren we te beschaafd voor.

De man van de eerste dienstafdeling brulde niet als hij de transportlijst voorlas. Niet zoals Von Neusser toen hij me uit mijn eigen studio mocht gooien. Integendeel. Hij vond het pijnlijk dat hij slecht nieuws bekend moest maken. Hij praatte zachtjes. Je eigen naam versta je altijd.

Gerson, Kurt, genoemd Gerron.

De man op het bed boven me was er ook bij. Hij huilde en wilde zich daar tegelijk voor verontschuldigen. 'Het spijt ...' begon hij steeds weer. Hij kreeg het laatste woord niet over zijn lippen omdat hij schokte van het snikken. 'Het spijt ...' Ik hoor hem nog.

Je had ook de anderen, de hebberigen. De aasgieren. Ook zij namen de vormen in acht. 'Neemt u me niet kwalijk,' zeiden ze heel beleefd, 'weet u al of u uw scheermes wilt meenemen? Ik krijg het mijne niet meer scherp.' En je antwoordde niet: 'Natuurlijk heb ik mijn scheermes nog nodig. Waarmee moet ik anders mijn polsen doorsnijden?'

Zoiets doe je niet.

Er is zo'n verhaal over een aristocraat die in de stromende regen op een kar naar de guillotine wordt gereden. 'Het spijt me oprecht, monsieur,' zegt hij tegen de beul, 'dat u met dit slechte weer ook nog terug moet rijden.' Zo gedroegen wij ons.

Olga wachtte op me voor de registratiebarak. Ze stond daar in de lichtkegel van die ene lantaarn en zag eruit alsof ze een rol in een toneelstuk speelde. We hadden dat trefpunt niet afgesproken, we hadden niets gepland. Daar waren we veel te bijgelovig voor geweest. Maar als je zo lang samen bent als wij tweeën, hoef je niet alles uit te spreken.

'Jij ook?' was het eerste wat Olga zei. En toen ik knikte: 'Dan ben ik gerust.'

'Gerust,' zei ze. Omdat het ook weleens voorkwam dat echtparen gescheiden werden.

Als je werd opgeroepen, wist je alleen dat je aan de beurt was. Je hoorde niet waar de reis heen ging. Maar ik stond op de lijst van frontstrijders. Ik bezat het ijzeren kruis. Ik was een prominent.

'Het zal wel Theresienstadt zijn,' zei ik. 'Dat is niet zo erg.'

'Weet je het zeker?'

'Heel zeker.' Hoewel dat natuurlijk niet zo was. Zoiets als zekerheid bestond allang niet meer. Maar ik wilde Olga geruststellen. Ik probeerde zelfs een grap te maken. 'Rosen en Ehrlich moeten nog blijven,' zei ik. 'Maar ik heb een solorol gekregen.' Ik geloof dat mijn stem toen niet trilde. Acteurs kunnen goed liegen.

'Zolang we maar samen zijn,' zei Olga.

'We zullen altijd samen zijn,' zei ik.

Clichés natuurlijk. Maar Joe May heeft gelijk: ze zijn effectief.

Het was geen lang gesprek. Daarna gingen we uit elkaar om onze spullen te pakken. Ieder in zijn eigen barak.

Olga bleef nog een keer staan. 'De oorlog kan niet lang meer duren,' zei ze. De grote toverspreuk van Westerbork. En van Theresienstadt. De methode-Coué voor kampbewoners. 'De oorlog kan niet lang meer duren. Het gaat elke dag in elk opzicht steeds beter met me.' Of, zoals papa het formuleerde: 'Dat wordt wel weer beter.'

En toen stierf opa.

Het gebeurde zelden dat ze iemand met geweld naar de trein moesten slepen. Het dreigement dat ze het zo nodig zouden doen, was voldoende. De SS'ers lieten de Vliegende Colonnes en de Ordedienst hun werk doen. Ze liepen de boulevard op en neer alsof ze maar toevallig hier waren. Over Furtwängler wordt verteld dat hij soms gewoon ophoudt met dirigeren en alleen nog naar de leden van het filharmonisch orkest luistert. Omdat hij bij hen niet bang hoeft te zijn voor valse tonen. Zo ook Gemmeker. Zijn goed ingespeelde deportatieorkest speelde foutloos.

Wij speelden allemaal mee.

Een van mama's stellingen uit Bad Dürkheim luidde: 'Een welopgevoed mens gaat nooit precies op tijd naar een partijtje, maar verschijnt altijd iets later. Al het andere zou onbeleefd zijn.' Maar wat is de correcte tijd om naar je eigen transport naar het oosten te gaan?

We waren allemaal precies op tijd. Te vroeg zelfs. Alsof we gewoon niet konden wachten. Ook een symptoom van malaria westerborkiana.

Ik had die nacht een nachtmerrie. Ik zat weer op het gymnasium en kwam te laat in de les. Ik stond voor mijn leraar Duits, ik heel klein en hij heel groot, en hij zei wat hij echt een keer tegen me heeft gezegd: 'Ik weet werkelijk niet wat er van jou terecht moet komen, Gerson. Jij zult nog te laat komen op je eigen begrafenis.'

Zelfs de man die mijn dromen schrijft, maakt zich vrolijk over me.

Het was nog donker buiten, en ik had mijn spullen al gepakt. Ik had de warme deken opgerold en bijeengebonden. Die daarna in de sluis van Theresienstadt werd gestolen. Ik had weggegeven wat niet meer in die ene toegestane koffer ging. 'Neem mijn scheermes gerust. Ik laat mijn baard wel staan.' Ik had afscheid genomen van de man op de brits naast mij. Had 'Tot ziens' gezegd en de woorden het liefst meteen weer ingeslikt. Omdat ze voor degenen die nog mochten blijven, als een vloek moesten klinken. 'Tot ziens in Theresienstadt. Tot ziens in Auschwitz.' Ik had al die zogenaamd troostrijke zinnen aangehoord die ik de vorige dinsdag zelf nog over de situatie had uitgesmeerd als camouflageschmink over een etterbuil. 'Kop op! Het zal wel loslopen! Onkruid vergaat niet!'

Klopt. Het wordt uitgetrokken.

Ik was nog een keer in de rij gaan staan voor het ontbijt, hoewel ik – ik! – geen honger had. Olga stond erop. 'We weten niet hoe lang de reis duurt en of we onderweg iets te eten krijgen.' Ze denkt altijd praktisch. In de rij wachtenden lieten de anderen ons voorgaan. Op een begrafenis ben je beleefd tegen de rouwenden. Tegen de doden helemaal.

We waren dus op tijd aanwezig. Gingen in de rij staan aan het eind waarvan de mannen van de Ordedienst de namen afvinkten. 'Kurt Gerson, genoemd Gerron. Olga Gerson.'

Ze hield de hele tijd mijn hand vast. Dat was het enige wat ze liet merken.

Een vrouw liep op Gemmeker af en wilde hem iets vragen. Hem om uitstel smeken. Ze werd niet met geweld weggeduwd. Hij zag haar niet eens en liep langs haar heen. Ze drong niet aan. Ze knikte alleen een paar keer alsof een akelig vermoeden zojuist was bevestigd. Ging weer in de rij staan.

Gemmeker aaide zijn hond. 'De enige niet raszuivere die hij graag mag,' werd er in het kamp gezegd. De setfotograaf in mijn hoofd fotografeerde de broek die over de schachten van zijn laarzen bolde. Allemaal heerrijders, die wereldbeheersers.

De mannen van de Ordedienst verstonden hun vak. Ze wisten blindelings waar de verschillende wagons zouden stoppen. Deelden ons al in groepen in om het instappen naderhand vlotter te laten verlopen. Waar Olga en ik heen werden gestuurd, stonden al een paar mensen van de Barneveldlijst te wachten. Allemaal rijk of prominent. Ze hadden relaties en verzekerden me dat onze wagon voor Theresienstadt bestemd zou zijn.

De Vliegende Colonne bracht de eerste invaliden. De handigheid waarmee ze de karren duwden en op een rij zetten, deed me denken aan de kruiers op het Anhalter Bahnhof. Toen ik klein was, was dat het beroep van mijn dromen.

'We rijden met de trein. Tjoeke tjoeke tjoek.'

Op een andere kar open kisten met proviand. Brood. Fruit. Groente. Waarschijnlijk bestemd voor het escorte. Wij hebben er tijdens de reis niets van gezien.

Toen kwam de trein binnen. Personenrijtuigen derde klas. Definitief Theresienstadt.

Er waren geen grote afscheidsscènes. Familieleden werden bij het inladen niet toegelaten. Emoties zouden het ordelijke verloop kunnen verstoren. Alleen een man van de Ordedienst omhelsde steeds opnieuw een ouder echtpaar. Hij wilde maar niet van hen scheiden. Het waren waarschijnlijk zijn ouders.

Niet meer dan acht man per coupé. Voor iedereen een zitplaats. Beschaafd.

We stelden ons aan elkaar voor als aan de table d'hôte van een deftig hotel. 'Ik heb u in *De driestuiversopera* gezien,' zei een man tegen mij. 'Fenomenaal.'

De hele scène was volkomen absurd. Op weg naar de hel speelden we groepsreis. Deden we of we niet hoorden hoe de deuren werden vergrendeld.

Toen de trein vertrok, keek een vrouw in de coupé op haar horloge. Alsof ze wilde controleren of de trein op tijd vertrok.

Alsof we haast hadden.

Dat kunnen ze niet maken. Dat kunnen ze me niet maken.

Zit ik daar dagenlang in mijn kamer te wachten op een bevel, op informatie, en intussen ...

Terwijl ik, idioot, net weer aan de film wilde gaan werken.

'Je hebt er niets aan als je de hele dag maar zit te kniezen,' zei Olga. 'Doe iets! Als ze doorgaan, moet je klaarstaan.'

Natuurlijk wilde ze me daarmee alleen geruststellen. Maar misschien zit er echt iets in. Even plotseling als alles werd afgelast, kan het ook weer worden aangekondigd. We hebben de opnamen van het Jiddisje stuk twee keer moeten onderbreken omdat de sirenes van het luchtalarm te hard loeiden. 'Russische vliegtuigen,' zei iemand. Misschien hebben ze de opnamen daarom stilgelegd. Wachten ze op een verandering in het frontverloop. Het Rode Leger moet al aan de Weichsel staan.

Of ... Er kunnen duizend redenen zijn. Misschien gaan ze morgen alweer door.

Dacht ik.

Ik vroeg Olga mevrouw Olitzki naar me toe te sturen. Ik mag mijn kwartier tenslotte niet verlaten. 'Ze moet alle logboeken meebrengen. De aantekeningen die ik ter plekke heb gedicteerd. Een typemachine, als het kan. En genoeg papier. Ik ga alvast beginnen met de voorbereiding van de montage.' Ons kumbal is niet de ideale werkplek, maar wat doet het ertoe? Dan zijn de margarinekisten gewoon een bureau.

We hebben goed materiaal, dat weet ik zeker. Heel gevarieerd. Met verschillende montagemogelijkheden. Natuurlijk zou het beter zijn als ik de opnamen kon bekijken, maar zo zal het ook wel gaan. We hebben uitgebreide notities. En al die tekeningen van Jo Spier.

Dacht ik.

Toen kwam Olga terug. Alleen. Ze zag bleek en kon me niet in de ogen kijken. 'Mevrouw Olitzki is niet meer in Theresienstadt,' zei ze. 'Ze is gisteren op transport gegaan. Samen met haar man.'

Dat kunnen ze niet maken.

Ik rende weg. Naar Eppstein. Ik heb er schijt aan dat ik op mijn kamer moet blijven. Ik heb schijt aan alles. Mevrouw Olitzki is mijn medewerkster. Ze staat onder mijn persoonlijke bescherming.

In mijn haast dacht ik niet aan de ontbrekende traptrede en viel. Ik scheurde een gat in mijn broek. Doet er niet toe. Doet er geen ene moer toe.

Ik stormde de wachtkamer van de Raad van Oudsten binnen en zei dat ik Eppstein moest spreken. Onmiddellijk.

Ze lieten me niet binnen. Wimpelden me af als een lastige smekeling. 'Meneer Eppstein laat weten dat hij nu geen tijd voor u heeft. Hij zal zich te zijner tijd met u in verbinding stellen.' Te zijner tijd in verbinding stellen! Leugens in ambtelijke taal zijn de ergste.

Ik probeerde zijn lijfwachten opzij te duwen. Zoals ik dat al eerder had gedaan. Maar deze keer waren het er te veel. Ik heb niet meer de kracht die ik vroeger had.

Ik heb helemaal geen kracht meer.

De anderen in de wachtkamer grijnsden. Niet eens stiekem, maar heel openlijk. Triomfantelijk. Daar wilde iemand voordringen, met een gescheurde broek en een bebloede knie. Maar hij heeft zijn lesje geleerd. Zoiets doen we hier niet. In Theresienstadt heerst orde.

Zijn het echt steeds dezelfden die daar zitten? Ik heb de indruk van wel. Als in een goedkope film waar de productieafdeling op figuranten bezuinigt.

Er zijn maar vijftien straten in Theresienstadt. Maar de terugweg leek eindeloos lang. Nog langer dan toen ik in Berlijn van Bühlers Ballhaus naar de Leipziger Straße liep. Toen overal die plakkaten hingen. DUITSERS, KOOP NIET BIJ JODEN!

Joden, maak geen films met Gerron!

Als ze mijn belangrijkste medewerkster naar Auschwitz sturen, is niemand veilig. Ikzelf nog het minst. Als Eppstein me niet eens meer ontvangt, dan weet hij iets. Dan heeft hij iets horen fluisteren. Het nieuwste gerucht op de mensenbeurs van Theresienstadt. Het aandeel Gerron daalt naar nul. Onmiddellijk verkopen. Afstoten. Doen alsof je er nooit in hebt belegd.

De film is afgelast, dat is de enige verklaring. Hij gaat niet door. Heeft nooit bestaan. Nu moet Eppstein doen alsof hij er nooit achter heeft gestaan. Hij moet zich terugtrekken zonder dat het op een terugtocht lijkt. Frontcorrectie noem je dat. *Onze troepen hebben een strategisch onbelangrijk punt aan de vijand afgestaan.*

Een onbelangrijke mevrouw Olitzki.
Stik!
'Als alles voorbij is,' zei ze op een keer, 'dan wil ik met mijn man ergens heen waar het warm is. Kou is niet goed voor zijn rug.'
Hopelijk heeft hij in de veewagon een plaats gevonden waar hij ergens tegenaan kan leunen.
'Uw broek is gescheurd.' Het was voor het eerst dat Turkavka iets persoonlijks tegen me zei. Ik benijd hem. Latrinebewaker is een veilig beroep. Veiliger dan filmregisseur.
Hoe moet ik Olga uitleggen dat alles afgelopen is?

Ze is nog niet terug. Maar op de overloop boven aan de trap tref ik dokter Springer aan. Hij zit onder het dakraampje op de grond met een enorme lap voor zijn gezicht. Een kussensloop uit de ziekenboeg. 'Ik ben verkouden,' zegt hij terwijl hij in zijn lap hoest. 'Niets ergs, maar bij het werk zou ik de mensen maar aansteken. Geen nood, voor u bij ons komt filmen, ben ik weer in orde. Mijn kans op filmroem laat ik me niet ontgaan. Is intussen al bekend wanneer het gaat gebeuren?'
Ik vertel hem alles. Dat het project waarschijnlijk is geschrapt. Dat ik bang ben overbodig te worden. Niet meer gevrijwaard te zijn. 'Maak u geen zorgen,' zegt hij. 'Zuiver statistisch gezien staan onze kansen goed. Die van u en van mij. Van de A-prominenten is nog niemand op transport gegaan.'
'En als het toch gebeurt?'
Hij snuit eerst zijn neus, maakt hem zorgvuldig en grondig schoon, zoals hij de laatste restjes gangreen uit een wond verwijderd zou hebben. Dan zegt hij: 'Ik voor mij – als ik voor transport word opgeroepen, maak ik me van kant.' Hij zegt het heel zakelijk. Zoals iemand in het artsenoverleg na rijp beraad een mogelijke therapie voorstelt. 'Ik zou in dit geval suïcide aanraden, collega.'
We bespreken de verschillende methoden. Medici onder elkaar. We zijn het erover eens dat de oude Romeinen de aangenaamste variant hadden ontdekt. In een bad op lichaamstemperatuur gaan liggen en door een medicus je polsslagaderen laten openen. Tijdens het langzaam doodbloeden nog een beetje babbelen. In alle rust afscheid nemen van je vrienden. Op een gegeven moment in slaap vallen. Alleen hebben we in Theresienstadt geen bad. Niet voor onszelf. Zelfs voor de gemeenschappelijke douches zijn de wachttijden eindeloos.

Dokter Springer moet veel over het onderwerp hebben nagedacht. Hij houdt een complete voordracht voor me. 'Mannen hangen zich bij voorkeur op,' zegt hij. 'In bijna 50 procent van de gevallen. Dat is empirisch bewezen. Terwijl de techniek echt niet aan te raden is. Een hoogst onaangename dood.' Hij klinkt als iemand die in een populair restaurant niet tevreden is over de keuken. 'De mensen hebben al die filmscènes gezien waarin de beul de knoop aantrekt. Onder de voeten van de delinquent gaat een schuif open en op hetzelfde moment bungelt hij al en is dood. Maar een nek breken is helemaal niet zo eenvoudig. Met de hand lukt dat niet. Als de strop alleen dichtgaat en je stikt – onaangenaam. Uiterst onaangenaam. Nog afgezien van het risico dat je vrij lang gereanimeerd kunt worden. Vaak met blijvend letsel. Zuurstofgebrek in de hersenen.'

Andere mensen wisselen recepten uit.

Als ik er goed over nadenk: wij ook.

'Als de mensen ook maar een beetje verstand van anatomie hadden,' zegt dokter Springer, 'zouden ze bij het ophangen de knoop van voren leggen en niet van achteren. Dan knijpt de strop niet je strottenhoofd, maar je nekaderen af en verlies je heel langzaam je bewustzijn.'

'Of je schiet jezelf meteen dood,' zeg ik.

Hij schudt zijn hoofd. 'Ook een heel onzekere zaak. Als uw hand trilt en u schiet niet raak, dan bent u naderhand alleen invalide. Bovendien: waar wilt u in Theresienstadt een wapen vandaan halen?'

'En slaappillen?'

'Veronal?' Hij hoest en snuit uitgebreid zijn neus. 'Wordt enorm overschat. Ik herinner me een geval in Frankfurt. Daar had een jonge vrouw veertien pillen ingenomen. Liefdesverdriet, wat anders? Veertien pillen. Ze werd 's morgens gevonden, bewusteloos natuurlijk, we hebben in de kliniek haar maag leeggepompt, haar kamfer en coffeïne ingespoten en na een week was ze weer op de been. Alle moeite voor niets. Daarna is ze voor de trein gesprongen. Ook geen erg esthetisch einde.'

Hij vouwt zijn kussensloop zorgvuldig opnieuw om weer een schone plek te kunnen gebruiken. Een chirurg let op hygiëne. 'Nee,' zegt hij, 'suïcide is niets voor amateurs. Eigenlijk zou het onderwerp op elke school verplicht moeten zijn. Zoals de wereld er nu uitziet, zou dat heel wat nuttiger zijn dan Latijnse werkwoorden en *Het lied van de klok*.'

Hij haalt een klein flesje uit zijn zak. Houdt het voor mijn ogen. Een heldere vloeistof. 'Dit heb ik altijd bij me,' zegt hij. 'Pijnloos en effectief. Dan weet je tenminste waarvoor je medicijnen hebt gestudeerd.'

Hij zou ons ook wel aan het middel willen helpen. Een dosis voor mij, een dosis voor Olga. Alleen voor het geval dat. Echt een aardige vent, onze buurman.

Mijn paniek is weer een beetje gezakt. Het gesprek met dokter Springer heeft me toch erg gerustgesteld.

De film gaat niet door. Definitief. Het is me niet uitdrukkelijk meegedeeld, maar ik mag mezelf niets wijsmaken. De tekenen liegen er niet om.

Ik hoef me niet meer in mijn kwartier beschikbaar te houden. Er is al over me beschikt. Ik ben ingedeeld bij een werkploeg. Hoewel ik als A-prominent vrijgesteld ben van de algemene arbeidsplicht. Eigenlijk. *Barak L 1-09. Aanvang: 07.30 uur. U dient op tijd te verschijnen.* Op zo'n smal strookje papier als ze in het kantoor van het hoofd van de Raad van Oudsten voor onbelangrijke zaken gebruiken. Ook voor de oproep om je gereed te houden voor transport.

Ik ben hun niet eens een heel vel papier meer waard.

Ik ben uit de gratie. Van de lijst van prominenten geschrapt. Rahm is ontevreden over mijn werk.

Ik heb gefaald.

Er is me niet eens meegedeeld wat ze in L 1-09 doen. Daarbeneden, tussen de Sudeten- en de Jägerkazerne, staat een hele rij werkbarakken. Ze wilden niet dat we daar filmden. Te klein en te donker. Niet geschikt voor het witte doek. Niet zoals de smederij, waar we eigenlijk maandag hadden moeten zijn. Waar het werk ergens op lijkt. Rondspattende vonken. Sterke mannen bij het aambeeld. Op muziek van Wagner. Als Wagner een Jood was geweest.

'De verandering zal je goeddoen,' zegt Olga. Ha, ha, ha. Op een gegeven moment is optimisme alleen nog absurd. Niet in elke hoop stront zit een goudstuk.

Ik zal op tijd verschijnen. Te vroeg. Ik zal hun geen voorwendsel geven om tegen me te gebruiken. *Is niet op tijd op het werk verschenen.* Kruisigt hem.

Voor de latrine staat de ochtendrij. Turkavka zal straks wel schor zijn.

De straat ruikt schoner dan anders. Het heeft vannacht geregend. Aan de hemel dunne sluierwolken. Goed licht om te filmen.

Ik kan die machine in mijn hoofd niet uitschakelen. In de trein naar Auschwitz zal ik nog wel naar camerasposities zoeken. Allemaal alleen een kwestie van instelling, zoals de cameramensen zeggen.

L 1-09. Nog niemand aanwezig.

Twee oude mannen. Drie. Zwaar werk kan het niet zijn.

Konijnenvellen. Een stinkende hoop. We moeten de haren op gelijke lengte scheren.

Ik weet niet waar ze die vellen voor nodig hebben. Gevoerde uniformen voor de Russische winter? Een beetje laat. Als het klopt wat de geruchten willen, vindt de volgende Russische winter in Duitsland plaats.

De andere mannen zijn allemaal Tsjechen. Ze verstaan geen Duits. Of willen het niet verstaan. Ze praten zachtjes en knikken vaak. Alsof ze elkaar alleen maar bevestigen wat ze al weten. Ze kijken niet op van hun werk. Hun tongen functioneren net zo automatisch als hun handen.

Ze hebben me één keer even laten zien wat ik moet doen en bemoeien zich verder niet meer met me. Ik doe onhandig. Het duurt een eeuwigheid voor ik heb begrepen of het brede of het smalle lemmet op het vel moet liggen.

Ik weet niet eens hoe het apparaat heet dat ik gebruik.

Knip. Knip. Knip.

Een volkomen onzinnige bezigheid. Echt iets voor Theresienstadt.

Knip.

Bij de kapper vallen de afgeknipte haren op de grond. Dan komt de leerjongen en veegt ze op. Hier zweven ze als stof door de lucht. Komen in je ogen. In je neus. En dan de stank. 'Walgelijk,' zeg ik tegen de drie oude mannen. Ze kijken me aan alsof ik Chinees heb gesproken. Praten verder. Knikken.

Knip. Knip.

Ik heb geen horloge, maar ik weet dat ik hier nog niet zo lang kan zijn als het lijkt. De oude grap over een saaie uitvoering: 'De voorstelling begon om acht uur. Toen ik om negen uur op mijn horloge keek, was het kwart over acht.'

Ha, ha, ha.

Knip. Knip. Knip.

Waar halen ze die konijnen vandaan? Worden ze voor hun vacht gefokt of voor hun vlees? Otto's Hilde heeft een keer konijnenragout gemaakt.

Moet ik de rest van mijn leven over zulke dingen nadenken? Moet dit mijn toekomst zijn? Konijnenvellen scheren? Ik wilde die film helemaal niet maken, maar nu verlang ik ernaar.

Knip.

Knip.

Knip.

Alle horloges zijn stil blijven staan.

Een koerier uit het secretariaat. Niet dezelfde als de vorige keer. Een man van rond de veertig. Zou soldaat geweest kunnen zijn. Ik moet bij Eppstein komen. Onmiddellijk.

Ik sta op en probeer de konijnenharen van mijn kleren te kloppen. 'Tot ziens,' zeg ik tegen de oude mannen. Een van hen kijkt op. 'Duitse klootzak,' zegt hij.

'Ik hoop dat u uw lesje hebt geleerd,' zegt Eppstein. Hij kijkt niet triomfantelijk, maar bedrukt. Ik vond altijd dat je Mefisto zo zou moeten spelen. Als iemand die lijdt onder zijn rol.

'Welk lesje?' vraag ik.

'U hebt tijdens de opnamen gewichtig gedaan. Instructies gegeven. Dat is niet op prijs gesteld. Er zijn klachten over gekomen.'

'Ik heb ...'

Hij schudt zijn hoofd en ik zwijg. Hij straalt een autoriteit uit die ik niet eerder bij hem heb bespeurd.

'U vond uzelf belangrijk, Gerron,' zegt hij. 'In Theresienstadt is dat altijd verkeerd. Hier bent u geen beroemd regisseur en geen beroemd toneelspeler. Maar alleen ... Wat is uw transportnummer?'

'XXIV/4-247,' zeg ik.

'Precies. Dat is alles wat u bent. Ik wilde dat u dat begrijpt.'

'Bij het scheren van konijnenvellen?'

'Wees dankbaar,' zegt hij. 'De latrineploeg heb ik u bespaard.'

'En mevrouw Olitzki?'

Eppstein sluit zijn ogen. Drukt de bal van zijn handen tegen zijn voorhoofd. Ik stel me voor dat hij vandaag nog naar dokter Springer moet om nieuwe kracht uit de medicijnkast te halen.

'Mevrouw Olitzki,' zegt hij. 'Ja, dat was de naam. Er zijn zoveel namen. Ik kan ze niet allemaal onthouden. Het was een vergissing om u een secretaresse te geven. Mijn vergissing. Ik wilde me problemen besparen en heb ze me juist op de hals gehaald. Omdat u mijn toegeeflijkheid verkeerd hebt opgevat. Omdat u bent gaan geloven dat u iemand bent. Uw zelfoverschatting heeft problemen veroorzaakt. Dus moest ik dat corrigeren.'

Hij heeft mevrouw Olitzki op de transportlijst gezet, haar en haar man, om mij een lesje te leren. Het is ongehoord. Ik wil tegen hem schreeuwen, maar hij maakt een afwijzend gebaar. Vermoeid.

'Bespaar u de opwinding. Ik ken de argumenten. Allemaal. U wilt me vertellen dat uw secretaresse er niets aan kan doen, en daar hebt u natuurlijk gelijk in. Maar als ik iemand anders op de lijst zet – en de lijst moet vol, daar valt niet aan te ontkomen –, als ik mevrouw X naar de trein stuur of meneer Y, is dat dan rechtvaardiger? Kunnen die er wel iets aan doen?'

'Maar mevrouw Olitzki ...' wil ik nog een keer beginnen.

'Ze was een compromis,' zegt Eppstein. 'Het bureau van de commandant stelde voor dat u zelf op transport zou gaan. U en uw vrouw.'

Mijn god. Olga.

'Dat heb ik weten te verhinderen,' zegt hij. 'Niet omdat u recht hebt op een voorkeursbehandeling. Maar omdat ik van mening ben dat u hier nog nuttig kunt zijn. Nog. Daarvoor moest ik mevrouw Olitzki opofferen. Had u het liever andersom gehad?' Hij wacht op antwoord en als ik zwijg, knikt hij. Zoals de oude mannen in L 1-09 knikten. Omdat ze de verhalen die verteld werden allemaal al kenden.

'Precies,' zegt hij. 'Laten we die discussie achterwege laten. Die voer ik elke dag honderd keer met mezelf. Ik probeer het beste te doen, geloof me. Al weet ik dat dat beste oneindig slecht is.'

Ik ben een deel van gene kracht die steeds het kwade schept en steeds naar 't goede tracht.

'Die film,' zegt hij, 'zou voor Theresienstadt belangrijk kunnen zijn. Een goede zaak. Omdat hij Rahm afleidt van andere dingen. Omdat hij hem bezighoudt. Omdat er tijd mee heen gaat. Weet u waarom de opnamen onderbroken zijn?'

'Onderbroken? Wil dat zeggen ...?'

'Ja,' zegt Eppstein vermoeid. Hij wrijft in zijn ogen. 'Zaterdag gaan ze door. Dan moet de man terug zijn die door Rahm naar Italië is gestuurd. Om cocons te halen. Zodat je in de film kunt zien hoe succesvol de zijdeteelt hier is. Zijderupsen zijn een stokpaardje van Heinrich Himmler. Wist u dat niet? Duitse zijde voor Duitse parachutes.'

'Nee,' zeg ik, 'dat wist ik niet.'

'U weet zoveel niet, Gerron. Daar benijd ik u om. Ik zou er heel wat voor geven om sommige dingen niet te weten.'

Hij richt zich op. Zit opeens kaarsrecht. Lijkt groter dan hij is. 'Maak dus geen problemen meer. Bereid alles voor. Het zal anders gaan dan u hebt bedacht, maar het is toch goed om voorbereid te zijn.'

'Ik ga dus weer de regie doen?'

'Nee,' zegt Eppstein. 'Die neemt de heer Pečený van Aktualita voor zijn rekening. U zult hem assisteren. Hem zijn tas achternadragen als hij dat wil. Ja, meneer Pečený, zult u zeggen. Alstublieft, meneer Pečený. Dank u, meneer Pečený. Trek niet zo'n gezicht, Gerron. Hebt u liever de konijnenvellen? De latrines? De plaats van mevrouw Olitzki in de trein?'

Ik ben al bij de deur als hij me nog een keer terugroept. 'Trouwens,' zegt hij, 'de Amerikanen hebben Parijs bevrijd.'

Mevrouw Olitzki. Ik heb haar nooit naar haar voornaam gevraagd. Mevrouw Olitzki uit Troppau. Dat ik op de landkaart niet meteen zou kunnen vinden. Ergens in het oosten. Haar man heeft het aan zijn rug. Meer weet ik niet van haar.

Als ik haar gezicht wil beschrijven, schieten me alleen details te binnen. Die op veel vrouwen van toepassing zijn. Donker haar. Zelfs dat weet ik niet zeker. In elk geval geen opvallende kleur. Kortgeknipt, zoals bij bijna alle vrouwen in Theresienstadt. Toen ze voor de strandscène een badmuts moest opzetten, veranderde de vorm van haar hoofd niet.

Misschien had ze vroeger permanent. Ging ze elke week naar de kapper. Ze werkte bij een advocaat. Dan moet je er serieus uitzien. Misschien heeft ze een keer een pagekopje laten knippen en problemen gekregen met haar baas omdat hij het te modern vond. Ik kan het niet meer aan haar vragen.

Ik weet alleen dat ze op transport is gegaan.

Als ik haar gezicht zou moeten tekenen, zelfs als ik geen doezel was en onhandig in zulke dingen, zou er alleen een leeg ovaal komen te staan. Zoals die bollen zonder ogen en mond waarop grimeurs hun pruiken bewaren. Grijs vilt. Ik geloof dat ze een stevige neus heeft en er af en toe over wrijft, terwijl haar andere hand op de toetsen blijft liggen. Maar misschien denk ik daarbij aan iemand anders.

Het is pas een paar dagen geleden dat ik haar voor het laatst zag, en mijn herinneringen zijn nu al aan het vervagen.

Ze heeft een gouden tand, dat weet ik zeker. Links of rechts? Doet er niet toe. Ze speelt er met haar tong mee – dat is me een keer opgevallen – en dan vormt haar bovenlip een boogje. Rechts, geloof ik.

Haar trouwring zit te los. Voor ze achter het toetsenbord gaat zitten, doet ze hem af en legt hem naast de typemachine. Ze moet vroeger dikker geweest zijn, maar dat is niet moeilijk te raden. We waren vroeger allemaal dikker.

Ze draagt altijd een sjaal. Ze doet hem ook niet af als het warm is. Misschien is haar hals, net als de mijne, rimpelig geworden en wil ze dat verbergen. Hoewel: ijdel leek ze me niet. Een zakelijke vrouw. Doortastend.

Maar misschien heb ik dat alleen in haar gezien, omdat ik haar zo nodig had.

Ik weet niet eens hoe oud ze is. Ik heb het haar nooit gevraagd.

In Berlijn informeerde ik bij de meisjes die voor me typten altijd naar hun verjaardag, en dan verraste ik hen met een presentje. Vooral als ze knap waren. Ik moest mijn reputatie als rokkenjager ophouden.

Mevrouw Olitzki is niet knap. Ook niet lelijk. Onopvallend. Ze kan typen en vergeet niet wat je haar opdraagt. Meer interesseerde me niet in haar. Niet echt.

Ik maakte mezelf wijs dat ik haar voor transport kon behoeden. Dat ze me dankbaar moest zijn. Ik speelde voor mezelf de grote beschermer. Lancelot Gerron. Maar het ging helemaal niet om haar. Het ging om mij. Ik deed wat ik hoe dan ook moest doen en wilde er een goed geweten bij hebben. Mevrouw Olitzki was een van mijn alibi's.

Er is niet een van die alibi's overgebleven.

Ik heb al veel mensen op transport zien gaan. Je raakt eraan gewend. Zoals we in de oorlog gewend raakten aan de doden. Een mens kan niet elke dag wanhopen. Ook dat slijt. Je leert je de dingen niet te veel aan te trekken. Je gevoelens uit te schakelen. Toen mama naar Westerbork vertrok, wilde ze niet eens omhelsd worden.

Het lot van mevrouw Olitzki trek ik me aan. Hoewel ik haar niet echt heb gekend.

Ze lachte veel, dat weet ik nog. Nee, ook dat hoeft niet te kloppen. Ze had misschien alleen nog niet afgeleerd om veel te lachen. Zoals acteurs in een stuk dat in serie wordt gespeeld nog steeds de ingestudeerde woorden produceren, terwijl ze er allang niets meer bij voelen. 'Ik hou van je,' zeggen ze, maar ze denken: Ik zou vanavond varkenspootjes kunnen eten. Mevrouw Olitzki's ogen lachten nooit mee.

Misschien beeld ik me ook dat maar in. Schrijf ik haar een rol toe die in mijn draaiboek past. Ik weet zo weinig van haar. Niets.

Behalve dat ze haar in een veewagon hebben gestopt.

Ze heeft geen kinderen, heeft ze me een keer verteld. En haar man is samen met haar op transport gegaan. Misschien ben ik de enige die zich haar nog herinnert.

Mevrouw Olitzki uit Troppau.

'Ja, meneer Pečený. Alstublieft, meneer Pečený. Zoals u wenst, meneer Pečený.' We moeten de film nu echt afraffelen. Liefdeloos en zonder enige artistieke pretentie. Bioscoopjournaal dus.

Pečený wil mijn film onder mijn kont wegtrekken. Hij ziet een mogelijkheid om daarmee bij de Duitsers een wit voetje te halen. Hij wil zijn bekwaamheid bewijzen omdat hij op meer opdrachten voor Aktualita hoopt. De SS zou een goede klant kunnen zijn. Die heeft genoeg te bieden wat de moeite van het filmen waard is. Uitreikingen van orden. Gedenkdagen voor helden. Pečený draait om Rahm heen als een verzekeringsagent. Wat is Alemann in het Tsjechisch?

Zijn briljante idee: we nemen de scènes nu niet meer na elkaar op, maar parallel. De ene camera natuurlijk zonder geluid. Onbruikbaar materiaal, maar het gaat sneller. Pečený is apetrots op het ingezette tempo. Hij denkt er niet aan dat we elke bespaarde minuut bij de nabewerking weer zullen verliezen. Omdat ik het materiaal van de andere ploeg helemaal niet ken. Hoe moet ik dan de montage voorbereiden? Als de delen niet bij elkaar passen, zullen ze zeggen dat het mijn fout is.

Ik heb Jo Spier met hen meegestuurd, zodat ik me in elk geval aan de hand van zijn tekeningen een globaal beeld kan vormen. Ze doen maar wat. Maar in het logboek staat dik onderstreept *179 instellingen op één dag*, en Rahm is enthousiast. Dilettanten aan de macht!

Als ik nog een bewijs van mijn onbelangrijkheid nodig had, dan heb ik het vandaag gekregen. Ze hebben Fric, de goede cameraman, zonder mij op pad gestuurd en alleen de tweede man bij mij achtergelaten. Zahradka heet hij. Een heel jonge vent, die nog niet zelfstandig kan werken. Toen hij voor de tiende keer vroeg: 'Hoe wil meneer de regisseur het hebben?' snauwde een SS'er hem toe: 'Dat is meneer de regisseur niet, dat is die rotjood Gerron.'

Von Neusser had het niet beter kunnen zeggen.

Fric is met zijn ploeg naar de werkplaatsen gegaan en naar de pluimveehouderij. Een van de meest geliefde werkplekken in het getto. De ganzen worden met graankorrels gevoerd en als er niemand kijkt, kun je een handvol in je zak steken.

Als ik kon wat ik wilde, als ik nog iets te willen had, zou ik de pluimveeteelt als motief door de hele film laten lopen. De gevederde ganzenmars direct laten overvloeien in de rij bij de voedseluitgifte. Enzovoorts. Het perfecte beeld voor onze situatie: vogels waarvan de vleugels gekortwiekt zijn, zodat ze niet kunnen wegvliegen. Ze maken ruzie om elk graantje en aan het eind worden ze geslacht. Eind september zal het wel zover zijn. Als de SS het oogstfeest viert.

Ik mocht een stukje speelfilm doen. De sequentie *Herenkledingzaak*. Een echt spektakelstuk. Otto Burschatz zou trots op me geweest zijn. We hebben bij alle mogelijke mensen kledingstukken opgehaald en die schilderachtig gedrapeerd. Met de juiste kadrering zag het er inderdaad uit als een winkel. En dan de speelscène: een man past een colbertje en – close-up – straalt over zijn hele gezicht omdat het hem als gegoten zit. Het was dan ook zijn eigen colbertje.

Tot aan de volgende scène hadden we nog een paar minuten over en toen heb ik voor de kassa Theresienstadt-kronen van het plafond laten neerdwarrelen. Dat is een mooie overgang naar de banksequentie. Aan zulke dingen denkt Pečený natuurlijk niet.

Toen Olga de gettobankbiljetten voor het eerst zag, zei ze: 'De Mozes die erop afgebeeld staat, zouden ze in Amsterdam opgepakt hebben. Omdat hij met zijn tafelen der wet de gele ster bedekt.'

De rechtszitting staat er ook op. *Gerechtigheid in Theresienstadt*. De satire schrijft zichzelf weer eens. Het complete ritueel: verdachte, officier van justitie, verdediger. Pleidooien en uitspraak. Dat moesten we zonder geluid opnemen. Net als in het echte leven: als er maar een vonnis is geveld. Achteraf kun je altijd nog bedenken waarvoor.

Ik heb de rollen op het laatste moment anders bezet. Het gezicht van de officier van justitie paste beter bij een verdachte. Het komt er toch niet op aan.

Ja, en we waren ook in de crèche. Ze hadden een moederkonijn met vier jongen voor me opgescharreld en ik heb het schattigste jongetje uitgekozen en dat voor de kist gezet. Met een te grote pet op zijn hoofd. Die moesten we hem opzetten om te zorgen dat je zijn blonde haar niet zag. Hij zat met wijd opengesperde ogen te kijken. Overweldigd door het wonder. Een heel open gezicht.

Gewoon een klein jongetje.

De tranen stroomden over mijn wangen, maar niemand lette erop. Ik ben niemand.

Rahm heeft Pečený uitgekafferd. Ik had hem kunnen waarschuwen, maar waarom zou ik?

'Idioot!' schreeuwde Rahm en even leek het of hij Pečený wilde slaan. Hoewel die helemaal geen judde is. Toen werd hij heel rustig en zijn stem zacht. Pečený dacht dat Rahm weer was bedaard. Je kon zien dat hij opgelucht was. Hij kent Rahm niet. Als meneer de Obersturmführer rustig wordt, moet je voor hem oppassen. Wij weten dat. Je moet altijd voor hem oppassen, maar dan in het bijzonder.

'Luister,' zei Rahm, 'als u niet in staat bent te doen wat ik van u vraag, dan kunt u nu uw boeltje pakken en teruggaan naar Praag. De Wehrmacht zoekt filmreporters voor de eerste frontlinie. Ik zal u daar met plezier voor aanbevelen.'

Pečený werd bleek. *Hij verbleekt* schrijven de auteurs in hun draaiboeken, zonder eraan te denken hoe moeilijk dat in beeld te brengen is. Bij Pečený was het duidelijk te zien. Van het ene moment op het andere was alle kleur uit zijn gezicht weggetrokken. De moed was hem in de schoenen gezonken.

Het ging weer eens om de zijderupsen. Het plukken van de moerbeibladeren had Fric nog gefilmd, maar in de hut zelf was te weinig licht. Dat had ik hem van tevoren kunnen vertellen. Maar mij is niets gevraagd.

Lampen konden ze ook niet opstellen. Dan zou het in de ruimte te warm geworden zijn. De rupsen verdragen geen temperatuurwisselingen. Bovendien had ik al het licht al in de eetzaal laten opbouwen. Dat is een van de eerste dingen die je bij de Ufa leert: alle noodzakelijke apparatuur in beslag nemen voordat iemand anders er aanspraak op maakt. 'Kunst is goed,' zegt Otto altijd, 'maar organisatie is beter.'

We draaiden *Mensen aan de maaltijd*. Met meer dan vierhonderd figuranten. Twintig serveersters die de schalen op de tafels zetten. Met witte handschoenen aan. Een rijer dwars door de hele zaal. Het personeel zo goed gecoördineerd dat het altijd op tijd in beeld was. Zonder figuranten- en productieleider. Alleen ik met mijn megafoon. Jong geleerd, oud gedaan.

Rahm keek toe. Met zijn staf. Bij grote scènes staat in Babelsberg ook altijd het hele pluche in de studio. Vanuit mijn ooghoeken zag ik hoe Pečený de zaal inkwam en naar hem toe liep. Maar ik zei natuurlijk niets. Het was tenslotte niet mijn zaak.

Pečený maakte die vertegenwoordigersbuiging die hij van iemand heeft afgekeken, en zei: 'De zijderupsen moeten we helaas weglaten. Die zijn ook niet zo belangrijk.' Waarop Rahm ontplofte.

Hoe had Pečený moeten weten dat hij het over het lievelingskindje van Heinrich Himmler had? En daarmee uiteraard over het belangrijkste op de hele wereld? Dat alleen daarvoor de opnamen een hele week waren stilgelegd? Dat Rahm speciaal een man naar Italië had gestuurd voor die rottige cocons? Iemand had het hem moeten vertellen. Maar er was geen iemand. Alleen een niemand. En niemanden horen hun mond te houden.

Pečený heeft het verknald. Eigen schuld. Wie anderen in hun gat wil kruipen, moet eerst anatomie studeren.

Rahm draaide zich naar mij om en vroeg: 'Is daar iets aan te doen, Gerron?' Dat vroeg hij aan mij. Aan de rotjood Gerron. Ik sprong in de houding en zei op mijn beste Jüterbogse ondergeschiktentoon: 'Uiteraard, meneer de Obersturmführer.'

Pečený had me het liefst gewurgd. Terwijl ik zijn hachje redde. Maar dat snapte hij niet.

Ik liet al het personeel van de meubelmakerij aanrukken. In looppas. Om Rahm te laten zien dat de dingen gesmeerd lopen als je vaklui hun gang laat gaan in plaats van een of andere praatjesmaker van het bioscoopjournaal. In ijltempo haalden we alle rekken uit elkaar en bouwden ze voor de hut weer op. De zon is nog altijd de beste lamp. Er stond een licht briesje en zo kregen de kostbare beestjes het ook niet te warm.

Ik liet met beide camera's filmen. Fric én Zahradka. Geen mens maakte bezwaar dat ik instructies gaf. Als er nog een niemand was, dan heette die Pečený.

Het hoogtepunt – drie keer in drie verschillende instellingen herhaald – was natuurlijk het moment dat de cocons in de mand werden geschud. Een heleboel cocons. Ik liet speciaal nog een kleinere mand halen om te zorgen dat hij vlugger vol werd. En daarna liet ik een grotere identieke mand wegdragen. Dat zijn van die trucjes die wij niemanden beheersen.

Rahm prees me niet. Dat zou niet bij hem opkomen. Maar hij knikte naar me, dat was heel duidelijk te zien. Hij knikte naar me.

Pečený kan mijn rug op.

Ik ben hier de regisseur.
Ik. Kurt Gerron.

Het loopt nu goed. De ploeg-Fric werkt zonder geluid en neemt de echte documentaire-elementen voor zijn rekening. Werkplaatsen en zo. Allemaal scènes die niet veel voorbereiding vergen. Pečený loopt met hem mee en mag voor regisseur spelen. Mij gaat hij uit de weg. Hij is me eng gaan vinden.

Alles wat een beetje moeilijker is, doe ik zelf, samen met Zahradka. Ik had natuurlijk liever Fric gehad. Als er lieverkoekjes werden gebakken, zat ik in Amerika.

Niet dat Zahradka zijn best niet doet. Hij spant zich in en heeft het moeilijk. Een beginneling. Maar een aardige vent, lijkt me. Ik zou goed met hem kunnen praten als het niet verboden was. Hoe oud zou hij zijn? Twintig misschien. Een flinke knaap. Volkomen gezond, zo te zien. Niet eens platvoeten. Bijziend kan hij ook niet zijn met dat beroep. Ik vraag me af waarom hij niet in het leger zit. Ze nemen intussen iedereen die een geweer kan vasthouden. Schrapen de pan tot op de bodem leeg, zoals dokter Springer het noemt. Misschien hebben ze officieel verklaard dat het bioscoopjournaal van strategisch belang is. Iedereen zoekt dekking waar hij kan.

Vandaag hebben we de laatste sportscènes opgenomen, het vrouwenhandbal en de zestig meter sprint. Gisteren de voetbalwedstrijd op het plein van de Maagdenburger kazerne. Voor zulke grote sequenties neem ik beide camera's tegelijk. Het zijn een paar geweldige opnamen geworden. Na de montage zal geen mens meer merken dat er op het kleine kazerneplein eigenlijk helemaal geen plaats is om te voetballen. Ik heb de krappe situatie zelfs uitgebuit. Heb een speler direct de rijen van de toeschouwers in laten lopen. Waar heel toevallig een knap meisje zat, over wie hij kon struikelen. Het zag er volkomen natuurlijk uit.

's Avonds zei Olga tegen me: 'Je bent echt tevreden.' 'Omdat er vandaag een paar problemen waren,' antwoordde ik. Ik hoefde het haar niet uit te leggen. Problemen die opgelost kunnen worden, doen een mens goed. De onoplosbare, die beroven je van je kracht.

Bij deze film duiken voortdurend moeilijkheden op waaraan ik nooit van mijn leven gedacht zou hebben. Zoals gisteren bij de vergadering van de Raad van Oudsten. Ik had een hele lijst van prominenten gekregen die allemaal in close-up getoond moesten worden. Maar voor de vele hoofden die erin moesten, was de toespraak van Eppstein te kort. Ik kan niet om de seconde een gezicht monteren. Of nog steeds toehoorders laten zien als de spreker allang weer is gaan zitten. Er was maar één oplossing. De toespraak moest langer worden. Dat had je gedacht. Eppstein weigerde pertinent ook maar één woord op eigen verantwoordelijkheid toe te voegen. Omdat de tekst door Rahm zelf was gecontroleerd. Ten slotte heb ik hem zover gekregen dat hij nog twee zinnen zei uit een oude, al goedgekeurde toespraak. Zoiets als 'de uniforme Joodse houding in de gemeenschappelijke verantwoordelijkheid van ieder individu'. Blabla, die niets betekent en daarom overal in past. Niemand zal merken dat die uit een heel andere toespraak komt.

Met zulke problemen moet ik me bezighouden.

En dan die toestand vandaag met Zahradka. Die heeft ons minstens een uur draaitijd gekost. Ik kan het hem niet kwalijk nemen. Hij is een beginneling en heeft nog niet veel meegemaakt.

We waren van de Südberg, waar we de sportscènes hadden opgenomen, verhuisd naar de bedrijfsafdeling, waar we alles ook alweer hadden opgebouwd. Maar toen ik wilde gaan draaien, was onze cameraman er niet. Alsof hij op weg naar de Maagdenburger kazerne was verdwaald. Ik heb er iemand op uitgestuurd om hem te zoeken en die heeft hem ook gevonden. Hij knielde op straat naast een oude vrouw, die van honger in elkaar was gezakt. Wat nu eenmaal voorkomt. Hij kon er niet over uit dat niemand daar veel ophef over maakte. Hij had zeker een ziekenwagen en verplegers verwacht. Hij was niet van haar weg te slaan, totdat een lijkkar haar eindelijk kwam ophalen.

Dan werkt zo iemand bij het bioscoopjournaal, maar als hij een keer iets van de werkelijkheid te zien krijgt, raakt hij van de kaart.

Doet er niet toe. Een jonge vent. Wat wil je?

Eigenlijk benijd ik hem. Vroeger zou een dode oude vrouw mij ook geschokt hebben. Er zijn dingen waar je niet aan zou mogen wennen. En toch wen je eraan.

De rest van de dag was hij onrustig en ongeconcentreerd. Gelukkig stond er niets ingewikkelds meer op het programma. Slechte kwaliteit kan ik me niet veroorloven.

Morgen filmen we nog in de meubelmakerij en dan hebben we weer een paar dagen pauze. Een hogere instantie wil het materiaal bekijken. Daar zou ik graag bij zijn. Zodat Pečený niet kan vertellen dat hij alles alleen heeft gedaan. Maar ze doen dat in Praag en mij laten ze Theresienstadt niet uit.

Wie ze eenmaal hebben, die hebben ze.

Toen we hier aankwamen – een halfjaar is dat nu geleden, een eeuwigheid –, wisten we geen van allen wat ons te wachten stond. Natuurlijk waren we niet zo naïef als de oude mensen die denken dat ze zich met de rest van hun vermogen van levenslange verzorging in een bejaardentehuis hebben voorzien. Maar dat Theresienstadt beter was dan andere kampen, een bevoorrechte plaats, dat geloofden we wel. Je had geluk als je hier kwam, daar waren we het over eens. Naar Theresienstadt reden geen veewagons.

Al weet een mens nog zo goed dat er tegen hem wordt gelogen – wat aangenamer voor hem is, dat gelooft hij toch. Zo zitten we in elkaar. Erg moeilijk van de overtuiging af te brengen dat er in de wereld orde heerst. Dat er regels zijn.

Zelfs in de sluis maakten we onszelf nog wijs dat het eindeloze wachten en de pesterijen alleen een kwestie van slechte organisatie waren. En de stomp in mijn maag een uitglijder. Toen ze ons naar de ontluizingsruimte brachten – we hadden geen luizen, in Westerbork kwam dat amper voor –, toen ze op weg naar de Waterpoort tegen ons schreeuwden en ons met hun geweerkolven vooruitduwden, dacht ik nog steeds: Dat zijn kinderziekten. Die gaan voorbij.

Ook dat Olga en ik op verschillende plaatsen moesten slapen, zij in de Dresdner kazerne en ik in de Hamburger kazerne – ook dat stoorde ons niet echt. In Westerbork zijn mannen en vrouwen ook in gescheiden barakken ondergebracht. Dat we hier nog meer opeen werden gepropt dan daar, dat er 'nog dichter werd belegd', dat je bijna in de armen van je buurman lag – nou ja. Daar zou wel een reden voor zijn.

Maar de eerste maaltijd was een schok. Niet alleen voor mij met mijn eeuwige honger. Olga verging het net zo. Wat ze hier uit de emmer in ons eetketeltje schepten, zouden ze in Westerbork hebben weggegooid. We waren echt niet verwend, verre van dat. Maar de eerste maaltijd kregen we niet door onze keel.

Intussen vallen we erop aan. Een knagende maag is sterker dan walging. Zoals in die afgezaagde mop: 'Kastelein, twee dingen zinnen me niet in uw zaak. Ten eerste is het eten beneden alle peil. En ten tweede zijn de porties veel te klein.'

Ha, ha, ha.

Niet verzadigd raken en honger hebben, dat is net zo'n verschil als tussen ziek zijn en sterven.

Achteraf gezien was die eerste maaltijd in Theresienstadt nog een van de betere. Uitgebreider. Iedereen kreeg die dag een knoedel bij de soep. Nu weten we dat die negentig gram moet wegen en zien we het meteen als hij weer minder weegt. Toen zagen we hem aan voor een bijgerecht.

En de eerste hongerdode die we tegenkwamen voor een ongeluk.

Ik zou in de film de lijkkarren moeten laten zien. Ze een wedren moeten laten houden. Rahm wil er toch zoveel sport in hebben?

We begrepen niet meteen hoe Theresienstadt in werkelijkheid is. Wat het is. Ook hier kwam het door de verkeerde kostuums. Gevangenen in pak maken geen overtuigende indruk.

En eerst werd het ook beter. Ik kwam op de lijst van A-prominenten en we kregen een kumbal toegewezen. Toen vond ik dat nog vanzelfsprekend. Pas gaandeweg heb ik begrepen wat een geschenk het is dat Olga en ik bij elkaar mogen blijven. Wat een voorrecht. Je hebt tijd nodig om je eisen tot het niveau van Theresienstadt te verlagen. Om te leren dat de verboden sigaretten geen genotmiddel zijn, maar een betaalmiddel op de zwarte markt. Dat je ook halfrotte aardappelen kunt eten. Ze zijn niet gezond, zegt dokter Springer. Maar verhongeren is nog ongezonder. Als nieuweling weet je dat allemaal nog niet. Daarom is *Vragen over Theresienstadt* ook het succesvolste nummer van Karussell. De mensen lachen zich telkens slap om de naïviteit van de nieuwkomers. 'Moet een man, zo wil ik vragen, 's avonds hier een rokjas dragen? – Eenieder kiest zijn eigen pak, mijn man gaat altijd maar als wrak.'

Ha, ha, ha.

Maar Leo Strauss heeft in de roos geschoten met zijn tekst. Wie hier ook maar een week langer is dan iemand anders, voelt zich al een oude rot en heeft voor de beginneling alleen maar minachting over. Behandelt hem zoals de veteranen in onze compagnie ons destijds behandelden.

Gewend als we waren aan Westerbork – alles went –, moesten we eerst leren dat de angst hier een heel ander ritme heeft. Dat het niet telkens een hele week duurt voor de volgende trein rijdt. Soms vertrekken er drie transporten achterelkaar. En dan weer een tijd geen enkel. De verstandigste mensen hebben al geprobeerd te begrijpen volgens welke logica ze – In het bureau van de commandant? In

Praag? In Berlijn? – de dienstregeling opstellen. Er is geen logica. Er is geen zin.

Pas als je dat snapt, ben je een echte inwoner van Theresienstadt.

Ik ben hier al bijna even lang als Rahm. Hij is ook in februari gekomen. Uit Praag, waar hij – we weten alles van hem – een soort geüniformeerde boekhouder was. Hij zal niet direct afrekeningen hebben gecorrigeerd of declaraties afgevinkt, maar ook daar moest hij zorgen dat de cijfers klopten. Vroeger ging het om vrachtwagens, om uniformen of wat dan ook. En nu gaat het dus om mensen.

Nee, niet om mensen. Om judden.

Als ik er goed over nadenk, waren alle hooggeplaatste nazi's die ik heb leren kennen, zulke boekhouders. Bekrompen administrateurs. Mensen die een kleerhangertje aan de deur van hun kantoor hangen om te zorgen dat hun uniformjasje niet kreukt als ze het uittrekken. Die weigeren een doodvonnis te tekenen als de secretaresse een tikfout heeft gemaakt. Allemaal schouwburgabonnees. Het kan hun niet schelen wat er op het programma staat, zolang ze maar zeker zijn van hun plaats. Niet op de allereerste rij en niet in de ereloge. Maar ook niet in de engelenbak bij het plebs.

De staanplaatsen zijn altijd voor de anderen. Waar zoveel leiders zijn, moeten nog meer mensen zijn die geleid worden, die hun handen vuilmaken. Wie op de bel-etage woont, heeft iemand nodig die de kolen voor hem sjouwt. Maar die nodigt hij dan niet uit in zijn woonkamer. Er zouden eens vlekken op de goede bank kunnen komen!

Wat zou Effeff voor iemand zijn als hij hier dienst moest doen? Hij zal vanwege zijn leeftijd aan dat soort dingen ontkomen zijn. Als ze hem bij het leegschrapen van de pan niet alsnog hebben opgevist. Hij zou supercorrect zijn, dat weet ik zeker. Iemand bij wie je je pet exact drie passen voor je hem passeert, van je hoofd moet rukken. Maar niet kwaadaardig. Niet iemand die slaat. Behalve als het dienstvoorschrift het vereist.

Met de kleine Korbinian zou hij het goed kunnen vinden. Hij zou hem uitnodigen bij hem thuis, in zijn, in onze woning in de Klopstockstraβe. Hij zou hem in papa's gemakkelijke stoel zetten, hem een sigaar aanbieden en zeggen: 'Raad eens, kameraad, wie hier vroeger heeft gewoond?' En Korbinian zou antwoorden: 'Ik heb Gerron goed gekend. Weet u wat er van hem geworden is?' Ze zouden het geen van beiden weten. Het zou hen ook niet echt interesseren.

Voor vechtjassen en sadisten zouden ze alleen maar minachting hebben. Voor mensen als Klingebiel uit de Joodsche Schouwburg of voor Jöckel, die hier in de Kleine Vesting het bewind voert. Natuurlijk, Korbinian slaat ook, maar alleen beroepshalve. Voor opleidingsdoeleinden. Gewoon zonder opdracht erop los meppen, dat zou niet in hem opkomen. Dat gaat in tegen de orde.

Misschien is dat de oergrond, het begin van alles: de orde. Met de wereldoorlog is die uit elkaar gevallen. Geen keizer meer. Geen duidelijk boven en onder. Het geld niets meer waard. Daar worstelen ze nog steeds mee. Er mag nooit meer iets veranderen en daarom willen ze een duizendjarig rijk. Daarom dromen ze van een Europa zonder de warboel van al die landen. Van een landkaart waar alles mooi egaal bruin is. Ordelijk. In *Mein Kampf* hebben ze gelezen wie de schuld is van de chaos en nu brengen ze alles weer in het reine. Ze hebben Theresienstadt als ontluizingsstation ingericht en wij zijn het ongedierte. Ze hebben daar een handboek voor en dat wordt nu doorgewerkt. Hoofdstuk voor hoofdstuk.

Het is geruststellend als je regieaanwijzingen hebt.

Als Rahm er 's avonds een punt achter zet – daar doe ik een eed op –, als het werk erop zit en de kameraadschap bevestigd is met een pilsje of twee, dan gaat hij naar huis en leest een goed boek. *De mythe van de twintigste eeuw* of *Van Kaiserhof tot rijkskanselarij*. Wat een mens zoal vooruithelpt in het leven. Dan gaat hij naar bed en valt meteen in slaap. Hij slaapt zonder nachtmerries. Schrikt hoogstens op als hem te binnen schiet dat hij misschien vergeten is de wekker te zetten.

Aus der Fünten in Amsterdam was net zo. Een ontwikkelde burger. Iemand die weet hoe het hoort. Als er in het theater een voorstelling aan de gang is, loop je op je tenen, en Joden met een gemengd huwelijk laat je castreren. Allebei om dezelfde reden: orde.

Intussen is er vast al een nazi-etiquetteboek. Misschien wel geschreven door Scholtz-Klink, de *Reichsfrauenführerin* met de vlecht om haar hoofd. Een boek waarin je kunt opzoeken hoe je je in alle levenssituaties hoort te gedragen. Wat je aantrekt bij een executie en zo. Dat je in burger naar het cabaret gaat.

Gemmeker is ook zo'n boekhouder. Van het snoeverige soort. Ik ken dat. Thuis vraagt hij zich een uur lang af hoeveel fooi hij de kelner moet geven, en in het restaurant doet hij of het op een mark meer of minder niet aankomt. Als hij van het meisje met het verkooplateau een papieren roos koopt, vindt hij zichzelf een vlotte bon vivant. In het Kadeko bestelde dat type de goedkoopste sekt en hield dan bij het inschenken de fles zo dat je het etiket niet zag. Zodat ze aan de andere tafeltjes zouden denken dat hij aan de champagne zat. Nu laat hij voor zijn Joodse hansworsten Franse cognac achter het toneel brengen. Met oorlogsbuit kun je makkelijk goede sier maken.

Allemaal boekhouders. Betrouwbaar. Je vertelt hun wat de uitkomst moet zijn en zij vinden de sommen erbij. Min of plus – dat doet er niet toe. Je moet je alleen niet in de boeken laten kijken.

Rahm is een meester in die creatieve boekhouding. Ze hebben hem naar Theresienstadt gestuurd om de balans te corrigeren. Zijn voorganger had daar waarschijnlijk niet genoeg fantasie voor.

In Babelsberg geven ze voor de pers of voor belangrijke financiers soms rondleidingen door de studio. Dan bouwen ze altijd die deur op, het meesterstuk van de schilderszaal. Het lijkt of je hem kunt passeren, maar hij is maar geschilderd. Dat maakt telkens enorme indruk op de bezoekers. Rahm heeft iets soortgelijks georganiseerd. Nog beter. Hij heeft na afloop niet verklapt dat alles wat ze hadden bekeken, maar gezichtsbedrog was. Terwijl het enige echte op die dag de rozenstruiken waren die voor de verfraaiingsactie waren geplant. Meneer de kampcommandant heeft de Rode Kruis-delegatie niet zomaar één geschilderde deur voor echt verkocht, maar meteen de hele studio. En ze zijn er ingestonken. Otto heeft gelijk: de heel grote leugen werkt nog altijd het best.

De afgevaardigden dachten dat ze zelf hun weg door de stad zochten, terwijl hun rondgang even strak gechoreografeerd was als een ballet. Ze werden heel onopvallend gestuurd. 'Trek maar een kaart,' zegt de tovenaar. Op het eind heb je altijd precies die kaart in je hand die voor je is voorbereid. Ze hebben de aanwijzingsborden gevolgd die overal waren neergezet. Mooi gesneden en bont beschilderd. NAAR HET KOFFIEHUIS. NAAR HET PARK. NAAR DE SPEELPLAATS. Alsof iemand in Theresienstadt een wegwijzer nodig heeft. NAAR DE ONTLUIZINGSRUIMTE. NAAR DE LATRINE. NAAR DE TREIN NAAR AUSCHWITZ.

Twee dagen geleden hebben we de borden uit het rekwisietenmagazijn gehaald en voor de film opgenomen. Succesnummers speel je da capo.

De mensen van het Rode Kruis waren ook niet moeilijk in de luren te leggen, dat moet gezegd. Remondo, die mij voor *De blauwe engel* de goocheltruc met de eieren heeft geleerd, vertelde dat hij bij zijn optreden als boeienkoning het liefst intellectuelen als assistent op het podium haalde. Omdat die het makkelijkst te bedotten zijn. Wie ervan overtuigd is dat je hem niets kunt wijsmaken, stinkt overal in. Zo ook de delegatie van het Rode Kruis.

Dat al die aardige voorzieningen die ze te zien kregen, de apotheek, de slagerij, het muziekpaviljoen, dat dat alleen voor die ene dag neergezette decors waren, op dat idee zijn ze niet gekomen. Het zou nooit in hen opgekomen zijn dat je een bank en bankbiljetten kunt hebben, maar geen geld.

Rahm kon het zich zelfs permitteren een persoonlijke grap in te voegen. Bankdirecteur Popper kreeg een etui met sigaren in zijn zak gestopt en moest die de afgevaardigden aanbieden. Uitgerekend Popper, die wegens ongeoorloofd roken net vier weken in de bunker had gezeten. Aangegeven door Haindl, de meest achterbakse van alle SS'ers. Tijdens het bezoek van het Rode Kruis werd Popper in een Mercedes door Theresienstadt gereden. Met Haindl achter het stuur. In de kantine moeten ze naderhand dubbel hebben gelegen. Ik kan het gewoon horen. Dat gebrul als op een premièrefeest, wanneer de plankenkoorts verdwenen is en je de doorstane bijna-rampen alleen nog maar komisch vindt.

Het was ook echt een goede enscenering. 'Met veel liefde voor het detail' zou er in de kritieken staan. Een bord aan een gebouw hangen en het daarmee tot school bombarderen, hoewel je die helemaal niet hebt – dat kan iedereen bedenken. Maar wij hadden maar liefst twee van zulke scholen. Een voor jongens en een voor meisjes. Omdat dat in pedagogisch opzicht veel beter is. Wel waren beide scholen tijdens het bezoek van het Rode Kruis wegens vakantie gesloten, jammer maar helaas. De afgevaardigden hebben geen vragen gesteld.

Hoewel ze dat gerust hadden kunnen doen. Over welk onderwerp dan ook. De antwoorden waren allemaal voorgekookt. Eppstein moest getallen stampen tot hij er suf van werd. Valse getallen natuurlijk, maar als je ze optelde, kreeg je de juiste uitkomst. Rahm is een goede boekhouder.

En een goede regisseur. Een van de moeilijkste dingen bij de film is een rijer, waarbij altijd op het juiste ogenblik de juiste mensen in beeld moeten komen. Hij heeft het voor elkaar gekregen. Perfect georganiseerd. In de eetzaal werd precies op het moment dat de delegatie binnenkwam, het eten opgediend. Voor de bakkerij werd op het moment dat ze de hoek omsloegen, vers brood afgeleverd. In het gemeenschapshuis begon exact bij hun aankomst de finale uit *Brundibár*. Alles stond gereed en kwam bij het trefwoord in beweging.

Brundibár. Schattige kinderen doen het altijd goed bij het publiek. De mensen van het Rode Kruis waren zo enthousiast dat een van hen tegen Rahm zei: 'Dat fantastische kinderkoor mag u nooit uit elkaar halen!' Rahm heeft het hem ook beloofd. En zijn woord gehouden. Hij heeft het hele koor met dezelfde trein naar Auschwitz gestuurd. Er is genoeg jong talent. Voor de film hebben we ook net weer een scène uit *Brundibár* opgenomen. Dezelfde finale, maar met een nieuwe bezetting.

Zelf stond ik die dag ook paraat. Met Karussell. Als ze binnengekomen waren, had ik de Mack-the-Knife-song moeten zingen.

Zo werd het gewenst.

Maar ze zijn niet bij ons geweest.

Karussell valt net als de film onder de afdeling Vrijetijdsbesteding. Die op haar beurt onder de Raad van Oudsten valt. Die op zijn beurt onder Rahm valt.

Vrijetijdsbesteding. Een gettowoord dat je moet laten smelten op je tong.

Vrij. Tijd. Besteding.

We zijn allemaal zo geweldig vrij in Theresienstadt. Vrij om luizen te krijgen. Vrij om te verhongeren. Vrij om dysenterie op te lopen en ons op de latrine dood te schijten. Wat dat betreft schrijft niemand ons iets voor. We kunnen het helemaal doen zoals we zelf willen. Tijd hebben we ook. Tot aan de volgende ziekte. Tot aan de volgende slechtgehumeurde SS'er. Tot aan het volgende transport. En die tijd mogen we besteden. Moeten we zelfs besteden. Op een artistieke manier. Omdat Rahm het wil noteren in de rubriek CULTURELE ACTIVITEITEN en die rubriek is een belangrijk onderdeel van zijn boekhouding. Waarin ik ook een cijfer achter de komma ben.

Op mijn tweede dag in Theresienstadt moest ik in de Maagdenburger kazerne komen. Bij een zekere dr. Henschel. Een aardige, al wat oudere man met een droevige mond. Waterige ogen achter een ronde bril. Alsof hij elk moment kan gaan huilen. Driedelig pak met stropdas. Uiterst correct. Hij praat zachtjes en kijkt intussen langs je heen. Maar hij weet exact wat hij wil. Vroeger – in de goede oude tijd, zoals

Otto het altijd noemde – was hij een succesvol advocaat. Nu is hij lid van de Raad van Oudsten.

'Ik ben hoofd van de Vrijetijdsbesteding,' stelde hij zich voor. De eerste keer dat ik dat woord hoorde. 'Ik heb u bij mijn afdeling laten indelen omdat wij mensen als u nodig hebben. U moet hier een cabaret op poten zetten.'

'Zoiets als in Westerbork?'

Hij antwoordde niet meteen. Het is een eigenaardigheid van hem dat hij de tijd neemt om goed na te denken voor hij iets zegt. Dat heeft hij zich waarschijnlijk aangewend in zijn tijd als advocaat. Ten slotte schudde hij zijn hoofd. 'De taakstellingen zijn niet helemaal te vergelijken. Wij genieten hier niet dezelfde ondersteuning als u daar wellicht gewend was. Maar het is de wens van de kampcommandant dat er in het algemeen zulke activiteiten plaatsvinden. U zult hier dus meer ...' Hij zocht exact het juiste woord. Als hij nadenkt, knipperen zijn ogen achter zijn bril. '... meer moeten improviseren dan daar. Eigen initiatieven ontwikkelen. Dat leert u wel.'

Ik heb het geleerd. Op z'n laatst op de dag dat ze ons voor onze uitvoeringen die zolder toewezen.

'Karussell,' zei dr. Henschel. 'Wat vindt u van die naam?'

Karussell. Waarschijnlijk mijn laatste ensemble. Als de oorlog niet gauw afgelopen is. De geallieerden staan in Brussel, zo wil het gerucht.

Brussel is zo ver weg.

'Voor mijn part Karussell,' zei ik.

Toen, in het begin, dacht ik dat het toch zoiets zou zijn als in Westerbork. Cabaret als luizenbaantje dat vrijwaart voor transport naar het oosten. Daar was het voor mij niet goed afgelopen door die schijtziekte. Schijtziekte! Mijn hoofd maakt weer automatisch die flauwe grap. Nu zou ik theaterdirecteur zijn. Max Ehrlich en Willy Rosen tegelijk. Ik zou *Strijkkwartet* brengen, nam ik me voor. Meteen in het eerste programma. De rol spelen die ze me in Westerbork niet hadden gegund. Succes en lachers gegarandeerd. Een paar sketches, een paar liedjes. De mensen afleiden.

Dr. Henschel zei: 'Nee.' Hij had niet alleen een naam voor mijn cabaret verzonnen, maar ook al nagedacht over de inhoud. Hij had zich op het gesprek voorbereid als op een pleidooi.

'Ziet u, meneer Gerron,' zei hij terwijl hij nog steeds langs me heen keek, 'al die dingen, cabaretprogramma's, concerten, lezingen, worden niet gestimuleerd om ons een plezier te doen. Men wil kunnen zeggen dat ze plaatsvinden. Men wil de wereld bewijzen dat het goed met ons gaat. Theresienstadt is een etalage, en etalagepoppen horen te glimlachen. Ook al is de glimlach erop geschilderd. Alleen: wij zijn geen poppen. Zolang we onze eigen gedachten nog denken, zijn we mensen. Begrijpt u wat ik daarmee wil zeggen?'

Ik begreep hem niet echt.

Hij zette zijn bril af en maakte hem schoon. Zorgvuldig. Een gebaar dat waarschijnlijk ook afkomstig was uit de rechtszaal. 'Ik zal proberen het op een andere manier uit te leggen. Weet u wat hier in het getto de oriëntatiedienst is?'

'Het spijt me.'

'Er zijn veel mensen, meestal oude, maar ook jonge, die hulpeloos door de stad dwalen. Die niet meer weten waar ze zijn of waar hun kwartier is. Die de weg niet meer kunnen vinden. Zulke mensen worden dan door de oriëntatiedienst opgevangen. Naar de juiste plek gebracht. Terug de werkelijkheid – hoe moet ik dat noemen? – in geloodst. Zoiets, stel ik me voor, zou u met uw cabaret moeten doen.' Hij zette zijn bril weer op en keek me voor het eerst recht in de ogen. 'Een oriëntatiedienst voor de ziel, als het ware. Acht u zich daartoe in staat, meneer Gerron?'

Oriëntatie? Wat je zelf niet hebt, kun je niet geven. Dat hebben we ook meteen in ons titellied opgenomen.

'Wij draaien in een mallemolen op houten paarden in het rond, en weten pas waarheen wij dolen als men ons afzet op de grond.'

Als we er niet van tevoren uit gevallen zijn.

Nee, oriëntatie hebben we niet te bieden. Maar we maken ook niet zomaar grappen. Doen niet of we blank staan voor een snelle, nietszeggende lach. Bij ons danst mevrouw Meier niet de tango. Zo makkelijk maakt Karussell zich er niet van af. Elk nummer, zelfs als het schijnbaar een heel ander onderwerp heeft, gaat over Theresienstadt. Over onze situatie. Over politiek. Als ik mijn toespraak hou als de president-directeur die zijn mensen niet meer kan uitbetalen en ze met leuzen aan het lijntje probeert te houden, dan weet iedereen wie daarmee wordt bedoeld. Ik hoef Goebbels helemaal niet te imiteren. Zo goedkoop doen wij niet. Natuurlijk zouden we met gespeelde grappen de lachers makkelijker op onze hand krijgen. *Het grappige Salzer-boek* zou het ook hier goed doen. Maar wij hebben meer pretenties.

Pretenties. Cultuur met een rollende r. Cultuurrr. Vroeger zou ik erom gelachen hebben. Zou ik onderschreven hebben wat Rudolf Nelson een keer tegen me zei: 'Pretentie betekent dat de kas niet klopt.' Maar wij hebben tenslotte geen kas. Alleen toeschouwers.

Ik heb een hoop succes gehad in mijn leven. Meestal zonder dat het mijn verdienste was. Wat dat betreft maak ik mezelf niets wijs. Het was gewoon geluk. Ik heb op het juiste moment de juiste rollen gekregen. Met de juiste collega's. Als het zo was doorgegaan, als Hitler op tijd was doodgeschoten of in zijn snorretje was gestikt, kon ik nu van mijn lauwerkransen soep koken. Dan kon ik elke dag bij Schlichter kreeft bestellen of bij Horcher *faisan de presse*. Maar echt trots zou ik niet kunnen zijn.

Op Karussell ben ik wel trots. Op elke voorstelling. Op elke lacher. Op elke traan.

Het meest nog op het stuk brood dat een vrouw me een keer na het laatste nummer bracht. Om dankjewel te zeggen. Een hele snee brood. Ik ben de grootste veelvraat ter wereld, maar ik heb hem niet aangeraakt. Hij ligt nog steeds naast het conservenblik met de verdorde roos. Ook wie niets heeft, kan schatten bezitten.

Het is pijnlijk om zoiets na bijna een kwarteeuw op de planken te moeten toegeven, maar voor het eerst in mijn carrière heb ik begrepen waar het bij toneelspelen eigenlijk om gaat. Dat het op de inhoud aankomt en niet op het effect. De Mack-the-Knife-song of *De Nachtgeest*, dat waren toppers, ja. Maar met mij hadden ze eigenlijk niets te maken. Ik was niet meer dan hun grammofoon op twee benen. *Zonder boter, zonder eieren, zonder vet* is als chanson niet half zo goed. Doet er niet toe. Het slaat op mij. Ik heb met dat lied iets te zeggen. En dan niet zoals Brecht, voor wie het verkondigen altijd minstens even belangrijk was als het verkondigde. Ik hoef niet naar de rand van het podium te stappen en leuzen te blèren. Het kan ook zachter.

Leuzen zouden trouwens ook niet door de censuur komen. Elke tekst moet door het bureau van de commandant worden goedgekeurd. Gelukkig hebben ze daar geen gevoel voor subtiliteiten. Ze schrappen de zinnen die wij in het manuscript zetten om ze te laten schrappen en de zinnen die voor ons belangrijk zijn, merken ze niet op. Wat tussen de regels staat zien ze toch altijd over het hoofd. Tot nog toe hebben ze niet gesnapt dat de boosaardige Brundibár eigenlijk Hitler voorstelt. Terwijl het toch overduidelijk is. Iemand zwengelt uit zijn draaiorgel steeds dezelfde melodie en duldt niemand naast zich. Wie kan dat nou anders zijn?

In het publiek merkt iedereen alles. Onze toeschouwers hebben een fijn gehoor. Ze horen ook dingen die we helemaal niet zeggen. Begrijpen elke blik en elke pauze. In de psychiatersketch vraagt de patiënt aan mij: 'Waaraan merk je eigenlijk dat iemand gek is?' In plaats van te antwoorden krab ik alleen aan mijn neus. Precies zoals Haindl aan zijn neus krabt. Je ziet de mensen dan altijd hun hoofd omdraaien voordat ze lachen. Om zeker te weten dat er niemand van de bewaking in de buurt is.

Dat is het grote verschil met Westerbork: daar zaten de SS'ers tussen het publiek. Eigenlijk werd er alleen voor hen gespeeld. De kampbewoners werden er alleen minzaam bij geduld. Hier zijn we onder ons. Rahm zou het niet in zijn hoofd halen om een van onze voorstellingen te bekijken. Hij wil alleen dat ze plaatsvinden. Zodat hij ze in de boeken kan zetten. Op de creditzijde. Cabaret plus Kurt Gerron maal zeven voorstellingen is cultuur in het getto.

'Elk getal is gecontroleerd, elke regel gecorrigeerd', heeft Leo Strauss geschreven. En als ik dan zing: 'Toch klopt de balans ...', dan vult het publiek in koor aan: 'Niet helegans.'

Zolang we onze eigen gedachten nog denken, zijn we mensen.

Vandaag hebben we voorstelling. Daar ben ik blij om. Nietsdoen is niets voor mij. Dan denk ik te veel na.

Het is goed mogelijk dat ze nu, precies op dit moment, in Praag naar mijn film zitten te kijken. Naar de afzonderlijke stukken waar ik nog een film van moet maken. De opdrachtgevers zijn er, of in elk geval hun vertegenwoordigers. Mannen met een ernstig gezicht. Het mag niet aan hen te zien zijn dat ze geen verstand hebben van wat ze beoordelen. Bij een bijzonder geslaagde scène gaat er misschien een keer een goedkeurend gemompel door de projectiecabine, en dan zegt Pečený: 'Daar heb ik ook erg mijn best op gedaan.' En ik zit hier in mijn kumbal en kan hem geen schop onder zijn kont geven.

Nietsdoen is erg. In de oorlog is er geregeld iemand uit zijn dekking geklommen en de kogels tegemoet gelopen. Omdat hij er niet meer tegen kon om stil te zitten.

Ik heb mijn teksten nog een keer doorgenomen, hoewel dat helemaal niet nodig is. Mijn geheugen werkt goed. Als morgen *De driestuiversopera* op het progamma stond, zou ik Tiger Brown foutloos kunnen spelen. Zonder opneemrepetitie. Albers, die nog geen regel kan onthouden, heeft een keer tegen me gezegd: 'Waar bij mij talent zit, Gerron, daar zit bij jou een geheugen.' De bescheidenheidsprijs zou hij niet hebben gewonnen.

Maar ik begrijp wat hij bedoelt. Het spelen heeft hem verslaafd gemaakt, niet het voorbereiden. Het gevoel dat je gewoon kunt opkomen, dat je gewoon kunt gaan staan, je niet eens hoeft in te spannen en je rol toch beheerst, je rol en de toeschouwers. Een koorddanser wil het koord op.

Terwijl het niet om het applaus gaat. Ja, natuurlijk, daar ook om. Maar dat geeft niet de doorslag. Je ademt anders als je op het toneel staat. Je voelt sterker. Je leeft intenser. Je leeft. Als je verder alleen nog vegeteert, zoals de karper in het bassin van het visrestaurant, als je niets anders te doen hebt dan wachten op het schepnet, dan is die kleine vlucht in een rol iets kostbaars. Als ik op het toneel sta, heb ik het gevoel dat ik met Jiři buiten in het spergebied ben. In de natuur. Dat ik de haas ben die ik daar heb gezien, en dat niemand me kan vangen. Niemand.

Ik ben indertijd bij het toneel gegaan omdat ik iets wilde worden. Nu heb ik het nodig om mezelf te blijven. Kurt Gerron, acteur. Niet: Kurt Gerron, gettojudde.

Olga begrijpt dat. Ze accepteert mijn dwaze maatstaven. Ze lacht me niet uit als ik na een voorstelling helemaal wanhopig ben omdat één enkele grap niet zo overkwam als de bedoeling was. Ze zegt dan niet wat ieder verstandig mens zou zeggen: 'In onze situatie is dat toch even belangrijk als een scheet in een wervelstorm.' Ze denkt het niet eens. Toen we met Karussell première hadden ...

Première. Het verkeerde woord. Première, dat zijn artikelen in de pers en geruchten in de kantine, dramatische ruzies en uitbundige omhelzingen, dat is het geruis en gemompel van het publiek, dat op die dag heel anders klinkt dan bij een gewone voorstelling, dat is de steelse blik door de spleet in het gordijn of Kerr en Monty Jacobs er zijn, dat is toitoitoi en over de schouder spugen en na afloop bij Schwanneke op de eerste kritieken wachten, 'Kerr klapte niet, maar Monty Jacobs lachte, ik heb het heel duidelijk gezien'. Dat is een première.

In Theresienstadt heb je een eerste voorstelling.

Vandaag spelen we in de Hamburger kazerne en daar ziet het er nu bijna zo uit als in een echt theater. Maar in het begin ...

In het kantoor van de Vrijetijdsbesteding drukten ze me de sleutel in de hand. 'De zolder van de cavaleriekazerne. De ruimte moet groot genoeg zijn, maar voor de inrichting moet u natuurlijk zelf zorgen.'

Natuurlijk.

De cavaleriekazerne is geen goed adres. Na een halfjaar Theresienstadt ben ik een oude rot en ken ik de fijne sociale nuances. Een kamer in de Maagdenburger kazerne komt overeen met een villa aan de Wannsee. De Dresdner kazerne: Wedding, huurkazerne, vierde binnenplaats. De cavaleriekazerne: Köpenicker Straβe, waar de stad zijn vuilnis stort. Daar zijn de kreupelen, de blinden en de gekken ondergebracht. Al degenen die, zoals ze in Theresienstadt zeggen, 'opgevangen' worden. Die eigenlijk in het ziekenhuis thuishoren, waar geen plaats voor ze is. Ook Theresienstadt heeft zijn invalidenhuis.

Maar een vrije zolder is een vrije zolder. Een buitenkansje. Geen podium en geen gordijn en geen verlichting? Doet er niet toe. Je moet er het beste van maken. Dat is de tekst van de optimisten. De pessimisten zeggen: 'Het heeft toch geen zin.'

Ze hebben allebei gelijk.

's Morgens gaven ze me de sleutel en om zes uur moest de voorstelling beginnen. Ik trommelde dus Anny Frey op – alle anderen uit het ensemble waren nog bij hun werkploeg – en we gingen erheen om schoon te maken en op te ruimen. Misschien zelfs een soort podium te bouwen, als dat te doen was.

Alleen was de lege zolder niet leeg. 'Daar is geen mens,' hadden ze tegen me gezegd. Het had moeten zijn: 'Geen levend mens.'

De lucht was niet het ergste. Ze kunnen nog niet lang dood geweest zijn. Verhongeren heeft zijn tijd nodig.

Het ergste was dat ze allemaal vlak voor de deur lagen. Naast elkaar en op elkaar. Ze hadden dus nog geprobeerd naar buiten te komen. Geen massieve deur. Een flinke kerel had hem wel uit zijn hengsels weten te lichten. Het waren geen flinke kerels. Het waren in vel verpakte skeletten.

In Theresienstadt is het verboden een deur achter je op slot te doen. De SS wil zich de moeite van het intrappen besparen. Maar uiteraard zijn er sleutels. Hoe zou het anders kunnen in een gevangenis? Op het centraal secretariaat hangt een heel rek vol, elke sleutel zorgvuldig gemerkt. Het Bureau voor Zelfbestuur – mooie naam toch? –, dat verantwoordelijk is voor de toewijzing van de kwartieren, heeft als

enige afdeling van de Raad van Oudsten het recht om ruimten af te sluiten. Bijvoorbeeld als ze van ongedierte gezuiverd moeten worden.
Of als Kurt Gerron daar cabaret moet spelen.

De vijf waren niet op de gedachte gekomen dat de deur achter hen afgesloten kon worden. Ze hadden allang geen gedachten meer. Ze kwamen uit de *cvokarna*, de zaal voor geesteszieken. Daar lopen geregeld mensen weg. De ramen zijn van tralies voorzien, maar voor de deur maakt het voorschrift geen uitzondering. *Geen enkele bewoonde ruimte mag worden afgesloten.* Een van hen zal ervandoor gegaan zijn, uit nieuwsgierigheid of omdat hij verward was, op zoek naar iets of op de vlucht voor iets, wie zal het zeggen? De anderen achter hem aan.

De zolder ligt maar één verdieping hoger dan de slaapzaal voor de *cvoks*. Ze moeten er verdwaald zijn, zoals een kat te hoog in een boom klimt. Zonder doel. Ze zijn er binnen geraakt en konden niet meer naar buiten. De ruimte lag vol rommel en daar zijn ze misschien in weggekropen. Ik weet het niet. Op een gegeven moment heeft iemand de deur afgesloten. Omdat de ruimte een theater moest worden. Voor Karussell.

Niemand heeft ze gemist. Niet echt. Het komt geregeld voor dat geesteszieke patiënten ergens ronddwalen, zegt dokter Springer. Soms brengt de oriëntatiedienst ze terug, soms ook niet. 'We moeten ons bekommeren om de mensen die we nog kunnen helpen,' zegt hij.

Die vijf zullen daarvoor al mager geweest zijn. Verwarde mensen voeren kost tijd en er zijn belangrijker dingen te doen. Hun porties zullen regelmatig bij de voedseluitgifte zijn afgehaald, maar wie weet wie ze heeft gekregen? We zijn hier in Theresienstadt.

'Verhongeren is niet pijnlijk,' zegt dokter Springer. Dat is een onderwerp waar hij alles van weet. Als hij het kamp overleeft, wil hij er een monografie over schrijven.

Als.

Daar lagen dus vijf dode mensen en wij waren maar met z'n tweeën, Anny en ik. Op straat rijden de lijkkarren als het nodig is, maar in de gebouwen worden de doden maar twee keer per dag opgehaald. Eén keer 's morgens vroeg en dan pas weer een uur voor de avondklok ingaat. Het was halftien en onze voorstelling moest om zes uur beginnen. 'Ontwikkel eigen initiatieven,' had dr. Henschel gezegd.

De lijken moesten naar beneden naar de straat, dat was duidelijk. Ze moesten weg zijn voordat de transportafdeling de piano bracht.

Maar lichamen van mensen zijn zwaar, ook al zit er geen gram vet meer aan. Nee, niet zwaar. Onhandelbaar. We moesten hulp halen. Van de gekken was niemand inzetbaar voor praktische zaken en verplegers zijn er te weinig. Gelukkig was in hetzelfde gebouw ook de zaal voor de blinden. Het was niet onbehoorlijk om hun hulp in te roepen. Gehandicapten maken zich graag nuttig, dat weet ik uit Colmar. Het vervult hen met trots. We vormden een keten over drie verdiepingen door het trappenhuis. We gaven de lichamen aan elkaar door. Sommige dingen zijn eenvoudiger als je niet hoeft te zien wat je doet.

Een heleboel dingen.

Om zes uur begon op onze zolder de voorstelling. Precies op tijd. De toeschouwers zaten op de grond en het decor bestond uit een paardendeken, die we tussen twee steunbalken hadden opgehangen. Ik had mijn apachekostuum aan en was de presentator. Ik nodigde de kermisgangers uit in mijn carrousel. 'Kom, kijk en verbaas u.'

'Wie rijdt er mee?'

Het was een heel succesvolle première. Ook al was Kerr er niet bij. En Monty Jacobs evenmin.

Sinds de derde voorstelling spelen we in de grote zaal van de Hamburger kazerne. We hebben een echt decor en banken voor het publiek. Een kleedkamer voor de artiesten. Wie in mijn ensemble speelt, valt onder de Vrijetijdsbesteding en moet van zijn werkploeg op elk gewenst moment vrij krijgen voor de repetities. Dat heb ik allemaal bedongen en gaandeweg ook gekregen. Voor een deel volkomen overbodige dingen. Fauteuils in de kleedkamer. Dolly Haas had haar gele rozen ook niet nodig. Ik wil er iets mee bewijzen.

Alleen weet ik eigenlijk niet meer wat.

De voorstelling van vandaag was goed. Er werd veel gelachen. In de psychiatersketch lanceerde ik à l'improviste een nieuwe grap en die sloeg in als een bom. Ik keek naar het portret van Sigmund Freud aan de muur en zei heel nadenkend: 'Ik geloof dat het nog veel mooier zou zijn zonder raamwerk.' Het woord 'werk' zo onduidelijk uitgesproken dat je Rahm kon verstaan. 'Ik geloof dat het nog veel mooier zou zijn zonder Rahm.' Dat collectieve inademen, totdat de schrik zich ontlaadt in gelach, is een van de sterkste effecten die je op het toneel kunt sorteren. Als je het kunt.

Echt een goede voorstelling.

En toch: toen ik in ons kumbal kwam, vroeg Olga heel geschrokken: 'Wat is er gebeurd?' Ik wilde niets laten merken, maar ze kent me te goed.

De man was me al tijdens de voorstelling opgevallen. Eerste rij, links buiten. Hij zat de hele tijd met zijn armen over elkaar. Lachte en applaudisseerde geen enkele keer. In mijn begintijd had zo'n stuurs gezicht me nog van mijn stuk gebracht. Dan had ik alleen nog voor die ene toeschouwer gespeeld en de anderen uit het oog verloren. Jou krijg ik nog wel aan het lachen, had ik gedacht en te veel de lolbroek uitgehangen.

Maar ik ben geen beginneling meer.

Het was een goede voorstelling.

Dat hij me na afloop opwachtte, verbaasde me. Zulke mensen gaan meestal als eersten weg. Ze staan midden in het applaus demonstratief op. Hij was blijven zitten. Had niet geklapt, maar was ook niet naar buiten gelopen. Wachtte me op.

'Ik vond u vroeger een goede acteur, meneer Gerron,' zei hij. Berlijns accent. Berlijns Joods accent. Met die karakteristieke melodie.

'Nu niet meer?'

'Jawel,' zei hij. 'U was uitstekend. Het is verbazingwekkend dat je met zo weinig karakter zoveel effect kunt sorteren.' Hij zei het niet agressief, maar treurig. Een teleurgestelde minnaar.

Ik had gewoon weg moeten lopen, dat vindt Olga ook. Niet eens aan een discussie beginnen. Maar daar ben ik te nieuwsgierig voor. Te ijdel.

'Effect sorteren is mijn vak,' zei ik.

Hij knikte. Een smal gezicht. Niet vermagerd zoals de meeste hier, maar alsof het altijd zo was geweest. Strak. 'Als we elkaar in Berlijn hadden ontmoet,' zei hij, 'had ik u om een handtekening gevraagd. Daar wist ik over u alleen wat er in de krant stond.'

Ik had een smoes moeten bedenken. Moet voor de avondklok per se nog iets regelen, het spijt me, tot ziens. Maar ik ben blijven staan.

'Dat u hier de clown uithangt,' zei hij, 'de hansworst, dat kan ik accepteren. Waarom zou een hond niet op zijn achterpoten lopen als hij er een kluif voor krijgt? Voor een brood zou ik Haindls hielen likken. Waarom niet? Maar ik zou er niet voor over lijken gaan.'

'Doe ik dat dan?' Waarom heb ik dat gevraagd? Waarom kan ik mijn mond niet houden?

Hij is leraar. Heeft lesgegeven op de Joodse meisjesschool in de

Auguststraβe. Tot die werd gesloten. Enthousiast schouwburgbezoeker. Hij is in Theresienstadt terechtgekomen omdat hij het ijzeren kruis 1e klasse heeft. Vlaanderen, net als ik. Hij heeft hier een collega van school teruggezien. Die had dingen meegemaakt waar hij niet tegen kon en had daardoor zijn verstand verloren. 'Een cvok, zo u wilt. Hij wilde weer een klein kind zijn. In een wereld leven waarin nooit iets ergs gebeurt. Ik heb me een beetje om hem bekommerd. Heb hem af en toe in de cavaleriekazerne opgezocht. Hij was broodmager geworden. Je moest ervoor zorgen dat hij tenminste zo nu en dan iets at. Tot hij op een dag was verdwenen.'

Ik vertelde het aan Olga en zij sloeg haar handen voor haar gezicht. 'Was hij een van die vijf?' vroeg ze.

Hij was een van hen. Zijn vriend. We hebben hem de trap af gebonjourd en op straat gelegd. Omdat de lijkenophaaldienst te laat zou komen. Omdat onze voorstelling op tijd moest beginnen. Omdat dat het enige was wat me interesseerde.

Tot die man kwam, die leraar uit Berlijn, heb ik me geen seconde afgevraagd of dat juist was. Ik was alleen maar trots op een opgelost probleem. Op ons eigen initiatief.

Wat ben ik toch een verschrikkelijke klootzak geworden! Zo'n rottig cabaret kan toch niet belangrijker zijn dan een dood mens. Die man had gelijk: ik heb geen karakter meer. Ik merk het zelf niet meer als ik me zou moeten schamen. Er is iets in mij gestorven.

Olga probeerde me te troosten. 'Anders zou je het niet uithouden,' zei ze.

Misschien. Maar moet je alles uithouden?

'Ze hebben zijn as weggegooid,' zei de man. 'Omdat hij geen naam had. Omdat u het niet nodig vond daarnaar te informeren. Hij gaf wiskunde toen hij nog les mocht geven. Hij was een heel populaire leraar.'

Hij was een hoop botten.

En het was een succesvolle première, verdomme. Het was een goede voorstelling.

De film wordt ook goed. Daar zal ik voor zorgen. Ik zal bij de montage enorm mijn best doen. Zo zorgvuldig werken dat ik veel tijd nodig heb. Heel veel tijd. De Amerikanen, zo wordt er vandaag gefluisterd, hebben Trier veroverd. Ze staan op Duitse bodem. Voor het eerst zie ik een kans om deze wedloop nog te winnen ook.

Als ik langzaam genoeg ben.

Twee draaidagen hebben ze me nog gegeven. Niet vier, zoals ik had gevraagd. Doet er niet toe. Ik zal toekomen met wat ik heb. Dat we weer aan de slag mochten, daar gaat het om. Het bewijst dat ze de film nog steeds willen hebben. Dat ze tevreden zijn over mijn werk. Dat ze me nodig hebben.

De rest is onbelangrijk.

Gisteren hebben we voor de laatste keer het klapbord gebruikt. Ik denk nog steeds in Ufa-termen. We hadden helemaal geen klapbord. De ploeg kwam van het bioscoopjournaal en had er niet aan gedacht er een mee te brengen. Tegen halfvijf waren we helemaal klaar. De Aktualita-ploeg heeft zijn spullen bij elkaar gepakt en is vertrokken. Zonder afscheid te nemen. Ik had geen feest verwacht, zoals bij de Ufa aan het eind van de opnamen gebruikelijk is, maar Pečený had me best een hand kunnen geven. Me tenminste kunnen aankijken. Niets. Ik besta niet meer voor hem. Zou dat betekenen dat hij de montage zonder mij wil doen?

Onzin. Dat krijgt hij nooit voor elkaar.

Fric heb ik helemaal niet meer gezien. Op de twee extra dagen was hij zonder vast plan op pad. Nam op wat hij toevallig voor de lens kreeg. Straatscènes, mensen aan het werk en andere documentaire-elementen. Bij de montage ben je altijd blij met zulk vulmateriaal. Het voorstel daarvoor kwam van mij, maar Pečený deed of het van hem kwam. Die man is in de filmbranche op de juiste plaats. Een geboren intrigant.

De enige die zich fatsoenlijk gedroeg, was Zahradka. Terwijl ik het van hem het minst had verwacht. Zo'n schuchtere knaap. En ineens doet hij iets dappers. Voor het inpakken smeerde hij de statiefkop in en toen smeet hij de vuile doek in een prop voor mijn voeten. 'Opruimen, Jood!' zei hij, maar niet echt minachtend. Een amateuracteur die een booswicht speelt. In de doek zat een pakje sigaretten. Nog bijna helemaal vol. Osman heet het merk. Elf sigaretten, vijfenhalve snee brood. Ik ben rijk.

Er zijn ook nog fatsoenlijke mensen. Je vergeet het zo gauw.

Met Zahradka heb ik op de laatste dag nog de twee sprookjessequenties opgenomen. De naam is door Olga bedacht en drukt precies uit wat we hebben gedaan. *Sneeuwwitje en het verrassingspakket.* In de woning van dr. Murmelstein hebben we een Deens pakket uitgepakt. Gesneden kaas. Cornedbeef. Knäckebröd. Hoe heet die

Russische professor die zijn honden laat kwijlen, hoewel ze niets te eten krijgen? Doet er niet toe. Zo verging het mij. Mijn maag knorde zo hard – als we met geluid hadden gefilmd, was de opname naar de maan geweest. Een stuk harde worst. Je zou een Deen moeten zijn. Toen we klaar waren, hebben we het pakket weer ingepakt en afgeleverd. En als ze niet gestorven zijn, dan eten ze nu nog.

Als allerlaatste hebben we *Familie tijdens het avondeten* gefilmd. Nog sprookjesachtiger. Een gelukkige familie zit rond een rijk gedekte tafel. Tijdens die opname was ik vreselijk zenuwachtig. Die scène is mijn poging om een persoonlijke boodschap de film binnen te smokkelen. Zoals de musici van het kuurorkest dat hebben geprobeerd tijdens het bezoek van het Rode Kruis. Toen de delegatie hen passeerde, speelden ze *Voor jou, mijn schat, heb ik mij mooi gemaakt.* Wat moest betekenen: het mooie van Theresienstadt is niet meer dan een laagje schmink. Een verborgen teken. Zo goed verborgen dat niemand het heeft opgemerkt.

Voor de scène aan de eettafel hadden we als gelukkig gezin allang de Kozowers met hun kinderen uitgekozen. Op het laatste moment heb ik voorgesteld er ook nog een grootvader en grootmoeder bij te zetten. Om de idylle nog idyllischer te maken. Mijn plan is gelukt. De grootouders mocht ik laten spelen door professor Cohen en zijn vrouw.

Misschien – ik kan het alleen hopen, maar iets anders dan hoop heb ik niet meer –, misschien komt de boodschap over. Kozower en Cohen zijn bekende mensen. De een uit Berlijn en de ander uit Amsterdam. Ze hebben elkaar in Theresienstadt voor het eerst ontmoet. Iemand die die scène ziet, zal misschien denken: Die zijn toch helemaal geen familie van elkaar. En misschien zal hij dan op het idee komen: Als die ene situatie vervalst is, moet de hele film nep zijn.

Misschien.

Misschien ook niet. Maar ik wil het in elk geval geprobeerd hebben.

De operatiesequentie staat er ook op. Dokter Springer opereert en Hertha Ungar geeft hem de instrumenten aan. Ze werkt nog altijd in de ziekenboeg. Is niet op transport gegaan. Omdat ik haar eruit heb gehaald. Alleen al daarom was het goed om de film te maken.

Het was verkeerd. Achtenveertig uur na de opnamen is ze op de transportlijst gezet. Dokter Springer heeft bij de Raad van Oudsten geprotesteerd, maar daar hebben ze alleen tegen hem gezegd: 'De opnamen zijn afgelopen.' Hij is wanhopig. Ik vermoed dat er meer is dan het gezamenlijke werk, dat hem met haar verbindt.

Dat hem met haar verbond.

Kurt Stretter, die Chaplin zo geweldig kan parodiëren. Die ervan droomt dat hij met zijn schaatsnummer in Parijs of Londen optreedt, en dat dan na de voorstelling de *tramp* zijn kleedkamer binnenkomt, met zijn stokje zwaait en zegt: 'Je was beter dan je voorbeeld.' Die droom zal niet in vervulling gaan. Hij staat op de lijst.

Jakub Lischka, Tsjechisch kampioen schoonspringen, die zich bij mij kwam verontschuldigen omdat zijn salto niet wilde lukken. 'De honger tast mijn evenwicht aan,' zei hij. Op de lijst.

Mendel Wajskop, die in het Jiddisje stuk de rabbi speelde.

Enzovoorts. Enzovoorts.

Ik heb tweeëntwintig mensen geteld die allemaal in mijn film hebben meegespeeld. Tweeëntwintig mensen.

Ik kan ze beschermen, dacht ik. Ik neem ze op in een scène, dan zijn ze veilig. Dacht? Ik heb het me gewoon aangepraat. Ik heb mezelf iets wijsgemaakt. Zij waren het betaalmiddel waarmee ik een goed geweten wilde kopen. Kurt Gerron, de weldoener. Kurt Gerron, de redder.

Kurt Gerron, de mislukkeling.

Ik heb ze aangespoord om mee te doen, ze overgehaald, en nu worden ze ervoor gestraft. Hoewel ze alleen hebben gedaan wat er van ze werd gevraagd.

Omdát ze dat hebben gedaan? Omdat ze nu uit eigen ervaring weten wat een leugenachtige vertoning het is? Omdat ze het aan iemand zouden kunnen vertellen?

Nee, dat kan niet de reden zijn. Mag niet de reden zijn.

Inclusief alle figuranten heb ik ver boven de duizend personen laten optreden. Tweeduizend. Ze kunnen toch niet tweeduizend mensen naar Auschwitz sturen, alleen omdat ze ...

Dat kunnen ze. Ze kunnen alles. Als ze in elke veewagon vijftig man stoppen, zijn dat ...

Ik wil het niet uitrekenen.

Tweeëntwintig mensen. Tot nu toe. Slechts tweeëntwintig, denk ik. Ik denk echt 'slechts'. Mijn hoofd zoekt alweer uitvluchten. Ik heb niet eens de moed om tegenover mezelf eerlijk te zijn.

Ik wil mijn eigen hachje redden. Daar gaat het om. Daar is het altijd om gegaan. Om niets anders. Om mezelf.

En om Olga, verdomme.

Tweeëntwintig mensen. Binnenkort zullen ze vergeten zijn. Over deze film verschijnt geen *Film-Kurier.*

REGIE: KURT GERRON.

Spelleiding.

Ik zal de film monteren, ja, dat zal ik doen. Ik zal mijn best doen, zodat alles precies wordt zoals Rahm het wil hebben. Het is zijn film, niet de mijne. 'Hij zit daar te knippen met zijn reuzenschaar.' Ik voer alleen bevelen uit. Ik ben niet verantwoordelijk.

Ik ben een huichelaar.

Doet er niet toe.

Waarom zou je niet op je achterpoten lopen als je er een kluif voor krijgt?

Het zal een goede film worden. Een succesvolle film. Ze zullen tevreden over me zijn. De mensen zullen in de bioscoop zitten en geloven wat ze zien. 'Dat is de werkelijkheid,' zullen ze zeggen. 'Zo en niet anders gaat het er in Theresienstadt aan toe. De mensen daar zijn gelukkig.' Ik krijg dat voor elkaar. Ik kan dat. Ik heb het geleerd. Mijn hele leven was één grote voorbereiding op deze film.

Tweeëntwintig mensen.

Ik heb ze niet kunnen beschermen. Al in het lazaret van Colmar zat ik als een blinde in wonden te peuteren. Iedere verpleger was handiger dan ik. Maar van mij verwachtten de gewonden hulp. Omdat ik een witte jas aanhad en voor dokter speelde.

Zoals ik hier voor regisseur heb gespeeld. Mezelf heb wijsgemaakt dat ik weer bij de Ufa ben. Dat ik iets te zeggen heb. Iets teweeg kan brengen.

Het is mijn schuld dat ze in die trein moeten stappen.

Tweeëntwintig mensen. Hertha Ungar. Kurt Stretter. Jakub Lischka. Mendel Wajskop.

Mevrouw Olitzki.

Ik moet de montage voorbereiden. Moet. Als ze beginnen, moet ik kunnen zeggen: 'Geen probleem. Alles onder controle.' Ook al heb ik nog geen meter film gezien. Dat zal hun niets kunnen schelen. Als ze iets bevelen, moet het functioneren. Zij draaien de knop om en de machine moet lopen. Of belandt op de schroothoop.

Ik zal functioneren.

Ik heb de logboeken en de tekeningen. Dat moet genoeg zijn. De verschillende instellingen zal ik in gedachten bekijken. In mijn herinnering. Ik heb altijd een goed geheugen gehad.

Musculus depressor anguli oris. Musculus transversus menti. Ik vergeet niets.

Beginnen met een grote totaalshot. De kerk en het bureau van de commandant. Die instelling hebben we gefilmd. Hetzelfde halftotaal. Vanaf het midden van het plein. Hebben we ook.

Dan meteen de ploeg mensen die naar hun werk gaan. Rahm zal verwachten dat de beelden die we het eerst hebben opgenomen, ook in het begin verschijnen. Leken denken zo.

De schoonmaakploeg. Hoeveel hebben we daarvan gefilmd? In het logboek staat alleen: *Groepen vrouwen met emmers en bezems.* Twee groepen of drie? Vast drie. Bij zulke dingen laat ik altijd drie verschillende varianten opnemen. Dat is makkelijker te monteren. Dus: *Een eerste groep. Een tweede. Een derde.*

En als we er toch maar twee hebben? De tijd was krap en ik moest vaak inkorten. Ik wilde er misschien drie draaien en heb er toen toch maar ...

Het zou kunnen dat Rahm bij de montage aanwezig wil zijn. Althans in het begin, net als bij de opnamen. Als er in mijn montagevoorstel iets staat waarvoor helemaal geen materiaal beschikbaar is, zal hij denken dat ik het niet kan. Of dat het opzet was. In de meubelmakerij gleed er bij iemand een stuk metaal voor het zaagblad, waardoor de machine werd beschadigd. Ze hebben hem naar de Kleine Vesting gebracht en doodgeschoten. Wegens sabotage.

Het waren drie instellingen. Vast en zeker. Mijn geheugen functioneert goed. *Musculus zygomaticus major. Musculus zygomaticus minor.*

De schoonmaakploeg en dan het span ossen. Dat we zo moeizaam opnieuw moesten opstellen omdat ik, idioot, te vroeg het teken gaf om af te marcheren. Rahm was woedend. Maar dat zal hij intussen wel vergeten zijn. Ik hoop dat hij dat intussen vergeten is.

De stratenmakers. De paard-en-wagen met de planken. De jongelui van de landbouw.

Ik ken hun namen niet. Ik zou ernaar kunnen informeren. Om te weten of er ook iemand van hen op transport gaat.

Ik wil het niet weten. Ze waren zo vrolijk.

24. Halftotaal. De hele ploeg die naar het werk marcheert, loopt voor de kerk langs.

De eerste bladzijde is vol. Mevrouw Olitzki zou het vlugger getypt hebben, maar ik heb geen secretaresse meer. De typemachine staat op de margarinekisten. Veel te laag. Mijn rug doet pijn.

Ik veracht mezelf om die gedachte. Mevrouw Olitzki is op transport gegaan en ik klaag over rugpijn.

Het carbonpapier zorgvuldig tussen de nieuwe vellen leggen. Niet steeds in dezelfde richting. Dan gaat het langer mee. In de machine draaien.

25. De herenkledingzaak. Een paar mannen wachten voor de deur.

Ik ben er vandaag langsgekomen. Vier leden van de bouwploeg waren bezig het winkelbord weg te halen. Ze draaiden de schroeven niet zorgvuldig los, maar trokken het hout er gewoon af. Ze vernielden het bord. Dat soort verspilling kon ik in Berlijn ook al niet hebben. Ik bemoeide me ermee. 'Misschien is dat bord nog een keer nodig,' zei ik. Ze schudden hun hoofd. 'Het moet allemaal verbrand worden.' Op hun kar lagen ook al die mooie houten aanwijzingsborden. NAAR HET KOFFIEHUIS. NAAR HET ZWEMBAD. Worden allemaal verbrand. Dat moet iets te betekenen hebben.

In Theresienstadt heeft alles iets te betekenen. Als het regent, vragen we ons af wat de SS daarmee op het oog heeft.

Als ze de borden niet meer nodig hebben, betekent dat dan dat ze het opgegeven hebben om de stad voor bezoekers te vermommen? Dat zou niet best zijn. Wie zijn theater sluit, heeft geen spelers meer nodig. Of hebben ze de vermomming niet meer nodig omdat ze voortaan op mijn film willen afgaan? Dat zou goed zijn. Voor mij zou dat goed zijn.

Ik moet mijn tijd niet verknoeien met zulke gedachten. Ik moet de montage voorbereiden.

26. De groep wachtende mannen. De deur gaat open. Snijpunt bij het openen van de deur.

27. Camera in de winkel. De deur gaat helemaal open. De mannen komen binnen. De camera pant naar de toonbank. De verkopers laten artikelen zien.

Ik hoef niet eens in het logboek te kijken. Ik weet elke instelling nog. Ik kan op mijn geheugen vertrouwen.

Musculus levator labii superioris alaeque nasi.

28. De koper zoekt iets uit.

Gundermann heette de koper. Elias Gundermann. Is ook op transport gegaan.

Nee, hij is er nog. Is weer van de lijst geschrapt. Een verhaal, even idioot en zinloos als ons hele bestaan. Een colbertje is hem noodlottig geworden en een broek heeft hem gered. Van zulke toevalligheden hangt het hier af wat er met je gebeurt. Wie op zijn tijd en wie vóór zijn tijd, wie door honger en wie door dorst. Wie op transport gaat en wie hier blijft.

Toen we de scène in de kledingwinkel wilden opnemen, hadden we iemand nodig voor de rol van de klant, en natuurlijk iets wat hij kon kopen. In Theresienstadt vind je niet zo gauw kleren die eruitzien als nieuw. We informeerden in de kleermakerij en drie mensen antwoordden in koor: 'Gundermann.'

Een heer op leeftijd met grijzende slapen. Heel gedistingeerd. Een snorretje dat een beetje aan dat van Adolf doet denken. Ik vroeg hem ernaar en hij antwoordde scherp: 'Ik droeg het al zo voordat die meneer beroemd werd.' Het eerste wat me aan hem opviel was zijn gele ster. Hoe die op zijn werkkiel bevestigd was. Met een ingewikkelde, kunstige siersteek. Wat een karwei moet dat geweest zijn.

Gundermann was ooit een bekend man. Eerste kleermaker bij de exclusiefste herenmodezaak van Tsjechië. De firma was niet van hem, maar als iemand in Praag zich een nieuw pak wilde laten aanmeten en zich de beste kwaliteit kon veroorloven, zei hij: 'Ik ga naar Gundermann.' In Theresienstadt hebben ze hem in de kleermakerij gestopt. Verstelwerk, verder is daar niets te doen. Tenzij iemand van het bureau van de commandant iets bestelt.

Het werk was ver beneden zijn waardigheid. Maar hij klaagde nooit. Wat hem werd opgedragen, voerde hij uit, en wel zo zorgvuldig dat het leek of elk afgedragen overhemd waaraan hij nieuwe manchetten moest zetten, onderdeel was van de zondagse kleding van een miljonair.

Ik weet niet hoe hij aan de stof is gekomen. Als die van verschillende lappen in elkaar was gezet, was het niet te zien. Gundermann heeft een colbertje gebouwd. Dat was het woord dat hij gebruikte. Gebouwd. Een kledingstuk, legde hij me uit, moet geconstrueerd worden als een huis. Even zorgvuldig en stabiel. 'Een pak van mij,' zei hij, 'moet u aan uw zoon kunnen vermaken. Of in uw doodskist dragen. Ook dan moet het er nog uitzien als nieuw.'

Het colbertje – grijs met brede revers – hing in de kleermakerij op een hangertje en werd aan bezoekers getoond met de trots waarmee een uitdrager het enige echte stuk in zijn winkel laat zien. In de scène in de kledingwinkel kreeg het nu het aanzien van een filmster. Gundermann speelde de koper. Paste en straalde. Ik hoefde hem er niet toe over te halen. Hij was trots dat zijn werk hem als gegoten zat.

Tot zover was alles goed gegaan. Eigenlijk had niemand hoeven weten wie de speler was geweest. In het logboek stond alleen *klant*. Maar voor het geval Rahm dat erin wilde hebben, had ik ook het afgeven van de bon gefilmd. Die je nodig hebt om iets uit het kledingmagazijn los te krijgen. Ik had bij de bedrijfsafdeling zo'n kaart gehaald en er naderhand natuurlijk niet meer aan gedacht. Gundermann ook niet.

Maar de bedrijfsafdeling dacht er wel aan. Omdat nu op de een of andere lijst die kaart ontbrak. De bedrijfsafdeling informeerde bij de vrijetijdsafdeling, de vrijetijdsafdeling schakelde de opsporingsafdeling in en ten slotte werd de bon teruggevonden in de zak van het colbertje. Op het hangertje in de kleermakerij.

Gundermann werd veroordeeld tot tien dagen hechtenis. Wegens onbevoegd gebruik van een officieel document. Wij hebben rechtspraak, ja. Geen gerechtigheid, maar wel een rechtbank. Orde moet er zijn.

Zonder te klagen zou hij zijn tijd hebben uitgezeten. Het is geen grote verandering als je in de gevangenis in de gevangenis wordt opgesloten. Maar toen kwam vanuit het bureau van de commandant het decreet dat alle arrestanten op de eerstvolgende vertreklijst gezet moesten worden. Eigenlijk kwam het dus niet door de film dat Gundermann op transport naar het oosten moest.

Jawel, het kwam wel door de film. Er rust een vloek op.

Maar het ongeluk is in Theresienstadt even willekeurig verdeeld als het geluk. Per abuis kan er tussen al die nieten ook een keer een winnend lot zitten. Een SS'er had bij Gundermann een broek besteld en wilde die afhalen. Hij had zelfs de vergoeding meegebracht. Drie aardappelen en een appel. Maar de broek was nog niet klaar en Gundermann was er niet. Hij zat al in de sluis op de trein te wachten.

Nu kun je gewoon naar Auschwitz worden afgevoerd omdat je een SS'er niet correct hebt gegroet. Omdat je neus hem niet aanstaat. Maar je kunt niet zomaar de benen nemen naar Auschwitz als een broek nog niet klaar is. Een mens meer of minder speelt geen rol, maar een broek is een broek.

Elias Gundermann werd weer uit de sluis gehaald en van de lijst

geschrapt. Het zijn dus toch geen tweeëntwintig namen, maar slechts eenentwintig.
Slechts.

115. Close. Het bord RECHTBANK.
116. Close. Vrouwe Justitia.
117. Panoramashot in de rechtszaal. Over de hele breedte tot aan de officier van justitie.
118
Het begint weer. Net als in Westerbork. Krampen en diarree. Als ik geluk heb, is het deze keer gewoon voedselvergiftiging. Van de week kregen we twee keer aardappelen met een vreemde smaak. Te lang gelegen. Maar bij voedselvergiftiging hoort misselijkheid. Ik moet alleen de hele tijd poepen. Het zou dus weer dysenterie kunnen zijn.
Of gewoon angst. Niemand vertelt me hoe het verdergaat met de film. Ik werk aan het montagevoorstel en weet niet ...
Ik moet werken. Als ze me oproepen, moet ik klaarstaan.
118. Close. De officier van justitie.
119
De weg naar de latrine is te lang. Ik ben telkens bang dat ik het niet op tijd haal. Ik zou mijn werkplek beneden moeten inrichten, bij de kapotte bedden. Maar daar is geen licht.
Gehaald. Net op tijd.
Vreemd dat je zelfs bij het poepen je vaste plaats hebt. Die van mij is helemaal rechts, aan de rand van de rij. Zodat ik ook in het spitsuur maar één buurman heb. Als iemand mijn plaats inneemt, ben ik beledigd.
In de kantine van de Ufa had je de regisseurstafel. Een acteur of een draaiboekschrijver mocht daar alleen gaan zitten als hij werd uitgenodigd. Dat was een soort onderscheiding. Alleen Alemann hield zich er niet aan. Die pakte gewoon een stoel.
In het begin voel je je beter als je hebt gepoept. Maar als er niets meer in je zit, als er alleen nog water komt of helemaal niets, dan ...
Ik wil er niet over nadenken. Het zal wel weer overgaan.
Olga heeft een heel pak kranten voor me versierd. Soms lees ik een artikel voor ik me ermee afveeg. De Wehrmacht heeft Saloniki veroverd en onder de overlijdensadvertenties staat *Trots en diepbedroefd.* Oude kranten. Griekenland hebben ze alweer opgegeven en de Russen zijn Hongarije binnengetrokken.

Op een van de foto's was Hitler te zien. Met gestrekte arm achter een microfoon. Zou er de doodstraf op staan als je je gat met hem afveegt?

Olga wil dat ik me door dokter Springer laat onderzoeken. Ik ben nog niet naar hem toe gegaan. Als het dysenterie is, wil hij vast dat ik in de ziekenboeg blijf. Hij heeft daar een zaal waar hij de besmettelijke zieken isoleert. Ik heb nu geen tijd om patiënt te zijn. Het montagevoorstel moet af. Het gaat ook alweer beter met me. Op het moment.

'Schoonmaken graag,' zegt de oude Turkavka. Hij heeft een interessant gezicht, dat valt me nu pas op. Ik was mijn handen en hij knikt.

Ik heb het idee dat de trap steiler is geworden.

118. Close. De officier van justitie.

119. Close. Korte panoramashot van een groep toeschouwers.

120. De officier van justitie gaat zitten.

Hoe moeten de toeschouwers trouwens weten dat hij de officier van justitie moet voorstellen? Hij draagt geen toga en we hebben de scène opgenomen zonder geluid. Ik zal een aantekening maken dat dat in het commentaar moet worden uitgelegd.

Het is echt niet juist dat ze mevrouw Olitzki op transport hebben gestuurd. Zonder secretaresse kun je dit soort werk niet behoorlijk doen.

Het commentaar moet klinken zoals in het bioscoopjournaal. Een beetje plechtig. 'Ook de gerechtigheid speelt in Theresienstadt een grote rol.'

Zulke teksten zou je door Max Ehrlich moeten laten uitspreken. Er is niemand die absurde pointes zo goed kan plaatsen als hij. 'De gerechtigheid speelt een grote rol en heeft zich op passende wijze vermomd.'

Niet afdwalen.

121. Close. De verdachte.

122. Close. De president.

123. Close. De verdediger.

124

Het begint al weer. Ik mag niet ziek worden. Niet nu.

De kranten niet vergeten. Olga is een hele avond bezig geweest ze in handzame stukken te scheuren. Het was al na de verduistering en ik hoorde in het donker het geluid. Rits rits rits. Zo kan een liefdesverklaring dus ook klinken.

De trap is nog steiler geworden.

Toen ze ons het kumbal in het bordeelhuisje toewezen, vond ik het vervelend dat ik de latrine pal voor mijn raam had. Nu weet ik dat me niets beters had kunnen overkomen. Ik ben altijd al een bofkont geweest.

Mijn vaste plaats is vrij.

'Schoonmaken graag,' zegt Turkavka.

Hij heeft echt een interessant gezicht. Hij doet me een beetje denken aan die geweldig deftige oude meneer die in het toilet van het Adlon de handdoek aangaf en je colbertje afborstelde. Die er precies zo uitzag als je je een verdienstelijk acteur voorstelt. We noemden hem allemaal de kamerzanger. Ik nam me geregeld voor hem te vragen wat hij oorspronkelijk van beroep was, maar ik heb het nooit gedaan.

'Wat bent u eigenlijk van beroep, meneer Turkavka?' vraag ik.

'Filosoof,' zegt hij.

Ik had niet gedacht dat hij zo geestig kon zijn. 'Nee, serieus. Het interesseert me. Wat deed u toen u nog iets mocht doen?'

'Ik was echt filosoof,' zegt hij.

'Dat is geen beroep.'

'Dat beweerde mijn vrouw ook altijd. Maar ik werd betaald om te filosoferen. Ik was hoogleraar in Praag.'

'U bent professor?' Ik kan de onbeleefde verbazing in mijn stem niet onderdrukken. Het schijnt Turkavka niet te kwetsen.

'Ik was het ooit,' zegt hij.

'En nu doet u hier de wc-wacht?'

'Ik heb om dit werk gevraagd. Het leek me passend.'

Ja, als ik hem beter bekijk, zou ik me hem inderdaad in een collegezaal kunnen voorstellen. Zoals ik me de kamerzanger uit het Adlon op een toneel had kunnen voorstellen. Alleen is die waarschijnlijk kapper geweest. Iets in die richting. Niet zoals Turkavka.

'U zou lezingen kunnen houden,' zeg ik. 'Voor de Vrijetijdsbesteding. Ik doe bij dr. Henschel graag een goed woordje voor u.'

Hij schudt zijn hoofd. 'Dat zou niet passen bij wat ik tegenwoordig ben. Tegenwoordig ...' Hij onderbreekt zichzelf omdat weer iemand de latrine verlaat. 'Schoonmaken graag,' zegt hij.

'Hoe – passen?' vraag ik ongeduldig.

'Het is allemaal een kwestie van logisch denken. Wie veranderingen niet accepteert, probeert uit verkeerde premissen verkeerde conclusies te trekken. En komt natuurlijk tot verkeerde resultaten. U bijvoorbeeld ...' Weer loopt er iemand langs ons heen. 'Schoonmaken graag,' zegt Turkavka. 'Schoonmaken graag.'

'Wat is er met mij?'

'Nou ja, meneer Gerron, om het op de man af te zeggen: u verbeeldt zich nog altijd dat u regisseur bent.'

'Dat ben ik ook.'

'Verkeerde tijdvorm,' zegt Turkavka. 'U was het. Dat is niet hetzelfde. Nu bent u iets anders. Vrijwillig of onvrijwillig, dat maakt voor de definitie geen verschil. Ik bijvoorbeeld ben alleen nog een oude man die ze hebben opgesloten. Meer is er niet van mij over. Een gevangene, verder niets. Die naast een waterton staat en de mensen oproept om hun handen te wassen. Dat past bij elkaar. Gevangenen houden geen lezingen.'

'Ik heb net een film geregisseerd.'

'Dat bewijst niets,' zegt Turkavka. 'Een leeuw die door een hoepel springt, is geen leeuw meer. Laat ik u een vraag stellen. Als ze u in plaats van die film iets anders hadden opgedragen, bijvoorbeeld op uw buik door de straten kruipen – had u dat dan gedaan?'

'Om niet op transport te gaan? Beslist.'

'Een verstandige beslissing. En u had uzelf daarom niet als buikkruiper gedefinieerd. Niet in uw essentie, zoals Aristoteles dat zou hebben genoemd. U had uzelf gedefinieerd als een mens die verder wil leven.'

'Regisseur is mijn beroep!'

'Was uw beroep,' zegt Turkavka. 'Schoonmaken graag. U haalt verleden en heden door elkaar, meneer Gerron. Zoals veel mensen hier in het getto. Dat kan een troost zijn, maar verstandig is het niet.'

'Kun je verstandig blijven als de wereld gek geworden is?'

'Een goede vraag,' zegt Turkavka. 'Zuiver theoretisch gezien. Maar als je hem inhoudelijk analyseert ...'

Ik schiet ineens in de lach. Omdat me duidelijk is dat Turkavka, professor Turkavka, zich niet anders gedraagt dan ik. 'Waarom voert u deze discussie?' vraag ik hem.

'Zonder speciale reden.'

'Nee, meneer Turkavka. U discussieert met mij omdat u uzelf met elk argument wilt bewijzen dat u nog steeds bent wat u beweert niet meer te zijn. Filosoof.'

Hij kijkt me aan en glimlacht. Nee, hij glimlacht niet. Hij grijnst.

‘Touché,’ zegt hij. En dan: ‘Schoonmaken graag. Schoonmaken graag.’
Ik moet al weer poepen.

581. Medium. Egerbad. Een man staat op de springplank en springt met een dubbele salto in het water.

‘Neemt u me niet kwalijk,’ zegt Jakub Lischka. ‘Ik weet dat de sprong niet zuiver was. De honger tast mijn evenwicht aan.’

‘Dat geeft niet,’ zeg ik. ‘Vanuit onze opnamehoek zie je de fout niet.’

Hij is me dankbaar. Steekt zijn duim omhoog voor hij uit het raam springt.

582. De springer duikt in het water. Bij het monteren op het moment dat na de sprong het water opspat, het bord ZWEMBAD *invoegen.*

Het bord is er niet meer. Ze hebben het decor te vroeg afgebroken. Het bord op de kar gegooid. Ik heb het nodig voor de montage. Voor de overgang. Het hoort bij de film. Niets van wat bij de film hoort, mag worden verbrand.

Niets mag worden verbrand.

583. Rijer. Opgenomen vanaf het dak van de reportagewagen en eindigend aan de andere kant van het zwembad.

De mensen moeten in het water blijven. Ik moet het tegen hen zeggen. Alleen hun hoofd mogen ze eruit steken. Alleen hun hoofd. In het water blijven tot de oorlog afgelopen is. De Russen staan al in Brussel. In het water blijven. Anders zie je dat ze geen gele ster dragen.

586. Close medium. Vanuit de boot opgenomen: zwemmers.

587. Close medium. Vanaf de stenen trap gezien: zwemmers.

588. Close medium. Van bovenaf gezien: zwemmers.

Zwemmers. Zwemmers. Zwemmers.

‘Ik ben verdronken,’ zegt mevrouw Olitzki. ‘Omdat het een badpak van iemand anders was.’

‘Ga achter de typemachine zitten,’ zeg ik. ‘Mijn rug doet pijn.’

Ze staat achter me en legt haar handen op mijn schouders. Buigt haar gezicht over mijn hoofd. Ik voel druppels. Ze is verdronken.

‘Je bent zo ijverig,’ zegt ze.

Ze heeft haar haar laten knippen. Zonder het me te vragen. Het is nu heel kort. Stekelig.

‘U bent een egel,’ zeg ik.

Als ze haar hoofd beweegt, spat het water alle kanten op.

‘Waarom heb je het raam niet dichtgedaan?’ vraagt ze. ‘Heb je niet gemerkt dat het regent?’

'Ik ben aan het werk,' zeg ik.
'Je wordt steeds verstrooider.'
Olga. Natuurlijk. Het is Olga.
Mijn vrouw.
593. Close. Een jong meisje.
'Hoe ver ben je?' vraagt ze.
'Bij het Egerbad.'
'Is dat ver?'
'Ongeveer de helft,' zeg ik.
De helft waarvan? Ik ben het vergeten.
'Gaat het beter met je buik?' vraagt ze. 'Ik heb je eten meegebracht.'
Ze komt te laat. De scène in de eetzaal is al gemonteerd.
Panoramashot. De serveersters komen met dienbladen en volle schalen van het buffet en dienen op.
'Soep met een knoedel,' zegt ze.
Ze haalt alles door elkaar.
Closer. De hand van de kok grijpt in het vat en doet zuurkool in een pan.
'Zuurkool,' zeg ik.
'Vandaag niet,' zegt ze.
'Tomaten,' zeg ik.
Drie meisjes op de ligbank krijgen tomaten. Ik weet zeker dat we die instelling hebben opgenomen. Eerst regende het en daarna regende het niet meer en toen hebben we gefilmd. De meisjes aten tomaten en de SS kon er niets tegen doen. Omdat ik het had bepaald. Voor de film. Niemand is belangrijker dan de regisseur. Niemand.
'Je soep wordt koud,' zegt Olga.
Ze begrijpt niet dat ik niet gestoord mag worden. Het montagevoorstel moet af. Turkavka is filosoof en hij heeft het ook gezegd. 'Het montagevoorstel is de essentie,' zei hij. 'Het allerbelangrijkste.'
'Heb je koorts?' vraagt Olga.
We moeten de scène in de ziekenboeg nog een keer overdoen. Met een nieuwe bezetting. Mevrouw Olitzki in plaats van Hertha Ungar.
'Hertha Ungar is verdronken,' zeg ik.
'Je hebt koorts,' zegt Olga.

En de haai heeft scherpe tanden. Rector Kramm schrijft het op het bord. In deze grote tijden. De sterren van je lot staan in je eigen hart. Zet je tanden op elkaar, Wallenstein. Ik wil niet naar de tandarts. Een

Duitse soldaat kent geen angst. Sergeant-majoor Knobeloch is zijn tekst kwijt. De pis loopt uit zijn broekspijp. 'Grootheidswaan is het halve werk in een kumbal,' zegt hij. Hij heet helemaal geen Bertolt. Dat denkt hij maar. Hij heet Eugen. Zelfs Hitler kon die hoop stront niet wegscheppen. Hoe worden de latrines eigenlijk geleegd? Er groeien rozen op. Hij heeft er Olga een geschonken. Haar hand bloedt. Ik zal bij Rahm mijn beklag doen. 'Meneer de rector,' zal ik zeggen. Hij heet Gemmeker. Hij is een gekke koning en bouwt een slot. Een slot zonder sleutel. Sleutelslot. Slotsleutel. Hij rijdt in een slee over het meer. Naar Kriescht. Kriiiesjt. Kriiiesjt. Napoleon komt uit Braunau. We zijn hier niet in Kriescht. We zijn in Amsterdam in Parijs in Sobibor. We rijden met de trein. Tjoeke tjoeke tjoek. Wie geen kaartje heeft, blijft thuis. Klopstockstraße 19. Een stok halen om je klop te geven. Mijn broer zorgt bij de film voor de geluiden. Mijn broer heet Kalle. Als hij moet lachen, moet hij hoesten moet hij lachen moet hij hoesten. Een gele wolk. Sigarenrook. Dat is niet goed voor die jongen. Opa is een reus en laat zich niets gezeggen. Als hij wil sterven, dan sterft hij. Dat wordt wel weer een begrafenis. Een begrafenismaal. Penssoep. Pens, gevechtsbepakking, tegenspreken heeft geen zin. Om acht uur in de Eierturm. Een zwarte onderjurk. Haar draak spuwt vuur, maar ze heeft geen haar meer. Ze is een egel. In het avonduur stil op jacht naar muizen gaan. Hoe zeg je spiegeleieren in het Frans? Anna-Luise. Ik had Tsjechisch moeten leren. Jiři spreekt Tsjechisch. VYNIKAJÍCÍ KVALITY. De haas spreekt Tsjechisch. De patrijs was een fazant was een patrijs was een faisan de presse. Ik heb mijn gouden horloge laten liggen. U bent geen ariër, meneer Heitzendorff. Het uniform staat hem niet. Laarzen onder zijn pantalon. Alle Joden verlaten de studio. Een ster op de deur van de kleedkamer. De deur is maar geschilderd, toch kun je hem passeren. Ik laat dat nog één keer passeren, maar de volgende keer. Ik hoef dat niet te accepteren. Ik heb vrienden. Rühmann speelt met de kinderen van Goebbels. In Spanje, in Spanje schijnt de zon oranje. Maar u moet het restaurant voorstellen. Trek uw broek uit. Dat is maar een Gerzoontje. Broek uit. U hebt geluk gehad. Een halve man is beter dan helemaal geen. Lore vindt dat ook. Mijn onweerstaanbare Loreley. Haar vader is slager, als hij koorts heeft, poept hij. Zo is het nu eenmaal. Burschatz is een stomme naam. Een bos worsten. Otto Wallburg huilt. Zo bleek als een geest. Ik ben de nachtgeest, je lieve nachtgeest. We moeten op onze tenen lopen. Ik wek je onbevreesd. Achter het toneel lopen ze op hun tenen. De voorstelling niet verstoren. De repetitie niet verstoren. De les niet verstoren. Soms breken ze hun neus. Die is krom en waarom? Omdat de engel *ping* heeft gedaan. *Ping. Ping. Ping.* Ze bellen aan, maar we doen niet open. Er is niemand thuis. Niemand. Ik ben niemand. Alle Joden moeten als tweede voornaam Niemand dragen. Niemand moet als tweede voornaam Judde dragen. Ik heet Gerron. Leider bagagedienst. Leider hongerlijders. Eerst komt het vreten en dan komt het koraal. Grote God, wij loven u. Het snorretje is opgeplakt. Ik droeg het al zo voordat die meneer beroemd werd. Shakespeare heb ik nooit gespeeld. Eigenlijk heet hij Cohen Cohn Kohner. Kohner haalt me naar Amerika. Daar zitten ze op me te wachten. De *Veendam* vertrekt uit Rotterdam. Holland-Amerika Lijn. Comfortabele hutten. Heel comfortabel. Daar kun je slapen. Slapen. Slapen.

Slapen.

Isoleerafdeling is eigenlijk een heel mooi woord.

Isoleerafdeling.

We zijn met acht man. Ik heb drie keer geteld en kom telkens op hetzelfde uit. Mijn verstand zit niet meer in de mallemolen. Twintig britsen. Acht mannen. Er worden er niet veel uit de isoleerafdeling ontslagen. Ik heb geluk gehad. Weer eens. Ik ben niet ziek meer, maar ook nog niet beter.

Een van de mannen ligt de hele tijd te neuriën. Ik ken de melodie, maar ik kan me de tekst niet herinneren. Hij sust me in slaap.

Ik slaap veel. 'Uw lichaam heeft rust nodig,' zegt dokter Springer. Hij is veranderd. Soms houdt hij midden in een zin op met praten en als hij weer begint, heeft hij het over iets heel anders. Een gebroken film, slecht geplakt.

Geen goede film. Maar er staat niets anders op het programma.

Olga heeft hem een brief meegegeven. Ik lees hem steeds opnieuw. *Je moet helemaal beter worden, zodat we op onze trouwdag spiegeleieren kunnen eten.* Op 16 april. Een datum, net zo ver weg als de maan. *Ik hou van je*, schrijft Olga.

Ik hou ook van jou.

Een gelinieerd blaadje. Op de achterkant Tsjechische taaloefeningen. *Jak se máš? Jak se máte? Jak se jmenuješ? Jak se jmenujete?* Het betekent iets, maar ik begrijp het niet.

Avondstilte overal. Zo heet het lied. Mama zong het als ik moest gaan slapen. 'Het is een canon,' zei ze en ze begreep niet waarom dat me bang maakte. Ik dacht aan kanonnen.

'Aan de beek de nachtegaal.'

Ik heb nooit noten leren lezen. Maar elke melodie die me wordt voorgespeeld, kan ik nazingen. Elke. De man neuriet nog steeds. Ik val op het juiste moment in en zing de melodie een maat later. We zijn een koor. De tenoren hadden tyfus en de bassen hadden dysenterie.

'Strooit er zijn zangen zacht vol verlangen door het dal.'

Een slaapliedje.

Slaap.

Slaap.

Ik krijg een por in mijn ribben. Ik schrik op. Haindl staat bij mijn brits. Met een gummiknuppel in zijn hand. Haindl en een tweede SS'er. De jongen met het puisterige gezicht. Die me toen naar de kantine in het bureau van de commandant heeft gebracht. Omdat ik een schilderij moest bekijken.

Haindl is achterbaks. Hij houdt van controles omdat hij dan fouten ontdekt. Hij houdt van fouten omdat ze hem een reden geven om te straffen. Hij houdt van straffen. Dokter Springer heeft me verteld dat hij geregeld in de ziekenboeg opduikt. Op zoek naar lijntrekkers. Wat hij daar ook onder verstaat.

Ik heb me blootgewoeld. Sinds ik geen koorts meer heb, is elke deken me te warm. Toen mijn lichaam oververhit was, had ik het koud. Daar lig ik met mijn nachthemd opgerold tot aan mijn borst, en bij mijn brits staat Haindl.

En lacht.

Lacht.

'Opstaan!' commandeert hij.

De muren draaien, maar ik sta. Ik probeer in de houding te gaan staan. Met de pink op de broeksnaad. Ik heb geen broek aan.

Haindl schuift mijn nachthemd omhoog. Tot over mijn dijen. Tot over mijn buik. 'Vasthouden!' zegt hij.

Hij gaat voor me op zijn hurken zitten. Zoals de jongen in Kriescht destijds. In Nesselkappe. De jongen met de grijze trui. Met zijn knuppel tilt hij mijn lid op. Niet grof. Zorgvuldig.

Tilt mijn lid op en lacht.

'Moet je dat zien!' zegt hij tegen de ander. En ook die gaat op zijn hurken zitten. Vlak voor me.

'Die man heeft geen ballen,' zegt Haindl. Hij zegt het hard. Iedereen in de zaal kan het horen. 'Geen ballen!' Hij komt niet meer bij.

'Een Gerzoontje!' zei de jongen in Nesselkappe. En zijn makkers lachten.

Nu lacht ook de puistenkop. Nu lachen ze allebei. Nu lachen ze allemaal.

Om mij.

Geen ballen. Geen ballen. Geen ballen.

Ik wou dat ik dood was.

870. Totaalshot. Uitvoering van Brundibár. *De orgelman treedt op.*

Het is Hitler, maar de SS heeft het niet gemerkt.

875. 876. 877. Groepen enthousiaste kinderen.

878. Close. De orgelman zingt.

Het typen gaat al beter. Je kunt alles leren. Maar langer dan een halfuur kan ik niet werken. Dan moet ik even pauze houden. Maar als ze het montagevoorstel willen hebben, zal het montagevoorstel klaar zijn. Als ze Gerron willen hebben, zal Gerron klaarstaan. Niemand kan me iets verwijten. Ik ben ziek geweest.

890. Close medium. Het toneel. De finale.

893. Einde van het stuk. Applaus. Buigen.

'Handen wassen!' roept de vrouw bij de ingang van de latrine. Ze heeft een onaangename stem. 'Handen wassen!' Turkavka is op transport gegaan. Nu is hij definitief geen professor meer.

Ik moet doorwerken.

Moet.

960. Toneelzaal. Uitvoering van Midden op de weg. *De rabbi zit aan tafel.*

De toneelspeler heette Mendel Wajskop. Een derderangsacteur, maar indrukwekkend. Ook vertrokken. Op transport gegaan. Naar Auschwitz afgevoerd.

970. Totaalshot van bovenaf. De Joden gaan dansen.

971. Medium. Het dansen begint.

972. Closer. De eerste passen.

973. Close. Het dansen.

974. Close. Camera in het midden. Ze zwieren om de camera heen.

Een effectvolle instelling. Ik ben een goede regisseur.

Ik ben duizelig.

985. Close medium. De rabbi wankelt en wordt naar de tafel geleid.

989. Closer. Op de voorgrond de twee brandende kaarsen. In het midden de rabbi tot op het moment dat hij sterft.

990. Totaalshot. De zaal applaudisseert.

Ik moet gaan liggen.

Olga is hier geweest en weer weggegaan. Ze heeft me een aardappel gebracht. Ze heeft me niet verteld hoe ze eraan komt. Een hele aardappel.

'De schil moet je niet eten,' zegt dokter Springer. Je kunt een vergiftiging oplopen. Ik eet de schil als eerste. Dat deed ik als kind al. Eerst de gehate rodekool en dan pas het stukje ganzenborst. Het vette vel knapperig geroosterd en ...

Ah.

Pavlov heet die professor. Hij luidt een bel en de honden kwijlen.

De aardappelschil smaakt bitter. 'U moet nu opletten wat u eet,' zei dokter Springer. En hij wachtte of ik de grap begreep. Niet elke dag zalmmayonaise, maar ook eens een gestoofd duifje.

Ha, ha, ha.

Er zat nog een beetje aarde aan de schil. Geeft niet. Ook dat vult de maag.

Hoe noem je eigenlijk het binnenste van een aardappel? Aardappelkern? Aardappelvlees? Ik schuif een klein stukje in mijn mond heen en weer. Zuig erop. Als ik erin bijt, kan ik me niet meer inhouden, dat weet ik. Dan is de begerigheid sterker dan ik. De meelpap wordt zoet in mijn mond. Aardappel is een verkeerd woord. Veel te gronderig. Aarde. Zoiets lekkers zou een vrolijker naam moeten hebben. Pieper klinkt al beter.

Nog een heel klein stukje. De rest bewaar ik. Eerst wordt er gewerkt.

1089. Totaalshot. Het volkstuintje van bovenaf gefilmd.

1093. Close. Een man geeft tomaten water.

1096. Close. Een vrouw trekt een raap uit het groentebed.

Ik heb de aardappel toch opgegeten. Ik kon er geen weerstand aan bieden. Ik maak mezelf wijs dat het mijn beloning was. Het montagevoorstel is klaar. Bijna klaar. Alleen nog de laatste instellingen. Allemaal grote totaalshots, in elkaar overvloeiend. De laatste akkoorden van een symfonie.

1145. Blik door de stad op de kerktoren.

1146. Blik door de stad op de kerktoren.

1147. Blik door de stad op de kerktoren.

We wonen in een prachtige plaats. Het is allemaal alleen een kwestie van camerapositie. Van de juiste kadrering.

1148. Totaalshot. Groot panorama vanaf de kerktoren over Theresienstadt.

Langzaam uitfaden.

Ik zit op het trapje voor de Hamburger kazerne en probeer warm te worden. Vergeefs. September loopt ten einde en de kracht van de zon neemt af.

Het is nog steeds niet bekend hoe het verdergaat met de film. Ik vind het best. Elke dag uitstel vergroot de kans om op krachten te komen.

Ik wacht op Olga. Als ze bij de Denen heeft schoongemaakt, brengt ze soms iets te eten mee. Of, nog voedzamer, informatie over het oorlogsgebeuren. De Denen moeten ergens een radio verstopt hebben. Tot nog toe is alles wat we van hen hoorden, waar gebleken. Gisteren heeft Olga verteld dat er Engelse para's in Arnhem zijn geland. Dan zijn ze misschien ook in Ellecom en is de kleine Korbinian krijgsgevangene. Of dood.

Nee, dat zou te makkelijk zijn. Hij moet worden berecht. Ze moeten allemaal worden berecht.

Allemaal.

De valse rabbi komt de straat uit. Zoals altijd praat hij op de mensen in en zoals altijd luisteren ze niet naar hem. Ze gaan hem uit de weg. Hij heeft zwarte strepen op zijn laken geschilderd, maar toch ziet het er niet als een gebedsmantel uit. Bij een eerste repetitie bind je zoiets om als er een sleep bij het kostuum hoort. Hij stevent op me af. Ik kan hem niet ontwijken. Ik heb met Olga afgesproken.

Hij trekt het laken over zijn hoofd en steekt zijn handen in mijn richting. Zingt iets. Met een hoge, onnatuurlijke stem. Dat is zijn manier om de mensen te zegenen, heeft iemand me uitgelegd.

Hij is gek. Knettergek. Experimenteert met de godsdienst, hoewel Theresienstadt het beste bewijs is dat God niet bestaat. Of dat God zich niet meer interesseert voor de wereld die hij heeft geschapen.

'Morgen is het Verzoendag,' zegt de rabbi. 'Wist u dat? Morgen zullen we het te weten komen.'

Ik wil niet met hem praten, maar op trefwoorden reageren zit me in het bloed. 'Wat zullen we te weten komen?' vraag ik.

'Alles,' zegt hij. 'Morgen wordt het bezegeld. Tien dagen na het nieuwjaarsfeest.' Hij heeft al die wijze verhandelingen gelezen waarin ze de wereld met de goede God verklaren en de goede God met de wereld. Zijn wetenschap heeft hem niet geholpen. Nu zoekt hij zijn heil in hocus pocus. 'Drie boeken worden er met Nieuwjaar geopend,' zegt hij weer met die hoge zangstem. 'Het eerste voor de zondaars, het tweede voor de rechtvaardigen en het derde voor de middelmatigen. Het boek van de rechtvaardigen is het Boek des Levens. Daar worden ze ingeschreven en bezegeld. Het boek van de zondaars is het Boek des Doods. Ingeschreven en bezegeld. Het boek van de middelmatigen blijft leeg. Tien dagen blijft het nog leeg. De laatste kans om berouw te tonen. Wie het doet, komt in het Boek des Levens. Wie niet terugkeert tot God, komt in het Boek des Doods. Morgen zullen we het weten.'

'Hoe zit het met al die mensen die op transport zijn gegaan?' vraag ik. 'Hebben die geen van allen ergens berouw over getoond?'

Ik kan de verleiding om met hem in discussie te gaan niet weerstaan. Hoewel het geen zin heeft. Het is met mij net als met de oude Turkavka. Zolang ik mijn hersenen aan de gang kan brengen, heb ik ze nog.

'Ik heb berouw getoond en ben er nog,' zegt hij. 'Mijn broeders hebben ze opgehaald. Maar ik ben er nog.'

'Opgesloten,' zeg ik.

'Ik kan elk moment naar buiten gaan. De poort staat open.'

'Ze schieten u dood als u het probeert.'

'Alleen als God het heeft besloten. Alleen als ik in het Boek des Doods ben ingeschreven. Ingeschreven en bezegeld. Als ik in het Boek des Levens sta, kan geen kogel me treffen.'

Geschift, maar logisch. Hij was ooit wetenschapper en dat zit er bij hem nog altijd in.

'Dan is er dus alleen leven of dood?' vraag ik. 'Niets ertussenin?'

'Je hebt de hel,' zegt hij. 'Maar alleen voor de heel slechten duurt die eeuwig. Voor de middelmatigen ...' Hij sluit zijn ogen en wiegt heen en weer. 'Na twaalf maanden,' zingt hij, 'worden de lichamen vernietigd en de zielen verbrand. De wind strooit hun as onder de voeten van de vromen.'

Er nadert een SS'er. De valse rabbi verliest zijn belangstelling voor mij en rent op hem af. 'Morgen zullen we het te weten komen,' zegt hij. 'Morgen op Verzoendag.' Hij krijgt een klap in zijn gezicht en valt. Op handen en voeten kruipt hij achter de man in uniform aan. 'Morgen,' herhaalt hij telkens weer. 'Morgen is de dag.'

‘Waarom praat je met die man?’ vraagt Olga. Ik heb haar niet zien aankomen. ‘Weet je niet dat hij gek is?’

‘Misschien zijn dat de enige verstandigen.’

‘Je moet niet filosoferen,’ zegt ze. ‘Praatjes vullen geen gaatjes.’

Ze heeft niets te eten meegebracht. De Denen waren vandaag niet gul.

De valse rabbi is een profeet. Op Verzoendag hebben ze Eppstein gearresteerd. De machtigste Jood van Theresienstadt. Ze hebben hem naar de Kleine Vesting gebracht en gisteren doodgeschoten. Ingeschreven in het Boek des Doods.

Wegens vluchtpoging, zeggen ze. Wat natuurlijk onzin is. Je kunt niet weglopen uit Theresienstadt. En al kon het wel – niemand zou er minder reden voor hebben gehad dan Eppstein. Hij had het toch goed. Met zijn woning en de spuitjes die hij van dokter Springer kreeg.

Hij had het toch goed.

Rahm heeft Murmelstein tot opvolger benoemd. De koning is dood, leve de koning. Niemand weet nog hoe hij zijn functie zal uitoefenen. Of hij om te kopen valt en waarmee. De oude schuldbrieven zijn vervallen. De zorgvuldig opgebouwde betrekkingen hebben hun waarde verloren. Banktegoeden tijdens de inflatie. *Delen wij u mede dat uw rekening wegens een te laag saldo moest worden opgeheven.*

Olga vindt dat ik bij Murmelstein belet moet vragen. Bij hem moet informeren of hij iets over de film weet. Maar iedereen wil nu naar hem toe. Een nieuwe intendant heeft het theater overgenomen en de acteurs staan voor zijn kantoor in de rij. Er zijn nieuwe rollen te verdelen. Nieuwe baantjes.

Ik ga niet. De dingen die mij aangaan, zullen wel op het mededelingenbord staan.

Ik heb niet de kracht om iets te ondernemen. Ik slaap slecht en word nog slechter wakker. Ik word bedolven door mijn dromen. Elke dag graaf ik me er moeizamer uit. Met de slechte smaak van de resten van de nachtmerries in mijn mond. Ik heb dokter Springer gevraagd of hij er een middel tegen weet en hij antwoordde: ‘Ik ken er maar één.’ Hij bedoelt het gif dat hij voor zichzelf oppot. Hij bewaart de mogelijkheid om zelfmoord te plegen, zoals ik als kind het laatste stuk gebraden vlees bewaarde. Zodat je toch altijd nog iets prettigs in het vooruitzicht hebt.

Mij wil hij ook wel aan het middel helpen, maar ik zal hem er niet om vragen. Als het zover is, ga je toch wel dood.

Voor ik eindelijk met veel moeite mijn bed uit ben gekomen, is Olga al aan het werk. Ze wordt met de dag magerder. En brengt nog de energie op om er grappen over te maken ook: 'Ik zie eruit als mijn eigen röntgenfoto,' zei ze een paar dagen geleden.

Ik ben oud geworden. Zevenenveertig en een oude man. De weg naar de latrine wordt met de dag langer. Al twee keer ben ik gestruikeld over de ontbrekende tree.

De vrouw die nu de wacht houdt bij de waterton, zegt zo uitdagend 'Handen wassen!' dat het lijkt of ze hoopt op iemand die haar tegenspreekt. Zodat ze ruzie kan maken.

Ik heb de hele dag niets te doen. Vroeger stoorde me dat. Nu stoort het me niet meer.

De typemachine is weer opgehaald. Ik kan niets meer aan het montagevoorstel veranderen. Maar het is goed. Ik geloof dat het goed is. Ik hoop het. Ik begrijp er niets meer van. Ik begrijp nergens meer iets van.

Ik heb het voorstel zorgvuldig opgeborgen in de onderste margarinekist. Tweeënvijftig bladzijden. Elfhonderdachtenveertig instellingen. Dat pak papier is mijn levensverzekering.

Ik weet niet waarom ze niet doorgaan met de film. Misschien hebben ze andere zorgen. De oorlog verloopt niet in hun voordeel. In 1914 kocht papa een landkaart en markeerde hij het verloop van het front met gekleurde spelden. De kaart die hij nu nodig zou hebben, wordt steeds kleiner.

De dagen zijn grijs. Aan de nevel merk je dat Theresienstadt dicht bij de Eger ligt. Ik heb het constant koud, hoewel ik geen koorts meer heb. Mijn inwendige thermometer is defect. Alles aan mij gaat kapot. Ik val uit elkaar.

Bij de voedseluitgifte worden de porties steeds kleiner. Ze zeggen dat er problemen met de aanvoer zijn. Zelfs de SS, zo wordt er verteld, heeft een keer twee dagen geen vers brood gehad.

De Denen lijden nu ook honger, zegt Olga. Er komen geen pakjes meer aan. Of ze worden meteen bij aankomst gestolen. Gesluisd.

Olga wil dat ik beweeg. Ik moet van haar minstens één keer per dag een rondje lopen. Van de geniekazerne naar de geniekazerne. Maar die weg is zo oneindig lang. Theresienstadt is te groot voor me geworden. Het liefst zou ik ons kumbal helemaal niet meer verlaten. Mijn bed niet verlaten.

Ik denk nu veel aan opa. Hoe hij onder zijn deken lag en ik mijn eerste sigaar voor hem moest roken. Hoe hij lachte toen ik moest kotsen. Hoe hij nog een laatste keer lachte. Soms heb ik het idee dat ik hem hoor praten. Ik ben zijn stem niet vergeten. Zijn stem niet en niet de verhalen die hij me vertelt.

Opa deed elke dag een middagdutje. Als ik bij hem op bezoek was, kende ik niets mooiers dan bij hem in bed kruipen. Papa en mama zouden dat nooit goedgevonden hebben.

Hij rook naar sigarenrook en naar het borreltje waarop hij zichzelf na het eten trakteerde. 'Voor de spijsvertering,' zei hij. Hij dronk het in één teug op en huiverde. Jarenlang heb ik gedacht dat het een medicijn was, dat afschuwelijk smaakte.

Hij sliep op zijn zij en sloeg zijn arm om me heen. Ik heb me nooit meer zo geborgen gevoeld. Aan zijn hand waren twee vingers geel verkleurd. Dat kwam van de sigaren. Tegen mij zei hij dat hij een keer een Chinees een hand had gegeven. Ik wist dat zijn verhalen verzonnen waren, maar ik geloofde ze allemaal.

Ik bleef altijd wakker terwijl hij sliep. Ook al was ik moe. Die tijd was te mooi om te verdoen met slapen.

Wakker worden begon bij opa met hoesten. Ook dat kwam van de sigaren. Hij deed zijn ogen niet meteen open, maar raakte me aan en zei: 'Wie heeft die jonge hond naast me gelegd?' Of: 'Nou heb ik warempel mijn paraplu mee naar bed genomen.' Ik verzekerde hem dan – dat was ons spelletje, waar we allebei van genoten – dat ik geen hond was en ook geen paraplu, maar Kurt, zijn kleinzoon Kurt. Hij wilde het niet geloven. Het was de eerste dialoog die ik in mijn leven instudeerde en hij eindigde altijd met dezelfde tekst. 'Jij kunt mijn kleinzoon Kurt helemaal niet zijn,' zei opa. 'Anders had je me allang om een verhaal gevraagd.' Waarop ik: 'Een verhaal, opa! Een verhaal alstublieft!'

Dan ging hij op zijn rug liggen, ik nestelde me in zijn uitgestrekte arm en hij begon te vertellen. Het liefst hoorde ik verhalen over reuzen. Omdat opa er zelf stiekem ook een was.

Een van die verhalen ging zo: 'Er was eens een reus, die groot en sterk en dom was. Zo groot dat hij op alle anderen neerkeek. Zo sterk dat hij zichzelf bij zijn kraag kon pakken en optillen. Zo dom dat hij dacht dat alle mensen hem graag mochten. Omdat hij zo'n aardige reus was.'

'Was hij een aardige reus?'

'Soms was hij aardig en soms was hij onuitstaanbaar. Soms mochten de mensen hem graag en soms ook weer niet. Dat blijft niet altijd hetzelfde. Er was er maar één, een tovenaar, die helemaal niet van reuzen hield. 's Morgens niet, 's middags niet en zeker 's avonds niet. Niemand wist waarom. Er had nooit een reus op zijn tenen getrapt. Er had er nooit een de ketel omgegooid waarin hij zijn toverdrankjes brouwde. Hij hield gewoon niet van reuzen. Zoiets komt voor. Het valt niet mee om een reus te zijn.'

'Daarom slikt u ook elke dag uw krimppillen.'

'Precies,' zei opa en hij vertelde verder. 'Op een dag gaf de tovenaar de reus een cadeautje.'

'Hoezo?' vroeg ik. 'Hij mocht hem toch niet graag.'

'Het was ook geen aardig cadeautje,' zei opa. 'Dat leek maar zo. Het was een onderscheiding, versierd met goud en zilver en diamanten. En op die onderscheiding stond: *Ik ben een reus*. Die moet je altijd dragen, zei de tovenaar, zodat de mensen je herkennen. De reus was erg blij met het cadeautje en speldde de onderscheiding meteen op zijn jasje. Het zag er echt heel mooi uit. Maar ...'

Hij zweeg even. Als we niet in bed hadden gelegen, had hij aan zijn sigaar getrokken.

'Maar,' ging hij verder, 'de onderscheiding was betoverd. Drie dagen gekookt in toversoep en drie keer bestrooid met toverzout. Wie die onderscheiding droeg – dat was de gemene streek die de tovenaar had bedacht –, die werd elke dag een heel, heel klein beetje kleiner. En dat was precies wat er met de reus gebeurde.'

'Waarom heeft hij de onderscheiding dan niet afgedaan?'

'Dat hoorde bij de tovenarij,' zei opa. 'De reus merkte niet dat hij steeds kleiner werd. Hij dacht dat hij nog steeds de grootste reus ter wereld was. Ook al kon hij niet meer op de daken van de huizen kijken. Hij kon niet eens meer door de ramen van de eerste verdieping kijken en daarna ook niet meer door die van de begane grond. Hij werd kleiner en kleiner en merkte het niet. Op een dag waren de bloemen groter dan hij en daarna ook het gras. De kleinste kiezelsteen was een berg. Toen er alleen nog een heel, heel klein stipje van hem over was, ging de tovenaar boven op hem staan en trapte hem in de grond. Hij veegde zijn schoenzolen af aan een polletje gras. Nu bestond de reus niet meer. Alleen zijn onderscheiding lag er nog. Maar de tekst was veranderd, dat hoorde ook bij de tovenarij. Nu stond erop: *Ik ben ooit een reus geweest*.'

'Dat is geen leuk verhaal,' zei ik.

Ik weet niet meer wat opa toen heeft geantwoord. Ik weet wat hij had kunnen antwoorden. 'Nee, het is geen leuk verhaal,' had hij kunnen zeggen. 'Maar het is jouw verhaal.'

Sinds vandaag hangen er overal plakkaten. Een bekendmaking van Murmelstein. Discipline, schrijft hij, is nu het belangrijkste. Juist in moeilijke tijden. Rust en orde. We moeten allemaal offers brengen voor de gemeenschap. Schrijft hij.

Zijn voorganger Eppstein – amper verdwenen en al bijna vergeten – formuleerde zijn waarschuwingen niet anders. Maar hij liet ze nooit op plakkaten drukken en op de muren plakken. Dat Murmelstein dat nodig acht, kan niets goeds betekenen. Niet in Theresienstadt, waar elke verandering tot nog toe een verslechtering betekende. Een nog grotere verslechtering.

Er wordt gefluisterd dat de transporten weer zullen beginnen. Op heel grote schaal. Vijfduizend mensen moeten er weg, zeggen sommigen. Nee, zeggen anderen, tienduizend. Minstens. Ze bieden tegen elkaar op. De grootste verschrikking wint het van de kleinste. Elk schrikbeeld wordt geloofd. In de eerste klas van de lagere school speelden we een keer een spelletje waarbij degene die het grootste getal kon bedenken, gewonnen had. We sloegen elkaar met miljoenen, miljarden en biljoenen om de oren. Zonder een idee te hebben wat die woorden betekenden. Zeker twee weken lang speelden we dat spel in elke pauze. Tot op een dag iemand op school kwam met een strook papier, die hij met behulp van zijn ouders thuis aan elkaar had geplakt en met een eindeloze reeks cijfers had beschreven. Zelfs meneer Olze, onze klassenleraar, kon het getal niet lezen. Toen was het spel afgelopen. Met de geruchten over de geplande deportaties gaat het net zo. Vijftienduizend, zei iemand vandaag. Het Joods Sprookjes Agentschap maakt overuren.

Er is nog iets anders wat aanleiding geeft tot eindeloze speculaties: alle voorstellingen in het getto zijn afgelast. Geen concerten, geen toneel. De carrousel draait niet meer. De betweters verklaren dat zo: na de nieuwe transporten zal geen enkel ensemble meer compleet zijn. Zelfs de doublures zullen ontbreken. Maar dat hoeft niet te kloppen. Misschien heeft het verbod niets met Theresienstadt te maken. Ook in het Rijk hebben ze de theaters gesloten. Dat heeft Olga opgevangen bij de Denen. De acteurs gaan allemaal naar het front, werd er gezegd. Wat waarschijnlijk betekent dat ze zich in uniform laten fotograferen. In een op maat gemaakt uniform. Ik ken mijn collega's.

We zitten in het laatste bedrijf. Dat lijdt geen twijfel. 'De rest is stilte.'

Films worden er in het Rijk nog steeds gemaakt, dat weet ik uit dezelfde bron. Het geeft me hoop. Als Theresienstadt wordt ontruimd, hebben ze mijn film zeker nodig. Om de wereld te bewijzen dat we er allemaal nog zijn.

De SS'ers – ook dat valt op – lopen alleen nog met z'n tweeën door het getto. Een nieuw voorschrift. Zouden ze verzet verwachten? Verzet waartegen? Van wie? Wij zijn uitgehongerd en verzwakt. En zelfs als ... Om ons te verslaan hoeven ze echt geen wapens te gebruiken. Geen gifgas. De geur van versgebakken brood is al genoeg. Die zouden we volgen als de ratten van Hameln.

Want de stukken brood worden steeds kleiner en de soep steeds dunner. 'De Duitsers raken door hun voorraden heen,' zeggen sommigen. Anderen verklaren het gebrek zo: 'De boekhouding was sneller dan de feiten. In hun schema's zijn we al met vijfduizend monden minder.' Of met tienduizend. Of met vijftienduizend. 'Jullie zullen het zien,' zeggen ze.

We zullen het zien.

We horen plotseling ook nieuwe geruchten over de toestanden in Auschwitz. Griezelverhalen die ik niet kan geloven. Niet wil geloven. Ook al zweren de mensen dat de informatie rechtstreeks van Murmelstein komt. Op de dag dat Rahm hem tot hoofd van de Raad van Oudsten maakte, moet hij gezegd hebben: 'Nu ben ik dus degene die de mensen de dood instuurt.' Iedereen beweert het uit absoluut betrouwbare bron te hebben, van iemand die er zelf bij was of in elk geval iemand kent die heel zeker weet ... Doet er niet toe. Angst heeft de fantasie altijd al bevleugeld. Natuurlijk zijn de nazi's misdadigers, maar voor zo'n massamoord zouden ze nooit genoeg handlangers vinden. Het zal wel neerkomen op werken onder onmenselijke omstandigheden, en natuurlijk overleeft niet iedereen dat. Dat is al erg genoeg, ook zonder dat we nog ergere dingen bedenken. Wat de mensen elkaar vertellen zou alleen al zuiver organisatorisch niet mogelijk zijn. Daarvoor zijn er veel te veel mensen gedeporteerd.

Ik ben al dagen bezig een lijst op te stellen van de mensen die ik in Westerbork en Theresienstadt heb gekend en die naar Auschwitz zijn gestuurd. Voordat ze de typemachine en het papier bij me ophaalden, heb ik stiekem een paar lege vellen tussen de bladzijden van het montagevoorstel gestopt. Ik heb ze gesluisd. Papier is kostbaar. Ik schrijf mijn lijst in heel kleine lettertjes, maar het ene vel na het andere raakt vol. Voor- en achterkant. Zoveel kunnen er toch niet dood zijn.

Of wel?

Olga vindt dat ik daarmee moet ophouden. 'Het is macaber,' zegt ze. Dus van toepassing op onze situatie. Sinds ze me een keer naar een concert heeft meegesleept, weet ik wat *Danse macabre* betekent.

Nee.

Nee. Nee.

Jawel.

Ik heb mijn oproep gekregen. De tekst voor mijn laatste scène. Op een smal strookje papier.

Wij moeten u bij dezen meedelen dat u bij het transport bent ingedeeld.

Bij dezen. Ambtelijke taal.

Moeten meedelen. Wij doen het niet zelf. Wij voeren alleen uit. Gedwongen door een anonieme macht. 'Hij zit daar te knippen met zijn reuzenschaar.' Wij moeten u alleen meedelen. U moet alleen gehoorzamen. *Dat u bij het transport bent ingedeeld.* Voltooide tijd. Het is al gebeurd en er is niets meer aan te doen. Pech gehad. En: *ingedeeld.* Een woord dat ook in het leger wordt gebruikt. De laatste keer dat ik het hoorde, was in de studio. Er was een nieuwe danseres bij de girls ingedeeld. Nu mag ook Kurt Gerron met de benen zwaaien.

Voor een snelle afwerking dient u tijdig op de verzamelplaats Lange Straat 5 te verschijnen.

Er bestaat geen Lange Straat. Dat is een misleidend woord, dat ze hebben ingevoerd voor de stadsverfraaiing. L 3 betekent het. *U dient in L 3-05 te verschijnen.* In de Hamburger kazerne. In de sluis. *Voor een snelle afwerking.* In een revuesketch moest ik een keer zeggen: 'Ik voelde me op het kantoor net een spoedpakket, zo snel werd ik afgewerkt.'

Na ontvangst van deze oproep dient u terstond uw bagage in gereedheid te brengen. Ik zal voor mijn kleerkast gaan staan en een keuze maken uit mijn twintig pakken. Zal ik de zijden overhemden inpakken of toch liever de geborduurde?

Bagage mag alleen worden meegenomen in een bij het werk passende, zo beperkt mogelijke omvang.

Welk werk? Wat voor werk doe je in Auschwitz? Ja, ik weet waar we heen gaan, ook al noemen ze de naam niet. Die noemen ze nooit. Zoals het ook geen deportatie is waarvoor ze me oproepen. Alleen *overbrenging naar een ander verzorgingsgetto.*

Verzorgingsgetto. Wie nieuwe woorden verzint, wil liegen.

... in een bij het werk passende, zo beperkt mogelijke omvang ...

Ik kan mijn omvang niet nog meer beperken. Ik zwem nu al in mijn broek. Alsof hij voor twee Gerrons is gemaakt.

Alleen door uzelf te dragen handbagage, met ondergoed, dekens enz.

Mijn deken hebben ze gestolen toen ik in Theresienstadt aankwam. Een donzen deken, waar je heerlijk onder kon kruipen. Die je warm hield. Nu heb ik alleen nog mijn meelzakken. SCHLEUSENMÜHLE. Zal ik ze inpakken of is dat diefstal van rijkseigendom? Misschien zelfs sabotage? Maar wat voor straf staat daarop? Transport?

Naar wat er de laatste tijd over Auschwitz wordt verteld, moet het aangenamer zijn om in de Kleine Vesting doodgeschoten te worden.

Door uzelf te dragen handbagage. Voorzien van het transportnummer. Een zaak voor de bagageleider. Mijn draaiboekschrijver maakt zich weer vrolijk.

De bagage dient door uzelf naar de sluis te worden meegebracht. En ik wilde net een kruier laten komen. In een mooi uniform. Ik wilde mijn butler vragen er op het Anhalter Bahnhof een voor me te bestellen.

Marsbepakking. Gevechtsbepakking. Tegenspreken heeft geen zin.

Om maatregelen van overheidswege te voorkomen is een stipte verschijning absoluut noodzakelijk.

Dat bedoelde Murmelstein toen hij over discipline schreef. Rust en orde. *Een stipte verschijning.* De dienstregeling mag niet in de war gestuurd worden.

Ik heb een nieuw nummer gekregen. Ik ben nu niet meer XXIV/4-247. Dat was ik toen ik aankwam. Nu ben ik XXXI/621. Ze hebben me bevorderd.

Ze zullen me nog verder bevorderen.

XXXI/621. De zeshonderdeenentwintigste in het eenendertigste transport. Geen hoog nummer waarmee je alleen reserve bent. Alleen mee moet als anderen uitvallen. Met 621 ben je er altijd bij.

Ze hebben er een kartonnen nummerbord bij gedaan. Een stuk touw, zodat ik het om mijn hals kan hangen. Ik hoor nu bij de genummerden. Bij de mensen van wie het getal is getrokken. Bij de loterijwinnaars.

Ik zal geen bezwaarschrift indienen. Ik zal erheen gaan en instappen. Als ik me verzet, merken ze misschien dat Olga geen oproep heeft gehad. Meestal worden echtparen samen afgevoerd. Ik mag haar niet in gevaar brengen. Dat is het laatste wat ik nog voor haar kan doen.

Ze zijn Olga niet vergeten. Ze hebben haar de oproep op het werk bezorgd. Speciaal een koerier gestuurd. De Gerrons schijnen belangrijk voor hen te zijn.

Olga kwam terug in ons kumbal, ging op haar stoel zitten en zei: 'We moeten iets doen.' Het was niet haar stem. Plaatopnamen klinken zo.

Ze huilde niet. Of toch wel? Haar ogen waren droog. Misschien had ze geen tranen meer.

'We moeten iets doen,' zei ze. Zonder hoop. Zoals je na een ongeluk zegt: 'Dat kan niet waar zijn.' En toch weet dat het waar is.

Ik heb geprobeerd bij Murmelstein toegelaten te worden. Iedereen heeft geprobeerd bij Murmelstein toegelaten te worden. Hij heeft me niet ontvangen. Hij liet me weten dat een gesprek geen zin had. Op namen die rechtstreeks door het bureau van de commandant op de lijst werden gezet, kon het hoofd van de Raad van Oudsten volgens hem geen invloed uitoefenen.

Rechtstreeks door het bureau van de commandant? Dat bestaat niet. Ze moeten op het centraal secretariaat iets verkeerd begrepen hebben. De film is toch nog niet gemonteerd.

Ik zou met Rahm moeten praten als dat mogelijk was. Als ik gewoon naar hem toe kon gaan en op zijn deur kon kloppen. Ik zou met de goede God moeten praten als hij bestond. Met de duivel.

Soms, zo wordt er verteld, komt Rahm vlak voordat de trein arriveert naar de sluis, en als je hem dan aanspreekt – het schijnt voorgekomen te zijn – laat hij deze of gene weer lopen. Op het laatste moment. En stuurt in plaats daarvan iemand van de reservelijst op reis. Een van degenen met een nummer van vier cijfers. Die zich al veilig voelde. Een transport bestaat uit exact duizend mensen. Eén voor elk jaar van hun Rijk. Ze houden van ronde getallen.

Rahm heeft me nog nodig. Ik heb een montagevoorstel gemaakt en dat voorstel is goed. Ik zal hem aanspreken en dan zet hij de vergissing recht.

Als het geen vergissing is, krijg ik een pak slaag.

Doet er niet toe.

Niemand laat een film onaf liggen. Hugenberg wilde zelfs Peter Lorre naar Berlijn terughalen om verder te kunnen filmen. Ze hebben me nodig.

Als ik uit de Maagdenburger kazerne terugkom, zit Olga nog steeds op dezelfde plaats. Alsof ze zich niet heeft verroerd. Maar nu draagt ze het kartonnen bord met haar nummer om haar hals. XXXI/622.

Morgenochtend om negen uur moeten we er zijn. In de sluis. *Een stipte verschijning is absoluut noodzakelijk. Om maatregelen van overheidswege te voorkomen.*

Ik zal geen koffer pakken. Dat zou betekenen dat ik het heb opgegeven. De SCHLEUSENMÜHLE-deken laat ik op bed liggen. We zullen in ons kumbal terugkeren. Het kan gewoon niet anders. Ik ben Kurt Gerron en de film moet af.

Alleen mijn lege sigarenetui steek ik in mijn zak. Vanwege de geur.

Olga vraagt niet of ik iets heb bereikt. Ik hang ook mijn kartonnen bord om mijn hals en ga tegenover haar op de kruk zitten. 621 en 622. We kijken elkaar aan.

Achter haar, op de plank aan de muur, staat de verdorde roos in het conservenblik. Daarnaast ligt de keiharde snee brood. Mijn orde van verdienste. Die neem ik misschien mee.

Een vreemd gevoel dat het vandaag misschien onze laatste dag in deze kamer is. Dat we niet weten of we nog eens zoiets luxueus krijgen. Een stapelbed. Twee stoelen. Twee margarinekisten. VYNIKAJÍCÍ KVALITY.

Onze laatste dag? Dat mag ik niet eens denken. De vergissing zal opgehelderd worden. We zullen terugkeren. En dankbaar zijn voor de stank van de latrine.

'Ik ga nu pakken,' zegt Olga. Maar ze blijft zitten.

Haar stekeltjeshaar begint grijs te worden. Dat is me nog niet eerder opgevallen. Het speelt geen rol. Ze is mijn prachtige Olga. XXXI/622.

'Ik hou van je,' wil ik zeggen. De woorden weigeren zich te vormen in mijn mond. In plaats daarvan begin ik te neuriën. Ze herkent de melodie en even glijdt er iets over haar gezicht wat bijna een glimlach was geworden. Een doodgeboren glimlach.

'Als de egels in het avonduur stil op jacht naar muizen gaan.'

Olga probeert in te vallen, maar het wil haar niet lukken. In plaats daarvan kan ze eindelijk huilen. Dat is goed. Ik ga naar haar toe en sla mijn arm om haar heen.

'Anna-Luise,' neurie ik.

'Anna-Luise.'

We zitten in de sluis op de trein te wachten. Tot nu toe heeft Rahm zich niet laten zien. Niemand van de SS.

Een grote zaal. Ramen zonder tralies. Je zou naar buiten kunnen klimmen als er een doel was om naartoe te vluchten.

Langs de muren lege rekken. Sommige mensen hebben er hun koffer in gezet. Van de rest van de inrichting is op de grond een wegenkaart van sporen overgebleven. Hier zou ooit het kledingmagazijn geweest kunnen zijn. Het gereedschapsdepot. Een bewaarplaats voor verbruiksgoederen.

Toepasselijk.

Ze hebben banken neergezet. We zitten in lange rijen. Wachten. De duizend die voor het transport zijn opgeroepen. En de reserve. Ieder met zijn transportnummer om zijn hals. Er wordt weinig gepraat. Er valt niets meer te zeggen. Wie het toch doet, fluistert. Zoals bij een uitvaartdienst, als voorin de kist staat.

In het theater vond ik elk slotstuk te lang. Als je weet hoe het afloopt, zou het doek moeten vallen.

Olga en ik hebben meer plaats dan de meeste anderen. Er wil niemand naast ons komen zitten. Ik ben melaats geworden. De film heeft me melaats gemaakt. Omdat ik hem heb opgenomen en de transporten toch weer zijn begonnen. De mensen kijken langs me heen. Net als toen in de trein naar Ellecom. Ze generen zich voor me.

Otto Wallburg is ook hier. We hebben samen veel meegemaakt. Nu is hij een eind van me vandaan gaan zitten en doet of hij me niet kent. Ik kan het hem niet kwalijk nemen. Ik zou mezelf ook niet willen kennen.

We weten niet hoe lang we moeten wachten. Vanmiddag ging het gerucht dat er helemaal geen trein meer kwam. Ze zouden niet meer kunnen rijden. Het front zou al te dichtbij zijn. Ik geloof het niet. De treinen rijden altijd.

Olga heeft haar hoofd op mijn schouder gelegd en haar ogen dichtgedaan. Ik moet geloven dat ze in slaap is gevallen. Ze wil niet met me hoeven praten.

Pal tegenover me zit een oude man. Met een open, tandeloze mond. Hij beweegt zijn hoofd heen en weer, in een voortdurende hopeloze ontkenning. Heen en weer. Ik kan een gezicht zien en er onmiddellijk een verhaal bij bedenken. Uit een simpele lichaamshouding een heel karakter afleiden. Dat hoort bij mijn vak. Dat hoort bij mij.

Die man: koning Lear, vijfde bedrijf. De oude Lear bij het lijk van Cordelia. Hij heeft het verschrikkelijke bericht ontvangen en wil het niet geloven. Daarom schudt hij zijn hoofd.

Of hij is dronken. Een magere, oud geworden Falstaff. Zit in de kroeg. Er wordt muziek gemaakt en in zijn roes voelt hij de maat. Daarom beweegt hij zijn hoofd heen en weer.

Of...

Misschien is hij helemaal niet oud. Niet ouder dan ik. Misschien komen die rimpels in zijn gezicht van een ziekte. Misschien is hij door de honger zo mager geworden. Zijn tanden zijn niet uitgevallen, maar iemand heeft ze uit zijn mond geslagen. Zomaar voor de lol, omdat hij toevallig een knuppel bij de hand had.

Doet er niet toe.

Ook de valse rabbi is er. Met zijn laken om zijn schouders. Zijn gebedssjaal. De enige met een gelukkig gezicht. Daarnet danste hij zelfs. 'Wees blij!' riep hij. 'Juich! Weldra zullen jullie bij God zijn.' *Nader mijn God tot u*. Dat werd op de *Titanic* gespeeld. Eerst probeerden de mensen hem tot zwijgen te brengen, maar nu hij aan het bidden is geslagen, bidden ze allemaal mee. In die taal waarvan ze denken dat hij heilig is omdat ze hem niet begrijpen. Een paar slaan zich op de borst. Alsof ze zelf schuld hebben aan wat hun wordt aangedaan. Ze praten met de goede God, die niet bestaat. Een dialoog zonder partner.

Papa zou hen hebben uitgelachen. Ik benijd hen.

Vandaag is het 28 oktober 1944. Zijn vijfenzeventigste verjaardag.

Dokter Springer heeft aangeboden me ongeschikt voor transport te verklaren en in de isoleerafdeling te verstoppen. Waar de SS uit angst voor besmetting niet komt. Maar dat was maar voor één persoon mogelijk, zei hij. Bij een echtpaar zou het opvallen. Voor Olga wist hij geen raad, hoezeer het hem ook speet. 'Ik heb Hertha Ungar ook niet kunnen redden,' zei hij.

Ik heb hem bedankt en het aanbod afgeslagen. Zonder Olga? Wat zou ik eraan hebben om hier te blijven?

'Als ik verder iets voor u kan doen?' vroeg hij. Ik begreep wat hij bedoelde, maar ik neem geen vergif. Als ze me van kant willen maken, moeten ze dat zelf doen.

We wachten op de trein. Hopen dat hij nooit zal komen en zijn toch ongeduldig. De mens is een eigenaardig wezen.

Rahm is toch nog naar de sluis gekomen, maar hij heeft me genegeerd. Hij wilde me niet kennen. Op het perron ben ik naar de dienstdoende SS'er gegaan en heb geprobeerd hem uit te leggen dat het een vergissing moet zijn. Dat ik nog nodig ben. Omdat de film niet af is. 'Het materiaal moet nog worden gemonteerd en van muziek voorzien,' zei ik tegen hem.

Hij hoorde mijn bezwaren heel rustig aan en keek toen op de lijst. Hij liet me beide namen zien. Nummer 621: Kurt Gerson, genoemd Gerron. Nummer 622: Olga Gerson. Naast mijn naam stond een stempel op de lijst. Twee letters: T.O. Terugkeer ongewenst. 'De Obersturmführer weet wat hij doet,' zei hij. Toen ramde hij zijn knie in mijn onderlijf.

Al kijkt iedereen me nu verwijtend aan: ik ben niet voor hem op mijn knieën gevallen. Ik heb niet gesmeekt. Hij gaf me een kniestoot. Ik ben in elkaar gezakt. Niets bijzonders. Niets waarvoor ik me zou moeten schamen.

Hij deed of hij verrast was. 'Doet het pijn?' vroeg hij. 'Vreemd, want je hebt toch geen ballen?'

Toen ik me weer kon bewegen, ben ik in de wagon geklommen. 8 PAARDEN OF 40 MAN. We zijn minstens met z'n zestigen. Zo goed en zo kwaad als het gaat proberen we het contact met onze buurman te vermijden. Ik weet niet wat dat moet worden als de trein eenmaal rijdt.

Olga en ik zitten vlak naast de waterton. Gewilde plaatsen. We kunnen leunen. Ik weet niet of dat een laatste restje van onze privileges is of dat de mensen plaats voor ons hebben gemaakt omdat ze van me walgen. Omdat het me niet is gelukt een held te zijn.

Ik heb in onze wagon geen bekend gezicht ontdekt en daar ben ik blij om. De enige die ik herkende, is de oude man uit de sluis. Koning Lear. Falstaff. Hij is niet gaan zitten, maar ligt plat op de grond. Misschien is hij dood.

Doet er niet toe.

Friedemann Knobeloch had gelijk: alleen de eerste dode vergeet je nooit.

Op een keer – het moet in de derde of vierde klas van het gymnasium geweest zijn – waren Kalle en ik van school op weg naar huis, toen we midden in de drukte voor station Tiergarten een duif op de grond zagen liggen. Er was geen wond te bekennen, maar hij bewoog nauwelijks meer. Hij liet zich zonder verzet oppakken. We droegen hem om beurten, ik tien passen en hij tien passen. We bleven dan telkens staan en gaven het roerloze lijfje over aan de ander. Met een natuurlijke plechtigheid waarvoor we niet eens een verhaal hoefden te bedenken. Door de veren konden we het kleine hartje voelen kloppen. In mijn herinnering heeft het een menselijk ritme. Hoewel ik van de vergelijkende anatomie weet dat vogelharten veel sneller kloppen.

In Kalles kamer richtten we een ziekenafdeling in. Mama zou zoiets smerigs als een zieke vogel nooit in haar woning geduld hebben. Een bed van krantensnippers in een schoenendoos. Het SALAMANDER-opschrift met de ongewoon gevormde N, die eruitzag als een A, maar dan zonder dwarsstreep. We probeerden de duif te voeren. Sneden huiverend een regenworm in voor een snavel geschikte porties. Hij toonde geen belangstelling.

De volgende morgen leefde hij nog een heel klein beetje. Daarna hield hij voorgoed op met bewegen. We begroeven hem in Tiergarten en ik hield vast een toespraak, als dominee of rabbijn of iets anders belangrijks. Dat weet ik niet meer.

Mijn herinnering houdt op bij het moment dat we definitief moesten toegeven dat de vogel dood was. De eerste keer doet het nog pijn.

Later gooi je het op een akkoordje met de dood. Als de tragedies in serie worden gespeeld, kijk je op een gegeven moment niet meer.

Vanaf het einde van de trein nadert een geluid dat ik nog ken uit mijn diensttijd. De ene deur na de andere slaat met een klik dicht. Metaal op metaal.

Toen het gekkentransport uit Westerbork vertrok – ik weet niet meer wie me dat toen heeft verteld –, toen al die uit hun tehuizen gehaalde geesteszieken werden afgevoerd, viel hun gewoon niet aan het verstand te brengen dat ze bij het sluiten van de deuren op hun vingers moesten letten. Zo enthousiast waren ze dat ze op reis mochten. Ze zwaaiden en lachten. Steeds weer werden hun vingers van de deurpost gehaald en steeds weer staken ze ze naar buiten. Tot de deuren gewoon werden dichtgeslagen. Metaal op metaal.

Het is donker geworden in de wagon. Ook al is het niet te horen, ik weet dat ze nu buiten een loodje aanbrengen. Zodat niemand ons kan stelen.

Olga heeft haar ogen stijf dichtgeknepen. Ze wil niet meer wakker zijn.

Ik hoor de locomotief fluiten. Voel de schok als we ons in beweging zetten.

'We rijden met de trein, tjoeke tjoeke tjoek, we rijden met de trein, wie rijdt er mee?'

Buiten is het nog steeds dag, maar in de wagon valt nauwelijks licht. Langs de kleine getraliede opening helemaal bovenin schieten verticale strepen, bomen of elektriciteitspalen, en daardoor lijkt het beeld te trillen. Een interessant effect, denk ik bij mezelf. Dat mechanisme in mijn hoofd valt ook nu niet uit te schakelen.

Wanneer in een geluidsfilm iemand met de trein rijdt, ratelen de wielen altijd heel gelijkmatig. RataTAT, rataTAT, rataTAT. Je kunt er muziek op componeren.

Nu ik op de grond zit en elke klap van de rails door mijn hele lijf voel gaan, valt er geen duidelijk ritme in te beluisteren. Omdat hier in het protectoraat – of zijn we al in Polen? – de rails niet behoorlijk aan elkaar zijn gelast. Bij ons in Duitsland zou dat anders zijn, denk ik. Bij ons in Duitsland! Een goede grap.

Ha, ha, ha.

Onze 8/40'er is van de Rijksspoorwegen. De hele trein is van de Rijksspoorwegen. Het stond keurig op elke wagon. Met pas geschilderde letters. Waarschijnlijk zijn de wagons nog maar net gegermaniseerd. Evenals de rest van Europa.

De landkaart hebben ze ook van een nieuw opschrift voorzien.

In de wagon ruikt het naar oud stro en verse urine. Naar stront en bedreiging. Zoals in de dierentuin bij de roofdieren. Of in het circus.

In het Colosseum moet het ook zo hebben geroken. Waar de veroordeelden zich onderpisten van angst als ze de arena in werden gedreven. Waar zich geregeld iemand probeerde op te hangen, voordat ze de wilde dieren op hem konden loslaten. Maar dat maakten ze hem onmogelijk omdat anders de getallen op de lijst niet hadden geklopt. De oude Romeinen waren ordelijke mensen.

Boekhouders.

In de cellen in de kelder zullen niet alleen gevangenen gezeten hebben, maar ook een figurantenleider. Die ging vooraan staan, klapte in zijn handen en deed een mededeling. 'Dus, luister goed! Zodra het hek omhoog wordt getrokken, marcheren jullie naar binnen. In ordelijke rijen. Dan maken jullie een buiging voor de ereloge en roepen in koor: "Morituri te salutant." Denk eraan, mensen, dit is jullie grote moment.'

Dit is ons grote moment.

De toneelinrichting heeft de laatste tweeduizend jaar vooruitgang geboekt. De bezetting van de massascènes is groter geworden. En het zijn niet meer de christenen die door de leeuwen worden opgevreten.

Maar verder?

Toen moet het precies zo hebben geroken. Precies zo.

Als er in het oude Rome al bioscopen waren geweest, had de keizer vast een film over zijn circusspelen laten maken. Als aandenken. 'Maar laat het bloed weg,' zou hij tegen de regisseur hebben gezegd. 'Dat willen de mensen niet zien.'

Niet in de bioscoop.

In Praag monteert Pečený nu waarschijnlijk mijn film. Ze zullen hem vertonen en mijn naam zal nergens staan. Er zal ook niemand naar vragen. Ik heb nooit bestaan.

Voor de kleine raamopening tillen twee mannen een derde op. Ik zie zijn arm als een silhouet. Hij schuift een briefje door het raam. Een hulpkreet. Of een bericht over wat er met ons gebeurt.

Wat zouden ze geschreven hebben? Hun namen zullen erop staan. Zoals op elke behoorlijke grafsteen. Dan en dan geboren, dan en dan gestorven. Op een dag meer of minder komt het niet aan.

En iets dramatisch. 'Red ons!' Of: 'Vergeet ons niet!' Het een noch het ander zal enig effect hebben. Niemand interesseert zich voor ons.

Misschien als ze mijn naam erop hadden geschreven. Die de mensen kennen van de filmplakkaten. Ze spraken me op straat aan en vroegen om een handtekening. Ik ben iemand.

Ik was iemand.

Misschien als de mensen wisten dat ik in deze trein zit. Hun lieveling. Die sympathieke dikzak. Dat ik hier op de smerige vloer zit, met één been gebogen omdat er geen plaats is om ze allebei te strekken, met mijn rug tegen een waterton. Misschien zouden ze dan reageren.

Maar de films waarin ik heb gespeeld zijn allang verboden, en toneelvoorstellingen zijn de mensen al vergeten als ze bij de garderobe in de rij staan voor hun bontjas.

Ik ben verleden tijd. Zelfs als ze mijn hele verhaal opschreven – niemand zou het geloven.

Maar het was zo.

Veel in deze roman is verzonnen. Dit helaas niet: op 30 oktober 1944 werden Kurt Gerron en zijn vrouw Olga in Auschwitz vermoord. Drie dagen later werd het vergassen definitief gestaakt.

De film over Theresienstadt werd gemonteerd en van muziek voorzien door Ivan Fric.

Oorspronkelijke titels